BRÈVE HISTOIRE
SOCIO-ÉCONOMIQUE DU QUÉBEC

John A. Dickinson • Brian Young

BRÈVE HISTOIRE
SOCIO-ÉCONOMIQUE DU QUÉBEC

QUATRIÈME ÉDITION

Traduit de l'anglais par Hélène Filion
avec la collaboration de Louise Côté, Louise Chabot,
Anne-Hélène Kerbiriou et Michel de Lorimier

Pour effectuer une recherche libre par mot-clé à l'intérieur de cet ouvrage, rendez-vous sur notre site Internet au www.septentrion.qc.ca

Les éditions du Septentrion remercient le Conseil des Arts du Canada et la Société de développement des entreprises culturelles du Québec (SODEC) pour le soutien accordé à leur programme d'édition, ainsi que le gouvernement du Québec pour son Programme de crédit d'impôt pour l'édition de livres. Nous reconnaissons également l'aide financière du gouvernement du Canada par l'entremise du Fonds du livre du Canada (FLC) pour nos activités d'édition.

Illustration de la couverture: Adrien Hébert, *Le Port de Montréal*, 1925. Musée des beaux-arts de Montréal, achat dons de Maurice Corbeil et Nahum Gelber. Photo: Musée des beaux-arts de Montréal, Denis Farley.

Révision: Solange Deschênes

Mise en pages: Folio infographie

Si vous désirez être tenu au courant des publications
des ÉDITIONS DU SEPTENTRION
vous pouvez nous écrire par courrier,
par courriel à sept@septentrion.qc.ca,
par télécopieur au 418 527-4978
ou consulter notre catalogue sur Internet:
www.septentrion.qc.ca

1300, av. Maguire
Québec (Québec)
G1T 1Z3

Dépôt légal:
Bibliothèque et Archives
nationales du Québec, 2009
ISBN papier: 978-2-89448-602-3
ISBN PDF: 978-2-89664-542-8

Diffusion au Canada:
Diffusion Dimedia
539, boul. Lebeau
Saint-Laurent (Québec)
H4N 1S2

Ventes en Europe:
Distribution du Nouveau Monde
30, rue Gay-Lussac
75005 Paris

Préface

IL PEUT PARAÎTRE TÉMÉRAIRE, pour deux anglophones nés ailleurs au Canada, d'écrire une histoire du Québec. Toutefois, ayant choisi consciemment de travailler au Québec en enseignant l'histoire nationale à l'Université de Montréal et à McGill, nous estimons nous être intégrés à la société québécoise ; et nous espérons contribuer à mieux faire comprendre le cheminement du Québec en offrant une perspective originale.

Le dépôt du manuscrit de la première mouture de ce livre coïncidait avec le décès de René Lévesque en novembre 1987, alors que le mouvement qu'il avait créé semblait en perte de vitesse et qu'une vague conservatrice balayait le monde occidental. Seize ans plus tard, les Québécois demeurent ambivalents quant à l'option souverainiste et au modèle québécois que Lévesque a contribué à mettre en place.

Les préoccupations d'histoire sociale — statut économique, classe, genre, origine ethnique — demeurent au cœur de cet ouvrage et de notre interprétation de l'histoire du Québec. Les événements récents ont confirmé la justesse de cette optique avec la poussée de la mondialisation et la fragilisation de l'État-providence qui met en question l'héritage de la Révolution tranquille.

La perception de la modernité a été modifiée en profondeur. Des intellectuels tels Guy Rocher ont mis en doute le caractère révolutionnaire de la Révolution tranquille et considèrent que le Québec est devenu, au cours des années 1960, une démocratie moderne à la Tocqueville où une bourgeoisie a imposé des réformes qui lui convenaient (Rocher, 2001 : 28). En niant le caractère révolutionnaire de cette transformation, il est plus facile de décrire le Québec comme une société « normale » cheminant dans le sillon des autres démocraties de l'Amérique. Cette problématique et le concept d'américanité sont au cœur de nouvelles interprétations du passé québécois notamment dans les ouvrages de Gérard Bouchard (2000) et Yvan Lamonde (2000a).

Nous sommes réticents à accepter cette interprétation qui minimise l'identité particulière du Québec comme le font remarquer Jacques Beauchemin (2002) et

Ronald Rudin (1998) entre autres. Le passé québécois fut marqué par des institutions particulières, une culture distincte et des rivalités ethniques issues de la conquête d'un peuple d'origine européenne par un autre. Le Québec d'aujourd'hui se démarque du reste de l'Amérique du Nord par l'utilisation d'instruments tels le Fonds de solidarité et la Caisse de dépôt pour soutenir le modèle québécois. Il se distingue également par la présence d'une minorité anglophone encore puissante et par une proportion relativement faible d'immigrants récents, surtout en dehors de la région métropolitaine.

Nous collaborons ensemble depuis une vingtaine d'années et nos discussions les plus vives ont tourné autour de la question nationale et l'éventuelle indépendance du Québec. Le référendum de 1995 tient la première place dans les événements marquants des dernières années. Le faible écart entre les deux options et les remarques de Jacques Parizeau sur la responsabilité des voix ethniques dans la défaite nous ont incités à accorder plus de place à la question nationale et à la vie politique dans cette édition.

Un des aspects les plus originaux de notre contribution est sa périodisation. Dans cette édition, nous avons découpé la période contemporaine en deux, car il nous semblait que les grandes questions issues de la Révolution tranquille – la primauté du français, le contrôle de l'économie du Québec par une bourgeoisie d'affaires francophone, une nouvelle transition démographique, l'affirmation et la modernisation de l'État — avaient été résolues vers 1985, alors que de nouvelles préoccupations émergeaient — le défi du sida, le vieillissement de la population, le néo-libéralisme économique, l'intégration nord-américaine, par exemple. L'échec du référendum de 1980 et le rapatriement de la constitution en 1982 ont créé un nouvel environnement politique. Depuis, la mise en question du modèle québécois de développement et les difficultés des systèmes de santé et d'éducation à répondre aux attentes de la population demandaient qu'on s'y attarde.

Notre vision de l'histoire du Québec fait fi des barrières chronologiques traditionnelles pour déterminer les lignes de force de l'évolution socio-économique. De fil en aiguille à travers trois éditions anglaises et deux éditions françaises, cette vision s'est précisée et nous estimons qu'elle peut contribuer à mieux faire comprendre les défis du Québec contemporain. Denis Vaugeois étant de notre avis, nous avons accueilli avec joie la possibilité de produire une nouvelle édition française.

Depuis la parution de la première édition anglaise en 1988, nous avons bénéficié de nombreux commentaires et mises au point de la part de collègues, amis et étudiants qui nous ont permis de réajuster notre tir, de corriger des erreurs de fait et de nuancer des interprétations. Nous les en remercions. L'équipe de traducteurs mérite aussi notre gratitude.

JOHN A. DICKINSON BRIAN YOUNG

Introduction

Rédiger une synthèse de l'histoire du Québec, et surtout une synthèse qui se veut concise et abordable, implique des choix de la part des auteurs. Ne pouvant couvrir tous les aspects d'un si vaste sujet, comme l'ont fait Paul-André Linteau, René Durocher, Jean-Claude Robert et François Ricard pour la période contemporaine, il a fallu définir un fil conducteur qui donnerait une certaine unité à notre interprétation du passé québécois. Dans son ouvrage *Visions nationales. Une histoire du Québec* (1986), Susan Mann Trofimenkoff a opté pour une approche sociale qui met l'accent sur les idéologies et l'expérience des femmes. Notre ouvrage se veut complémentaire à son approche, et nous avons cherché à interpréter l'histoire du Québec à travers une grille d'analyse socio-économique qui propose une nouvelle approche théorique et entraîne une réévaluation de la périodisation traditionnelle.

Notre interprétation se trouve au centre d'un débat historiographique depuis que Ronald Rudin (1995) nous a qualifiés avec d'autres d'historiens de « révisionnistes » qui avaient négligé l'importance du catholicisme au profit des conditions matérielles afin de décrire le Québec comme une société nord-américaine « normale ». Nous pensons toujours que les forces économiques, la classe sociale, le genre et la race sont au cœur de l'expérience québécoise. Nous espérons que le public conviendra que nous accordons la place qui lui revient aux dimensions ethniques et religieuses en insistant sur la spécificité du Québec plutôt que son « américanité » (Bouchard 2000, Lamonde 2000).

Notre étude est une histoire de la population du Québec. Même si nous prenons soin de situer le Québec dans son contexte nord-américain et atlantique, notre perspective est québécoise et non canadienne. Toutefois, nous évitons de traiter le Québec comme un ensemble monolithique en insistant sur les différences régionales, ethniques et de classes sociales : l'expérience des Gaspésiens, par exemple, n'a rien à voir avec celle des habitants de la plaine de Montréal. Des variations dans les parlers et dans les structures économiques et sociales différencient les francophones du Saguenay et de l'Estrie, tandis qu'un gouffre social

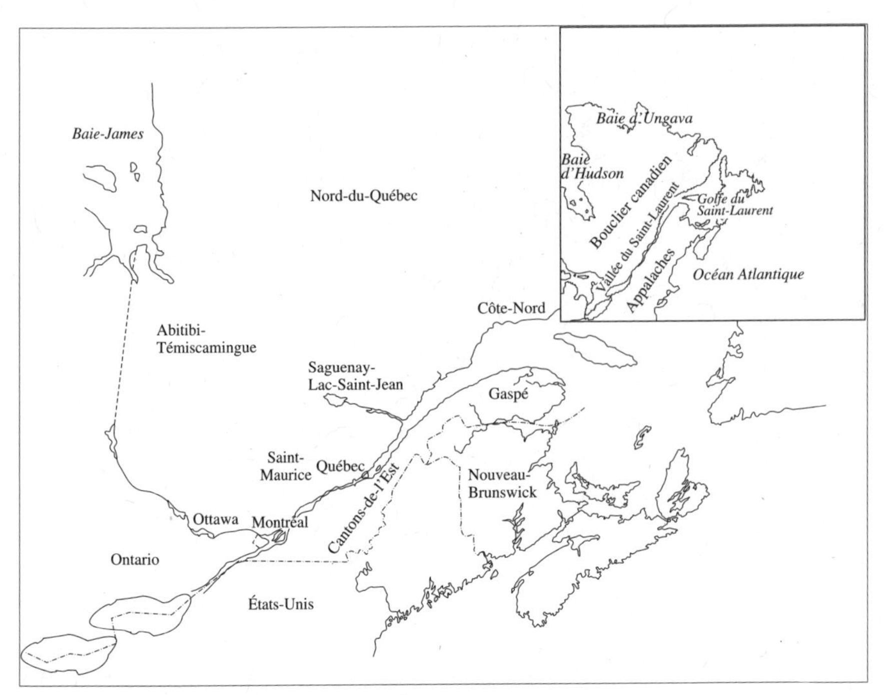

Le Québec : caractérisques physiques et régionales.

énorme existe entre l'ouvrier qui assemble des motoneiges à Valcourt et les membres de la famille Bombardier, malgré un héritage culturel commun. De par sa composition ethnique et les structures du capitalisme moderne, Montréal constitue un cas d'espèce au XXe siècle.

Les nouvelles problématiques en histoire socio-économique forcent les historiens à réfléchir sur leur concept de périodisation, de continuité et de rupture. Sans vouloir nier ou amoindrir l'importance d'événements politiques comme la Conquête ou la Confédération, nous les avons subordonnés à une trame socio-économique qui les place dans leur contexte et contribue à les expliquer dans une perspective de longue durée, malheureusement absente de nombreuses discussions contemporaines. Notre perspective s'apparente à celle adoptée par Gilles Paquet et Jean-Pierre Wallot (1982), mais avec des différences significatives. Une première période dominée par les réseaux d'échanges autochtones persiste jusqu'en 1650 alors que se met en place une société préindustrielle. Vers les années 1810, commence la transition vers une socioéconomie capitaliste, phase qui se termine dans les années 1880. Les grands conglomérats ayant une intégration verticale et horizontale dominent la scène économique jusqu'à la crise des années 1930. Alors commence une période de modernisation qui culmine avec la Révolution tranquille des années 1960 et la naissance du Québec contemporain.

Comme les ruptures ne sont jamais nettes, les frontières chronologiques constituent tout autant des indicateurs pour baliser la route que des charnières décisives. De chaque côté des décennies repères, coexistent différents stades de développement économique qui répondent à des rationalités qui leur sont propres. Par exemple, la persistance d'économies régionales suivant le mode préindustriel est une caractéristique du capitalisme industriel.

Vus sous l'angle des rapports socio-économiques, les événements politiques deviennent seulement un élément de transformations structurelles plus profondes. La Confédération, par exemple, doit être analysée dans le contexte de l'industrialisation, de l'institutionnalisation et de la formation de l'État. Cette option implique des choix idéologiques. La propriété et les autres manifestations du pouvoir économique, le droit, les structures sociales, les institutions et les rapports sociaux entre les sexes sont au cœur de notre ouvrage et prévalent sur la politique, la culture et les idéologies, dont le nationalisme. Ces derniers sont des éléments des premiers, mais ils ne déterminent ni notre interprétation ni notre choix de périodisation.

Avant 1650, l'histoire du Québec est dominée par les peuples autochtones, leur mode de vie, leurs croyances, leur occupation du territoire, leurs conceptions des rapports sociaux et leurs réseaux d'échanges fondés sur le troc ; des éléments que les colonisateurs français étaient incapables de modifier ou de maîtriser. L'expérience des premiers colons qui débarquèrent en Nouvelle-France est subordonnée à celle des Amérindiens. Ceux-ci fournissaient la main-d'œuvre, les connaissances techniques et les matières premières qui permettaient aux Français de survivre dans un environnement étranger et hostile. Même si le développement des pêcheries et de la traite des fourrures explique les liens entre la Nouvelle-France et l'économie atlantique, nous privilégions les sociétés autochtones et insistons sur l'importance des économies locales comme élément fondamental dans l'interprétation de l'évolution de la socio-économie québécoise de cette période.

La prise en main de l'administration coloniale par Louis XIV en 1663 est normalement perçue comme le premier tournant marquant dans l'histoire de la Nouvelle-France. Selon notre interprétation, les changements fondamentaux s'opèrent dans la décennie des années 1650. Les populations autochtones furent décimées par la maladie pendant les années 1630, et par la guerre au cours de la décennie qui suivit. Vers 1650, les nations de l'alliance laurentienne durent chercher refuge auprès des postes français ou fuir vers l'intérieur du continent. La déstructuration du monde huron en 1649-1650 anéantit pour un temps le réseau commercial de traite, base de l'économie coloniale. Devant l'écroulement de leur monde familier, les rescapés autochtones se tournèrent pour la première fois vers les Français et leur religion.

Les années 1650 marquent également les véritables débuts d'une société préindustrielle de type européen dans la vallée laurentienne. La population fit plus que doubler entre 1650 et 1660 alors qu'un nombre croissant d'engagés optèrent définitivement pour la Nouvelle-France. Cette immigration se maintint tout au long de la première décennie du régime royal. Certes, le taux de masculinité très élevé fut une source de déséquilibre jusqu'aux environs de 1680, mais une société fondée sur des valeurs et une mentalité européennes prit forme. La concession de centaines de rotures dès les années 1650-1655 assura les fondements géographiques et légaux du régime seigneurial. Le Conseil (formé en 1647) et la Sénéchaussée (créée en 1651) furent les précurseurs des institutions administratives et judiciaires implantées après le début du régime royal. Une Église coloniale s'occupa résolument de la population d'origine européenne vers la fin des années 1650. Le commerce des fourrures demeura l'activité économique fondamentale de la colonie, mais la disparition des intermédiaires amérindiens poussa les Français à se lancer à la conquête de nouveaux marchés pour les articles de traite, et ils réussirent à dominer les réseaux commerciaux.

Nous estimons que des changements importants se manifestent plutôt à partir des années 1810 que dans les années 1840, voire dans les années 1850, au cours desquelles le décollage des indices de production marque la transition vers le capitalisme industriel. Dans le domaine des procès de travail, la tendance en faveur du travail salarié s'affirme, tandis que l'échelle de production se modifie avec la construction du canal de Lachine et l'apparition des entreprises de John Molson et de John Redpath qui requièrent une capitalisation importante. Les institutions nécessaires à l'essor du capitalisme industriel voient le jour entre la fondation de la Banque de Montréal en 1817 et l'établissement de la Bourse en 1874. Les régions rurales s'intègrent davantage aux marchés national et international, sources d'enrichissement pour les uns et d'appauvrissement pour les autres, qui contribuent au développement des industries rurales et des villages. Une véritable croissance urbaine débute avec l'immigration britannique à la fin des guerres napoléoniennes et se nourrit d'un exode rural des francophones après 1830. Les rapports sociaux en sont bouleversés et les questions de langue et de rapports ethniques se posent avec une acuité nouvelle. À la suite des changements dans les politiques impériales, les colonies acquièrent une autonomie renforcée qui résultera dans le gouvernement responsable et la création d'un État centralisé et bureaucratisé. Certes, ces transformations demeureront inégales et des secteurs économiques et des régions entières y échapperont encore pendant assez longtemps, mais Montréal restera au cœur de la socio-économie québécoise et canadienne.

L'importance des années 1880 est largement reconnue par les historiens canadiens : la mise en place de la politique nationale et la construction du chemin de fer Canadien pacifique symbolisèrent la formation d'un État pancanadien. L'ouverture de l'Ouest à la colonisation réduisit le poids politique du Québec et coïncida avec l'érosion des droits des francophones dans toutes les régions du Canada.

La nature du capitalisme, marquée par la concentration du capital industriel et financier qui engendra de nouvelles formes d'organisation, accentua l'écart qui séparait les francophones des anglophones du Québec. Le capital resta concentré entre les mains de ces derniers qui s'isolèrent progressivement de l'environnement francophone. L'éclatement de la société montréalaise en communautés ethniques distinctes fut stimulé par les nouveaux systèmes de transport en commun qui favorisèrent le regroupement spatial des ethnies dans des quartiers particuliers. Grâce à leur alliance avec l'Église catholique, alors à l'apogée de son pouvoir, les industriels prônèrent une idéologie conservatrice qui chercha à marginaliser les voix réformistes, par exemple en assurant l'encadrement des ouvriers dans les syndicats catholiques et en divisant ainsi la classe ouvrière.

Brimées par l'idéologie catholique et les valeurs victoriennes, les femmes de la bourgeoisie durent canaliser leur énergie dans les tâches domestiques et familiales, ainsi que dans le bénévolat, tandis que les femmes des classes populaires devinrent des salariées dans des occupations mal rémunérées tout en continuant d'assumer leurs fonctions de mère et de maîtresse de maison. Cependant, si la société patriarcale se renforçait, des mouvements féministes voyaient le jour et cherchaient à donner aux femmes une plus grande maîtrise de leurs affaires.

La crise du capitalisme au cours des années 1930 provoqua un questionnement du rôle de l'État et de la nature de la société capitaliste. Les réformes proposées par des intellectuels catholiques tels que Georges-Henri Lévesque, Lionel Groulx et les membres de l'école sociale populaire allèrent de l'étatisme au corporatisme, lorgnèrent en direction du socialisme et parfois en direction de l'indépendance du Québec. Il en résulta un renouveau sociologique. La chute des marchés pour les matières premières du Québec entraîna un chômage massif et la pauvreté. L'incapacité des agences catholiques à faire face financièrement aux nouveaux besoins mina le pouvoir de l'Église et força l'État à intervenir. Les dépenses gouvernementales pour la santé, l'aide sociale et l'éducation passèrent de 60 millions en 1933 à près de 600 millions de dollars en 1959. La Seconde Guerre mondiale contribua aussi à moderniser les structures politiques, sociales et économiques : les femmes obtinrent le droit de vote, l'éducation fut rendue obligatoire pour les enfants de moins de quatorze ans, Hydro-Québec fut créé et la législation du travail réformée.

Le Québec contemporain émergea de cette période de crise, de guerre et de reconstruction à l'époque de la Révolution tranquille. Grâce à un sentiment collectif plus affirmé, les Québécois restructurèrent la société en accordant une plus grande place à l'État par sa participation grandissante dans l'économie, les services de santé et d'éducation. Mais cet État laïque était aussi plus nationaliste et les liens fédéraux furent remis en question. La question linguistique était au centre des débats politiques culminant avec l'adoption de la Charte de la langue française (1977) qui institutionnalisa la primauté de la langue française. La défaite référendaire de 1980 et l'adoption d'une nouvelle constitution canadienne sans l'accord du Québec marquent la fin de l'ère d'optimisme issue de la Révolution tranquille.

La transition démographique s'acheva au début des années 1980, alors que le Québec atteignit l'un des plus bas taux de fécondité des pays industrialisés, vit sa natalité décroître, le taux de divorce exploser et les familles monoparentales devenir un phénomène important. Les femmes redéfinirent leur place dans la société québécoise, aussi bien au travail où elles accédèrent à des postes de direction, que dans le contrôle de leur corps en luttant pour l'avortement et la planification familiale. Dans la vie publique les progrès étaient moins marqués malgré une présence accrue au sein du conseil des ministres.

Le déclin des industries traditionnelles au profit des services, l'accroissement phénoménal des secteurs public et parapublic et le transfert des centres de décision de l'économie canadienne vers Toronto transformèrent le monde des affaires. L'élite anglophone fut remplacée par des entrepreneurs francophones formés dans les entreprises de l'État et dans la fonction publique. L'affaiblissement de l'élite anglophone et l'arrivée massive d'immigrants d'horizons divers changèrent la composition ethnique de la population, surtout à Montréal.

L'atteinte des principaux objectifs de la Révolution tranquille vers 1985 coïncide avec l'émergence de nouvelles préoccupations : la mondialisation, la dette publique et la mise en question du « modèle québécois », le vieillissement, la résistance des Amérindiens, l'environnement. Les accords de libre-échange entraînent des pressions pour tous les partenaires de s'aligner sur le modèle capitaliste des États-Unis menaçant ainsi l'État providence et la justice sociale. Dans ce contexte d'internationalisation accrue, la reprise des débats autour de la question nationale prit une nouvelle importance et provoqua le référendum de 1995 et la démission de Jacques Parizeau. Des questions autour des rapports ethniques, de la place des immigrants dans la société québécoise et de la définition de la citoyenneté demeurent irrésolues.

Outre l'importance accordée aux procès socio-économiques, nous avons tenté de souligner l'expérience de personnes souvent invisibles dans les synthèses traditionnelles, notamment les autochtones et les femmes. Les femmes furent absentes des études qui traitent de l'élite, puisqu'elles ne jouèrent aucun rôle formel dans la politique, l'armée ou les professions. Notre perspective socio-économique et notre périodisation font en sorte que les femmes occupent une place importante dans l'histoire du Québec. Nous voilà alors face au débat sur la spécificité de l'histoire des femmes — de même que des peuples autochtones. Doivent-elles figurer en parallèle avec une histoire plus traditionnelle ou y être intégrées avec des titres comme « le travail » ou « les institutions financières » ?

Une brève histoire du Québec ne nous permet pas de tout dire. Pour certains thèmes importants, comme l'environnement, l'état embryonnaire des recherches ne nous permet pas de présenter des conclusions définitives. D'autres thèmes qui ont un lien moins évident avec le développement socio-économique, comme l'évolution des idéologies des partis politiques, ne sont qu'effleurés. Le propos de cet ouvrage n'est pas d'avoir le dernier mot, mais de donner une vision d'ensemble de l'évolution du Québec et de susciter un questionnement sur la signification des grands courants socio-économiques pour la vie des Québécois et des Québécoises de toute origine et classe sociale.

BIBLIOGRAPHIE

Sur la périodisation, on consultera Gilles Paquet et Jean-Pierre Wallot, « Sur quelques discontinuités dans l'expérience socio-économique du Québec : une hypothèse », *RHAF*, 35, 4, 1982 : 483-521 ; et John A. Dickinson et Brian Young, « Periodization in Quebec History : A Reevaluation », *Quebec Studies*, 12, 1991 : 1-10. Sur le débat historiographique on consultera Ronald Rudin, « La quête d'une société normale : critique de la réinterprétation de l'histoire du Québec », *Bulletin d'histoire politique*, 3, 2, 1995 : 9-42 et les présentations lors d'une table ronde publiées dans le numéro 4, 2, 1995 : 7-74 de la même revue.

PREMIÈRE PARTIE

La rencontre de deux mondes

CHAPITRE I

Les autochtones et les débuts de la Nouvelle-France jusqu'en 1650

L'HISTOIRE DU CANADA à ses débuts a été modelée par les écrits de voyageurs et de missionnaires désireux de promouvoir la colonisation et l'évangélisation ; dans leurs perspectives tout occidentales, ces témoins ne montrent jamais les autochtones autrement qu'en fond de scène dans les actions héroïques qui marquent l'établissement des communautés européennes en Amérique du Nord. Rompant avec cette façon de voir, l'historien doit au contraire porter son attention sur les premiers habitants du pays, qui, des millénaires avant l'arrivée des Européens, eurent à affronter les difficultés de l'environnement et, en même temps, à jeter les bases des relations entre tribus. Jusqu'au milieu du XVIIe siècle, les Européens, très minoritaires sur le continent, durent adapter au caractère indépendant et à l'autonomie des autochtones leurs façons de faire la guerre et le commerce. À vrai dire, ce sont les travaux récents des archéologues, plus que ceux des historiens, qui ont permis de réévaluer l'histoire des autochtones et d'en reconnaître l'importance primordiale pour la compréhension des débuts de la Nouvelle-France (Trigger, 1990).

À l'attribution d'un rôle secondaire aux autochtones correspond le cadre chronologique adopté par les historiens qui considèrent les années antérieures à 1663 comme « l'époque héroïque » de la colonisation française. Même les anthropologues qui étudient ces années du point de vue des Indiens — Trigger, par exemple — ont été incapables de renoncer à ce point de repère traditionnel ou n'ont pas voulu le faire. Pourtant, la prise en main de la colonie par la Couronne, en 1663, fut un événement essentiellement politique, sans grande influence sur le développement des structures économiques et sociales, et encore moins sur les autochtones. En revanche, ceux-ci ont joué un rôle déterminant dans la mise en place du cadre économique qui a permis à la colonie française de prendre pied sur le Saint-Laurent. Si l'on admet leur importance à cet égard, il faut reconnaître que le premier grand tournant de l'après-contact avec les Européens survint lors du bouleversement démographique et économique provoqué par la dispersion des Hurons, en 1650.

LES AUTOCHTONES DE LA PRÉHISTOIRE

Les ancêtres des autochtones étaient chasseurs. Ils vinrent d'Asie par le détroit de Béring, il y a quelque 40 000 ans, et se dispersèrent en Amérique du Nord et du Sud. Après le retrait des glaciers, il y a plus de 10 000 ans, des chasseurs gagnant l'Est du Canada suivirent, entre autres animaux de chasse, des hardes de caribous. Il y a 3000 ans environ, le climat se stabilisa, créant un environnement favorable à l'accroissement de la population et à son expansion sur le territoire du Québec. On se nourrissait de poissons, d'oiseaux migrateurs et de mammifères comme l'orignal, le chevreuil et le caribou ; à ce régime carné s'ajoutaient les baies sauvages et les noix. Mais les poissons et les oiseaux, comme du reste les végétaux, étaient rares en hiver, et la survie des autochtones tenait à des conditions climatiques idéales comme les hautes neiges qui ralentissaient le gibier. L'accroissement de la population était limité par la difficulté de se procurer de la viande en hiver (Clermont, 1974).

Il y a environ 9000 ans, on commença à cultiver certaines plantes en Amérique tropicale. Cette pratique s'étendit au Nord, et, vers l'an 1000 de notre ère, la plupart des populations des rives du Saint-Laurent et du sud de l'Ontario avaient adopté une horticulture basée sur le maïs, les fèves et les courges. Dans ces sociétés, les surplus de l'été étaient consommés pendant l'hiver, et l'accroissement de la population n'était plus limité par des disettes saisonnières. Sur le bouclier canadien, toutefois, le climat était impropre à l'horticulture ; et, si la population se procurait du maïs par voie d'échange, elle y restait moins dense qu'au Sud.

À l'époque du contact avec les Européens, au XVIe siècle, les autochtones de l'Amérique du Nord étaient divisés en des sous-groupes complexes de bandes, de tribus, de cultures et de langues. Parmi les trois familles linguistiques — algonquienne, iroquoienne et inuktitut (figure 1.1) — qui, au Nord-Est, occupaient le quart du continent, se rencontraient plusieurs dialectes. Et le dialecte ne correspondait pas nécessairement aux caractéristiques économiques et culturelles : si la plupart des Algonquiens du Canada étaient chasseurs et nomades, par exemple, ceux qui vivaient sur le littoral de l'actuelle Nouvelle-Angleterre pratiquaient une horticulture de subsistance semblable à celle des Iroquoiens des Grands Lacs inférieurs.

La fin de l'ère préhistorique fut marquée par de grands changements culturels : les villages s'agrandirent, les guerres se répandirent, les structures politiques

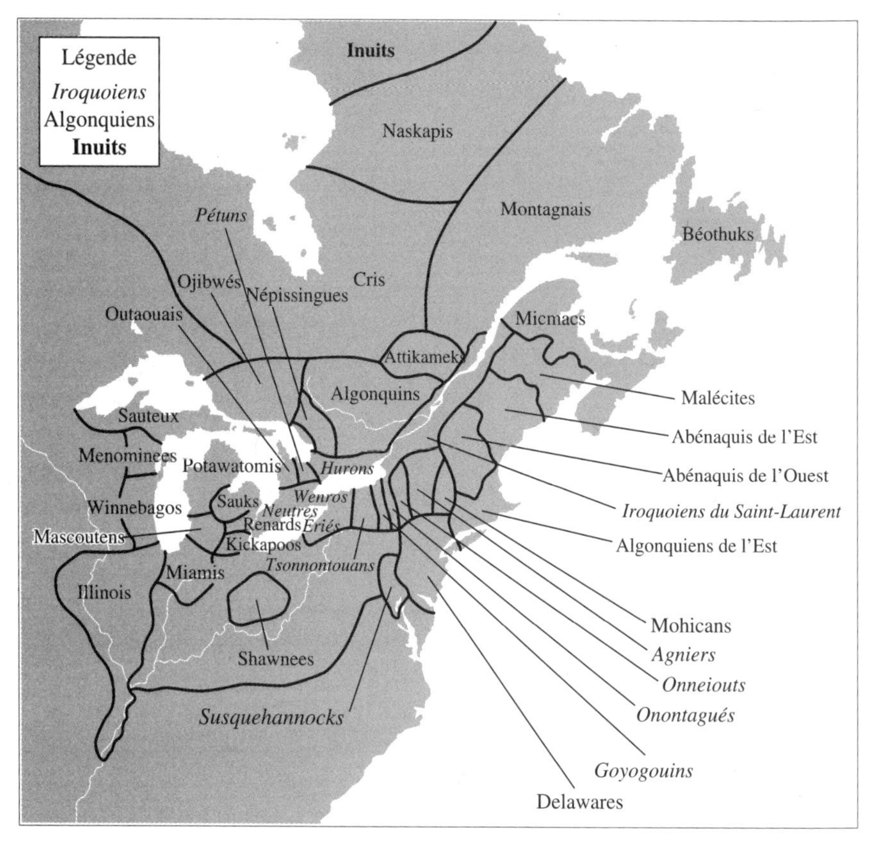

FIGURE I.I
Les autochtones à l'époque du contact avec les Européens : groupes linguistiques et tribus.
Il est important de ne pas confondre la famille linguistique iroquoienne avec la confédération iroquoise formée de cinq tribus : les Agniers, les Onneiouts, les Onontagués, les Goyogouins et les Tsonnontouans.

devinrent plus complexes et les rites funéraires plus développés, pendant que la poterie prenait des formes distinctives, propres à chaque région (Trigger, 1990 : 141-151). C'est à cette époque que la plupart des populations du Nord-Est adoptèrent les comportements sociaux observés par les premiers voyageurs. Mais rappelons que les sociétés autochtones étaient en constante transformation, transformation que la venue des Européens allait accélérer.

Si l'on ne peut évaluer avec précision l'importance numérique de la population à la fin de l'ère préhistorique — même les estimations qu'on a faites pour des nations aussi bien étudiées que celle des Hurons, par exemple, varient de 50 % —, il est certain que l'Amérique du Nord n'était pas une terre vierge au début du XVe siècle. Au Canada, les Algonquiens du Centre et de l'Est comptaient quelque 70 000 âmes, et 100 000 autres vivaient en Nouvelle-Angleterre. Environ 100 000 Iroquoiens habitaient autour de la baie de Chesapeake, sur les Grands Lacs inférieurs et dans la haute vallée du Saint-Laurent. Quant aux Inuit, ils étaient peut-être 25 000 dans l'Arctique canadien, dont 3000 dans le Nord du Québec et au Labrador.

Le mode de vie différait selon l'environnement et les ressources disponibles. À cet égard, les autochtones se partageaient en deux grandes catégories : les chasseurs semi-nomades de l'Arctique, du Bouclier canadien et des Appalaches, et les horticulteurs sédentaires des basses terres du Saint-Laurent.

C'est un cycle saisonnier rigoureux, lié à l'exploitation d'un territoire bien délimité, qui dictait aux semi-nomades leur mode de vie. Pendant l'hiver, divisés en petites bandes, ils parcouraient l'intérieur des terres en quête d'orignaux, de caribous, de chevreuils et d'ours. Quand les conditions ne se prêtaient pas à la chasse de ces grands mammifères, ils se rabattaient sur le castor et la loutre. On estime qu'un chasseur, au Québec, devait tuer de vingt à trente castors, sept orignaux ou caribous et un ours pour assurer la survie de sa famille pendant cette saison (Clermont, 1974).

Les premiers observateurs européens font écho au jésuite Pierre Biard, qui écrivait en 1614 que l'hiver, « si le temps leur était favorable, ces autochtones vivaient dans une grande abondance, et que, s'il leur était contraire, ils étaient fort à plaindre et souvent mouraient de faim ». Au printemps, quittant les territoires de chasse de l'intérieur, les petites bandes se regroupaient en un lieu commode, près d'un lac, d'une rivière ou de l'Atlantique, pour y vivre de la pêche, de la chasse au petit gibier et aux oiseaux migrateurs et de la cueillette des fruits et des noix. Sans inquiétude pour leur nourriture, elles pratiquaient le troc avec les bandes voisines et avaient des loisirs pour la vie sociale. Quant à la guerre, elle ne tenait pas une grande place dans la vie de ces gens ; le cas échéant, ils la faisaient pendant les mois d'été.

Chez eux, la technique était surtout utilitaire. En raison de l'importance de leurs déplacements à des fins de subsistance, leurs canots d'écorce étaient supérieurs à ceux des tribus sédentaires, et leurs mocassins, leurs robes de castor, leurs raquettes et leurs traînes (toboggans), longues et étroites, leur permettaient de voyager facilement dans les forêts enneigées. Sous d'autres aspects, leur culture matérielle était moins avancée : à part les récipients d'écorce et l'attirail de chasse et de pêche, ils avaient peu d'ustensiles. Les couteaux et les pointes de flèche étaient faits de pierre, les aiguilles et l'extrémité des harpons, d'os et de bois de cervidés. Leurs huttes de forme conique (figure 1.2), couvertes d'écorces en été et de fourrures en hiver, étaient faciles à démonter, à transporter et à remonter. D'un rayon de deux à trois mètres seulement, elles pouvaient loger jusqu'à une douzaine de personnes ; on s'en servait pour dormir et pour s'abriter les jours de grand

FIGURE 1.2
Femme crie préparant le bois de chauffage à l'extérieur de sa tente. Les représentations des autochtones, au début de l'ère historique, sont hautement stylisées et comportent souvent beaucoup d'erreurs ; aussi les illustrations plus récentes peuvent-elles aider à reconstituer leur vie traditionnelle. Cette photographie, prise par un commerçant de la Compagnie de la Baie d'Hudson, A. A. Chesterfield, dans le district d'Ungava au début du XXe siècle, montre une hutte de peaux de caribou et, à gauche, une traîne. La femme et l'enfant sont tous deux vêtus de peaux de caribou ; à part le mouchoir qui recouvre la tête de la femme, on ne perçoit guère l'influence européenne.

froid, la plupart des occupations se déroulant à l'extérieur. Un feu, au centre de la hutte, servait à la cuisson et au chauffage. Bien que la fumée s'échappât en partie par une ouverture ménagée au sommet, ces habitations étaient mal aérées, et l'on y contractait de graves affections oculaires.

Les Iroquoiens sédentaires vivaient dans des villages palissadés, reliés entre eux par un réseau de sentiers. Les maisons longues (figure 1.3), principales constructions de ces villages, mesuraient de vingt à trente mètres de long sur six ou sept de large. Faites d'une structure de bois dont les pièces étaient reliées et couvertes d'écorce, elles comportaient peu de divisions intérieures. Chacune contenait cinq ou six foyers autour desquels plusieurs familles apparentées travaillaient, jouaient, mangeaient et dormaient. Des plates-formes élevées de chaque côté servaient de lits en été et d'espaces de rangement en hiver. Les villages comptaient environ 1500 âmes, et ils occupaient le même emplacement durant une quinzaine d'années, ou jusqu'à ce que le sol ou les réserves de bois de chauffage des alentours soient épuisés.

FIGURE 1.3
Maison longue à Lanoraie. Cette représentation de la maison longue iroquoienne, près de Montréal, a été inspirée à l'artiste par les découvertes archéologiques faites sur son emplacement. Elle en montre bien l'organisation intérieure et illustre les tâches considérables dévolues aux femmes : culture du maïs, ramassage du bois de chauffage, fabrication de la poterie, préparation des repas, éducation des enfants. La seule véritable division intérieure, dans ces constructions, formait, à leur extrémité, un espace pour la conservation du grain.

Les Iroquoiens vivaient eux aussi selon un rythme saisonnier (figure 1.4), bien que l'horticulture les libérât des problèmes de subsistance que rencontraient en hiver leurs voisins semi-nomades. Les femmes travaillaient aux champs, y cultivant le maïs, les fèves, les courges, le tournesol et le tabac. Les hommes participaient à cette activité en défrichant les sols nouveaux et en préparant le nouvel emplacement du village. Bien que la viande ne représentât qu'une faible partie du régime alimentaire des Iroquoiens, les hommes chassaient le castor et le cerf de Virginie, en février et à l'automne. Le poisson était la principale source de protéines pour les Hurons et les Iroquoiens du Saint-Laurent, et les expéditions de pêche, à la période du frai, retenaient les hommes loin du village plusieurs mois durant, chaque année. Pendant la belle saison, le commerce et la guerre dépeuplaient les villages de leur population mâle. En hiver, la vie sociale et l'artisanat occupaient la communauté de nouveau réunie.

En plus de nombreux outils et articles dont faisaient usage leurs voisins moins sédentaires, les Iroquoiens fabriquaient des outils pour leur activité horticole, comme des houes, des haches pour le défrichement et des pilons pour réduire le maïs en farine. La sagamité — une soupe de farine de maïs et de poisson — étant

Activités	J F M A M J J A S O N D	Division du travail Principal	Secondaire
Pêche		H	F
Chasse		H	F
Commerce		H	
Guerre		H	
Ramassage du bois de chauffage		F	
Préparation des champs		F	M
Semailles		F	
Entretien des champs		F	E
Récolte		F	
Cueillette des fruits sauvages		F	E
Vie sociale		HF	

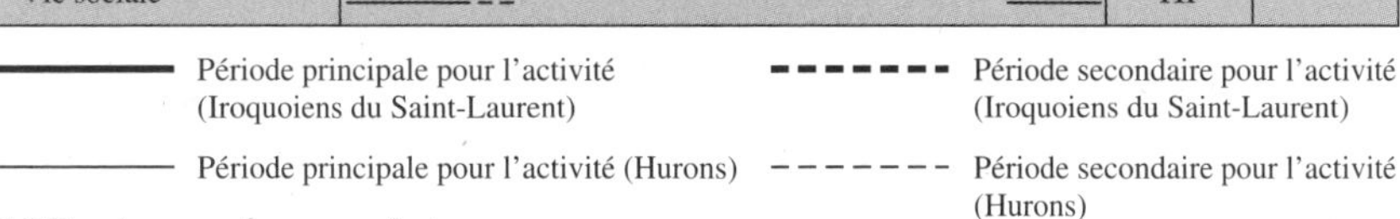

FIGURE 1.4
Cycle des occupations chez les Hurons et les Iroquoiens du Saint-Laurent, et division des tâches selon le sexe. Les Iroquoiens partageaient les mêmes modes de subsistance, à quelques légères différences près, dues à l'environnement immédiat. Le cycle de vie des diverses espèces de poisson et de gibier déterminait un calendrier assez rigide, qui tenait les hommes éloignés du village, du milieu de l'hiver à la fin de l'automne. La chasse était une activité plus importante chez les Iroquoiens du Saint-Laurent que chez les Hurons, alors que la pêche se pratiquait sur des périodes plus longues, au printemps et à l'automne, ce qui laissait moins de temps pour la vie sociale en hiver (Chapdelaine, 1989 : 120-121).

à la base de leur alimentation, la fabrication de récipients de poterie pour la cuisson entrait dans la production artisanale essentielle des Iroquoiens. Ils étaient habiles aussi dans la fabrication de paniers et de nattes de roseau ainsi que de filets de chanvre pour la pêche.

Pour tous les autochtones, la famille était l'unité sociale de base, et sa structure était liée à leur mode de subsistance. Chez les chasseurs, la famille était patriarcale et centrée sur un mâle qu'on respectait pour son habileté. Dans les communautés sédentaires, en revanche, la vie familiale était centrée sur les femmes, pourvoyeuses de la nourriture, qui assuraient la survie du groupe. La structure matrilinéaire de la famille s'y reflétait dans les maisons longues, habitées par des familles apparentées par les femmes, soit une mère et ses filles, soit un certain nombre de sœurs. Chez tous les autochtones, l'inceste était tabou, et les partenaires étaient choisis hors de la parenté (la bande chez les Algonquiens nomades, le clan chez les Iroquoiens sédentaires).

Le mariage avait une portée politique et sociale. Dans les nations algonquiennes, il consolidait les liens entre des groupes différents qui partageaient des territoires adjacents ; chez les Iroquoiens, il renforçait le sens communautaire en unissant des membres de clans différents dont était formé le village. Contrairement à la pratique européenne de l'époque, les jeunes gens choisissaient leurs partenaires sans l'intervention des parents. Dans les sociétés indiennes, les couples étaient généralement monogames, bien qu'il se rencontrât d'importants chefs algonquiens qui avaient deux ou trois femmes, symbole de leur pouvoir. Et si l'on acceptait le divorce, il était rare chez les couples avec enfants.

L'organisation politique reposait sur la tribu. Dans les sociétés de chasseurs, celle-ci consistait en une association assez lâche de bandes qui se réunissaient pendant une courte période de temps, à l'été ; aussi l'unité y était-elle plus culturelle que politique. Ces rassemblements estivaux donnaient l'occasion de pratiquer le troc, de raconter des histoires et d'organiser des jeux ; c'était aussi, pour les jeunes gens, le temps des rencontres et des fréquentations. Les discussions politiques portaient généralement sur les relations extérieures, et c'étaient les chefs de bande qui, le cas échéant, levaient les partis pour la guerre. Toutefois, parce que les chasseurs exploitaient de vastes territoires faiblement peuplés et n'avaient que peu de contacts avec leurs voisins, les occasions de conflits étaient rares, et la guerre n'était pas une activité importante.

Avec son horticulture, ses villages et ses populations plus denses, la société iroquoienne avait besoin, pour fonctionner, d'une meilleure organisation et d'un sens communautaire plus fort. Dans les villages, chaque clan avait à sa tête un chef civil, responsable de l'ordre, des cérémonies religieuses, du commerce et du déménagement du village sur un nouvel emplacement, et un chef de guerre, qui décidait des actions militaires à entreprendre et de la stratégie à adopter. Ces chefs étaient choisis par les « matrones » du clan, parmi des candidats convenables tirés de leurs propres familles. Les chefs du village se réunissaient occasionnellement, au sein de conseils de bandes ou du conseil de la ligue, pour décider d'affaires communes et d'expéditions guerrières conjointes. Les femmes n'avaient pas de droit de parole dans les conseils des villages ou des tribus.

Dans les sociétés d'horticulteurs, la guerre était endémique, la densité de la population augmentant les tensions à l'intérieur de la tribu, comme aussi la concurrence extérieure pour la possession du sol et des territoires de chasse. La dévalorisation du rôle des hommes dans les travaux liés à la subsistance, après l'adoption de l'horticulture, contribua à cet état de fait, en les incitant à chercher le prestige dans les actions guerrières. La guerre renforçait la solidarité au sein de la communauté, en tournant l'agressivité contre un objet extérieur. Elle ne visait pas l'acquisition de nouveaux territoires mais la capture d'individus et la torture rituelle des prisonniers mâles (Viau, 1997). Amenés au village, ces derniers étaient symboliquement adoptés par la famille d'un membre de la tribu tué depuis peu, avant d'être souvent soumis à une longue cérémonie pendant laquelle toute la communauté — hommes, femmes et enfants — passait des heures à les mutiler, pour ensuite leur ouvrir le corps et manger les organes vitaux. On attendait du prisonnier qu'il montrât son courage en chantant ses exploits guerriers et en menaçant ses bourreaux. Toutefois, les femmes et les enfants étaient rarement torturés ; ils étaient adoptés et assimilés.

Les modes de vie influençaient l'organisation sociale, mais toutes les sociétés indiennes avaient en commun la division des tâches selon le sexe, la conception d'un comportement socialement acceptable et la croyance que le surnaturel agissait sur la vie quotidienne.

Si, dans ces sociétés, les hommes chassaient, pêchaient, faisaient le commerce et la guerre, il leur revenait aussi de fabriquer les sagaies, les arcs et les flèches, les mocassins et les canots.

En plus de leurs tâches liées à la reproduction et à l'éducation des enfants, les femmes devaient préparer la nourriture, apprêter les peaux, confectionner les vêtements, ramasser le bois de chauffage, cueillir les baies et fumer la viande et le poisson. D'autres tâches étaient liées à la principale activité de subsistance du groupe. Chez les horticulteurs, les femmes, aidées des enfants, assumaient tous les travaux de jardinage. Elles fabriquaient aussi la poterie, les paniers et les nattes. Dans les sociétés de chasseurs, quand la bande levait le camp, les femmes portaient souvent les plus lourdes charges pour que les hommes puissent chasser en cours de route.

Même si les observateurs européens les décrivent souvent comme des femmes de peine qui n'avaient guère la maîtrise de leur propre vie, les Indiennes jouissaient d'une remarquable autonomie et d'une complète liberté dans l'organisation de leurs tâches (Leacock, 1986 ; Viau, 2000). Mary Jemison, une Anglaise adoptée par les Delawares, constata que le travail de la femme indienne était comparable à celui de la femme blanche, à la différence que « nous n'avions pas de maître pour nous surveiller et nous dicter notre conduite, de sorte que nous pouvions travailler aussi tranquillement que nous le voulions (Axtell, 1985 : 324) ». En revanche, explorateurs et missionnaires représentent les hommes comme paresseux, en considérant une activité aussi importante que la chasse comme un loisir que l'Europe réservait à la noblesse. Formant leurs opinions à partir d'observations faites à l'intérieur des villages, ces Européens ne pouvaient rendre justice aux hommes pour leur apport à l'horticulture, et rarement les suivaient-ils à l'extérieur, dans leurs travaux liés à la subsistance.

Les autochtones faisaient grand cas de la liberté individuelle, ne souffraient pas la contrainte et attendaient des relations interpersonnelles qu'elles fussent empreintes de politesse et de respect. Le contrôle social était fondé sur des valeurs communautaires telles que la générosité, la capacité de se sacrifier pour sa famille et l'acceptation stoïque de l'adversité ; en général, la parenté assumait ce contrôle, les membres de la famille étant responsables des fautes de leurs parents. Pour éviter d'être entraînées dans des conflits avec des membres de la tribu ou avec des alliés, les familles consentaient une réparation proportionnelle à la gravité du crime, au sexe et au statut social de la victime. Une affaire de meurtre, par exemple la mort d'un chef huron, exigeait une plus forte compensation que celle d'un individu de moindre importance, et celle d'une femme (quarante robes de castor, en moyenne), plus que celle d'un homme (trente robes de castor) (Trigger, 1991 : 43).

L'autorité des chefs reposait dans une large mesure sur le respect. N'ayant pas le pouvoir de forcer la volonté de leurs subordonnés, ils devaient tenir des consultations et tenter d'en arriver à un consensus. Ce n'est que dans des cas plus rares et plus dramatiques de conduite antisociale (sorcellerie, meurtre, trahison) que les conseils condamnaient à mort un membre de la tribu (Trigger, 1963).

La société indienne était fondée sur la mise en commun des biens, plutôt que sur l'accumulation individuelle des richesses. La propriété privée y était inconnue, ce qui permit aux Français, qui se référaient à des normes européennes, d'ignorer la question du territoire. Les bandes de chasseurs avaient des territoires propres, qu'elles exploitaient rationnellement à l'intérieur d'un cycle saisonnier, déterminé par la disponibilité des ressources de la chasse et de la pêche. Et si les Européens voyaient en eux des vagabonds de la forêt, ils n'en suivaient pas moins leur chemin, établi d'avance, vers les régions les plus propices à leur activité de subsistance. Les horticulteurs partageaient les champs du village, des territoires de chasse et des camps de pêche bien délimités. L'hospitalité et l'aide aux plus démunis étaient considérées comme de grandes vertus, et ceux qui accumulaient des richesses devaient se montrer généreux, en fournissant aux plus pauvres des vivres et des vêtements, entre autres nécessités. On acquérait plus de prestige à donner qu'à accumuler.

Ce principe trouvait aussi son application dans les relations commerciales, où l'on s'échangeait des marchandises sous la forme de présents. Le commerce avait des connotations sociales autant qu'économiques, et le troc s'accompagnait de fêtes, de jeux, de discours et de séances au cours desquelles on fumait le calumet de paix. Le trafic de biens précieux, comme le cuivre en provenance du nord du lac Supérieur ou la porcelaine (grains de coquillages polis qui servaient à orner les vêtements et à faire des bracelets et des colliers) en provenance surtout de Long Island, précéda de plusieurs centaines d'années la rencontre avec les Européens (figure 1.5).

FIGURE I.5
Le wampum était fabriqué avec des coquillages polis (et plus tard avec des perles en verre ou en porcelaine importées). Il servait à décorer les vêtements, à faire des bracelets, des colliers et des ceintures. Dans les rencontres diplomatiques les colliers et les ceintures symbolisaient les propos des ambassadeurs et un wampum accompagnait chaque sujet traité.

Au XVe siècle, le commerce, au Nord-Est, consista de plus en plus dans l'échange des surplus agricoles des tribus sédentaires contre les surplus de viande et de poisson des chasseurs. Les Hurons, par exemple, troquaient du maïs et du tabac contre les fourrures de leurs voisins du Nord, Népissingues et Outaouais. Ces systèmes commerciaux fournirent plus tard le cadre qui permit la rapide expansion de la traite des fourrures.

Tous les autochtones croyaient que la plupart des réalités naturelles — le soleil, la lune, la pluie, la maladie — et même certains objets fabriqués de main d'homme, comme les filets de pêche, étaient animés ; aussi la religion imprégnait-elle leur vie quotidienne, et le monde surnaturel était-il considéré comme sensible au comportement humain. Les chasseurs se mettaient en rapport avec l'esprit de leur proie pour s'assurer une chasse fructueuse, et ils se défaisaient des parties non comestibles en respectant des prescriptions strictes, pour que la famille de l'animal ne fût pas offensée. Par exemple, chez les Montagnais, certains os de plusieurs animaux ne devaient pas être jetés aux chiens alors que, chez les Hurons, il ne fallait pas jeter dans le feu notamment les arêtes de poissons. On faisait des offrandes à l'esprit de la pluie, pour obtenir de bonnes récoltes, et à l'esprit de la rivière, pour faire bon voyage.

Parce que leur spiritualité leur commandait un authentique respect pour les autres formes de vie, les autochtones sont souvent considérés comme les premiers environnementalistes. Pour expliquer le fait qu'ils aient consenti à détruire l'équilibre de la nature et à chasser les animaux jusqu'à extinction lors de la traite des fourrures, l'historien Calvin Martin soutient que les autochtones blâmèrent les esprits des animaux pour les maladies dont ils étaient atteints au début du XVIIe siècle. Ces maladies se répandant, ils en seraient venus à croire que le monde animal avait rompu l'entente qui le liait au monde des hommes, ce qui aurait libéré les chasseurs de leur obligation de ne tuer que les animaux nécessaires à leur subsistance (1978). Cette thèse est vivement contestée par les historiens, pour qui la conduite des Indiens était motivée par des considérations beaucoup plus terre à terre (Krech III, 1981) ; néanmoins, et bien que reposant sur une preuve fragile et sujette à controverse, cette hypothèse attire l'attention sur l'importance de l'idéologie autochtone dans la conception qu'on se fait des débuts de l'histoire du Québec.

Les rêves étaient un moyen particulièrement important d'entrer en contact avec le monde des esprits. Dans toutes les tribus, chamans, guérisseurs ou devins interprétaient les rêves pour connaître les chances de succès des partis de chasse ou de guerre, et pour satisfaire des désirs cachés. Bien que les chamans eussent recours à une grande variété d'herbes médicinales pour guérir quantité de maux, on croyait que certaines maladies étaient causées par les esprits, auquel cas le chaman entrait en communication avec l'esprit, soit pour l'apaiser, soit pour le faire sortir du corps.

Comme dans d'autres cultures, les mythes permettaient d'expliquer logiquement les mystères de l'univers. Chez les autochtones, ils véhiculaient sans doute une philosophie cohérente, mais on n'en connaît que des fragments, les missionnaires n'ayant rapporté que ceux qui présentaient une étroite ressemblance avec la Bible ou avec les traditions mythologiques occidentales. Par exemple, le mythe huron de la création du monde par Aataentsic, selon lequel une femme tombe du ciel et atterrit sur le dos d'une tortue flottant sur une mer primitive, fut considéré comme une version déformée du déluge. L'hypothèse d'un filtrage biblique ne facilite ni la reconstruction de l'idéologie autochtone ni la mesure de son influence sur le comportement.

Les autochtones croyaient à l'immortalité de l'âme et portaient une grande attention aux cérémonies funèbres. À la mort, l'âme quittait le corps et voyageait vers une terre située à l'Ouest. Souvent, on enterrait des armes, des vêtements et des calumets avec le corps, en croyant que les esprits de ces objets personnels aideraient l'âme à affronter le monde des morts. Dans certaines régions du Nord-Est, la pratique des cérémonies funèbres connut son apogée après le contact avec les Européens.

C'est au cours de cette période que la fête des morts prit forme chez les Hurons. Quand ils changeaient l'emplacement du village, au début du XVIIe siècle, ils réenterraient dans une fosse commune ou dans un ossuaire tous ceux qui étaient morts depuis le dernier déménagement du village. Au cours de la cérémonie, les parents nettoyaient les ossements, en ôtant tout tissu qui y était encore attaché, et les enveloppaient dans de nouvelles robes de castor ; ils offraient des chaudrons, des arcs, des calumets, des couteaux, du tabac et de la porcelaine pour assurer aux esprits le bonheur dans la terre des morts. Cérémonies et lieux d'ensevelissement communs renforçaient l'unité au sein de la tribu et consolidaient les alliances avec les groupes voisins, en un temps où la solidarité s'imposait devant les défis de l'impérialisme culturel européen et les guerres plus nombreuses. Les offrandes aux morts étaient aussi un moyen de redistribuer les richesses acquises grâce à la traite des fourrures, richesses qui menaçaient les fondements égalitaires de la société huronne (Ramsden, 1981).

Vu l'importance qu'ils accordaient à un égalitarisme relatif, à la générosité, à la liberté individuelle et à l'atteinte de consensus, les autochtones avaient une échelle de valeurs bien différente de celle des marchands européens mus par l'appât du gain. Cette différence fut déterminante dans les relations entre les Amérindiens et les intrus européens.

LA VENUE DES EUROPÉENS

Au cours des siècles, et malgré les expéditions des Vikings vers l'an 1000 de notre ère, les sociétés nord-américaines restèrent coupées des autres cultures du monde extérieur. Le contact avec les Européens se produisit après les voyages de Jean Cabot (1497) et des frères Corte-Real (1500-1502), quand les pêcheurs de l'Europe de l'Ouest se précipitèrent pour exploiter la pêche à la morue sur les bancs de Terre-Neuve. Autour de 1580, plus de 400 navires portugais, espagnols et français, avec près de 10 000 marins à leur bord, traversaient l'Atlantique chaque année. En tonnage, la pêche à la morue représentait le plus gros commerce transatlantique de l'Europe, dépassant de loin le trafic de l'or et de l'argent qui liait l'Amérique espagnole à Séville (Turgeon, 1986). Cette exploitation de la pêche à Terre-Neuve marqua le commencement de l'intégration de l'Amérique du Nord au système économique de l'Europe, le capitalisme commercial.

On pratiquait deux types de pêche, la verte et la sèche (figures 1.6 et 1.7). Dans le cas de la verte, la morue était nettoyée et salée à bord des navires qui ne touchaient Terre-Neuve et le continent que le temps de renouveler les provisions d'eau et de bois de chauffage. La pêche verte dominait surtout dans les ports du sud-ouest de la France, là où le sel était abondant et bon marché. La morue préparée selon ce procédé avait moins de valeur sur les marchés européens ; en revanche, les navires pouvaient faire deux voyages par année.

Pour la pêche sèche, on établissait des bases sur le rivage, et les hommes, à bord de petites embarcations, pratiquaient la pêche côtière. Ils apportaient la morue à terre, la nettoyaient et l'étendaient sur des échafauds, en conservant les foies dans des barriques. Plus laborieuse et nécessitant un séjour de deux à trois mois à Terre-Neuve ou sur les côtes du golfe, cette pêche donnait un produit d'une qualité et d'un prix supérieurs. On pêchait la morue non seulement pour sa chair, mais pour l'huile qu'on pouvait extraire des foies, et qui était, avec l'huile de baleine, le lubrifiant et l'huile à lampe les plus utilisés à l'époque.

La chasse à la baleine fut une autre activité d'importance, au large du Labrador et dans le golfe du Saint-Laurent, à partir du milieu du XVIe siècle. Elle requérait des capitaux plus considérables pour armer des navires de 200 à 300 tonneaux, avec à leur bord une cinquantaine de marins. On avait aussi besoin de bases terrestres, avec des logements et un équipement compliqué — des fours pour fondre les graisses et en tirer de l'huile par exemple (figure 1.8).

FIGURES 1.6 ET 1.7
La pêche à la morue. On trouve ici une illustration des deux types pratiqués par les pêcheurs : la pêche verte et la pêche sèche. Cette dernière exigeait une plus forte organisation, de même qu'une occupation saisonnière du rivage. Elle eut, plus que pour la verte, une influence sur les autochtones. Si elle leur fournissait l'occasion de se procurer des articles de métal, elle bouleversait leurs migrations saisonnières, empêchait certains groupes de fréquenter leurs stations traditionnelles de pêche estivale, et les forçait à vivre à l'intérieur des terres, là où la nourriture était moins abondante.

FIGURE I.8
Les autochtones et l'industrie de la chasse à la baleine. Le premier contact important des populations autochtones du Québec avec les Européens se produisit dans le golfe du Saint-Laurent. La main-d'œuvre autochtone apporta une contribution non négligeable à l'industrie de la chasse à la baleine. Le contact avec les Européens, dans cette région, ne bouleversa pas profondément les modes de subsistance traditionnels des autochtones ; il enrichit plutôt leur environnement matériel. Ils recevaient des outils de métal en paiement pour leur travail et en échange de leurs fourrures ; ils s'en procuraient aussi en récupérant des épaves.

On ne doit pas sous-estimer l'importance économique de la pêche. Jusqu'à la fin du Régime français, en 1760, la France importa beaucoup plus de morues que de fourrures, et la pêche mobilisa beaucoup plus de marins et de navires que tous les autres commerces réunis de la France avec ses colonies. Non seulement la pêche exerça-t-elle une influence profonde en Europe, mais elle permit aux autochtones de Terre-Neuve et du golfe du Saint-Laurent d'entretenir des rapports soutenus avec le monde européen. Dès les débuts, les deux groupes échangèrent des présents, les Indiens recevant des outils et des ustensiles de métal, contre de la viande, du poisson et des fourrures. Répandus dans le Nord-Est par les voies commerciales autochtones, ces articles européens encourageaient et consolidaient les relations économiques et politiques, et préparaient les populations du pays à la traite des fourrures.

Le développement de la pêche à Terre-Neuve ne fut qu'une manifestation parmi d'autres de l'expansion de l'Europe, de l'économie-monde européenne qui s'assura de la première place dans l'économie mondiale entre 1460 et 1620. La croissance de la population et de la production, jointe à une plus grande disponibilité des lingots d'or et d'argent, grâce à l'exploitation de l'or mexicain et surtout de l'argent péruvien, stimula le développement du capitalisme commercial (Davis, 1973; Wallerstein, 1974).

Pendant que l'Espagne et le Portugal jetaient les bases d'empires coloniaux, les intérêts français outre-mer étaient laissés à des compagnies commerciales privées qui exploitaient les pêches de Terre-Neuve et les denrées exotiques de la côte brésilienne. La Couronne française commandita les voyages de Giovanni da Verrazano (1524), de Jacques Cartier (1534, 1535-1536, 1541-1542) et de Jean-François de la Rocque, sieur de Roberval (1542-1543), dans une tentative pour trouver un raccourci vers les îles à épices de l'Asie du Sud-Est. Les établissements tentés par Cartier et Roberval, de 1541 à 1543, ratèrent faute de bases économiques et en raison de l'hostilité des autochtones. Les guerres de religion, en France, pendant la deuxième moitié du XVIe siècle, ont été l'occasion de tentatives d'établissements au Brésil et en Floride qui échouèrent à la suite de l'opposition des Portugais et des Espagnols.

LES DÉBUTS DE LA TRAITE DES FOURRURES

La pêche intégra l'Amérique du Nord dans le système économique mondial dominé par l'Europe et mit les autochtones en contact avec des objets de fabrication européenne. Toutefois, la quantité en était limitée, et les rapports directs entre autochtones et Européens étaient restreints à certaines régions de la côte atlantique et du golfe du Saint-Laurent.

Les échanges avec les Amérindiens prirent de nouvelles dimensions, au fur et à mesure du développement d'un marché européen pour les fourrures, et en particulier pour le castor. Les longs filaments qu'on trouve à l'extrémité de chaque poil, dans la partie inférieure de la fourrure du castor, ne pouvaient mieux se prêter au feutrage (transformation de la fourrure en un matériel doux, souple et imperméable). Bien que cette technique eût été connue des chapeliers depuis le Moyen Âge, le feutre était devenu une denrée rare après la disparition du castor européen et les perturbations dans le commerce russe après 1581. Les arrivages de castor de l'Amérique du Nord activèrent la production européenne du feutre et mirent à la mode le chapeau à large bord. La traite des fourrures constitua la deuxième activité de base, tournée vers l'exportation, de l'économie canadienne (Allaire, 1999).

Le développement de la traite des fourrures, dans le dernier quart du XVIe siècle, coïncida avec un changement démographique marqué dans la vallée du Saint-Laurent. Dans les années 1540, Cartier et Roberval avaient visité les importants villages autochtones de Stadaconé et de Hochelaga. Plus tard, au cours du même siècle, et pour des raisons qu'archéologues et historiens n'ont pu découvrir, les Iroquoiens du Saint-Laurent n'occupaient plus ces terres. Peut-être avaient-ils succombé sous les attaques de tribus de l'Ouest, désireuses d'avoir part au commerce avec les Européens, ou avaient-ils été décimés par des maladies transmises par les hommes de Cartier et de Roberval. En se fondant sur la poterie de Hochelaga trouvée dans des sites hurons de la fin de l'ère préhistorique, certains archéologues se demandent, pour leur part, si les Iroquoiens du Saint-Laurent n'auraient pas été adoptés par les Hurons (Pendergast et Trigger, 1972). Quoi qu'il en soit, cette disparition explique que les Français, contrairement aux colons britanniques plus au sud, ne trouvèrent pas dans la vallée du Saint-Laurent, quand ils s'y installèrent au début du XVIIe siècle, une forte population de sédentaires autochtones.

La traite des fourrures reposait sur une main-d'œuvre autochtone et sur des réseaux commerciaux séculaires. Comme on l'a vu auparavant, chaque famille de chasseurs utilisait annuellement une trentaine de castors, tant pour sa nourriture que pour la confection de robes. Après avoir servi un an, les peaux qui entraient dans la fabrication des robes perdaient leurs longs poils, mettant à nu les poils plus courts requis pour le feutrage. Plusieurs milliers de peaux usagées, appelées castor gras d'hiver, auraient été disponibles annuellement dans la région du Saint-Laurent et des Grands Lacs, à la fin du XVIe siècle, et elles étaient très en demande chez les Européens.

Vers 1575, la demande pour les fourrures augmentait rapidement, et les marchands européens étaient attirés par le Saint-Laurent, sur lequel ils tentaient d'obtenir des monopoles régionaux. Désireuse d'asseoir ses revendications territoriales, la Couronne française accorda des chartes avec monopole commercial, mais les marchands furent incapables d'exploiter tout le potentiel de la région du Saint-Laurent. Jusqu'en 1626, les exportations annuelles de fourrures dépassèrent rarement de 9000 à 12 000 peaux et, la meilleure année, on n'en exporta que 22 000. La fondation par Samuel de Champlain, en 1608, d'un fort et d'un entrepôt à Québec, jointe à ses relations personnelles avec les autochtones, aboutit en 1615 à la prise en main de la traite par un groupe de marchands, mais contribua peu à en augmenter le volume, qui dépendait des fournisseurs autochtones.

Pendant la première moitié du XVIIe siècle, les marchands français ne réussirent jamais à régulariser les approvisionnements de fourrures. Ils conclurent des alliances aux conditions des autochtones, mais n'eurent jamais la puissance militaire pour imposer leurs objectifs. Le long du Saint-Laurent, l'approvisionnement dépendait des Montagnais qui échangeaient le produit de leurs propres chasses et contrôlaient l'accès aux bandes de l'intérieur. Une fois satisfaits leurs besoins de marchandises européennes, à peu près rien ne les incitait à augmenter leur production de fourrures.

Le long de la rivière des Outaouais et dans la région des Grands Lacs, la situation était plus complexe. Les Algonquins étaient forcés par leurs puissants voisins hurons de partager avec eux le commerce qu'ils faisaient avec les Français; or cette alliance constituait une formidable barrière qui empêchait les Français d'avoir directement accès aux autres tribus. Les Hurons ne chassaient pas le castor, mais ils se servaient de leur vaste réseau commercial pour échanger du maïs et des marchandises de traite européennes avec des tribus plus éloignées. Aussi, et même si beaucoup d'autochtones de la région des Grands Lacs étaient devenus familiers avec la technologie européenne, les Français, incapables de traiter directement avec eux, ne pouvaient augmenter le nombre de peaux qu'ils récoltaient.

Les statistiques pour le début du XVIIe siècle étant incomplètes, nous n'avons qu'une image partielle des exportations (figure 1.9). Il est évident, néanmoins, que le commerce était instable, et il est peu probable que les détenteurs du monopole aient réalisé le moindre profit net (Campeau, 1975; Trudel, 1963-1999, vol. 3). Dans les meilleures années, après 1632, la valeur des fourrures expédiées en France atteignit 300 000 livres; dans les pires années, elle tomba à moins de 50 000 livres. Cet écart met en lumière la fragilité d'une économie qui dépendait des autochtones, lesquels ne répondaient pas de la même manière que les Européens à une demande accrue.

Les variations dans le rendement de la traite étaient en partie dues à la guerre contre les tribus de la confédération iroquoise, en particulier les Agniers. Quand il remonta le Saint-Laurent pour la première fois, en 1603, Champlain trouva les Montagnais, les Algonquins et les Etchemins en guerre avec les Agniers. Par suite de son alliance avec ces tribus et avec la confédération huronne, il prit part à des batailles contre les Iroquois au lac Champlain (1609), à l'embouchure du Richelieu (1610) et au sud du lac Ontario (1615).

La fondation d'un poste de traite hollandais à Fort Orange (Albany, New York), en 1614, fournit aux Iroquois une autre source d'approvisionnement en marchandises européennes, et la guerre s'apaisa pendant les vingt années suivantes. Après 1640, toutefois, au moment où les Hollandais commencèrent à leur vendre des armes à feu, les Agniers trouvèrent plus facile de se procurer des fourrures en attaquant les convois qui descendaient vers Trois-Rivières qu'en chassant eux-mêmes.

Dans les années 1630, des maladies jusque-là inconnues des autochtones vinrent perturber un système qui dépendait tout entier des réseaux commerciaux, de la main-d'œuvre et du savoir-faire des Indiens. Ceux-ci furent rapidement atteints de la petite vérole et de la grippe, en particulier, et des villages entiers furent décimés. Les tribus de l'alliance française furent les plus touchées, du fait qu'elles étaient en contact constant avec les missionnaires et les interprètes, alors que les Hollandais allaient rarement visiter les Iroquois. Les Montagnais et les

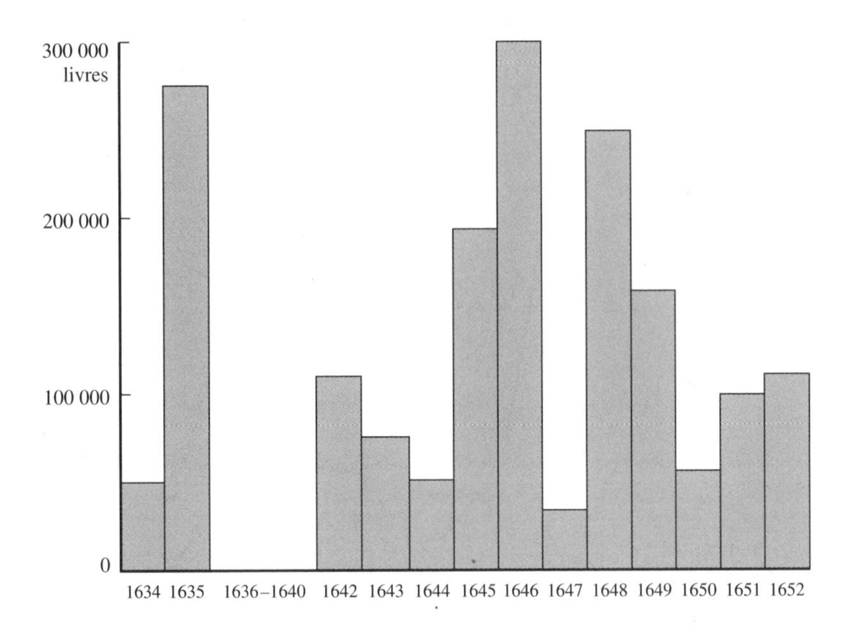

FIGURE 1.9
Valeur, en livres françaises, des fourrures exportées par la Nouvelle-France.

Algonquins des bords du Saint-Laurent souffrirent de la rougeole ou de la petite vérole en 1634, et ils moururent en grand nombre. De 1636 à 1639, les Hurons furent frappés par une série d'épidémies, et la population tomba de 25 000 à 10 000 âmes. À vrai dire, les maladies, en minant le prestige des chamans, aidèrent les missionnaires jésuites à augmenter le nombre des conversions ; mais, en même temps, elles contribuèrent autant que la guerre à réduire les approvisionnements et fourrures, en tuant chasseurs et trafiquants.

Décimées par les épidémies, divisées par la propagande missionnaire et incapables d'obtenir des armes à feu à moins de tourner le dos à leurs coutumes, les tribus de l'alliance française furent victimes des Iroquois, numériquement et militairement supérieurs. Les tribus de langue iroquoienne des Grands Lacs inférieurs — Ouenronons, Hurons, Pétuns, Neutres et Eriés — furent adoptées par les Iroquois victorieux qui désiraient réparer les pertes dues à la maladie et à la guerre. Parallèlement, des partis agniers menaient des raids contre les chasseurs montagnais et algonquins de l'intérieur du Québec et les dépouillaient de leurs fourrures.

La destruction des alliés fit crouler le système de traite français et marqua un tournant radical dans l'histoire canadienne. Dans la vallée du Saint-Laurent, la

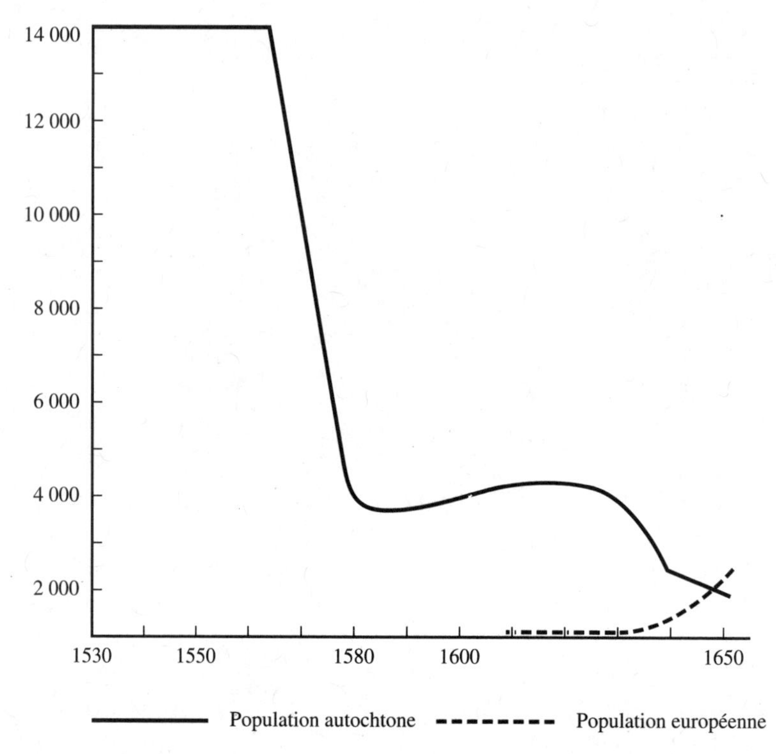

FIGURE 1.10

Population de la vallée du Saint-Laurent, 1530-1650. Les chiffres pour les premières années qui suivirent le contact avec les Européens sont des approximations — en l'absence de toute donnée. Néanmoins, les tendances sont claires. Au milieu du XVIe siècle, la vallée du Saint-Laurent subit un premier dépeuplement, lorsque de 8000 à 10 000 Iroquoiens, qui avaient vécu sur le territoire qui va du lac Ontario à la ville de Québec, dans les années 1540, disparurent quelque temps avant 1580. Les Montagnais et les Algonquins gagnèrent cette région au début du XVIIe siècle, mais ils furent décimés par les maladies après 1634, et attaqués par les Iroquois après 1641. En 1650, ils avaient commencé à se retirer vers l'intérieur.

population autochtone baissa à tel point que les Français s'y trouvèrent en majorité à partir des années 1650 (figure 1.10). Ne pouvant plus compter sur les autochtones pour ramasser les fourrures et les transporter dans les entrepôts de Trois-Rivières et de Québec, les Français furent obligés de se charger eux-mêmes de ces tâches. C'est dans ces circonstances que commença, par l'entremise des coureurs des bois, l'expansion territoriale française, soutenue par une communauté agricole préindustrielle.

La structure de la traite des fourrures à ses débuts, avec ses rendements incertains, retarda le peuplement. Les nations européennes ne voulurent pas reconnaître les droits territoriaux des autochtones ; elles fondaient leur refus sur l'absence chez eux d'institutions de type européen et sur le fait qu'ils ne vivaient pas regroupés au sein de communautés agricoles permanentes. Aussi, en même temps que des monopoles commerciaux, la Couronne concéda-t-elle de grandes étendues de terre, en insistant pour que les compagnies y établissent des colons. Mais ces compagnies n'avaient guère besoin, sur le plan économique, de tels établissements, puisque la traite reposait sur les autochtones qui piégeaient les bêtes et transportaient les fourrures jusqu'aux entrepôts du Saint-Laurent, où quelques Français suffisaient à garder le fort, à préparer les ballots pour l'expédition en Europe et à entretenir les relations avec les autochtones. Dans ce système économique, il y avait peu de demande, soit pour la main-d'œuvre, soit pour les produits agricoles. Les émigrants français préféraient les Caraïbes où le tabac et, plus tard, la canne à sucre laissaient entrevoir avec plus de certitude l'amélioration de leur statut économique et social. La lenteur de la colonisation, dès lors, s'explique moins par l'hostilité des marchands que par un système économique qui faisait appel à une main-d'œuvre autochtone plutôt qu'européenne.

La Compagnie des Cent-Associés, créée en 1627, changea peu de chose; mais il serait injuste de la critiquer pour avoir failli à sa promesse d'établir 4000 immigrants en quinze ans. Tout en encourageant l'activité missionnaire, elle s'arrangea pour attirer une petite population agricole. Beaucoup d'immigrants qui s'établirent au Canada pendant la période de 1632 à 1650 vinrent comme serviteurs engagés des Jésuites, des Ursulines et des religieuses hospitalières, ou encore de la communauté chrétienne modèle qu'avait établie à Montréal, en 1642, la « Société de Notre-Dame pour la conversion des sauvages ». Ils restèrent parce que les religieux et les religieuses avaient besoin de leur travail, et aussi de surplus agricoles, plutôt qu'en raison de leur participation à la traite des fourrures.

Mais nombreux furent ceux qui repartirent : pendant la période de 1632 à 1650, 73,3 % de tous les immigrants engagés pour trois ans retournèrent en France, une fois leur contrat expiré. Après 1650, l'expansion de la traite des fourrures créa une demande pour des équipages de canots et des surplus agricoles, et plus de la moitié (55,2 %) de tous les immigrants restèrent alors dans la colonie — et cela malgré l'augmentation des attaques iroquoises. La quantité de terres concédées aux colons illustre aussi fort bien ce changement. Pendant les 19 années qui précédèrent la dispersion des Hurons, un peu moins de 6000 hectares avaient été concédés aux colons, alors que, dans les cinq années suivantes, on en concéda plus de 15 000. Dans ce contexte économique nouveau, la population de la colonie passa de 1206 âmes en 1650, à 2690 en 1660 (Dickinson, 1986a).

INTERACTION CULTURELLE

Les Européens et leur commerce transformèrent la vie des autochtones qui adoptèrent rapidement des articles comme les chaudrons de cuivre, les outils et les armes de fer, les étoffes et des aliments comme le pain et l'alcool. Pour leur part, les colons européens appréciaient des produits comme le canot d'écorce, les raquettes, les mocassins et les traînes, ils adoptèrent aussi le tabac et le maïs, bien que la plupart eussent conservé leur préférence pour les céréales européennes.

Les attitudes, les langues et les normes régissant le comportement passent plus difficilement d'une culture à une autre que les biens matériels. Les autochtones avaient une vision du monde adaptée à leur environnement et à leur mode de vie et, parce qu'ils accordaient une grande importance à la liberté individuelle et à la tolérance, ils n'imposaient pas leurs valeurs aux autres. Il est très difficile de savoir avec précision ce qu'ils pensaient des coutumes des Européens, car ces derniers, en les interprétant, obscurcissent toujours les réactions qu'ils notent. Il appert que, pour les autochtones, certains comportements européens étaient répugnants (comme de se moucher dans un mouchoir), alors que certains usages étaient insensés, tout simplement (comme de construire de grandes maisons qu'on ne pouvait aisément déménager). Il ressort, d'une façon générale, que les autochtones ne se sont jamais crus inférieurs aux Européens (Jaenen, 1976a).

Les Européens, en revanche, voulaient être pleinement maîtres du territoire et de ses habitants. Jugeant les autres cultures d'après les normes européennes, ils se considéraient eux-mêmes et le christianisme comme supérieurs, et voyaient les autochtones comme des barbares, et même comme des suppôts de Satan. Parce qu'ils ne retrouvaient pas, parmi eux, les formes européennes de gouvernement, de religion et d'organisation économique, ils les déclarèrent sans culture. Un moine du XVIIe siècle, Émeric de La Croix, a bien exprimé le désir des Français de civiliser ces populations, en les amenant au christianisme et à la culture européenne, leur montrant « le chemin d'humanité & vray honneur, afin qu'on ne vive plus d'une façon brutale. Il faut faire régner la raison et la justice, et non pas la violence qui convient seulement aux bêtes » (Dickason, 1993 : 56).

De l'arrivée des premiers missionnaires, en 1615, à la fin du Régime français, les communautés religieuses essayèrent d'imposer le christianisme aux autochtones (figure 1.11). Au début, ces derniers rejetèrent les missionnaires parce qu'ils tentaient de détruire leur mode de vie ; et, quand les maladies apportées par les Européens ravagèrent leurs tribus, ils blâmèrent d'abord les Jésuites (Trigger, 1991). Toutefois, parce que les autochtones croyaient que ces maladies avaient des causes spirituelles, les épidémies servirent les Jésuites quand les chamans se révélèrent impuissants à les guérir.

La politique française visa d'abord à l'assimilation des populations autochtones par l'enseignement du français et l'établissement des tribus semi-nomades sur des territoires agricoles. Cette politique n'était pas réaliste, et, en 1640, les Jésuites abandonnèrent leur projet d'instruire les jeunes Indiens dans des sémi-

FIGURE I.II
La France apportant la foi aux Sauvages. Cette peinture du frère Luc, Récollet, montre la France, personnifiée par la reine mère, Anne d'Autriche, apportant le christianisme aux autochtones de l'Amérique du Nord. L'idée maîtresse de cette peinture ne fait pas de doute. La France apporte le salut à un peuple inférieur qui, par gratitude, s'agenouille devant un des principaux soutiens des premières entreprises missionnaires. Il importait peu à l'artiste de reproduire fidèlement les Indiens, leurs abris ou le paysage. Cette peinture, qui est suspendue dans le couvent des Ursulines de Québec, servait à enseigner aux autochtones le respect envers leurs bienfaiteurs européens. L'image religieuse — telle la peinture que tient la reine — était, pour les missionnaires, un des grands moyens de présenter les mystères du christianisme.

naires de type européen et de fixer les Montagnais sur des réserves. Une plus grande acceptation de la culture autochtone, la décision de vivre avec les bandes dans leur environnement propre et les règles de conduite des Cent-Associés — de ne vendre des armes à feu qu'aux seuls convertis, par exemple — permirent aux Jésuites de réussir auprès de tribus comme les Attikameks et les Hurons. Toutefois, une minorité d'autochtones seulement devinrent catholiques, et beaucoup de ces derniers continuèrent de vivre à peu près comme avant. L'adhésion au christianisme impliquait, pour les convertis, qu'ils ne pouvaient plus participer à la vie sociale de leurs communautés. Le père Jérôme Lalemand, supérieur de la mission huronne, le notait en 1645 :

> Mais la plus grande opposition que nous voyons en ce pays à l'esprit de la foi, est en ce que leurs remèdes contre les maladies, leurs plus grandes récréations lorsqu'ils sont en santé, leurs pêches, leurs chasses et leur trafic, la prospérité de leurs champs, de leurs guerres, et de leurs conseils, tout est quasi rempli de cérémonies diaboliques. De sorte que la superstition ayant corrompu quasi toutes les actions de la vie, il semble que pour être chrétien, il faut se priver non seulement des passe-temps, qui d'ailleurs sont tout à fait dans l'innocence, et des douceurs les plus aimables de la vie ; mais des choses les plus nécessaires (Thwaites, vol. 28 : 53).

Étant donné l'importance des rêves, des fêtes et de la famille dans leur vie, il n'est guère surprenant que les autochtones n'aient pas voulu se convertir. Néanmoins, un nombre croissant de Hurons furent baptisés pendant les années 1640, et, au moment de leur dispersion, la majorité d'entre eux étaient chrétiens (Campeau, 1987).

Convaincus de leur supériorité culturelle, les Européens pouvaient, sans perdre leur identité, emprunter aux autochtones des particularités de leur vie. De jeunes hommes, par exemple, profitaient de la vie libre des bois, sans pour autant changer leurs valeurs fondamentales. Les coureurs des bois pouvaient adopter la tenue des autochtones et leurs moyens de transport ; ils pouvaient même prendre une femme indienne, mais ils restaient résolument chrétiens, et la plupart rêvaient de retourner à la vie de la colonie. Les idées et les valeurs des autochtones, tout en facilitant l'adaptation des Européens, ne marquèrent pas leur mode de vie en profondeur.

La guerre fut la dernière grande zone de contact entre les cultures. Les histoires traditionnelles de la Nouvelle-France mettent l'accent sur l'héroïsme dont firent preuve les premiers colons en se défendant contre de cruels guerriers.

La torture des prisonniers et les guerres d'embuscades pratiquées par les autochtones choquèrent les observateurs européens. Toutefois, et en dépit de quelques chaudes attaques, la guerre contre les Européens, pendant cette période, fut moins endémique et moins sanglante qu'on ne l'a habituellement décrite. L'hostilité des Iroquois était dirigée surtout contre les alliés autochtones, et moins contre les Français, à qui, du reste, les porte-parole iroquois demandaient sans cesse d'opter pour la neutralité.

Pendant le demi-siècle qui va de 1608 à 1666, un peu plus de 200 colons furent tués par les Iroquois, et un quart d'entre eux périrent à cause d'erreurs de stratégie commises par leurs commandants (le cas de Dollard des Ormeaux, tué avec quinze compagnons, en 1660, étant un des meilleurs exemples). La guerre ne représenta une menace généralisée que de 1650 à 1653 et en 1660-1661 ; la plupart des autres années furent relativement pacifiques. Mais il y avait de grandes différences d'une région à l'autre : Montréal fut souvent menacée, après sa fondation en 1642, et Trois-Rivières ne connut une guerre intensive que de 1651 à 1653 ; la région de Québec, où vivaient la majorité des colons, ne fut la cible des partis iroquois qu'après 1650, et les pertes en vies humaines survinrent pour la plupart en 1661. De plus, les prisonniers n'étaient pas toujours brûlés sur le bûcher ; plus de la moitié furent libérés ou réussirent à s'échapper, quelques-uns choisirent de vivre avec leurs ravisseurs (Dickinson, 1982 ; Axtell, 1985 ; Richter, 1992).

CONCLUSION

La venue des Européens eut une profonde influence sur la société autochtone qui connut successivement de nouveaux produits, les épidémies, l'abus de l'alcool et, finalement, la destruction de ses valeurs traditionnelles. Par le commerce, les autochtones allaient progressivement s'intégrer dans l'économie atlantique, mais, paradoxalement, leur position périphérique allait les condamner à dépendre des Européens. Toutefois, ce phénomène n'eut pas le même effet sur tout le territoire du Québec : les tribus des basses terres du Saint-Laurent furent victimes de grands bouleversements ; ailleurs, le choc fut moins dévastateur. Pour les intrus européens, la première moitié du XVIIe siècle fut une période d'adaptation à l'environnement américain. S'ils adoptèrent quelques éléments de la culture matérielle autochtone, les Français fondèrent une société coloniale aux institutions européennes.

Le déclin dramatique des populations autochtones et la dispersion des tribus sédentaires au sud de l'Ontario marquèrent la fin de cette période de l'histoire du Canada dominée par la main-d'œuvre et les réseaux commerciaux autochtones. En 1650, les Français étaient solidement implantés dans la vallée du Saint-Laurent. Les perspectives économiques, jusque-là limitées par la main-d'œuvre autochtone, s'améliorèrent quand les colons français commencèrent à fournir des vivres aux tribus nomades et qu'ils assumèrent eux-mêmes le transport des fourrures à Québec.

BIBLIOGRAPHIE

Une vue d'ensemble

La meilleure vue d'ensemble sur les autochtones du Nord-Est se trouve dans Bruce TRIGGER, dir., *Handbook of North American Indians*, vol. 15, Smithsonian Institute, 1978. Ceux qui s'intéressent à la préhistoire peuvent consulter J. V. WRIGHT, *La préhistoire du Québec*, Fides, 1980. Sur la disparition des Iroquoiens du Saint-Laurent, on peut consulter James PENDERGAST et Bruce TRIGGER, *Cartier's Hochelaga and the Dawson Site*, McGill-Queen's, 1972. Une histoire concise de cette période, du point de vue indien, a été donnée par Bruce TRIGGER dans *Les Indiens et l'âge héroïque de la Nouvelle-France*, Ottawa, SHC, 1978. Pour une étude plus détaillée de la période, on se reportera à Bruce TRIGGER, *Les Indiens, la fourrure et les Blancs*, Boréal, 1990.

Les tribus particulières

Quelques-unes des meilleures études consacrées à des tribus particulières portent sur les Hurons. Les ouvrages d'Elizabeth TOOKER, *Ethnographie des Hurons 1615-1649*, RAQ, 1987 et de Conrad HEIDENREICH, *Huronia. A History and Geography of the Huron Indians, 1600-1650*, MQS, 1970, et de Bruce TRIGGER, *Les enfants d'Aataentsic: l'histoire du peuple huron*, Libre Expression, 1991, en donnent une description détaillée. Sur les Iroquoiens du Saint-Laurent, voir Claude CHAPDELAINE, *Le site Mandveville à Tracy*, RAQ, 1989. Sur les problèmes rencontrés par les nomades en hiver, on peut consulter Norman CLERMONT, « L'hiver et les Indiens nomades du Québec à la fin de la préhistoire », *Revue de géographie de Montréal*, 29, 1974: 447-452. En ce qui concerne les femmes, on pourra consulter Roland VIAU, *Femmes de personne*, Boréal, 2000, pour les Iroquoiennes et Eleanor LEACOCK, « Montagnais Women and the Jesuit Program for Colonization », dans Veronica STRONG-BANG et Anita CLAIR FELLMAN, *Rethinking Canada. The Promise of Women's History*, Copp Clark Pitman, 1986: 7-22 pour les Montagnaises.

La religion

Sur l'importance de la religion dans les sociétés autochtones et sur la thèse controversée de Calvin MARTIN, voir son *Keepers of the Game: Indian-Animal Relationships and the Fur Trade*, University of California Press, 1978; et Shepherd KRECH III, *Indians, Animals and Fur Trade*, University of Georgia Press, 1981, ouvrage qui regroupe plusieurs essais sur cette thèse. Voir aussi l'article de Peter RAMSDEN, « Rich Man, Poor Man, Dead Man, Thief. The Dispersal of Wealth in 17th Century Huron Society », *Ontario Archaeology*, 35, 1981. Roland VIAU, *Enfants du néant et mangeurs d'âmes*, Boréal, 1997, analyse les aspects rituels de la guerre.

Les débuts de la colonisation française

Le compte rendu le plus complet de l'activité française en Amérique du Nord, pendant cette période, se trouve dans Marcel TRUDEL, *Histoire de la Nouvelle-France*, Fides, 1963-1999. Olive DICKASON, dans *Le Mythe du sauvage*, traduit de l'anglais par Jude Des Chênes, Septentrion, 1993 [1984], donne une excellente interprétation des attitudes des Français devant les peuples autochtones. John A. DICKINSON, dans « Les Amérindiens et les débuts de la Nouvelle-France », *Canada Ieri e Oggi*, Schena editore, 1986 : 87-108, évalue l'influence des autochtones sur les débuts de la colonisation au Canada et les conséquences des guerres dans « La guerre iroquoise et la mortalité en Nouvelle-France, 1608-1666 », *RHAF*, 1982. Pour des évaluations très différentes de l'influence des missionnaires, voir Denys DELÂGE, *Le pays renversé. Amérindiens et Européens en Amérique du Nord-Est, 1600-1660*, Boréal, 1985 ; et Lucien CAMPEAU, *La mission des Jésuites chez les Hurons, 1634-1650*, Bellarmin, 1987. Pour une vision comparative des comportements français et anglais, voir James AXTELL, *The Invasion within the Context of Cultures in Colonial North America*, Oxford Press, 1985.

DEUXIÈME PARTIE

Le Québec préindustriel

CHAPITRE II

De la Nouvelle-France au Bas-Canada 1650-1815

COMPLÉTÉE EN 1650, la disparition des intermédiaires hurons suscita, dans le domaine économique, de nouvelles possibilités qui commencèrent à attirer des immigrants français dans deux champs d'activité distincts : la traite des fourrures et l'agriculture. Il fallait ramasser les peaux et les transporter à Montréal et à Québec, mais aussi fournir des provisions de bouche aux coureurs des bois et aux chasseurs. La croissance de l'agriculture marqua la naissance d'une société agricole préindustrielle qui se maintint jusqu'au XIXe siècle.

La société préindustrielle reposait sur trois bases : la famille, l'agriculture et une structure sociale rigide et hiérarchisée. C'est la famille patriarcale, plutôt que l'individu, qui était au centre des relations sociales et économiques, et des codes définissaient, en les mettant au premier plan, les droits et les obligations de la cellule familiale. Selon le droit français, par exemple, le chef de famille était responsable des faits et gestes de sa femme et de ses enfants, et, s'ils subissaient quelque tort, lui seul pouvait se pourvoir en justice.

La famille paysanne était l'épine dorsale de cette société, comme elle en était l'unité économique de base. Une bonne partie du capital, dans le monde préindustriel, était placée dans l'agriculture : terre, maison de ferme et dépendances, bétail et instruments aratoires. Bien que la production paysanne fût surtout consommée sur place ou échangée dans l'économie locale, les familles paysannes constituaient d'intéressants marchés pour la production artisanale et le commerce de détail. Plus encore, les surplus agricoles soutenaient l'élite, représentée par les seigneurs, les principaux marchands, les administrateurs et les gens de l'Église.

L'État se faisait le promoteur d'un type de société paternaliste qui ostensiblement protégeait le faible, mais qui en réalité assurait le respect des privilèges de l'élite. Le maintien de l'ordre était sa fin principale. Les dépenses militaires dépassaient de loin les dépenses civiles, lesquelles servaient en grande partie à rémunérer les fonctionnaires et les officiers de justice. Les revenus, qui provenaient des fonds de la Couronne, des droits seigneuriaux, des ventes de terres et des droits de douane, n'étaient pas suffisants pour que l'État puisse intervenir vigoureusement dans les travaux publics. Jusqu'en 1815, la construction des routes reposa sur les seules corvées — donc sur le travail non rémunéré des classes populaires. Étroitement liées à la monarchie, les Églises établies aidaient l'État à maintenir l'ordre ; la moralité, entendue selon la tradition judéo-chrétienne, était le fondement des lois criminelles et la base de l'éducation populaire. En retour, l'État usait de son pouvoir pour assurer le respect de la religion.

Les structures de l'État restèrent celles de l'Ancien Régime, et cela même après l'élection de la première Assemblée, en 1791. Les fonctionnaires étaient choisis par la Couronne, sans l'intervention de quelque assemblée populaire que ce soit. Au vrai, les colons avaient peu à dire sur la façon dont étaient collectés et dépensés les fonds de l'État. Néanmoins, l'absence d'une force de police dans les régions rurales eut pour conséquence que, à l'extérieur des villes, la résistance passive de la population aux ordonnances de l'État se pratiquait d'ordinaire avec succès. Les gouvernements impériaux, étant des monarchies, considéraient les aristocrates comme les chefs naturels de la communauté. Cette conception fut imposée à la colonie, où la naissance et le népotisme apparurent comme des facteurs décisifs dans la détermination du statut et l'attribution des promotions au sein du gouvernement, de l'Église et de l'armée. Aussi l'autorité était-elle aux mains d'une élite aristocratique qui cherchait les avantages de sa propre classe.

Malgré la primauté de l'agriculture, le commerce représentait une force considérable. Dans la colonie, les commerçants exportaient des produits de base, tels que le poisson, les fourrures, le blé et le bois de construction. Ils cherchaient aussi à s'emparer d'une partie du surplus produit par la population agricole, en incitant celle-ci à consommer des biens importés, ce qui eut pour effet d'intégrer la paysannerie dans l'économie de marché.

Leurs besoins de capitaux étant modestes, les commerçants prospérèrent pendant la période préindustrielle. La plus forte proportion du capital était immobilisée dans des stocks de matières premières ou de produits finis qui se trouvaient dans des entrepôts, des navires ou des canots. Leur besoin d'argent liquide était moindre encore, la plus grande partie du commerce étant financée à même le crédit consenti par les producteurs industriels et agricoles. Pour les grandes entreprises, plusieurs commerçants pouvaient se grouper afin d'atténuer les risques, mais la durée de leur association était souvent limitée, et, d'après le droit français, la société ne pouvait pas survivre à la mort d'un des partenaires. Dans ces associations, chaque membre était personnellement responsable des dettes de la société. Pour leurs affaires à l'extérieur de la région, les commerçants s'en remettaient à des relations personnelles et à un climat de confiance créé par les générations précédentes (souvent des membres de leur famille élargie) pour tout ce qui touchait au crédit, aux renseignements, au respect des contrats et au recouvrement des dettes.

Malgré la création de grandes compagnies de commerce pour l'exploitation des monopoles coloniaux — comme la Compagnie des Cent-Associés, rien ne prouve l'existence d'un capitalisme moderne pendant l'ère préindustrielle. Les grandes compagnies n'adoptèrent jamais de méthodes comptables qui auraient démontré qu'elles comprenaient ce qu'est le capital. Leur but principal, qui assurait leur unité, était de lutter pour l'acquisition d'un monopole, et leur activité était souvent décentralisée. Tout au plus, les compagnies reflétaient le désir de l'État de mieux orienter et de mieux contrôler la politique économique.

Les artisans produisaient la plupart des biens en travaillant dans des ateliers familiaux, avec leurs propres outils. Dans un système comme celui-là, les besoins de capitaux étaient modestes. Ce n'est qu'exceptionnellement que de grands chantiers, comme les forges, requirent un investissement fixe et plus considérable. La plus grande partie de cette production était destinée à la communauté agricole, bien que la noblesse et l'Église eussent encouragé des métiers de luxe comme la sculpture et l'orfèvrerie. En Europe, les corporations municipales donnaient aux maîtres artisans le contrôle de la concurrence, des prix et de la qualité ; dans la colonie, les conditions du marché réglaient davantage la production artisanale. En Europe, aux XVIIe et XVIIIe siècles, l'expansion industrielle fut alimentée par le travail à domicile des paysans qui n'avaient pas assez de terre pour assurer leur subsistance ; dans la colonie, durant la période préindustrielle, l'abondance des terres empêcha le développement d'une réserve importante de travailleurs industriels.

Au sein de cette société, les rapports de classes étaient, d'une façon rigide, définis et régis par l'État. Aux classes populaires — les paysans et les artisans — on demandait de rester à leur place et de montrer la déférence qui convenait envers les supérieurs. L'ascension sociale était chose rare, les institutions d'enseignement n'étant ouvertes qu'à la bourgeoisie et à l'aristocratie, et la famille devant avoir des relations pour qu'on pût accéder au commerce et aux professions.

Chez les paysans, les biens accumulés, quand il y en avait, étaient canalisés vers les besoins de la terre et de la ferme. En Europe, l'aristocratie était, pour l'élite, le point de référence ultime. Si la plupart des bourgeois engageaient leurs capitaux dans les affaires et dans les terres, beaucoup espéraient accéder à la noblesse et plaçaient leur argent dans des offices militaires, judiciaires et administratifs, dans des dots et des terres seigneuriales (De Vries, 1976 : 214). Le code de la noblesse voulait que les gentilshommes dissipent leurs biens avec ostentation, en construisant de belles maisons, en suivant les tendances de la mode et en employant un grand nombre de serviteurs — toutes choses qui contrariaient l'apport de capitaux dans le commerce et l'industrie. En Nouvelle-France, la noblesse avait moins de privilèges. Ses fonctions militaires l'amenèrent à prendre part à la traite des fourrures et lui donnèrent une mentalité économique qui ne différait pas, sous le Régime français, de celle de la bourgeoisie.

L'ADMINISTRATION COLONIALE FRANÇAISE

Dans la plupart des sociétés, ce sont les conditions socio-économiques qui forgent les structures politiques et institutionnelles. Mais, en Nouvelle-France, les institutions administratives et cléricales de base, de même que les lois, existaient avant même l'établissement d'un nombre important de colons européens. Le gouvernement de la colonie prenait appui sur le mercantilisme. Les colonies étaient fondées pour satisfaire les besoins de la métropole, et le développement économique était dirigé et contrôlé de très près par l'État impérial. Que ce fût au ministère de la Marine, en France, ou, plus tard, au British Colonial Office, en Angleterre, on jugeait toujours de la politique coloniale par ses effets éventuels sur l'économie de la métropole. Des institutions civiles et religieuses qui avaient pris forme en Europe, au cours des siècles, furent imposées à la colonie et gérées par des Européens qui, souvent, percevaient mal les réalités coloniales.

Avant 1627, le petit comptoir de Québec n'avait pas besoin de cadres administratifs élaborés. Sous la Compagnie des Cent-Associés, la Nouvelle-France était dirigée par un gouverneur. À partir de 1647, par décision royale, il fut assisté par un conseil dont la forme a évolué jusqu'en 1663, et en 1651 le gouverneur de Lauson établit une autorité ordinaire, la sénéchaussée. En 1663, année où Louis XIV prit le pays en main, s'y retrouvaient la plupart des institutions essentielles de la France : un tribunal qui appliquait la Coutume de Paris, la tenure seigneuriale, et un évêque qui avait autorité sur les institutions religieuses comme les écoles et les hôpitaux.

Bien que le régime royal débute traditionnellement en 1663, il fallut attendre 1665 que son autorité soit affirmée. Pendant les années 1647-1665, la Communauté des habitants, dirigée par un petit nombre de familles apparentées, gérait l'administration et le commerce de concert avec le gouverneur. Cette oligarchie s'appropria les profits du commerce des fourrures et élimina les opposants, parfois en les assassinant, comme ce fut le cas du fils de l'enquêteur Jean Péronne du Mesnil envoyé en 1660 par les Cent-Associés. Ces familles réussirent à éviter le châtiment grâce à la protection de Mgr de Laval qui les nomma au premier Conseil souverain en 1663 (Horguelin, 1997). Leur contrôle cessa avec l'arrivée d'hommes nommés par le roi : un gouverneur militaire et un intendant chargé de la justice, de la police et des finances, et un système judiciaire royal. Avec des troupes pour affirmer l'autorité royale et protéger la colonie des incursions iroquoises, le régime royal débutait vraiment.

Les affaires coloniales, comme celles des provinces françaises, étaient dirigées de Paris. En 1663, la Nouvelle-France fut placée sous la responsabilité du ministère de la Marine, qui avait à sa tête Jean-Baptiste Colbert, principal ministre de Louis XIV. La politique, les nominations et même l'octroi des pensions étaient décidés à Paris ou à Versailles, et le ministre donnait des instructions précises au gouverneur et à l'intendant. En raison de la distance et de la courte saison de navigation, les lettres ne parvenaient dans la colonie que pendant l'été. La rareté des communications explique qu'on était, à Versailles, mal informé des problèmes coloniaux. Ainsi arrivait-il que les décisions prises en France fussent tout à fait inapplicables dans la colonie, et que les fonctionnaires locaux n'eussent d'autre choix que d'en retarder la mise en œuvre pendant qu'ils tentaient de convaincre le ministère de modifier ses positions.

En 1696, par exemple, dans un tentative pour mettre un frein au trafic excessif du castor, le ministère ordonna la fermeture des postes militaires de l'Ouest. Deux décennies durant, jusqu'à la réouverture des postes, les gouverneurs et les intendants cherchèrent par tous les moyens à obtenir le renversement de cette politique qui mettait l'économie coloniale en péril et qui rompait les alliances avec les autochtones (Zoltvany, 1974).

Le gouverneur était responsable des affaires militaires et diplomatiques, ainsi que des relations avec les autochtones. Il était assisté d'un gouverneur à Montréal et à Trois-Rivières et d'un capitaine de milice dans chaque paroisse. Si les capitaines de milice exerçaient d'abord des fonctions militaires, ils rendaient compte aussi de matières administratives, comme les statistiques sur les récoltes, et transmettaient les ordres relatifs à des questions locales, comme les travaux de voirie.

Étant donné l'importance de la Nouvelle-France en tant que théâtre de la rivalité impériale anglo-française, l'institution militaire y tenait une très grande place (figure 2.1). De l'arrivée des premières troupes royales — le régiment de Carignan-Salières, envoyé pour réduire les Iroquois dans les années 1660 — à la guerre de la Conquête, un siècle plus tard, la colonie compta toujours sur une armée nombreuse pour sa défense contre les Britanniques et les Iroquois. Au XVIIIe siècle, le corps des officiers, recrutés au sein de l'aristocratie locale, joua un grand rôle aussi bien dans la traite des fourrures que dans la défense de la colonie. Les militaires qui y étaient en garnison appartenaient aux troupes de la Marine et venaient de France. Beaucoup d'entre eux choisirent de s'établir dans la colonie après leur licenciement. Éléments importants de l'économie locale, la solde des militaires et leur approvisionnement représentaient une grande partie du budget annuel de la Nouvelle-France, notamment en temps de guerre (Desbarats, 1998).

La politique autochtone avait une grande importance mais les interventions des gouverneurs n'étaient pas toujours heureuses. Certains ont mené des campagnes militaires désastreuses comme Courcelle chez les Agniers pendant l'hiver

FIGURE 2.1
Québec vue de la Pointe Lévy, 1761. Cette vue de Québec montre bien la position stratégique qu'occupait la capitale de la Nouvelle-France. La citadelle, au sommet du cap aux Diamants, à gauche, commandait le fleuve et était le centre névralgique du réseau de fortifications qui entourait la ville. Le grand édifice qui apparaît sur la falaise, au-dessus de la basse-ville, était le château Saint-Louis, résidence du gouverneur. Des remparts longeaient la falaise ; des batteries côtières protégeaient le port et le chantier naval où l'on peut voir la coque d'un navire de guerre en construction.

1666 ou La Barre contre les Tsonnontouans en 1687. D'autres sont devenus impatients avec des alliés qu'ils jugeaient inconstants tel le gouverneur de Beauharnois qui a lancé ses troupes et les nations alliées dans une guerre d'extermination contre les Renards dans les années 1730. D'autres, par contre, ont réussi avec brio tel Hector de Callière qui assura la neutralité des Iroquois et la paix dans les Pays d'en haut lors de la grande paix de Montréal en 1701 (Havard, 1992). Malgré un certain succès dans ce domaine, les autorités françaises ne comprirent jamais les motivations et les objectifs amérindiens notamment en ce qui concerne les campagnes militaires (MacLeod, 2000).

L'intendant et ses fonctionnaires veillaient à l'administration des finances, au progrès économique et à l'exercice de la justice dans la colonie. Celle-ci se développant, l'intendant délégua son autorité à d'autres fonctionnaires : le directeur du Domaine du roi gérait les terres de la Couronne et prélevait les droits de douane ; le grand voyer était chargé de la construction des chemins et de la planification urbaine ; et le capitaine de port dirigeait l'activité maritime. Ce personnel nombreux était regroupé dans le palais de l'intendant, à Québec, qui servait aussi de palais de justice (Vachon, 1969).

Le chevauchement de certaines de leurs responsabilités provoqua des conflits entre le gouverneur et l'intendant. Si le premier était chargé des affaires militaires, le second avait la direction des finances, et nul ne pouvait, sans le consulter, entreprendre quelque action d'importance. De même, l'autorité qu'il exerçait sur le commerce opposa l'intendant au gouverneur, au sujet des permis de voyage dans l'Ouest et de la politique indienne. L'intendant était aussi responsable de la justice, mais le gouverneur siégeait à la plus haute cour de la colonie, le Conseil souverain, où il réclamait la préséance comme premier représentant du roi. Les rivalités soulevées par la pratique du favoritisme vinrent aggraver les conflits personnels, et les tensions qui en résultèrent éclatèrent au grand jour quand les fonctionnaires se disputèrent le premier rang dans les cérémonies publiques (Eccles, 1964 : 77-98).

Bien que la vénalité des offices, qui se pratiquait en France, ne fût pas en usage en Nouvelle-France, les administrateurs ne considéraient pas moins leurs offices comme des propriétés personnelles qui devaient rapporter. De cette conception de la moralité politique, on trouve une illustration dans la correspondance d'Élisabeth Bégon, fille d'un fonctionnaire de Montréal et veuve d'un gouverneur de Trois-Rivières. Écrivant à son gendre, qui représentait l'intendant à La Nouvelle-Orléans, et prenant exemple sur l'intendant François Bigot, qui amassait une fortune en vendant à l'État des biens à des prix exagérés, elle l'encourageait à imiter sa conduite :

> M. de La Filière m'a dit qu'on l'avait assuré qu'il [Bigot] devait gagner, cette année, deux cent mille livres [un journalier gagnait environ deux livres par jour] sur les fournitures qu'il a faites de farine. [...] Si tu n'as pas l'esprit de gagner quelque chose où tu es, tu mériterais être battu, car on ne se fait plus de mystère aujourd'hui de ce métier et on regarde comme bêtes ceux qui n'ont point de commerce en tête. Je crains que cela ne t'occupe pas assez. Il est vrai qu'il convient en quelque façon beaucoup mieux de s'occuper de son devoir, mais il faut faire en sorte de travailler à l'un et à l'autre.

LE DROIT ET LA JUSTICE EN NOUVELLE-FRANCE

Dès ses débuts, officieusement d'abord, puis officiellement à partir de 1664, la Nouvelle-France fut régie par la Coutume de Paris, un ensemble cohérent de lois influencées par une conception de la religion et de l'État qui faisait grand cas de l'autorité et de la responsabilité paternelles. Le patrimoine familial y était protégé par des hypothèques secrètes, par des clauses de mariage qui soustrayaient aux créanciers des avoirs importants, par le droit d'intervenir dans les contrats de vente pour préserver l'intégrité d'un bien immobilier et par des restrictions au droit de tester en matière de propriété (Zoltvany, 1971). Fondée sur la conception « nulle terre sans seigneur », la Coutume de Paris avantageait le fils aîné des familles seigneuriales pour maintenir leur rang, mais encourageait une vision égalitaire dans les classes populaires, en prescrivant une stricte égalité parmi les héritiers d'une terre roturière. Ces dispositions, qui raffermissaient les bases de la société préindustrielle — la famille, l'agriculture et une structure sociale hiérarchisée —, eurent d'importantes conséquences pour la société coloniale, en particulier quand l'activité capitaliste s'y accrut.

Les rapports commerciaux étaient régis par les ordonnances royales dont la plus importante fut l'Ordonnance civile de 1667, et par des règlements de police fixant les heures d'ouverture, les devoirs des domestiques, par exemple. Beaucoup de procédures étaient assurées par des notaires qui établissaient des contrats entre parties consentantes. Les transactions foncières, le droit familial et les prêts formaient le plus gros de leur travail mais, à l'occasion, ils pouvaient régler des litiges hors cour (Dickinson, 2001).

Le système judiciaire de la Nouvelle-France, en tant que province royale, était formé par le Conseil souverain et les juridictions royales subalternes de Québec, de Montréal et de Trois-Rivières. Créé en 1663, le Conseil souverain était composé du gouverneur, de l'évêque, de l'intendant et de cinq conseillers. Pendant un certain temps, il détint des responsabilités et des pouvoirs législatifs étendus. Mais, à partir des années 1670, tous les règlements de quelque portée furent rédigés par l'intendant, avant d'être publiés par le Conseil, dont le rôle fut ramené à celui d'une cour d'appel, au civil et au criminel, pour les juridictions royales. L'organisation judiciaire fut complétée en 1719, année où fut établi à Québec un tribunal de l'amirauté, qui entendait les causes relatives au commerce maritime. L'intendant avait le droit de juger toute cause qu'on lui soumettait, mais il l'exerçait rarement, renvoyant les parties devant les tribunaux usuels. C'est lui qui nommait tous les officiers de justice, y compris les notaires royaux, et qui veillait à ce que l'appareil judiciaire appliquât la Coutume de Paris.

Les justices royales occupaient une place centrale dans ce système. Elles jugeaient tant au civil qu'au criminel et mettaient en vigueur les lois et règlements. C'est en matière civile — recouvrement de dettes, contestations relatives au droit de propriété ou perception de redevances seigneuriales — qu'elles étaient les plus actives. Au tribunal royal de la Prévôté de Québec, les litiges de cette nature représentaient 98 % de la charge de travail des juges. En principe, la justice se rendait à peu de frais et était accessible à tous. Toutefois, ces cours ayant leur siège dans les trois grandes villes, alors que les colons vivaient en très forte majorité à la campagne, elles étaient utilisées surtout par la population urbaine : artisans, marchands et membres de l'élite coloniale.

Dans les causes civiles jugées par la prévôté, les artisans représentaient 35 % des parties plaignantes ; les marchands et les membres de l'élite, près de 20 % chacun ; et la paysannerie, qui formait environ 80 % de la population totale, 18 % seulement. Bien que les coûts de la justice eussent été réduits par suite de l'interdiction faite aux avocats d'exercer dans la colonie, toutes les causes occasionnaient des frais et souvent elles obligeaient les parties à se présenter à plusieurs séances du tribunal. Aussi ces cours renforçaient-elles la ségrégation sociale, au profit de l'élite (Dickinson, 1982b).

La justice criminelle de la Nouvelle-France différait notablement de celle d'aujourd'hui. Pour introduire sa cause, la victime d'un crime devait faire une déclaration officielle devant un juge. Si l'auteur du crime était inconnu, sa capture posait un problème, étant donné que la colonie ne disposait d'aucune force de police organisée. C'est pourquoi on recourait souvent à l'armée pour retrouver des suspects, comme celui-ci :

> [...] hauteur, environ quatre pieds et demi, cheveux noirs aras les oreilles, les yeux bleus, le front ridé, la barbe follette et blonde, le nez tirant sur la camus et relevé, le visage sec et effilé, le teint livide, marche de travers un pied en dehors et l'autre en dedans, la voix aigre et forte, ne parle pas bien franc, âgé d'environ 23 à 25 ans, avait une veste bleue et des boutons de cuivre (Lachance, 1984 : 137).

Une fois capturé, le suspect était mis aux fers et gardé en prison à Montréal, à Trois-Rivières ou à Québec en attendant son procès. L'accusé n'était pas informé des charges portées contre lui et n'était pas assisté par un avocat.

Quand ils étaient convaincus de la culpabilité d'un suspect, les juges pouvaient user de la torture pour obtenir sa confession ou les noms de ses complices. Les punitions corporelles, la saisie des biens, l'exil et la peine de mort étaient des châtiments courants. Si l'on appliquait la décapitation, la roue et le bûcher, la pendaison était de loin la forme la plus commune de la peine capitale. Sur trente-huit condamnés à mort, de 1712 à 1748, on compte huit femmes (Lachance, 1984). Dans la société préindustrielle, l'emprisonnement ne fut jamais considéré comme un châtiment.

Bien que les tribunaux royaux aient eu pour fonction première de rendre la justice au civil et au criminel, ils jouèrent aussi un certain rôle administratif. En l'absence de gouvernements municipaux, sous le Régime français, l'intendant assumait certaines responsabilités aujourd'hui dévolues aux administrateurs locaux : il émettait des règlements concernant l'ordre public, la santé et la sécurité, le commerce et la voirie, mais il revenait au Conseil souverain et aux tribunaux royaux de les publier et de les mettre en vigueur. La plus grande partie de cette réglementation met en lumière les préoccupations sociales dominantes de l'administration dans la société préindustrielle : la faim, les incendies, la maladie et les comportements scandaleux.

Pour assurer l'approvisionnement des populations urbaines, des règlements rigoureux obligeaient les bouchers et les boulangers à fournir de la viande et du pain en quantité suffisante et à des prix fixes, et interdisaient aux détaillants d'accaparer les stocks dans les marchés, qui se tenaient deux fois la semaine. D'autres règlements portaient sur la planification urbaine et sur l'inspection des poids et mesures utilisés par les commerçants; d'autres encore précisaient les normes applicables à la construction et à l'entretien des chemins.

Vu le danger qu'ils représentaient et la pauvreté des moyens dont on disposait pour les combattre, les incendies étaient une des grandes préoccupations des autorités. En 1734, Montréal fut presque détruite, après qu'une esclave, par vengeance, eut mis le feu à la maison de son propriétaire, qui l'avait punie: quarante-six maisons et l'Hôtel-Dieu furent rasés. On réglementa la construction des maisons, l'inspection des cheminées, la distribution des seaux et des haches et l'installation des échelles sur les toits.

Pour la santé publique, on s'appuyait sur des théories médicales qui préconisaient la pureté de l'air. Les déchets humains et animaux devaient être enlevés des villes, et toute résidence devait posséder des latrines extérieures, les odeurs de déchets organiques étant considérées comme porteuses de maladies. Aux yeux des autorités civiles et religieuses, les auberges étaient les principaux lieux de scandale et de sédition. Tous les propriétaires devaient se munir d'un permis et respecter des heures strictes d'ouverture. Légalement, les autochtones ne pouvaient acheter que de la bière, et il était interdit aux domestiques et aux ouvriers de boire pendant le jour sans la permission de leur employeur. Ces établissements devaient fermer pendant la messe, et l'on devait y afficher les ordonnances royales contre le blasphème (Dickinson, 1987).

LE RÉGIME SEIGNEURIAL

Les historiens ne s'accordent pas sur l'importance du régime seigneurial. Marcel Trudel l'a décrit comme un système social d'assistance mutuelle, établi pour faciliter le peuplement, et qui a protégé la nation canadienne-française contre les influences extérieures au XIXe siècle (Trudel, 1956). Richard Colebrook-Harris, pour sa part, le juge plus sévèrement en faisant valoir qu'avant la Conquête le mode de peuplement tenait plus aux caractéristiques physiques du territoire qu'à l'activité seigneuriale, et que sous le régime britannique les seigneurs devinrent plus exigeants (Harris, 1984; 1979). Les recherches de Louise Dechêne (1971; 1974; 1981) ont montré les profondes implications de ce régime tant pour les paysans que pour les populations urbaines, à partir du XVIIe siècle. Des études récentes le voient comme une source d'inégalité sociale, et soulignent le pouvoir des seigneurs de s'approprier les surplus agricoles (Greer, 1985; Dépatie, Lalancette et Dessureault, 1987).

Forme de propriété réglée en général par la Coutume de Paris, la seigneurie déterminait les relations sociales et économiques entre le seigneur et le censitaire, en restreignant les droits de propriété de la paysannerie. En théorie, le seigneur concédait une terre à tous les futurs colons, et mettait à leur disposition un moulin à blé. Mais ce dernier n'était construit que lorsque la population était suffisamment nombreuse pour en garantir la rentabilité ; quand la pression démographique se fit davantage sentir, les seigneurs retinrent les terres et imposèrent des loyers plus élevés. Les paysans devaient payer un loyer annuel (les cens et rentes), verser un impôt sur la vente de leur terre (les lods et ventes), la défricher et la mettre en valeur, et faire moudre leur grain au moulin seigneurial. Faute de se plier à ces obligations, ils pouvaient être évincés.

En plus de droits honorifiques, comme ceux d'occuper le premier banc à l'église et de recevoir la communion le premier, le seigneur en possédait d'autres plus lucratifs. Grâce à la corvée, il pouvait tirer des journées de travail de ses censitaires et, grâce au retrait féodal, avoir une priorité sur le rachat des terres ; il détenait en outre le pouvoir de percevoir une certaine part de la pêche et le monopole des eaux motrices ; dans beaucoup de cas, il avait le droit d'établir une cour de justice seigneuriale. Le seigneur se servait de ce tribunal aussi bien pour percevoir les droits seigneuriaux que pour régler des litiges locaux, relatifs à la délimitation des terres et aux dommages causés par les bestiaux. Dans la région de Québec, la plupart des cours seigneuriales actives se trouvaient dans des seigneuries appartenant à des communautés religieuses, et constituaient un important outil pour leur administration. Ces cours rendaient aussi un notable service aux habitants, les frais y étant de beaucoup inférieurs à ceux qu'on exigeait dans les cours royales (Dickinson, 1974). Aucune d'entre elles, toutefois, ne survécut à la Conquête.

La Compagnie des Cent-Associés et, plus tard, la Couronne avaient espéré que les seigneurs deviendraient des agents de colonisation, d'autant qu'il était dans leur intérêt de peupler leurs terres. Mais peu de seigneurs payèrent le passage d'immigrants, la plupart étant engagés dans d'autres affaires ou dans l'administration gouvernementale, et leurs seigneuries contribuant peu à leurs revenus. Les communautés religieuses firent exception, et leurs terres bien peuplées rapportèrent beaucoup à partir de la fin du XVIIe siècle. Le peuplement s'étendit progressivement, en s'éloignant des villes où il avait commencé ; à la fin du XVIIIe siècle, la plupart des seigneuries laïques assuraient à leurs propriétaires une partie importante de leurs revenus (Greer, 1985).

Le régime seigneurial eut peu d'influence sur le modèle géographique du peuplement, mais plus sur la vie sociale (figures 2.2 et 2.3). Le tracé des concessions, adopté sous le régime des Cent-Associés, fut dicté par des considérations géographiques. Les seigneuries, de forme rectangulaire, avaient leur front sur le

FIGURE 2.2
Distribution des terres et modèles de peuplement, près de Québec. On s'est souvent servi de plans pour décrire le régime seigneurial et pour montrer l'uniformité du paysage agraire. En raison de la façon dont les paysans organisaient leurs terres, les villages radiaux créés par les Jésuites dans les années 1660 et souvent attribués à tort à l'intendant Jean Talon, restèrent de curieuses exceptions dans le paysage agraire du Québec.

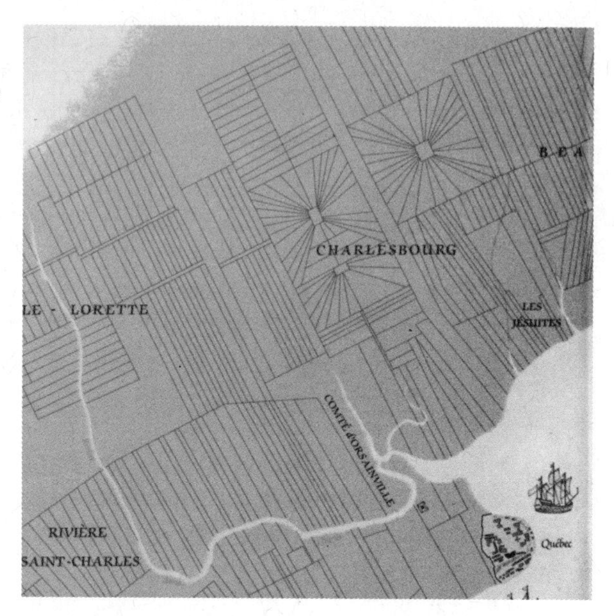

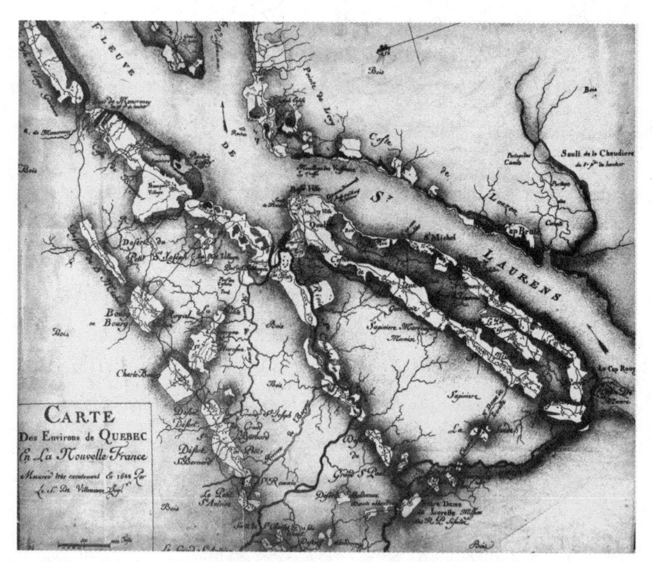

FIGURE 2.3
Cette carte de Robert de Villeneuve (1688) reflète mieux que le plan précédent les véritables modèles de peuplement. Les défrichements ne se faisaient pas de façon uniforme, mais apparaissaient comme des trouées au milieu de la forêt, ce qui met en lumière le sens communautaire qui présidait à l'ouverture de nouvelles terres, et montre bien que la colonisation ne progressait pas au hasard. Le village huron de Lorette apparaît dans la partie inférieure du plan, à droite. Moins d'une décennie après la confection de ce plan, les empiétements des Blancs sur leurs terres forcèrent les Hurons à le déménager plus au nord. (Comme plusieurs cartes de ce temps, le nord est en bas, la carte se lit donc à l'envers.)

fleuve ou sur une grande rivière, et les terres concédées aux paysans mesuraient environ 175 mètres de largeur sur 1750 de profondeur. Cette disposition facilitait l'arpentage de même que la construction et l'entretien des chemins, et donnait aux premiers colons accès au fleuve ou à la rivière ; mais elle ne favorisait ni la création de villages ni la défense des maisons. Quand la première côte (rangée de fermes le long du fleuve ou de la rivière) était occupée, une deuxième, qui prit plus tard le nom de rang, était ouverte à l'intérieur, le long d'un chemin parallèle au cours d'eau. La vie sociale des paysans était centrée sur la côte, où les membres de leur parenté étaient établis de proche en proche. Les seigneurs, bien sûr, pouvaient décider quand et comment leurs terres seraient ouvertes au peuplement, et ils pouvaient recourir à l'expropriation pour la création de villages et la construction de moulins.

Bien que peu de seigneurs canadiens descendissent de la vieille noblesse française, ils formaient une aristocratie confiante dans ses privilèges et dans sa position sociale. Quant aux paysans, leurs multiples devoirs — onéreux et honorifiques — envers les seigneurs leur rappelaient constamment quels étaient, sur le plan social, leurs supérieurs.

LA RELIGION

En France, au XVIIe siècle, le roi gouvernait de droit divin et il était le protecteur de l'Église ; la rigueur de la doctrine catholique se faisait sentir jusque dans la loi. L'Église jouissait d'un statut social élevé. Premier ordre du royaume, elle en protégeait la structure sociale en prêchant l'obéissance et la soumission. L'autorité sur les classes populaires était renforcée par l'exaltation de la pauvreté. L'État profitait aussi des communautés religieuses, en se déchargeant sur elles de ses responsabilités dans les domaines de l'éducation et de l'hospitalisation. Aussi l'Église joua-t-elle, en Nouvelle-France, un rôle de premier plan dans l'établissement d'un cadre institutionnel. Avant même la création de la première paroisse, la colonie possédait deux hôpitaux, deux écoles et un collège, tous dirigés par l'Église.

Pour maintenir la position et le rôle social du clergé, l'Église avait besoin de gros revenus. Elle en tirait une certaine partie des quêtes et des dons, des allocations versées par l'État pour prendre soin des soldats malades, des pauvres et des gratifications royales ; mais elle en trouvait la source principale dans la dîme — un impôt sur les produits agricoles — et dans l'exploitation de ses grandes seigneuries. Pour le soutien des missions, les Cent-Associés donnèrent aux Jésuites d'immenses terres, si bien qu'à la fin du Régime français un quart de toutes les seigneuries étaient entre les mains de l'Église (figure 2.4). La plupart d'entre elles étaient situées à proximité de Montréal, de Québec et de Trois-Rivières, où la

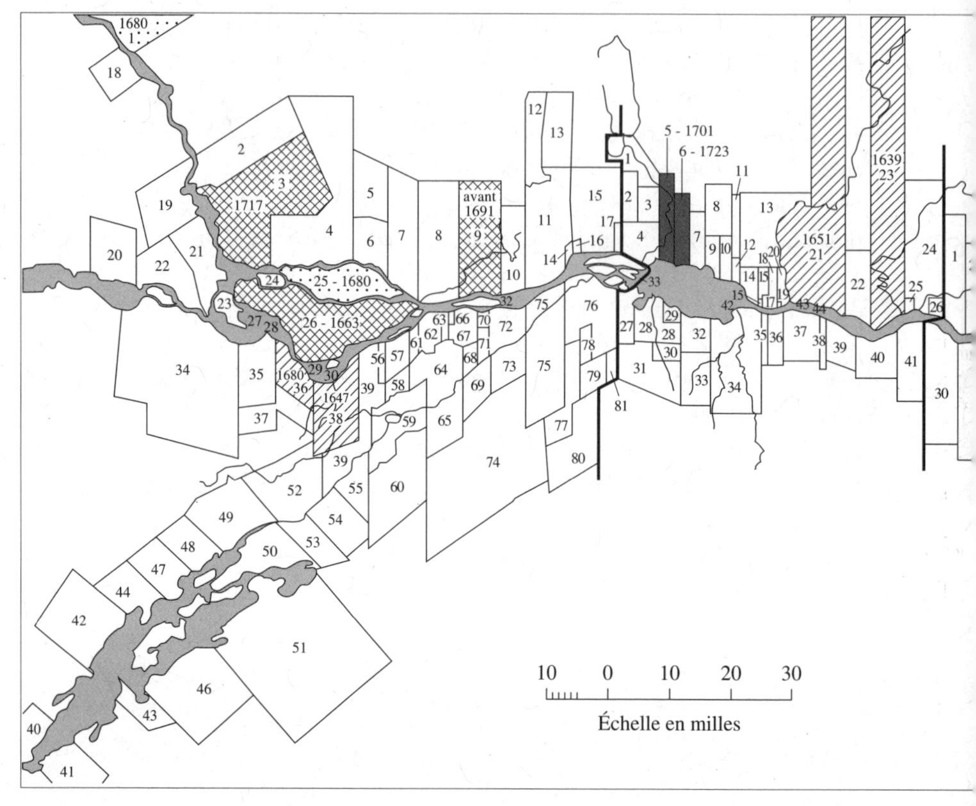

FIGURE 2.4
Seigneuries aux mains de l'Église en Nouvelle-France. Après la Conquête, les seigneuries des Jésuites devinrent des terres de la Couronne, mais les autres communautés conservèrent les leurs. (Source : Harris, 1984) Pour la signification des chiffres des seigneuries, voir la légende p. 413.

population était la plus dense. Plus d'un tiers des colons y vivaient et procuraient au clergé un revenu considérable.

Pendant les premières années de la colonie, les Jésuites prirent part au gouvernement, et cette tradition se conserva jusqu'après l'arrivée de Mgr François de Laval, en 1659. Étant donné les liens étroits entre l'Église et l'État, il était normal que Mgr de Laval siégeât au Conseil souverain. Les relations entre les représentants de l'État et ceux de l'Église ne furent pas toujours harmonieuses, en particulier au sujet de la traite de l'eau-de-vie. Mgr de Laval, qui considérait comme un péché le fait d'exploiter les Indiens, se plaignait que l'alcoolisme faisait obstacle aux conversions, et menaça d'excommunication quiconque échangerait de l'eau-de-vie contre des fourrures. Le gouverneur et l'intendant reprochaient à l'évêque d'outrepasser son autorité. Pour leur part, ils toléraient la traite de l'eau-

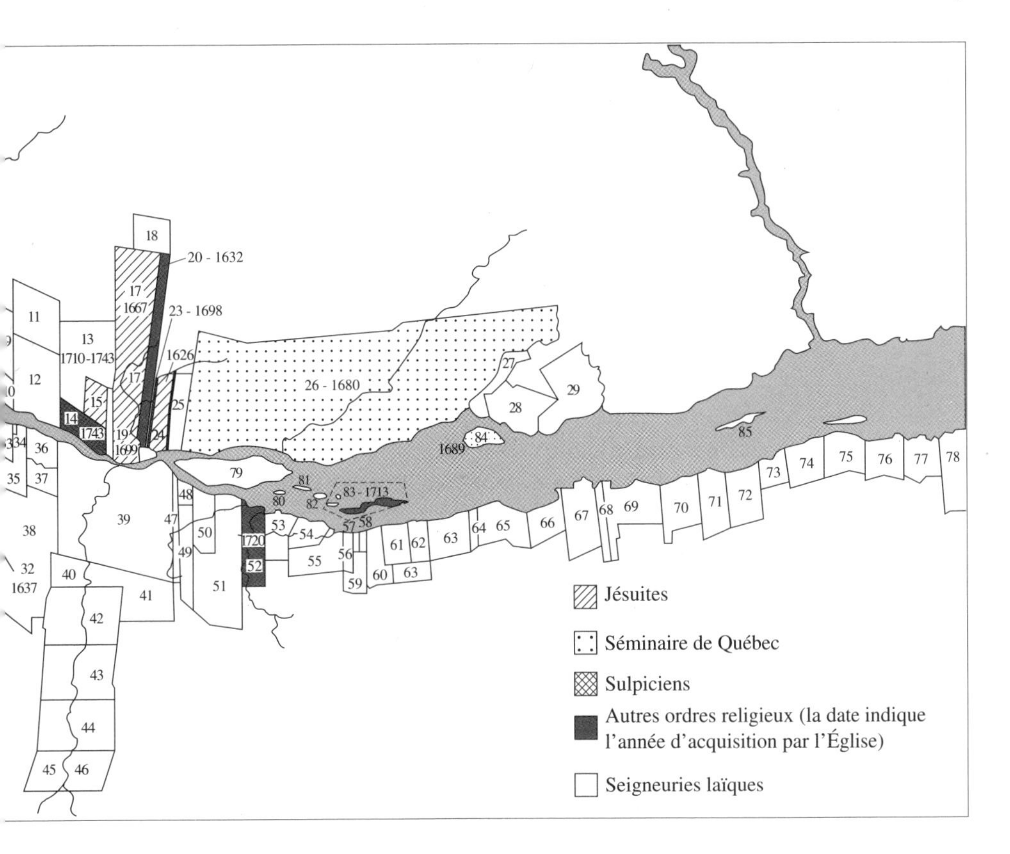

de-vie, qu'ils jugeaient essentielle à l'économie coloniale. Laval fut aussi en désaccord avec les autorités civiles au sujet du montant de la dîme, que le gouverneur, donnant suite aux plaintes de la population, fixa au vingtième de la récolte, en 1663, plutôt qu'au treizième, comme l'avait proposé l'évêque. En 1707, finalement, le gouvernement en fixa le taux au vingt-sixième. En dépit de ces différends, personne ne mit en cause la domination de l'Église par l'État, et surtout pas les successeurs de Laval, pour la plupart évêques absentéistes qui passaient autant de temps en France que dans la colonie.

La composition sociale de l'Église reflétait la hiérarchie sociale du temps. Les évêques furent tous choisis au sein de l'élite française, comme le furent aussi beaucoup de Jésuites et de Sulpiciens. Les curés, recrutés surtout parmi la bourgeoisie locale et formés au Séminaire de Québec après 1663, avaient une grande influence dans leurs paroisses. Pourtant, le clergé ne fut jamais une force dominante sur le plan local, d'autant plus que le manque de prêtres obligeait les curés à desservir plus d'une paroisse. En plus de leurs tâches religieuses, les curés assumaient d'importantes fonctions civiles. Ils tenaient les registres paroissiaux — relevés officiels des naissances, des décès et des mariages — et, à l'occasion, ils informaient le gouvernement de l'état de l'économie locale. Dans les communautés privées de notaires, les prêtres étaient habilités à recevoir certains actes, comme les contrats de mariage.

L'Église française du XVIIe siècle était fortement influencée par la Contre-Réforme. En France, on organisait des missions pour la conversion des paysans, à qui l'on prêchait une morale rigoureuse, la dévotion à la Vierge Marie et la stricte observance des dimanches et fêtes d'obligation. Le clergé n'échappait pas à ce désir de réforme. Les Jésuites et les Sulpiciens prirent la tête d'un mouvement pour la formation de prêtres mieux instruits et plus pieux, et, bien qu'ils n'aient pas formé de sujets en Nouvelle-France, il est significatif qu'ils y soient devenus les deux grandes communautés religieuses d'hommes.

Les travaux apostoliques des Jésuites de la Nouvelle-France sont célèbres, en particulier en raison de leur séjour en Huronie, où le père Jean de Brébeuf et trois de ses compagnons subirent le martyre aux mains des Iroquois, en 1648 et 1649. Le Collège des Jésuites de Québec, fondé en 1635, fut la première institution d'enseignement postsecondaire d'Amérique, au nord du Mexique. Les Jésuites servirent aussi l'État en qualité d'explorateurs (Charles Albanel, qui traversa le Québec, de Tadoussac à la baie James, et Jacques Marquette, qui contribua à la découverte du Mississippi, en sont de bons exemples) ; ils aidèrent aussi au maintien des alliances avec les autochtones, en leur distribuant des présents dans leurs missions de l'intérieur. Leurs huit seigneuries, situées autour de Québec et de Trois-Rivières et sur la rive sud du Saint-Laurent en face de Montréal, faisaient des Jésuites les plus grands propriétaires fonciers de la colonie. Après la Conquête, la communauté fut dépouillée de ses biens, son collège fut fermé et ses terres furent expropriées par la Couronne britannique.

Les Sulpiciens, qui avaient participé à la fondation de Montréal en 1642, devinrent les seigneurs de l'île en 1663. Possédant deux autres seigneuries tout près, ils furent la principale communauté religieuse d'hommes dans la région de Montréal. Grands propriétaires fonciers, desservants de paroisses et missionnaires, ils ouvrirent un collège classique — le Collège de Montréal — à la fin du XVIIIe siècle.

Les communautés religieuses de femmes s'occupaient de la santé et de l'éducation. Les Ursulines arrivèrent dans la colonie en 1639 pour enseigner aux jeunes filles autochtones. Abandonnant cette orientation, elles fondèrent, à Québec, à Trois-Rivières et à La Nouvelle-Orléans, des écoles pour les filles de l'élite coloniale, leur apprenant la lecture et l'écriture, les travaux d'aiguille et les bonnes manières. Les Ursulines étaient accompagnées des Hospitalières de la Miséricorde-de-Jésus qui fondèrent à Québec un hôpital pour les autochtones convertis ; mais, les Indiens n'ayant pas confiance dans la médecine française, l'hôpital servit surtout à la population blanche.

À Montréal, le zèle pour la religion dont étaient animés les immigrants suscita la fondation de nouvelles communautés religieuses. Jeanne Mance fonda le célèbre Hôtel-Dieu de Montréal en 1642, pour y soigner Blancs et autochtones. Seize ans plus tard, Marguerite Bourgeoys jetait les fondements de la Congrégation de Notre-Dame. Visant à former les filles des colons, qu'elle préparait à leur rôle de pieuses épouses et de mères chrétiennes, cette communauté ouvrit de nombreuses écoles primaires dans toute la colonie, de Montréal à Louisbourg. Plus tard, Québec et Montréal eurent chacune leur hôpital général, pour l'entretien des pauvres et des vieillards. Ces institutions, utiles au contrôle social, rendaient la pauvreté moins visible et assuraient le soin des pauvres à l'intérieur d'une communauté isolée et enrégimentée.

Bien que certains candidats fussent motivés par de profondes convictions, la vie religieuse répondait aussi aux stratégies domestiques de l'élite, en diminuant le nombre des enfants à pourvoir à même le patrimoine familial. Les dots pour l'entrée au couvent étaient élevées, mais inférieures à celles du mariage. Les communautés féminines se « canadianisèrent » rapidement : au XVIIIe siècle, la majorité des religieuses étaient nées dans la colonie. Beaucoup de filles de la noblesse canadienne — environ 20 % de toutes les femmes adultes de cette classe sociale furent religieuses — entrèrent dans les communautés hospitalières et chez les Ursulines (Gadoury, 1988). La Congrégation de Notre-Dame admit dix-sept filles de la noblesse, mais aussi des candidates d'origines sociales plus diverses.

Les fils de l'élite coloniale, quant à eux, avaient peu de choix. Mis à part les Récollets, qui servaient surtout comme aumôniers militaires, les communautés religieuses d'hommes recrutaient presque exclusivement en France. On ne sait trop pourquoi, seulement trois Canadiens entrèrent chez les Jésuites, et aucun chez les Sulpiciens, avant les années 1770. Il semble y avoir eu un préjugé anticolonial au sein du clergé, mais la préférence de l'aristocratie canadienne pour les carrières militaires explique aussi en partie cet état de fait. Le clergé était plus accessible à l'élite, mais il était aussi moins attrayant, car jusqu'après la Conquête seuls des Français de naissance y occupèrent des hauts postes. En 1776, Jean-François Hubert fut le premier Canadien sacré évêque. Toutefois, la grande majorité des prêtres séculiers furent toujours des Canadiens.

LES RIVALITÉS IMPÉRIALES ET LA CONQUÊTE

Aux XVIIe et XVIIIe siècles, la France et l'Angleterre se disputèrent la suprématie en Europe, aux Indes, aux Antilles et en Amérique du Nord. Bien que la France comptât quatre fois la population de l'Angleterre et qu'elle disposât d'une armée dix fois supérieure, sa marine ne représentait plus, au début des années 1700, que la moitié de celle de sa rivale. Or, dans un conflit qui s'étendrait à des colonies dispersées tout autour du monde, la supériorité navale serait déterminante.

Au XVIIe siècle, aucun des deux empires n'imposa sa domination, et des territoires comme l'Acadie changèrent régulièrement de mains. Comprenant la Nouvelle-Écosse, l'Île-du-Prince-Édouard, le Nouveau-Brunswick et le Maine d'aujourd'hui, l'Acadie était revendiquée par les deux puissances. Dans le premier tiers du XVIIe siècle, les Français, les Anglais et les Écossais échouèrent tous dans leurs tentatives pour s'y établir. En 1632, l'Acadie était aux mains de la France, et la Compagnie des Cent-Associés y fonda un petit poste, à Port-Royal, sur le bassin de l'Annapolis. Les colons de la Nouvelle-Angleterre conquirent cet établissement de 500 habitants en 1654, mais durent le céder de nouveau en 1670, trop tard pour que la colonie puisse bénéficier vraiment de l'immigration colbertienne. Des expéditions anglaises ravagèrent les territoires français en 1690, 1696 et 1704, avant de s'emparer finalement de la colonie acadienne, en 1710. En 1713, le traité d'Utrecht confirma la cession des 2200 Acadiens et de leur territoire à l'Angleterre. Par la suite, l'Angleterre fut en possession de la Nouvelle-Écosse et du Maine occidental, et la France, du Cap-Breton et de l'Île-du-Prince-Édouard (figure 2.5). Le Maine oriental et le Nouveau-Brunswick restaient une région disputée, contrôlée par les Abénaquis et les Micmacs, alliés de la France.

La guerre de Succession d'Espagne (1702-1713) provoqua un grand changement. La France perdit cette guerre et dut renoncer à ses prétentions sur de vastes territoires, par le traité d'Utrecht. Sur les côtes de l'Atlantique, elle céda l'Acadie péninsulaire et Terre-Neuve, ne retenant qu'un droit de pêche le long de la côte nord de Terre-Neuve (la *French Shore*). Au nord, elle dut reconnaître la suprématie de l'Angleterre sur le réseau hydrographique de la baie d'Hudson, que les trafiquants des deux nations se disputaient depuis 1670. Enfin, elle dut également reconnaître l'autorité de l'Angleterre sur les Iroquois et leurs territoires, ce qui donna aux commerçants anglo-américains de New York accès à la région des Grands Lacs.

Ce traité fut déterminant pour les relations subséquentes des deux empires en Amérique du Nord. La France marqua sa volonté de faire échec à l'expansion britannique sur le continent en élevant des forts qui reliaient Montréal à la Louisiane et en renforçant ses alliances avec les Indiens. On construisit alors (ou l'on améliora) les fortifications de Québec et de Montréal et des forts en pierres le long des voies possibles d'invasion, à Chambly sur la rivière Richelieu, par exemple. Au Cap-Breton, on édifia la forteresse de Louisbourg, qui servit de base navale pour la protection tant des flottes de pêche que du golfe du Saint-Laurent.

Les différences entre les colonies de la France et de l'Angleterre, en Amérique, étaient frappantes. En Nouvelle-France, la petite population était regroupée le long du Saint-Laurent, mais le territoire s'étendait du golfe du Saint-Laurent au golfe du Mexique. Les exportations reposaient sur la traite des fourrures, et les

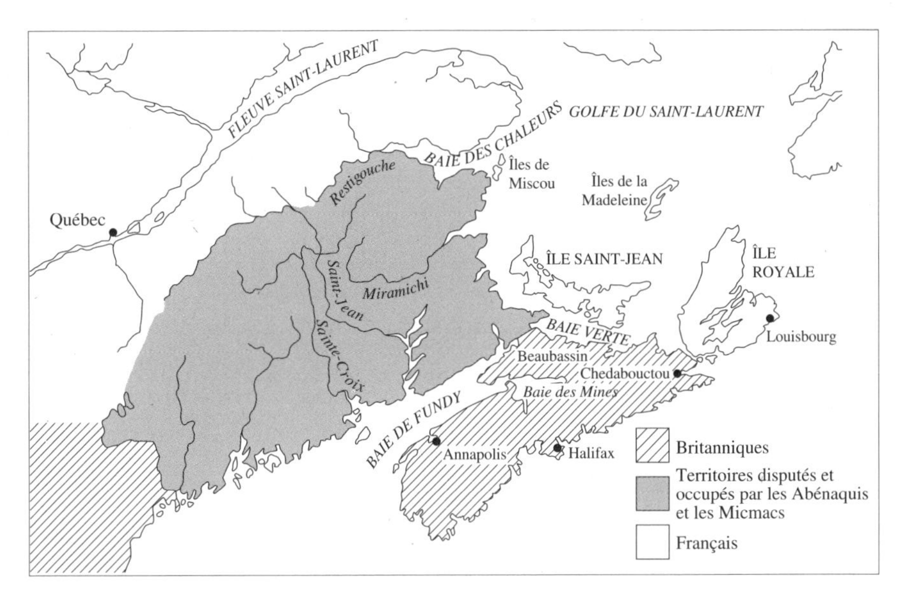

FIGURE 2.5
L'Acadie en 1754.

garnisons nécessaires pour arrêter l'expansion anglaise renforçaient le caractère autocratique du gouvernement.

Vue dans une perspective mercantiliste, la colonie rapportait peu à la métropole, pour laquelle elle restait un fardeau. Le gouverneur Roland-Michel Barrin de La Galissonière le reconnaissait en 1750, année où il écrivait que le coût des colonies françaises d'Amérique du Nord « surpass[ait] et surpasser[ait] longtemps de beaucoup leur produit ». Mais elles n'étaient pas sans utilité pour autant, puisqu'elles fournissaient un marché à l'industrie française et que leurs pêches étaient une école de matelots pour la France ; en outre, elles étaient fécondes en hommes, « richesse bien plus estimable pour un grand roi » que toute autre production coloniale. Enfin, la position stratégique de ces colonies ne faisait pas de doute, le Canada étant « la plus forte digue que l'on [pût] opposer à l'ambition des Anglais » (Groulx, 1970). Mais le plaidoyer de La Galissonière pour le renforcement de la colonie ne fut point entendu, les administrateurs de la métropole étant plus préoccupés par les difficultés financières de la Couronne et la protection des profitables colonies à sucre que par la situation du Canada.

Comparativement à la Nouvelle-France, les Treize Colonies avaient une population beaucoup plus nombreuse et une économie beaucoup plus diversifiée, et rapportaient de grandes richesses à l'Angleterre. La Nouvelle-Angleterre se spécialisait dans la pêche, la traite des esclaves, la construction navale et le transport maritime ; le Centre (New York, Pennsylvanie, New Jersey et Delaware) produisait d'importants surplus agricoles ; le Sud, esclavagiste, cultivait le tabac et le coton pour le marché britannique. Les industries de la métropole trouvaient un énorme marché dans les colonies, et le commerce colonial importait beaucoup pour la prospérité de la marine marchande britannique.

Si les rivalités impériales avaient mis en place tous les éléments requis pour une confrontation, c'est un événement local qui déclencha la guerre. Dans les années 1750, des colons anglo-américains empiétaient sur la riche vallée de l'Ohio, une région où les Français pratiquaient la traite des fourrures. La guerre de Sept Ans commença en fait en juillet 1754. Des soldats anglais, sous le commandement de George Washington, attaquèrent un parti d'éclaireurs français près de l'emplacement actuel de Pittsburgh. Rapidement, les deux empires se retrouvèrent en guerre en Amérique du Nord, sur l'océan et en Europe.

La déportation des Acadiens fut une conséquence dramatique des premières années de la guerre. Conquise en 1710 par les Britanniques, l'Acadie avait néanmoins attiré peu de colons anglais, et les Acadiens avaient conservé leurs terres et leurs traditions. Quand éclata la guerre, en 1754, le gouverneur de la Nouvelle-Écosse, Charles Lawrence, leur ordonna de prêter le serment d'allégeance à la Couronne britannique.

Souhaitant conserver une certaine neutralité, les Acadiens refusèrent de prononcer ce serment qui impliquait de prendre les armes contre les Français. Lawrence ordonna leur déportation en alléguant l'aide qu'ils avaient prétendument apportée aux Micmacs dans leurs raids contre les colonies anglaises et la présence de certains d'entre eux aux forts Gaspareau et Beauséjour. Un peu plus de la moitié des 13 500 Acadiens furent entassés comme du bétail à bord de navires et dispersés dans les Treize Colonies. Lors de la chute de Louisbourg, en 1758, la population civile fut rapatriée en France ainsi que des Acadiens y ayant trouvé refuge. Environ 2000 Acadiens s'enfuirent au Québec, et un millier se cachèrent dans les bois attendant la fin des hostilités. La séparation des familles et la perte de leurs biens en furent le résultat. La légende d'Évangéline en rappelle les tristes faits. Après 1763, des Acadiens remontèrent le long de la côte atlantique jusqu'au Nouveau-Brunswick d'aujourd'hui ; d'autres cherchèrent refuge en Louisiane, en Guyane et dans les îles de Saint-Pierre et Miquelon (*Atlas historique*, I, pl. 30).

En dépit des premières victoires françaises, la supériorité navale des Britanniques et la détermination de William Pitt d'assurer la supériorité commerciale de l'Angleterre menèrent à la conquête des colonies françaises en Amérique du Nord. Libéré de ses obligations européennes grâce à sa nouvelle alliance avec Frédéric II de Prusse, Pitt envoya un renfort de 20 000 soldats réguliers aux 22 000 coloniaux et miliciens déjà en Amérique du Nord. La France, pour sa part, n'avait que

FIGURE 2.6
L'évêché après le bombardement de Québec. Sous le Régime français, d'importants édifices religieux — la cathédrale, le Collège des Jésuites, le séminaire, le Couvent des Ursulines, l'Hôtel-Dieu — symbolisaient le pouvoir de l'Église dans la société préindustrielle. Le bombardement de 1759 détruisit presque complètement la basse-ville, à proximité du port. L'évêché, situé juste au-dessus, sur la falaise, fut lourdement endommagé, de même qu'un grand nombre de maisons dans les rues qui conduisaient au port, comme on peut le voir ici.

7000 soldats réguliers dans la colonie, et la stratégie défensive du général Louis-Joseph, marquis de Montcalm, permit aux Britanniques de bloquer la navigation sur le Saint-Laurent, en particulier après la chute de Louisbourg, en 1758. À l'été de 1759, une imposante flotte britannique remonta le fleuve et mit le siège devant Québec.

Les premières attaques contre les positions françaises échouèrent. Le général James Wolfe, commandant britannique, pendant qu'il faisait subir à la ville un bombardement qui allait durer tout l'été et qui la réduirait en grande partie à l'état de ruine, en particulier dans le secteur du port (figure 2.6), ordonna au général Robert Monckton de ravager la campagne, espérant forcer Montcalm à faire une sortie et à l'affronter dans une bataille rangée.

> Je brûlerai toutes les maisons, du village de Saint-Joachim à la rivière Montmorency, et je voudrais que vous brûliez toutes les maisons et les cabanes, de la Chaudière à la rivière des Etchemins ; les églises doivent être épargnées. Les maisons, granges, etc., de votre camp à l'église de Beaumont, doivent être incendiées en même temps.

En septembre, la région de Kamouraska connut le même sort :

> Au total, rapporta le major George Scott, nous avons couvert 52 milles (85 km) de chemin, et, sur cette distance, nous avons brûlé 998 bonnes constructions, 2 petites corvettes, 2 goélettes, 10 pinasses, et plusieurs bateaux et petites embarcations ; nous avons fait 15 prisonniers (dont 6 femmes et 5 enfants) et tué 5 ennemis.

Sur la côte de Beaupré, les rangers américains scalpèrent le curé et trente miliciens, et brûlèrent les villages de Sainte-Anne et de Château-Richer (Deschênes, 1988).

Dans une dernière tentative pour faire sortir Montcalm de son retranchement avant l'hiver, Wolfe et 4500 soldats d'élite escaladèrent la falaise de l'anse au Foulon, le 13 septembre, et se rangèrent en ordre de bataille sur les plaines d'Abraham. Les troupes françaises étaient en majorité cantonnées à Beauport, à l'est de la ville, pendant que d'autres troupes, sous le commandement de Louis-Antoine de Bougainville, se trouvaient derrière l'armée britannique, à Cap-Rouge. Au lieu d'attendre que Bougainville se portât sur l'arrière de Wolfe, Montcalm fit marcher ses hommes à partir de Beauport, sortit des fortifications et se hâta d'affronter les Britanniques sur le terrain. Fatigués par leur longue marche et victimes de la faiblesse du commandement, les Français furent défaits en vingt minutes.

Au printemps de 1760, les Français remportèrent une victoire à Sainte-Foy, mais l'arrivée de la flotte britannique les força à se replier sur Montréal. Les forces britanniques investirent Montréal par trois voies fluviales : le Saint-Laurent à partir de Québec, la rivière Richelieu et le Saint-Laurent à partir du lac Ontario. Pour éviter une nouvelle effusion de sang, l'armée française se rendit, en septembre. Contrairement à Québec, Montréal fut ainsi préservée de l'agonie d'un long siège.

Pendant qu'on attendait, pour fixer le sort du Canada, l'issue de la guerre en Europe, la colonie fut soumise à un régime militaire. Les articles de la capitulation de Montréal (septembre 1760) garantissaient « l'entière paisible propriété et possession [des] biens, seigneuriaux et roturiers, meubles et immeubles, marchandises, pelleteries et autres effets, même [des] bâtiments de mer ». Cependant, les droits des catholiques n'étaient pas totalement garantis, et la mort de Henri-Marie Dubreuil de Pontbriand posait un problème, en laissant les catholiques sans évêque pour confirmer les enfants et ordonner des prêtres. La situation des autochtones était plus claire, les Britanniques, à l'initiative de William Johnson, surintendant des Affaires indiennes, avaient pris d'importants engagements à leurs endroits, à Kahnawake en septembre 1760.

Les articles de la capitulation accordaient à tous les habitants de la colonie le droit de retourner en France. Quelques milliers de personnes — des hauts fonctionnaires et des militaires pour la plupart, dont la carrière était liée à l'Empire français, et des marchands, représentants de compagnies métropolitaines — quittèrent la colonie accompagnées de leurs familles et de leurs domestiques (Larin, 2002). Cet exode fut en partie compensé par l'arrivée des Acadiens et l'établissement de troupes de terre. La plupart des Canadiens nés au pays, des membres de l'élite, des commerçants, de même que les artisans et les paysans restèrent dans leurs seigneuries, dans leurs boutiques et leurs ateliers ou sur leurs terres. Les membres du clergé optèrent aussi pour le Canada. Si les Jésuites ne pouvaient plus rentrer en France, où leur ordre avait été banni en 1764, les Sulpiciens et le Séminaire de Québec transférèrent leurs droits de propriété, de leur maison mère de Paris à la communauté canadienne.

Six années de guerre avaient dévasté la colonie. La région de Québec était en ruine. Les autorités militaires aidèrent à la reconstruction des maisons et à la remise en production des champs, et réduisirent au minimum leur présence dans la vie de tous les jours. À Québec, le général James Murray ordonna à ses troupes de respecter les processions des catholiques ; il visita la mission de Lorette, laissa les Hurons vivre sur leurs terres et entreprit de mettre de l'ordre dans le commerce. Plus encore, il ordonna qu'on fît l'inventaire des récoltes et organisa des expéditions de vivres, de façon à prévenir une disette.

LE DÉBAT SUR LES CONSÉQUENCES DE LA CONQUÊTE

Traditionnellement, la Conquête a été considérée comme une rupture marquée dans l'histoire canadienne. Pour les nationalistes canadiens-français, elle est à l'origine de plus de deux siècles de subordination sur le plan national ; pour les Canadiens anglais, elle marque le commencement, en Amérique du Nord, d'une société biethnique distincte, qui se développe en fonction des institutions britanniques.

La Conquête amena une plus grande diversité ethnique au Québec, mais changea peu de chose à l'économie coloniale ou à la structure des classes. Les paysans continuèrent de payer la dîme et les redevances seigneuriales. Les seigneurs, ne pouvant plus compter sur les emplois militaires, apportèrent plus de soin à la gestion de leurs terres, de façon à tirer plus de revenus de la paysannerie. Les trafiquants de fourrures continuèrent d'expédier des marchandises de traite européennes aux autochtones de l'Ouest, pendant que les marchands locaux agissaient comme avant. La plupart des institutions catholiques se maintinrent, bien que leurs assises financières et juridiques fussent moins assurées. Le changement de métropole modifia la manière de faire le commerce et créa un nouveau climat commercial, en augmentant la concurrence, mais tout cela ne fut pas suffisant pour détruire la communauté marchande de la colonie (Igartua, 1974).

En raison de la Conquête, les Canadiens, qui avaient été des sujets de la puissance dominante, devinrent un peuple conquis. Alors que des générations de Canadiens anglais ont appris à considérer la Conquête comme « la plus heureuse calamité qui ait jamais frappé un peuple », pour reprendre les mots de l'historien américain Francis Parkman, les nationalistes canadiens-français la considèrent comme une catastrophe. Pour eux, le Régime français devient l'âge d'or, et la période qui suivit la Conquête, un long combat pour la survivance.

Pendant les années 1950, la Conquête prit un sens nouveau, alors que des historiens néo-nationalistes comme Maurice Séguin et Guy Frégault y virent la cause de l'infériorité sociale et économique du Québec moderne. En interrompant le processus normal de son développement, la Conquête avait empêché la colonie de devenir un État indépendant :

> Aussi longtemps que le Canada français demeure seul, aussi longtemps que la cause de sa naissance et de son épanouissement comme peuple, la métropole française, se tient derrière lui pour la protéger militairement, pour le coloniser avec ses hommes, ses institutions, ses capitaux métropolitains, il est apte à devenir une nation normale (Séguin, 1968).

Cette interprétation de la Conquête supposait aussi la perte d'une classe dynamique, la bourgeoisie. L'échec des Canadiens français modernes, incapables de prendre en main l'économie du Québec, fut attribué à l'exode — ou à la « décapitation » — de l'élite coloniale, en 1760. Parce que fut dépossédée la bourgeoisie embryonnaire de la Nouvelle-France, le Canada français fut forcé de se replier sur lui-même et d'idéaliser la vie rurale, comme le meilleur moyen de préserver son identité (Séguin, 1970).

> En 1760, le Canada est écrasé. La colonie qui passe à la Grande-Bretagne trois ans plus tard est une mine économique. Elle est aussi une mine politique [...]. En 1763, le pays est enfin une mine sociale [...]. En 1760-1763, le Canada n'est pas simplement conquis, puis cédé à l'Angleterre ; il est défait. Défaite signifie désintégration [...]. Éliminés de la politique, éliminés du commerce et de l'industrie, les Canadiens se replièrent sur le sol. S'ils finissent par se vanter d'être des « enfants du sol », c'est que la défaite les a altérés non seulement dans leur civilisation matérielle, mais aussi dans leurs conceptions. Ils avaient des ambitions plus hautes lorsque leur vie collective était normale (Frégault, 1964).

Largement acceptée pendant la Révolution tranquille des années 1960, cette interprétation contribua à modeler la perception des nationalistes face au Canada anglais. Le gouvernement du Parti québécois s'en inspira, en 1980, pour appuyer sa proposition de souveraineté-association :

> Tôt ou tard, cette société eût secoué le joug colonial et acquis son indépendance, comme ce fut le cas en 1776, pour les États-Unis d'Amérique. Mais le sort des armes

> la plaça, en 1763, sous la tutelle britannique. Privés de leurs dirigeants, dont un grand nombre avait dû rentrer en France, soumis à de nouveaux maîtres parlant une autre langue, écartés des charges publiques par la Proclamation Royale de 1763, nos ancêtres, sans influence comme sans capitaux, et de surcroît régis par le droit anglais, virent toute la structure commerciale et industrielle qu'ils avaient édifiée passer graduellement aux mains des marchands anglais (Gouvernement du Québec, 1980).

Bien qu'elle satisfasse beaucoup de Québécois et ait contribué puissamment à la construction de la conscience nationale axée sur la haine de tout ce qui est Anglais, cette interprétation ne rend pas compte des grandes différences qu'on relève dans les structures sociales et économiques du Québec préindustriel et du Québec moderne. Une autre interprétation, plus répandue dans le reste du Canada, veut que la Nouvelle-France n'ait point eu de communauté d'affaires viable, et que la mentalité d'Ancien Régime qui régnait dans la colonie l'ait condamnée à une vision conservatrice nettement opposée à la mentalité progressiste des marchands anglophones débarqués après la Conquête (Creighton, 1956; Ouellet, 1980). Cette interprétation n'est pas plus acceptable que la précédente.

Comme dans toutes les colonies, on trouvait en Nouvelle-France différentes classes sociales. Les administrateurs et les officiers militaires, étroitement attachés à l'Empire par la pratique du favoritisme, s'implantèrent néanmoins dans la colonie grâce à leurs grandes propriétés foncières. À la Conquête, les membres de ce groupe durent décider s'ils resteraient dans la colonie et conserveraient leurs seigneuries, ou s'ils poursuivraient leurs carrières au sein de l'Empire français. Presque tous les hauts fonctionnaires partirent, mais la plupart des officiers restèrent.

Les marchands eurent à faire le même choix. Le commerce import-export, qui constituait l'activité économique la plus rentable en Nouvelle-France, était surtout entre les mains d'agents de compagnies métropolitaines, qui optèrent pour le retour en France. Cependant, la plupart des marchands étaient complètement intégrés à la société coloniale. Les trafiquants de fourrures de Montréal, aussi bien que les commerçants ruraux, par exemple, avaient peu de liens directs avec la France : ils choisirent de poursuivre leur carrière dans un milieu qui leur était familier. La Conquête les força à trouver de nouveaux fournisseurs et de nouvelles sources de crédit, mais ils avaient une clientèle établie et une excellente connaissance des affaires locales (Igartua, 1974).

La Conquête modifia la composition de l'élite administrative. De 1763 à l'Acte de Québec de 1774, les catholiques furent exclus des charges publiques dans la colonie. Et si, après 1774, l'autorité britannique nomma en assez grand nombre des seigneurs francophones et catholiques à des postes administratifs, elle favorisa surtout des anglophones. Dans le monde préindustriel, la fonction publique constituait un important débouché pour les membres des professions libérales : lors de la création d'une Chambre d'assemblée, en 1791, les faveurs de l'État furent chaudement disputées, les francophones tâchant d'obtenir leur juste part (Paquet et Wallot, 1973).

L'arrivée de commerçants anglophones, après la Conquête et surtout après la Révolution américaine, changea la pratique des affaires au Québec. Les marchands les plus puissants, qui avaient des liens solides avec des firmes britanniques et qui disposaient de sources de crédit, forcèrent beaucoup de commerçants plus modestes, tant francophones qu'anglophones, à se retirer des affaires. Dans les années 1790, une nouvelle élite commerciale fit son apparition, autour de la North West Company, laquelle était essentiellement écossaise. Le commerce du bois d'œuvre, qui prit son essor après 1800, créa de nouvelles occasions, mais les entrepreneurs qui s'y intéressèrent étaient habituellement des immigrants de fraîche date, étroitement liés, par des attaches familiales, à de grands commerçants britanniques ou américains. Le rôle grandissant des capitaux et de l'innovation technique, et l'accès qu'ils y avaient, comme par ailleurs leur connaissance des marchés de l'empire et des États-Unis, favorisèrent les immigrants britanniques et américains, par rapport aux Canadiens de naissance, quelle que fût leur nationalité. Les marchands francophones conservèrent leur importance dans le commerce local et comme propriétaires fonciers dans les centres urbains en croissance, mais ils n'étaient plus au sommet de la hiérarchie capitaliste.

Son intégration dans l'Empire britannique valut à la colonie une plus grande prospérité et une commercialisation accrue de sa production agricole. Les liens entre le monde impérial élargi et les économies locales furent assurés par une bourgeoisie francophone de plus en plus importante, formée de petits marchands, de notaires et d'autres membres de professions libérales. L'augmentation de la population et de l'activité commerciale causa une hausse spectaculaire des revenus des notaires et des marchands, grâce aux transactions foncières et à la vente de marchandises d'importation, pendant qu'augmentait la richesse des curés, grâce à la dîme et aux droits qu'ils percevaient sur les baptêmes, les mariages et les sépultures. Au début du XIXe siècle, cette bourgeoisie et le clergé se disputaient le pouvoir politique et social dans les campagnes.

Au sein des classes populaires, la diversité était plus grande, au début du XIXe siècle, qu'elle ne paraît l'avoir été dans les premières années de la colonisation. Les artisans restèrent des producteurs indépendants, mais ils furent rejoints dans les villes par un nombre croissant de journaliers. Les paysans qui possédaient de grandes terres dans la riche plaine de Montréal bénéficièrent d'une plus forte intégration dans l'économie atlantique, mais ceux qui ne possédaient que de petites terres ou qui vivaient dans des régions éloignées furent de plus en plus nombreux à chercher du travail en dehors de l'agriculture.

CHANGEMENTS CONSTITUTIONNELS SOUS LE RÉGIME BRITANNIQUE (1763-1791)

Le traité de Paris de 1763 confirma la conquête britannique. En octobre 1763, la Proclamation royale définit les structures administratives d'une nouvelle colonie, appelée la Province de Québec, où était concentrée la majorité des habitants de l'ex-Nouvelle-France. Mise au point par le gouvernement de Grenville, qui tentait de réorganiser l'administration impériale et de renforcer, en les centralisant, le contrôle sur la fiscalité, le commerce et la politique, la proclamation montrait à quel point on comprenait mal les réalités de l'ancienne colonie française. Par cette proclamation, on tentait de transformer cette dernière en une colonie britannique par l'intermédiaire des institutions et de la population, grâce à une éventuelle chambre d'assemblée, à des lois anglaises et à une immigration britannique. En même temps, elle coupait Montréal de son arrière-pays et de la traite des fourrures qui s'y pratiquait, en créant une vaste réserve indienne à l'intérieur du continent (Tousignant, 1980).

Malgré les instructions qu'il avait reçues de mettre en vigueur les lois anglaises, d'établir l'Église anglicane et d'utiliser les écoles à des fins d'assimilation, le gouverneur James Murray comprit que, sauf pour l'introduction des lois criminelles anglaises, pareille politique était impraticable : 85 % des 70 000 Canadiens français étant des ruraux isolés, sans contact avec les Britanniques ou avec leurs institutions. En effet, la plupart des quelques centaines de commerçants anglophones de la colonie vivaient à Québec et à Montréal, et l'on ne pouvait guère compter sur une immigration britannique massive.

Pour Murray, le problème était compliqué par la loi du Test, en vigueur en Grande-Bretagne depuis 1673, qui interdisait aux catholiques toute charge publique. Par extension, les Canadiens français ne pouvaient, dans la colonie, détenir de postes au sein du gouvernement, ni siéger comme membres d'une chambre d'assemblée. C'est pourquoi Murray ne tint jamais d'élection en vue de former une assemblée, et préféra gouverner par l'entremise d'un conseil sympathique aux Canadiens français.

Son attitude à l'égard de l'Église catholique était plus ambiguë. D'une part, il encouragea l'immigration de pasteurs protestants francophones pour convertir la population et se méfia des liens entre les Sulpiciens et la France, interdisant à Étienne de Montgolfier de s'y rendre pour être sacré évêque. D'autre part, il permit aux communautés de femmes d'œuvrer à l'accoutumée, et autorisa son candidat, Jean-Olivier Briand, à se rendre en France pour y être sacré évêque. Les Jésuites furent expulsés de Québec, leur collège transformé en caserne et leur bibliothèque dispersée. Toutefois, ils ont pu continuer à exister dans la colonie après leur exclusion de la France en 1764 et leur suppression par le pape en 1773, mais sans pouvoir recruter de nouveaux membres. Au décès du dernier jésuite en 1800, leurs biens devinrent propriété de la Couronne.

Le pragmatisme de Murray souleva la fureur des marchands britanniques qui réclamèrent et obtinrent finalement son rappel. Leur colère avait été attisée par son refus de former une chambre d'assemblée, par ses rapports, fondés sur la compréhension et la cordialité, avec les seigneurs francophones, par sa tolérance envers les catholiques et par la résistance de ses fonctionnaires à appuyer leur objectif de fonder un grand empire commercial. Les marchands accusèrent l'administration, qu'ils jugeaient « vexatrice, oppressive et inconstitutionnelle », et demandèrent « les bienfaits de la liberté britannique ». Murray, quant à lui, ne pouvait souffrir ces marchands britanniques qui s'efforçaient d'obtenir son rappel :

> [...] rien ne pourra satisfaire les fanatiques déréglés qui font le commerce ici [les marchands britanniques], hormis l'expulsion des Canadiens, qui constituent la race la plus brave et la meilleure du globe peut-être, et qui, encouragés par quelques privilèges que les lois anglaises refusent aux catholiques en Angleterre, ne manqueraient pas de vaincre leur antipathie nationale à l'égard de leurs conquérants et deviendraient les sujets les plus fidèles et les plus utiles de cet empire américain.

Successeur de Murray, sir Guy Carleton appartenait lui aussi à la même classe sociale que l'élite canadienne, et il voyait dans les membres de l'aristocratie cléricale et seigneuriale les chefs naturels d'un Canada français. Il allait de soi qu'il suivît la politique de son prédécesseur.

Dans les années 1770, il était évident que la Proclamation royale ne répondait pas aux besoins, d'autant que, faute d'une forte immigration britannique, la colonie conservait toujours son caractère français et catholique. L'administration de la justice, les terres indiennes et l'impossibilité de former des institutions représentatives étaient les problèmes qu'il fallait régler d'urgence. L'agitation grandissante au sein des Treize Colonies convainquit le ministère de la nécessité de faire des concessions aux Canadiens français pour s'assurer leur loyauté. Ces concessions visaient cependant à renforcer, et non à affaiblir, l'autorité de Londres ; bien plus, l'un de ceux qui en furent les principaux artisans, lord Wedderburn, les considérait comme un ensemble de mesures « essentiellement temporaires » (Tousignant, 1980).

L'Acte de Québec de 1774 reconnaissait aux catholiques le droit d'exercer leur religion et autorisait le clergé à percevoir la dîme ; en outre, il remplaçait la loi du Test par un serment de fidélité qui permettrait aux catholiques d'occuper des charges publiques. (Bien que la Couronne conservât le droit de nommer l'évêque, le clergé ne courait aucun danger immédiat.) Le régime seigneurial était confirmé. La loi de 1774 créait de plus un conseil législatif, dont les membres seraient nommés par la Couronne, et qui assumerait le gouvernement de la colonie, mais elle ne prévoyait pas de chambre d'assemblée. Un double système

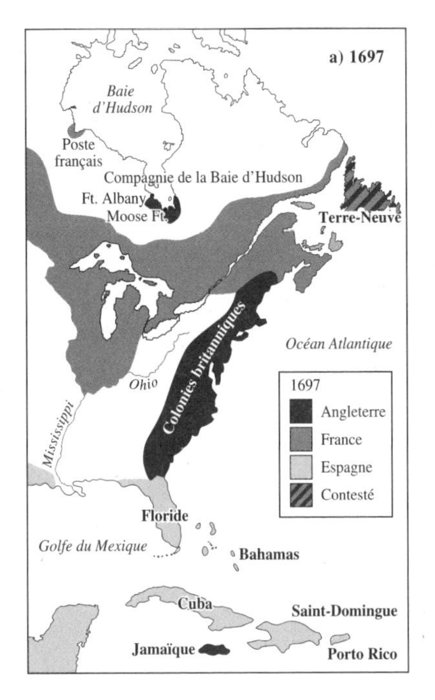
a) 1697
Baie d'Hudson
Poste français
Compagnie de la Baie d'Hudson
Ft. Albany
Moose Ft.
Terre-Neuve
Colonies britanniques
Océan Atlantique
Ohio
Mississippi
1697
Angleterre
France
Espagne
Contesté
Floride
Golfe du Mexique
Bahamas
Cuba
Saint-Domingue
Jamaïque
Porto Rico

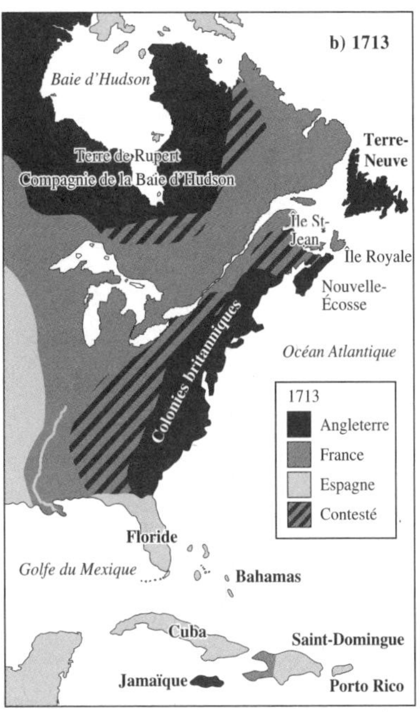
b) 1713
Baie d'Hudson
Terre de Rupert
Compagnie de la Baie d'Hudson
Terre-Neuve
Île St-Jean
Île Royale
Nouvelle-Écosse
Colonies britanniques
Océan Atlantique
1713
Angleterre
France
Espagne
Contesté
Floride
Golfe du Mexique
Bahamas
Cuba
Saint-Domingue
Jamaïque
Porto Rico

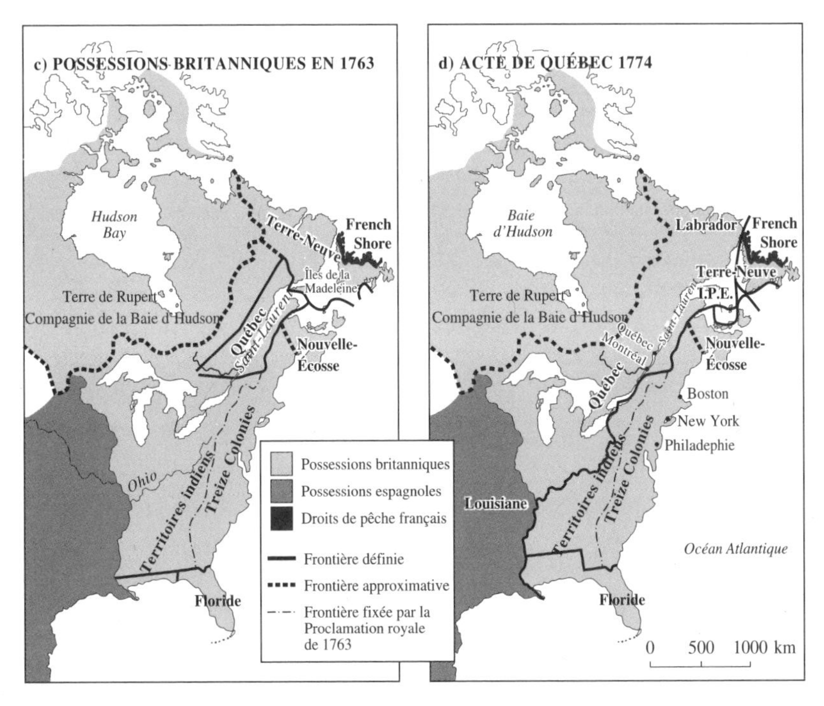
c) POSSESSIONS BRITANNIQUES EN 1763
Hudson Bay
Terre-Neuve
French Shore
Îles de la Madeleine
Terre de Rupert
Compagnie de la Baie d'Hudson
Québec
Saint-Laurent
Nouvelle-Écosse
Ohio
Territoires indiens
Treize Colonies
Floride
Possessions britanniques
Possessions espagnoles
Droits de pêche français
Frontière définie
Frontière approximative
Frontière fixée par la Proclamation royale de 1763
d) ACTE DE QUÉBEC 1774
Baie d'Hudson
Labrador
French Shore
Terre-Neuve
I.P.E.
Terre de Rupert
Compagnie de la Baie d'Hudson
Québec
Montréal
Saint-Laurent
Nouvelle-Écosse
Boston
New York
Philadephie
Louisiane
Territoires indiens
Treize Colonies
Océan Atlantique
Floride
0 500 1000 km

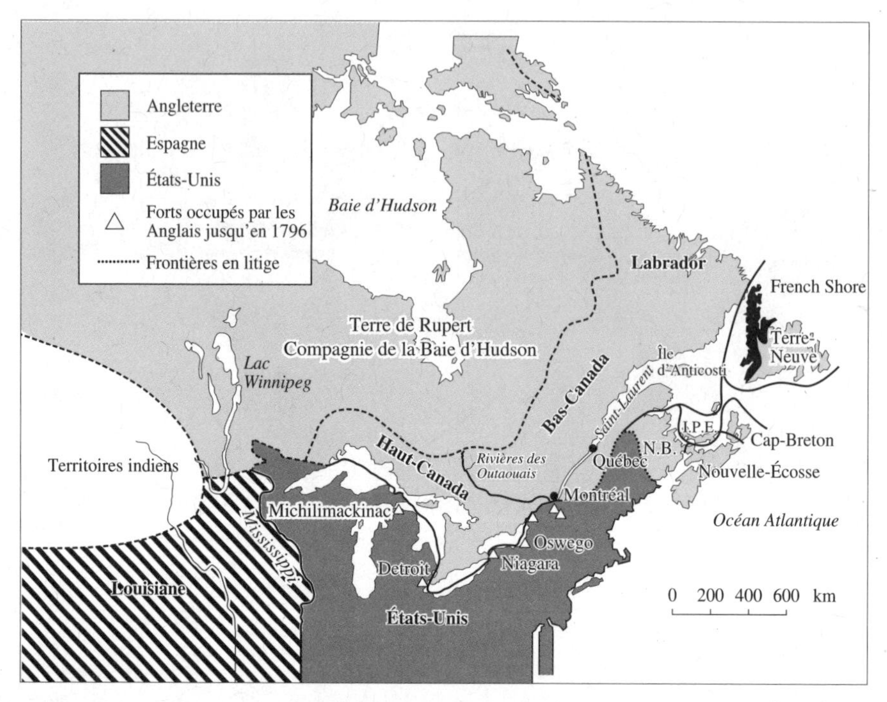

FIGURE 2.7
Changements territoriaux, 1697-1791. L'incorporation de la Nouvelle-France à l'Empire britannique eut de grandes conséquences sur les frontières de la colonie. En 1763, la province de Québec fut restreinte à la vallée du Saint-Laurent, de Gaspé à la rivière des Outaouais. L'Acte de Québec la remit en possession des îles de la Madeleine, du Labrador et d'un vaste territoire tout autour des Grands Lacs. À la suite de la Révolution américaine, la frontière fut de nouveau ramenée au territoire situé à l'est de la rivière des Outaouais. En 1911, le Québec obtint du gouvernement fédéral autorité sur le district d'Ungava, mais il perdit le Labrador, qui passa à Terre-Neuve à la suite d'une décision du Conseil privé, en 1927, décision que le gouvernement du Québec n'a jamais reconnue.

judiciaire était adopté : on garderait les lois criminelles anglaises mais, en matière civile, on recourrait normalement aux lois françaises. On modifiait enfin les frontières de la colonie, en y annexant une grande partie des territoires indiens de l'Ouest (figure 2.7).

Leur situation sociale reconnue, les membres du clergé et les seigneurs exprimèrent leur satisfaction à l'égard de l'Acte de Québec. En dépit du fait que le déplacement des frontières leur donnait la maîtrise de la traite des fourrures dans l'Ouest, les commerçants furent mécontents de l'absence d'une chambre d'assemblée. Pour le reste de la population, les nouvelles dispositions changèrent peu de chose.

L'Acte de Québec eut des répercussions dans les Treize Colonies, où on le mit au nombre des « lois intolérables » adoptées par le gouvernement britannique. Pour beaucoup de colonies américaines, la nature autocratique de l'administration envisagée pour le Québec était symptomatique de la forte tendance centralisatrice de beaucoup de lois britanniques. Les nouvelles frontières de la province soulevèrent l'hostilité des marchands de New York, parce qu'Albany se trouvait coupée de la traite des fourrures ; elles choquèrent aussi beaucoup de gens en Pennsylvanie et en Virginie, parce qu'elles constituaient un obstacle à la colonisation de la vallée de l'Ohio. De plus, la loi de 1774 émut la Nouvelle-Angleterre puritaine, parce qu'elle protégeait l'Église catholique.

Pendant que l'agitation continuait de croître dans les Treize Colonies, le congrès continental envoyait des délégations au Québec et en Nouvelle-Écosse, dans une tentative pour convaincre les habitants de se rebeller. Sauf auprès des marchands anglophones de Montréal, ces missions américaines eurent peu de succès. En 1775, les rebelles prirent les armes, et deux armées envahirent le Québec pour en chasser les Britanniques. Le général Richard Montgomery descendit la rivière Richelieu, rencontra une solide résistance à Saint-Jean, mais put finalement s'emparer de Montréal sans coup férir. Pendant ce temps, Benedict Arnold, venu par la vallée de la Chaudière, assiégeait Québec. Les deux armées joignirent leurs forces devant Québec en décembre, mais furent tenues en échec par Carleton jusqu'à ce que l'arrivée de renforts britanniques, au printemps, les forçât à lever le siège et écartât la menace d'une autre invasion.

L'attitude des Canadiens français envers les Américains fut ambiguë. Les seigneurs et les curés les pressaient d'appuyer les Britanniques, pendant que Mgr Briand ordonnait aux catholiques d'être fidèles au roi. Toutefois, les classes populaires restèrent neutres. Des paysans vendirent des ravitaillements aux Américains contre espèces sonnantes, mais refusèrent de vendre quand on leur offrit des billets. Ils se souvenaient trop de leur mésaventure avec la monnaie française. Plus de 700 miliciens prirent les armes pour défendre Québec en 1775, mais aucun ne se porta volontaire pour accompagner l'armée britannique quand elle marcha contre les colonies américaines, plus tard, au cours de la guerre.

La reconnaissance de l'indépendance des colonies américaines par le traité de Versailles, en 1783, fut grande de conséquence pour les autres colonies britanniques — qui formèrent dès lors l'Amérique du Nord britannique. La création des États-Unis fit perdre à la Grande-Bretagne le territoire situé au sud des Grands Lacs, même si les marchands canadiens continuèrent d'y trafiquer jusqu'à la fin du siècle. L'Angleterre conserva cependant les régions les plus riches en fourrures, au Nord-Ouest, et de nombreux trafiquants quittèrent Albany pour Montréal. Fait plus important, la paix vit l'arrivée des loyalistes, qui menaceraient le caractère français de la colonie, toujours prédominant, et qui obligeraient les Britanniques à chercher une nouvelle solution aux problèmes constitutionnels.

L'Acte de Québec, qui avait renforcé les structures religieuses, seigneuriales et judiciaires du Canada français, ne convenait ni aux marchands anglophones de Montréal ni aux immigrants loyalistes. Alors que des représentants de l'élite seigneuriale disaient au gouverneur qu'une assemblée serait « inutile », les membres de la bourgeoisie montante, formée de marchands, de notaires et d'avocats, se joignaient à leurs compatriotes anglophones pour lui demander, dans une pétition, de faire abroger l'Acte de Québec et de leur accorder une chambre d'assemblée. Finalement, une telle loi fut adoptée en Angleterre, où la société était encore fondée sur la propriété foncière, et où régnait toujours l'esprit du « vieux système colonial » (Tousignant, 1973).

La loi constitutionnelle de 1791 modifiait l'Acte de Québec en établissant une structure politique laissant encore une forte autorité au gouvernement de Londres qui avait à assurer les besoins commerciaux traditionnels de l'Empire. Craignant les excès démocratiques, qu'elles considéraient comme un des facteurs de la Révolution américaine, les autorités britanniques maintinrent un pouvoir exécutif puissant qui s'exercerait par l'entremise du gouverneur, d'un conseil exécutif et d'un conseil législatif (Vaugeois, 1992). Ces conseils serviraient au renforcement de l'alliance entre la Couronne et ses alliés traditionnels, au sein de ce qu'on en viendrait à appeler la Clique du Château, formée du haut clergé, des seigneurs, des fonctionnaires et de grands marchands.

Parallèlement, on permettait l'existence de certaines institutions démocratiques restreintes et l'on encourageait la colonie à assumer une plus large part des coûts de son administration et de sa défense. À cette fin, une assemblée législative était instituée — la première assemblée élue au suffrage populaire de l'histoire du Québec. Le droit de vote était accordé à presque tous les propriétaires et locataires. Pour voter, il fallait avoir 21 ans, être sujet britannique par naissance, naturalisation ou droit de conquête, et n'avoir pas été convaincu de trahison. Les femmes propriétaires ou locataires avaient le droit de vote, mais seules les veuves et les célibataires étaient généralement dans ce cas, les biens étant au nom du chef de famille.

Non seulement cette loi ne répondait pas aux attentes des marchands anglophones mais, en divisant la province de Québec en Haut et Bas-Canada, elle les coupait des 10 000 loyalistes établis au nord du lac Ontario. Elle apportait aussi des changements fondamentaux au régime de la propriété et à l'organisation religieuse du Bas-Canada. Elle laissait intactes des parties importantes de l'Acte de Québec qui garantissaient des institutions à forte connotation française, catholique et d'Ancien Régime, tel le régime seigneurial. En même temps, cette loi introduisait dans la colonie des éléments proprement britanniques, en donnant l'appui de l'État à l'Église anglicane, en créant les réserves du clergé : celles-ci étaient constituées du septième des terres publiques qui seraient concédées. Ces nouvelles concessions seraient désormais divisées en cantons, où chaque lot serait concédé à titre de propriété perpétuelle. Sous cette nouvelle tenure, les individus seraient pleinement propriétaires de leurs terres, sans les restrictions en vigueur dans le régime seigneurial.

La dualité créée par ces dispositions accentua les contradictions dans l'ensemble des lois en vigueur, qui restèrent un mélange de traditions britanniques et françaises. Le Bas-Canada, base politique du Québec d'aujourd'hui, continuerait d'appliquer le droit français, alors que la *common law* anglaise serait en vigueur dans le Haut-Canada. Il n'était pas établi clairement, cependant, si les anglophones de certaines régions du Bas-Canada (les Cantons de l'Est, par exemple, où la tenure était anglaise) pourraient recourir à la *common law* dans les contrats, les testaments et les transactions qu'ils feraient entre eux. Quant aux marchands anglophones des grandes villes, ils continueraient, bien sûr, d'être soumis aux lois commerciales françaises.

LA MONTÉE DU NATIONALISME CANADIEN-FRANÇAIS

En institutionnalisant le débat politique, la loi constitutionnelle de 1791 ouvrit la voie à la confrontation, attisée par l'aggravation du conflit social et ethnique dans le Bas-Canada. La première session de l'Assemblée, inaugurée en 1792, fut marquée par « la détermination et l'esprit de corps des députés canadiens », qui votèrent en bloc pour la reconnaissance du français comme l'une des langues officielles de la Chambre. Les députés anglophones prirent rapidement le parti du gouverneur, alors que les Canadiens se servirent de leur nouvelle position pour affirmer le pouvoir de la Chambre d'Assemblée qu'ils dominaient.

Pendant les années 1790, les autorités furent particulièrement inquiètes des effets de la Révolution française sur les Canadiens. La révolution avait éclaté en 1789 et, dans les premières années, avait anéanti les privilèges de la Couronne, de l'Église et de l'aristocratie ; des membres de l'élite coloniale craignaient que l'Assemblée ne propageât de semblables idées. Toussaint Pothier, par exemple, présentait les députés comme des gens de la basse classe qui avaient perdu « le sens de la soumission », et l'élite cléricale appuyait fortement les institutions britanniques, en faisant, du haut de la chaire, l'éloge du régime monarchique. Ces craintes étaient dans une large mesure non fondées, d'autant que, sur le plan économique, l'appartenance à l'Empire britannique commençait à rapporter des dividendes. Le grain canadien était en grande demande, et, après l'imposition par Napoléon du blocus continental, en 1806, le bois d'œuvre canadien devint un élément important du commerce impérial. Compte tenu de la prospérité générale dont jouissait la colonie, les paysans, non plus que la bourgeoisie francophone, ne désiraient rompre les liens avec l'Angleterre.

Mais la prospérité n'empêcha pas le conflit de s'envenimer entre la bourgeoisie francophone et la bourgeoisie anglophone. Les tentatives de certains membres du gouvernement, comme Herman Ryland et Jonathan Sewell, aussi bien que les efforts de l'évêque anglican, Jacob Mountain, pour soumettre l'Église catholique à l'autorité gouvernementale et pour établir un système public d'éducation de langue anglaise, furent vivement combattus. Le conflit ethnique atteignit un sommet pendant les années 1805-1811, exacerbé par les lois fiscales, la question du droit de regard sur l'ensemble des salaires et les débats visant à bannir de la Chambre les affidés du gouvernement.

Bien que des historiens libéraux aient souvent interprété ce conflit comme une lutte entre une vibrante bourgeoisie de langue anglaise et une classe professionnelle rétrograde de langue française (Creighton, 1956; Ouellet, 1976), des questions plus importantes étaient en jeu. La loi de 1805 sur les prisons, qui imposait une taxe sur le vin et le thé pour la construction de nouvelles prisons à Québec et à Montréal, est un excellent exemple. Les marchands anglophones s'efforçaient de protéger le vieux système colonial: «Les taxes sur le commerce affaibliront les liens avec la mère patrie, de même que la juridiction du gouvernement central sur le trafic et le commerce, [...] vu qu'on y pourrait avoir recours par la suite pour décourager l'importation des produits britanniques, et pour encourager les produits locaux.» Ils proposèrent plutôt une taxe sur les terres, qui aurait pesé principalement — et lourdement — sur la population rurale de langue française. La bourgeoisie francophone, pour sa part, cherchait à fonder les prérogatives de l'Assemblée en matière de taxation dans la colonie (Wallot, 1973).

Le conflit ethnique devint plus apparent à la suite de la fondation de journaux partisans, le *Quebec Mercury*, publié par l'élite anglophone, et *Le Canadien*, organe des réformateurs francophones. Le *Mercury* s'attaquait avec acharnement à tout ce qui était français:

> Cette province est déjà trop française, pour une colonie anglaise. La *défranciser* autant que possible [...] doit être un objectif primordial, en ce temps-ci surtout.
>
> Un Régime français est un régime arbitraire, parce qu'il est militaire: il devient donc de l'intérêt, non seulement des Anglais, mais de l'univers, de faire obstacle au progrès du pouvoir français. C'est un devoir de s'y opposer, et un crime de l'appuyer [...]. Jusqu'à un certain point, il est inévitable, pour le moment, qu'on parle français dans la province; mais entretenir le français au-delà de ce qui peut être nécessaire, de façon à le perpétuer, dans une colonie anglaise, voilà qui est indéfendable, surtout par les temps qui courent.

Le Canadien défendait les droits des francophones :

> Vous dites que les Canadiens [français] usent trop librement de leurs privilèges pour des conquis, et vous les menacez de la perte de ces privilèges. Comment osez-vous leur reprocher de jouir des privilèges que le Parlement de la Grande-Bretagne leur a accordés ? [...] Vous mettez absurdement en question si les Canadiens ont droit d'exercer ces privilèges dans leur langue ; et dans quelle autre langue que la leur peuvent-ils les exercer ? Le Parlement de la Grande-Bretagne ignorait-il quelle était leur langue ?

Au-delà de la confrontation linguistique se posaient des questions plus fondamentales. Le parti réformiste, ou Parti canadien, suivait de près l'évolution constitutionnelle, tant en Angleterre que dans d'autres colonies, comme la Jamaïque, et demandait pour l'Assemblée des pouvoirs accrus, semblables à ceux de la Chambre des communes britannique. Les membres du Parti canadien, habilement dirigé par Pierre Bédard, comprenaient de mieux en mieux les institutions parlementaires et cherchèrent à s'en servir pour atteindre leurs objectifs. Les administrateurs coloniaux voyaient d'un mauvais œil le républicanisme, qu'il fût à la mode américaine ou à la mode française. Le débat portait sur le contrôle de la liste civile (fonds destinés aux salaires des fonctionnaires) et sur le favoritisme pratiqué par le gouvernement, dont avaient largement profité les membres de la Clique du Château. Les réformistes en vinrent rapidement à parler de responsabilité ministérielle et demandèrent que l'Assemblée eût pleine autorité sur les nominations aux charges publiques. Les gouverneurs autocratiques résistèrent, bien sûr, à cette menace contre leurs privilèges, avec l'appui des bureaucrates anglophones, bénéficiaires du favoritisme (Paquet et Wallot, 1973). Les demandes du Parti canadien, sur le plan constitutionnel, devenant de plus en plus précises, le gouverneur James Craig, exaspéré, fit saisir les presses du *Canadien*, en 1810, et jeta en prison vingt de ses propriétaires et distributeurs, pour « pratiques séditieuses ». Le chef Pierre Bédard était du nombre.

Le conflit ethnique et constitutionnel était plus qu'une lutte entre tenants de conceptions différentes du gouvernement. Dans la société préindustrielle, les dépenses gouvernementales portaient surtout sur l'administration générale, la justice et l'armée ; les dépenses consacrées aux travaux publics, en vue de la modernisation de l'économie, n'avaient pas encore d'importance. La liste civile représentait par conséquent un élément essentiel du pouvoir, et il était indispensable que l'Assemblée en fût le maître si elle voulait exercer un pouvoir réel dans la colonie.

Malgré ces conflits, le Canada français resta fidèle à l'Angleterre quand éclata la guerre de 1812 avec les États-Unis. Des agents français tentèrent sans succès d'inciter les Canadiens à se joindre aux Américains, que le Parti canadien refusa d'appuyer, pendant que *Le Canadien* s'opposait à l'ingérence française dans les affaires canadiennes, et que Jacques Viger qualifiait Napoléon de « tyran exécrable ».

L'Assemblée vota des fonds pour l'armée britannique et recruta 6000 miliciens pour la défense du Canada. Le premier régiment canadien-français, les Voltigeurs, sous le commandement de Charles-Michel de Salaberry, défendit activement la colonie à la bataille de Châteauguay en 1813. Momentanément, les autochtones crurent pouvoir tirer profit de la guerre qui opposa Britanniques et Américains. Le conflit fut trop court. Et commença pour eux une longue période d'oubli et de silence.

L'Église prêcha la fidélité à l'Angleterre, Mgr Joseph-Octave Plessis rappelant aux francophones la liberté religieuse et « le bon gouvernement » dont ils avaient joui sous le régime britannique. Ce loyalisme inébranlable, dont avaient fait preuve les évêques qui avaient occupé le siège épiscopal de Québec, contribua beaucoup à mettre l'Église dans les bonnes grâces des gouverneurs. En 1818, Mgr Plessis fut officiellement reconnu par le gouvernement britannique à titre d'évêque catholique de Québec, et fut nommé au Conseil législatif. En 1821, à la suite de la création d'évêchés auxiliaires dans les Maritimes, à Montréal, dans le Haut-Canada et dans la colonie de la Rivière-Rouge, les assises de l'Église catholique se trouvèrent encore raffermies.

CONCLUSION

Les tentatives des Britanniques, pour trouver une solution constitutionnelle aux problèmes que soulevait le gouvernement d'une population de langue française et catholique, eurent pour résultat de garantir les institutions de base du Régime français, comme le régime seigneurial et le droit civil français. Et, malgré la création d'une chambre d'Assemblée en 1791, l'idéologie du gouvernement colonial ne changea pas. Le *Colonial Office* continua de dicter la politique, tout autant que le ministère de la Marine l'avait fait à l'époque de la Nouvelle-France. Le pouvoir politique et le favoritisme furent dévolus, dans la colonie, à une élite peu nombreuse qui continua de favoriser les liens de classe et de famille. Les seigneurs, s'ils trouvèrent plus difficile la poursuite d'une carrière dans l'armée, tirèrent de leurs propriétés foncières des revenus qui leur permirent de conserver tant bien que mal un mode de vie aristocratique.

L'autre élément important de la structure institutionnelle du Régime français, l'Église catholique, fit face à beaucoup de difficultés. La menace de la mise en tutelle par un roi anglais était toujours présente. Les communautés d'hommes, soit les Jésuites et les Récollets, disparurent du Canada. Les effectifs du clergé baissèrent dangereusement. Par contre, des prêtres réfractaires à la Révolution française vinrent les renforcer quelque peu. Ainsi, les Sulpiciens, en tant que prêtres séculiers déjà tolérés, purent accueillir quelques-uns des leurs qui avaient fui la France. Si la perte des gratifications royales avait été un rude coup, l'augmentation rapide de la population et la prospérité des régions rurales, à la fin du XVIIe siècle, assuraient à l'Église une solide assise financière, grâce à la dîme et aux dons. Aussi, au début des années 1820, était-elle en train de consolider sa situation, tant financière que politique.

BIBLIOGRAPHIE

L'histoire de la Nouvelle-France

Sur l'histoire générale de la Nouvelle-France, on consultera Jacques MATHIEU, *Nouvelle-France. Les Français en Amérique du Nord, XVIe-XVIIIe siècles*, PUL, 1991 et les ouvrages de William John ECCLES, et en particulier *Canada under Louis XIV*, McClelland & Stewart, 1964 ; et *The Canadian Frontier*, Holt, Rinehart & Winston, 1971. *L'Initiation à la Nouvelle-France*, Holt, Rinehart & Winston, 1968, de Marcel TRUDEL, est à la fois concis et utile. Pour l'Acadie, on pourra consulter Naomi GRIFFITHS, *The Contexts of Acadian History*, McGill-Queen's, 1992. On trouvera le meilleur aperçu des institutions administratives dans l'introduction d'André VACHON au volume II du *Dictionnaire biographique du Canada*. L'administration de la justice en matière civile a été étudiée par John A. DICKINSON, *Justice et justiciables. La procédure civile à la Prévôté de Québec, 1667-1759*, PUL, 1982, en matière criminelle, par André LACHANCE, *La Justice criminelle du roi au Canada au XVIIIe siècle. Tribunaux et officiers*, PUL, 1978 et *Crimes et criminels en Nouvelle-France*, Boréal, 1984 ; et « La justice seigneuriale en Nouvelle-France : le cas de Notre-Dame-des-Anges », *RHAF*, 28, 3, 1974 : 323-346, par John A. DICKINSON.

Le régime seigneurial

On trouvera dans Marcel TRUDEL, *Le Régime seigneurial*, Société historique du Canada, 1956, une vue traditionnelle de cette institution, et, dans Richard Colebrook HARRIS, *The Seigneurial System in Early Canada*, McGill-Queen's, 1984, le point de vue d'un géographe. Les meilleures études récentes sont de Louise DECHÊNE, « L'évolution du régime seigneurial au Canada. Le cas de Montréal aux XVIIe et XVIIIe siècles », *Recherches sociographiques*, 12, 2 : 143-183, et « La rente du faubourg Saint-Roch à Québec, 1750-1850 », *RHAF*, 34, 4, 1981 : 569-596 ; et d'Allan GREER, *Peasant, Lord and Merchant. Rural Society in Three Quebec Parishes, 1740-1840*, University of Toronto Press, 1985, et de Sylvie DÉPATIE, Mario LALANCETTE et Christian DESSUREAULT, *Contribution à l'étude du régime seigneurial canadien*, Hurtubise HMH, 1987.

L'Église

L'Église de la Nouvelle-France a été étudiée par Cornelius JAENEN, dans *The Role of the Church in New France*, McGraw-Hill Ryerson, 1976. Le conflit entre l'Église et le Parti canadien a été exposé à grands traits par Richard CHABOT, dans *Le Curé de campagne et la contestation locale au Québec, de 1791 aux troubles de 1837-38*, Hurtubise HMH, 1975.

La Conquête

Sur la Conquête et ses conséquences, l'ouvrage par excellence reste *La Guerre de la Conquête*, de Guy FRÉGAULT, Fides, 1955. Maurice SÉGUIN donne son point de vue sur les conséquences dans *La Nation canadienne et l'agriculture (1760-1850)*, Boréal Express, 1970 et dans *L'Idée d'indépendance. Genèse et historique*, Boréal Express, 1968 qui complète la brochure de Guy FRÉGAULT, *La Société canadienne sous le régime français*, SHC, 1964. Fernand OUELLET exprime un point de vue différent dans *Histoire économique et sociale du Québec (1760-1850)*, Fides, 1966 et dans *Le Bas-Canada, 1791-1840 : changements structuraux et crise*, PUO, 1976. Sur les aspects militaires de la guerre de la Conquête, deux ouvrages sont parus aux éditions du Septentrion, Gaston DESCHÊNES, *L'Année des Anglais*, 1988 et Gérard FILTEAU, *Par la bouche de mes canons. La ville de Québec face à l'ennemi*, 1990. Un autre ouvrage donne un aperçu des débats sur la Conquête : Dale MIQUELON, *Society and Conquest. The Debate on the Bourgeoisie and Social Change in French Canada, 1700-1850*, Copp Clark, 1977. Le meilleur article sur les faiblesses des arguments mis de l'avant est de Serge GAGNON, « Pour une conscience historique de la révolution québécoise », *Cité libre*, 16, 83, 1966 : 4-16.

Le Régime britannique et le début des institutions parlementaires

Sur le régime britannique, les deux études les plus utiles sont celles de Hilda NEATBY, *Quebec in the Revolutionary Age, 1760-1791*, McClelland & Stewart, 1966 ; et de Fernand OUELLET, *Le Bas-Canada, 1791-1840. Changements structuraux et crise*, PUO, 1976. Pierre TOUSIGNANT a donné une pénétrante analyse de « l'intégration de la Province de Québec à l'Empire britannique », dans le volume IV du *Dictionnaire biographique du Canada*, PUL, 1980. Également utile, sur les conditions dans lesquelles fut adoptée la loi constitutionnelle, son article, « Problématique pour une nouvelle approche de la constitution de 1791 », *RHAF*, 27, 2, 1973 : 181-234. Voir aussi Denis VAUGEOIS, *Québec 1792. Les acteurs, les institutions et les frontières*, Fides, 1992. De Gilles PAQUET et Jean-Pierre WALLOT, *Patronage et pouvoir dans le Bas-Canada (1794-1812)*, PUQ, 1973, est utile à la compréhension du conflit ethnique au tournant du XIXe siècle.

Les classes sociales

On retrouvera plusieurs articles sur les rapports sociaux dans les recueils de Jean-Pierre WALLOT, *Un Québec qui bougeait*, Boréal Express, 1973, et de Fernand OUELLET, *Éléments d'histoire sociale du Bas-Canada*, HMH, 1972. Sur les marchands et la Conquête, on consultera avec profit la thèse de José IGARTUA, *The Merchants and Négociants of Montréal, 1750-1775 : A Study in Socio-Economic History*, thèse de Ph. D., Michigan State University, 1974.

CHAPITRE III

La société préindustrielle et l'économie 1650-1815

PARCE QU'ELLES SE DÉVELOPPÈRENT DANS UN CADRE COLONIAL, la société et l'économie du Québec préindustriel furent jusqu'à un certain point modelées par les centres métropolitains d'outre-Atlantique ; néanmoins, et par-delà l'autorité exercée par l'administration centrale, les progrès de la colonie étaient dus pour une large part à des facteurs locaux. Bien que ses structures fondamentales, tant sociales et économiques qu'administratives, soient restées inchangées de 1650 à 1815, le Québec préindustriel ne fut pas une société statique. Il connut une rapide croissance démographique, dans le double contexte d'une expansion de ses territoires agricoles et d'une exploitation, par le capitalisme marchand, de ses produits moteurs. Le Québec fut façonné par les institutions et les traditions culturelles de deux pays européens, mais son économie paysanne, ses exportations fondées sur les produits moteurs et ses stratégies de reproduction sociale appuyées sur l'abondance des terres le différencièrent de l'une et l'autre mère patrie.

LA DÉMOGRAPHIE

La traite des fourrures requérant peu de main-d'œuvre européenne jusqu'en 1650, la colonisation française progressa lentement au Canada. La population y atteignait environ 1200 âmes au milieu du siècle. En raison des problèmes financiers qui résultèrent de la prise de ses deux premières flottes par des corsaires anglais, la Compagnie des Cent-Associés ne put respecter son engagement d'établir 4000 colons avant la fin de 1642. Elle essaya de se décharger sur d'autres du coût de la colonisation, en concédant des seigneuries. Les seigneurs devaient recruter des colons, mais peu d'entre eux se plièrent à cette obligation. La plupart des colons d'avant 1650 étaient parrainés par des missionnaires, qui le faisaient pour une variété de motifs : un vif désir d'être moins dépendants des autochtones, le besoin de s'approvisionner en vivres tirés de la colonie et, dans le cas de Montréal, l'ambition de créer une communauté chrétienne modèle.

La dispersion des Hurons, achevée en 1650, eut deux effets considérables: elle fournit du travail aux Français comme intermédiaires dans la traite des fourrures, et elle ouvrit des marchés pour les produits agricoles, tant dans la population française que dans les tribus semi-nomades de l'alliance française. En dix ans, de 1663 à 1672, la Couronne française paya le passage d'environ 2000 immigrants et incita les soldats licenciés du régiment de Carignan-Salières à s'établir dans la colonie. De ces immigrants, 770 étaient des jeunes femmes (les *filles du roi*). Contrairement à l'opinion populaire, ces femmes venaient de divers milieux, tant sociaux que géographiques. Si près de la moitié d'entre elles furent tirées de l'orphelinat de l'Hôpital général de Paris, un tiers étaient originaires de l'ouest de la France, surtout de la Normandie et du Poitou. La plupart appartenaient aux classes populaires, et un tiers environ, parmi les plus pauvres, reçurent une dot de la Couronne. Étant donné le manque de femmes européennes nubiles dans la colonie en ces premières années, toutes les filles du roi, sauf une, s'y marièrent, habituellement dans les cinq mois suivant leur arrivée à Québec (Landry, 1992). Grâce à cet effort, la population d'origine européenne passa de 3000 à 7000 âmes.

Dans les années 1670, toutefois, l'immigration ralentit, quand les possibilités de travail se firent plus rares et que cessa le parrainage de l'État après la reprise de la guerre en Europe. L'augmentation de la population dépendant largement de la croissance naturelle, le gouvernement tenta d'encourager les familles nombreuses en imposant des amendes aux célibataires et en accordant des gratifications aux familles qui comptaient dix enfants vivants ou plus, à condition qu'aucun ne fût entré en religion. Ces mesures n'eurent pas l'effet escompté. Malgré l'apport des filles du roi, le déséquilibre entre les immigrants mâles et femelles était tel (le rapport était encore, en 1681, d'à peu près trois hommes adultes pour deux femmes) que beaucoup d'hommes restèrent célibataires.

Comme les travaux de la ferme exigeaient une double main-d'œuvre, féminine et masculine, beaucoup d'hommes, incapables de s'y consacrer, trouvèrent à s'employer dans la traite des fourrures et vécurent dans l'Ouest avec des femmes autochtones. Leurs descendants adoptèrent la culture de leurs mères; on les connut plus tard sous le nom de Métis. Les femmes mariées avaient des enfants à intervalles réguliers (tous les deux ans environ) pendant leurs années de fécondité. Le nombre des enfants était fonction de l'âge de la mère à son mariage, des attitudes sociales qui valorisaient la progéniture nombreuse et de la mortalité infantile, un enfant sur cinq mourant avant l'âge d'un an. Sauf pendant les années de guerre (1744-1748 et 1754-1760), alors qu'il baissa, le taux annuel des naissances resta stable à environ 55 pour 1000 (à comparer au taux d'environ 11 pour

1000 en 1998). Les familles comptaient en moyenne sept enfants, soit bien moins qu'il n'en fallait pour toucher la gratification royale. En fait, selon le démographe Hubert Charbonneau, 2 % des familles seulement auraient pu y avoir droit (1975 : 222s.). Malgré l'âge moyen des femmes à leur mariage, vingt-deux ans, et celui des hommes, vingt-sept ans, l'attitude rigoureuse de l'Église à l'égard des relations sexuelles prémaritales était partagée par la société, et les grossesses avant mariage, de même que les enfants illégitimes, furent très rares (Bates, 1986 ; Paquette et Bates, 1986).

La longue traversée de l'Atlantique effectua une sélection naturelle chez les immigrants. Seuls ceux en santé résistèrent et, par conséquent, la mortalité était faible pendant les premières années. Une meilleure alimentation contribua à maintenir les taux de mortalité plus bas que ceux de l'Europe. La mortalité infantile (le décès d'enfants pendant la première année après la naissance), cependant, restait élevée et faucha entre le quart et le cinquième des nouveau-nés. Ceux qui atteignaient leur vingtième anniversaire pouvaient espérer atteindre la cinquantaine (pour les hommes) ou la soixantaine (pour les femmes). Malgré un régime favorable, environ la moitié des Canadiens avaient perdu un ou les deux parents avant leur mariage et beaucoup vivaient dans des familles recomposées (Charbonneau *et al.*, 1987).

Sous le Régime français, la plupart des immigrants vinrent de l'ouest de la France, surtout de la Normandie, de la région de La Rochelle et de Paris. Bien que la majorité des colons fussent français, la diversité n'était pas tout à fait absente. Pedro Dasilva, par exemple, fut l'un des immigrants portugais qui, au XVIIe siècle, fondèrent des familles au Québec. Pendant les guerres intercoloniales de la seconde moitié du règne de Louis XIV (1689-1713), plus de 1000 colons de la Nouvelle-Angleterre, faits prisonniers, furent conduits à Montréal et à Québec, où un bon nombre — des enfants, orphelins pour la plupart, furent élevés parmi les Indiens ou adoptés par des familles canadiennes (Axtell, 1985). D'autres colons américains, comme le marchand William Strouds, de Québec, vinrent en Nouvelle-France pour échapper à la justice.

En 1650, presque tous les autochtones, qui à l'origine habitaient entre Montréal et Tadoussac, avaient été tués par la maladie ou la guerre, alors que les survivants, peu nombreux, s'éloignaient des établissements français. De 1650 à 1760, de nouvelles populations indiennes s'établirent le long du Saint-Laurent, dans des villages fondés par les missionnaires pour les chrétiens convertis. Habituellement isolés des populations françaises, ces villages furent à l'origine des réserves d'aujourd'hui. Le premier d'entre eux, fondé à Sillery en 1637, en vue d'assimiler les Montagnais et les Algonquins, n'avait pas été un succès. Les réfugiés hurons, qui occupèrent plusieurs emplacements près de Québec après 1650, se fixèrent à Lorette en 1697.

Dans les années 1660, les Jésuites formèrent un village pour les Iroquois chrétiens, d'abord à La Prairie puis plus à l'ouest au Sault-Saint-Louis, aujourd'hui Kahnawake. Dans les mêmes années, les Sulpiciens jetèrent les bases d'un village, composé surtout d'Iroquois et d'Algonquins, sur les flancs du mont Royal. Sous prétexte de mettre ses habitants à l'abri de la traite de l'eau-de-vie, ils le déplacèrent deux fois, l'établissant finalement à Kanesatake, près d'Oka, sur le lac des Deux-Montagnes. Ces changements d'emplacements profitèrent aux Sulpiciens, qui agrandirent leur domaine seigneurial en utilisant la main-d'œuvre autochtone pour les défrichements. Une partie de ces terres furent par la suite vendues à des colons européens (Tremblay, 1981 : 84-88, 111-115). D'autres villages furent créés, dont ceux de Bécancour et de Saint-François pour les réfugiés abénaquis chassés du Maine par les colons anglais. La vie de ces communautés était calquée sur celle des villages iroquois traditionnels, les femmes cultivant le sol et les hommes prenant part à la traite des fourrures et aux guerres contre la Nouvelle-Angleterre.

La population européenne de la colonie était aux trois quarts rurale ; elle couvrit les rives du Saint-Laurent, avant d'en occuper les basses terres, le long de rivières comme le Richelieu et la Chaudière. La plupart des colons vivaient néanmoins à proximité de Québec et de Montréal ; ailleurs, moins dense, la population formait comme un mince ruban le long des rivières. Avec 8000 habitants en 1760, Québec était la seule grande ville ; Montréal, qui n'avait que la moitié de cette population, conservait l'allure d'un avant-poste frontalier ; et Trois-Rivières, dont la population ne dépassa jamais 800 âmes sous le Régime français, n'était guère plus qu'un grand marché, un centre de services et une petite ville administrative. Bien que les modestes villages de Beauport, Boucherville, Charlesbourg, La Prairie, Pointe-aux-Trembles, Terrebonne, Varennes et Verchères fussent des centres de services pour les populations rurales environnantes, on pourrait difficilement parler d'un réseau urbain.

La Conquête ne modifia pas les caractéristiques démographiques fondamentales de la population canadienne. Le taux des mariages, des naissances et des décès resta relativement constant ; et, malgré l'absence d'une immigration en provenance de la France, une vigoureuse croissance naturelle assura la prédominance d'une paysannerie catholique et française dans la nouvelle colonie britannique. La colonisation continua de s'étendre dans les vallées du Saint-Laurent et du Richelieu. Ce n'est qu'au début du XIXe siècle, époque où les jeunes générations éprouvèrent des difficultés à trouver de nouvelles terres productives dans le contexte seigneurial, que la surpopulation devint un problème dans les basses terres du Saint-Laurent (tableau 3.1).

Avant la Révolution américaine, l'immigration britannique se limita à un petit nombre de marchands, d'artisans, de bureaucrates et de soldats, qui pour la

TABLEAU 3.1

Évolution de la population catholique du Québec 1711-1815

Période	Pop. moyenne	Taux de natalité	Taux de mariage	Taux de mortalité
1711-1715	19 800	55,9	9,5	27,8
1716-1720	22 900	57,8	10,3	21,5
1721-1725	27 200	52,6	9,4	20,3
1726-1730	31 600	54,2	10,2	26,1
1731-1735	36 200	58,1	9,9	30,4
1736-1740	42 300	54,7	8,9	21,2
1741-1745	49 100	51,2	8,7	25,1
1746-1750	55 000	50,9	10,3	33,1
1751-1755	61 200	54,5	10,1	29,5
1756-1760	67 200	51,4	10,0	37,9
1761-1765	74 400	56,8	11,6	29,3
1766-1770	86 200	56,8	8,3	27,3
1771-1775	98 100	55,7	9,2	27,2
1776-1780	110 400	52,8	8,1	30,3
1781-1785	125 700	51,6	8,1	27,7
1786-1790	141 900	50,6	8,2	25,7
1791-1795	160 300	52,5	9,2	25,9
1796-1800	183 700	51,9	8,3	24,6
1801-1805	208 900	52,6	8,8	27,8
1806-1810	238 600	50,4	8,3	25,2
1811-1815	269 300	50,1	9,1	26,9

(Charbonneau, 1973: 43)

plupart s'établirent en ville. Plutôt que la Conquête, c'est la Révolution américaine, justement, qui amena un notable changement démographique, les Loyalistes constituant rapidement une minorité anglophone assez importante (figure 3.1). Bien que les Américains les eussent décrits comme une élite composée de ministres anglicans, de bureaucrates et de marchands vivant du favoritisme gouvernemental, la plupart des Loyalistes étaient d'une origine plus modeste : immigrants anglais de fraîche date, membres de minorités religieuses et ethniques, Indiens de la confédération iroquoise, fermiers et des esclaves africains émancipés.

Pendant les années 1780, des réfugiés gagnèrent le Québec par voie de terre, à partir de New York et de la Pennsylvanie. Plusieurs centaines s'établirent dans les régions les plus peuplées, en particulier à Montréal et à Sorel (alors appelé William-Henry) ; mais 6000 Loyalistes s'établirent à l'ouest des terres seigneuriales, le long du Saint-Laurent et du lac Ontario ainsi qu'un nombre équivalent d'Iroquois. Ces colons reçurent 100 acres de terre en pleine propriété, plus 50 acres pour chaque membre de leur famille; à titre spécial, certains officiers

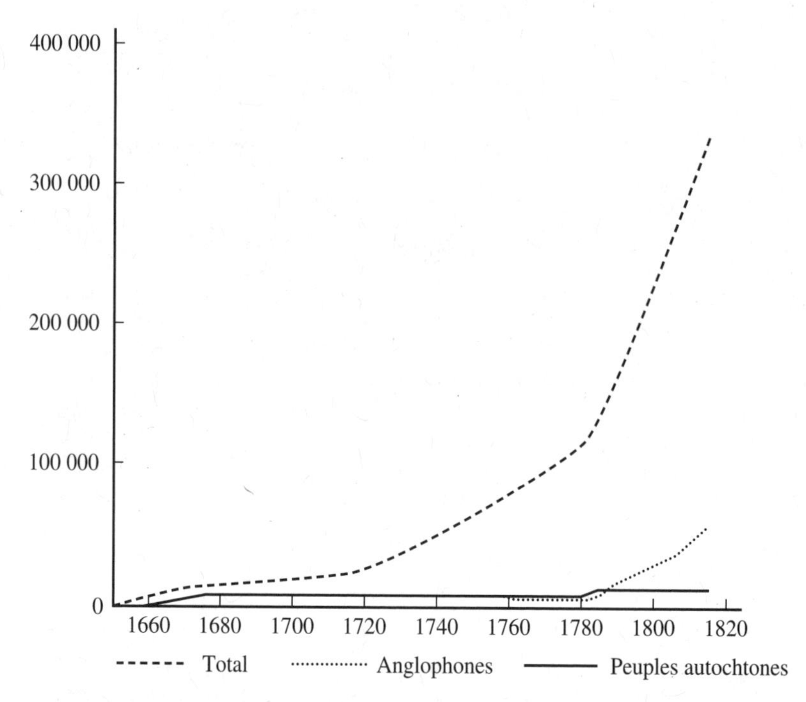

FIGURE 3.1
La population du Québec, 1650-1815.

reçurent jusqu'à 5000 acres de terre chacun. Pour leur part, les Iroquois reçurent 240 000 hectares au nord du lac Erié.

Des établissements anglophones existaient en Nouvelle-Écosse et à Terre-Neuve avant la Conquête. L'arrivée des Loyalistes marqua l'expansion d'une forte population anglophone à travers l'Amérique du Nord britannique. D'à peine quelque 500 marchands et militaires dans les années 1760, la population anglophone du Bas-Canada passa à 50 000 en 1815. De 1785 à 1815, la plupart des immigrants vinrent de la Nouvelle-Angleterre et s'établirent sur les terres en franche propriété des Cantons de l'Est. En 1815, 15 000 colons anglophones s'étaient ainsi installés dans cette région, surtout autour de la baie de Missisquoi et à Stanstead.

La division du Québec en Haut et Bas-Canada, en 1791, sépara la population anglophone du Bas-Canada des immigrants britanniques et américains qui s'installèrent à l'ouest de la rivière des Outaouais. Bien qu'ils fussent en majorité dans les Cantons de l'Est et qu'ils formassent une importante minorité à Montréal, à Québec et à Gaspé, les anglophones se trouvaient en petit nombre dans le reste du Bas-Canada. Dans les régions où ils n'étaient pas en contact avec une assez grande communauté anglophone, beaucoup furent assimilés par leurs voisins francophones.

Les peuples autochtones, quant à eux, restaient autant de minorités distinctes ; ils occupaient les terres qu'on avait mises à leur disposition sous le Régime français, ou vivaient dans de nouvelles communautés formées pour eux dans des régions comme celle de Gaspé. Ces peuples — Hurons, Iroquois, Algonquins et Micmacs — avaient pour la plupart la même expérience de travail que les Blancs. Ils étaient hommes de canot, travailleurs forestiers, draveurs ou hommes de cage, et pêcheurs. Dans le nord du Québec, où la Compagnie de la Baie d'Hudson interdit la colonisation jusque dans les années 1840, les Cris, les Montagnais, les Naskapis et les Inuits, peu touchés par la société européenne, conservaient leurs modes de subsistance traditionnels.

LES PRODUITS MOTEURS DANS L'ÉCONOMIE PRÉINDUSTRIELLE

Depuis que, dans les années 1930, l'économiste Harold Innis, de l'Université de Toronto, l'a mise de l'avant dans ses travaux, la théorie des produits moteurs domine l'économie politique au Canada (1956 ; Easterbrook et Watkins, 1967 : 49-73). Innis a fait valoir que le Canada dépendait du commerce extérieur, et soutenu que l'exportation des produits moteurs, tels que la morue, le castor, le blé et le bois d'œuvre, constituait le moteur de son développement économique et social.

Sous le Régime français, le poisson et la fourrure furent les principaux produits moteurs, mais, en 1800, ils étaient en train de céder le pas au blé et au bois d'œuvre. Si ces produits ont dominé dans le commerce avec les centres métropolitains tout au long de la période préindustrielle, la théorie d'Innis sous-estime néanmoins l'importance des marchés locaux et le dynamisme de l'économie paysanne (Sweeny, 1994).

Malgré l'accent que nos historiens ont mis sur la fourrure, le poisson fut le premier produit de base en Amérique du Nord, et la pêche, le plus riche secteur d'exportation vers la France pendant la période coloniale française (Brière, 1990 ; Turgeon, 1981). Et si la pêche française, concentrée sur la côte de Terre-Neuve et à l'île du Cap-Breton, fut surtout le fait de propriétaires de navires de Saint-Malo et de Granville, qui exploitaient le riche marché méditerranéen par l'intermédiaire de correspondants marseillais, les marchands de la colonie prirent aussi part à cette activité. Au début du XVIIIe siècle, des entrepreneurs de Québec, comme Denis Riverin et Pierre Haimard, établirent des postes de pêche dans la Gaspésie, et Marie-Anne Barbel dirigea une entreprise de chasse aux phoques sur la côte du Labrador. Tout en fournissant au marché local le poisson requis pour les jours d'abstinence (les vendredis et les jours de carême), ces marchands exportaient une partie de leurs prises dans les Antilles françaises. Et la chasse aux phoques donnait lieu à l'exportation d'huile et de fourrures destinées au marché métropolitain.

Bien qu'après la Conquête la France conservât de lucratifs droits de pêche le long de la *French Shore*, à Terre-Neuve, la pêche dans le golfe du Saint-Laurent, et en particulier à Gaspé, tomba aux mains de familles originaires des îles anglo-normandes, comme les Robin. Vers 1800, ces derniers exportaient pour 16 000 livres sterling de morue annuellement. La pêche favorisa la création de chantiers navals locaux, pour la construction de goélettes et de pinasses destinées aux pêcheurs, mais aussi de plus gros navires et de bricks qu'on vendit plus tard en Europe. La croissance de la population dans cette région, amorcée par l'arrivée de réfugiés acadiens dans les années 1750, se soutint grâce à l'installation de quelques familles loyalistes dans les années 1780.

Au tournant du siècle, et en dépit d'une forte production locale, les 5000 colons de cette région restaient dépendants des grands marchands qui exploitaient la pêche. Au lieu de payer les pêcheurs en argent, ces marchands avaient recours au troc, en leur accordant, contre leurs prises, un crédit pour l'achat d'accessoires, de vêtements et de nourriture dans leurs magasins. En endettant toujours davantage les pêcheurs, ce système accroissait la dépendance de la population, pendant qu'augmentaient les profits des marchands dans le commerce de détail local (Lee, 1984).

Malgré la supériorité de la pêche sur le plan économique, c'est la traite des fourrures qui avait attiré les Européens dans la vallée du Saint-Laurent et qui les avait amenés à s'y établir. La destruction de la Huronie — on l'a vu — força les Français à trouver d'autres fournisseurs. En 1653, Médard Chouart, sieur des Groseilliers, un des premiers coureurs des bois, partit pour inciter les tribus de l'Ouest à apporter leurs fourrures directement à Montréal. Le succès qu'il obtint montra que la présence d'agents français à l'ouest pouvait assurer l'arrivage des fourrures. C'est ce qui amena la Couronne française à y envoyer de tels agents (souvent des membres de communautés religieuses), comme Charles Albanel, Jacques Marquette, François Dollier de Casson et René de Bréhant de Galinée, pour découvrir de nouvelles routes commerciales et fonder des missions sur les Grands Lacs et dans le bassin de la baie d'Hudson.

Si les autochtones s'occupaient seuls de tous les travaux relatifs à la chasse et à l'apprêtage des peaux, les intermédiaires, et en particulier les Outaouais qui assumèrent en grande partie le transport des fourrures de 1653 à 1670, furent de plus en plus remplacés par des coureurs des bois qui aspiraient à l'entière mainmise sur la traite en interceptant les fournisseurs avant qu'ils ne livrent leurs peaux à la foire de Montréal (Wien, 1998).

La période de 1670 à 1681 fut marquée par l'anarchie dans la traite des fourrures. Les autorités métropolitaines tentèrent sans succès d'enrayer la

FIGURE 3.2
Coureurs des bois. On a tracé du coureur des bois un portrait romantique de solitaire épris de liberté s'adaptant facilement aux conditions de vie dans la forêt. En réalité, l'exploration et la traite des fourrures étaient des activités extrêmement exigeantes. Transporter de lourds ballots de fourrures pendant les longs portages, ramer sur des eaux infestées de moustiques, supporter les conditions climatiques et éviter la noyade à tout moment étaient le lot quotidien des coureurs des bois. Cette illustration d'une expédition dans la péninsule du Labrador dans les années 1850 démontre clairement les difficultés que représentaient de telles expéditions.

prolifération des coureurs des bois, en les mettant hors la loi, parce qu'on les considérait comme perdus pour la colonie du fait qu'ils ne cultivaient pas la terre. Les autorités locales, cependant, et particulièrement le gouverneur Louis de Buade de Frontenac et son associé Robert Cavelier de La Salle, continuèrent à encourager l'expansion de la traite, dans l'espoir de gains personnels. Excepté pour des hommes comme Frontenac et La Salle qui en faisaient en secret le trafic, seuls la Compagnie des Indes occidentales puis la Ferme du Domaine d'Occident, qui détenaient le monopole de l'exportation des fourrures, et quelques marchands comme Charles LeMoyne ou Jacques Leber, surent tirer leur épingle du jeu et réaliser des profits pendant cette période.

Trafiquants indépendants, les coureurs des bois voyaient leurs marges de profit fortement diminuées par une vive concurrence (en 1680, selon les autorités, 500 hommes trafiquaient dans l'Ouest) qui faisait en sorte que la menace de poursuites judiciaires, le danger d'une attaque iroquoise et les fatigues causées par le maniement des canots et les portages n'en valaient presque pas la peine (figure 3.2). Les coureurs des bois restaient, cependant, un rouage essentiel de la traite des fourrures. Se mettant en rapport avec les tribus, ils échangeaient des produits européens — articles de métal, tissus, eau-de-vie — contre des fourrures qu'ils transportaient à Montréal. Les choses n'allaient guère mieux pour les commerçants qui leur fournissaient les marchandises de traite. La concurrence, jointe à la difficulté de recouvrer les sommes dues par les coureurs des bois hors la loi, élimina beaucoup d'entre eux en quelques années (Dechêne, 1974).

La Ferme du Domaine d'Occident, le gouvernement et les principaux commerçants s'unirent, dans les années 1680, pour mettre fin à ce désordre. Il en résultat de notables changements structurels. Après 1681, la Ferme ne fit affaire qu'avec des marchands établis, et le gouvernement émit 25 permis spéciaux, appelés « congés », pour la traite dans les territoires de l'Ouest. L'ouverture de postes militaires dans les lieux de portage stratégiques permit au gouvernement d'exercer efficacement la surveillance de la traite. Il était aussi devenu évident que seuls pourraient survivre les gros commerçants de Montréal qui possédaient un capital suffisant pour maintenir des stocks considérables de marchandises de traite et qui disposaient d'un crédit étendu. Dans les années 1690, les coureurs des bois, avaient été remplacés par des employés, appelés voyageurs. Si certains d'entre eux gardèrent leur indépendance et participèrent aux profits, la grande majorité furent des travailleurs salariés, qui s'engageaient envers un commerçant à transporter des marchandises dans les postes de l'Ouest et à rapporter des fourrures.

L'expansion des trafiquants français sur presque la moitié du continent raviva le conflit avec les Iroquois et leurs alliés anglais. Quand le commerce français au Mississippi coupa leur principale source de ravitaillement en fourrures, les Iroquois commencèrent à attaquer les trafiquants français dans l'Ouest. Les premières attaques survinrent en 1681. La « Révolution glorieuse » de 1688 en Angleterre entraîna la reprise de la guerre en Europe et en Amérique et, en 1689, les Iroquois ravageaient des établissements situés à proximité de Montréal. Pendant une demi-douzaine d'années, la région de Montréal fut menacée et certaines seigneuries comme Lanoraie furent complètement abandonnées. Toutefois, des victoires remportées par les alliées amérindiens dans l'Ouest et le saccage de villages iroquois en 1693 et 1696 épuisèrent les Iroquois. Après de longues négociations, une paix générale fut signée à Montréal garantissant la neutralité des Iroquois dans tout conflit entre les puissances européennes (Havard, 1992 ; Steele, 1994).

L'expansion de la traite occasionna un surplus de castor. Dans les bonnes années, avant 1650, on exportait 30 000 peaux environ ; le volume passa à quelque 50 000 en 1670, et à plus de 100 000 dans les années 1680. Le nombre de peaux augmentant, les marchés français furent saturés. Les prix tombèrent et la traite s'arrêta temporairement. Mais les alliances avec les Indiens, indispensables tant à l'économie de la Nouvelle-France qu'à la limitation de la progression britannique dans l'Ouest, ne pouvaient être sauvegardées que par la traite des fourrures ; aussi les autorités coloniales se battirent-elles, avec succès, pour obtenir du ministère le maintien d'un nombre limité de postes dans l'Ouest.

À partir de 1717, après que les marchands canadiens associés dans la Compagnie de la colonie qu'ils avaient formée eurent tenté sans grand succès de redresser le marché du castor, celui-ci s'améliora, et l'expansion de la traite des fourrures reprit. Des officiers militaires comme Pierre Gaultier, sieur de la Vérendrye, et ses fils l'étendirent à travers les Prairies et gagnèrent un grand nombre de tribus à l'alliance française. Néanmoins, l'expansion était alors moins rapide qu'elle ne l'avait été au XVIIe siècle. L'exploitation rationnelle de la traite, de façon à garantir la stabilité de l'approvisionnement et la rentabilité, était assurée grâce à l'octroi, à des officiers militaires, de monopoles sur un territoire donné. Ces officiers s'associaient à de gros marchands et engageaient des hommes pour le transport des marchandises dans l'Ouest (Allaire, 1987). Les fourrures devinrent plus variées, et les exportations de peaux de chevreuil, de martre, d'orignal, de phoque et de lynx s'ajoutèrent à celles du castor. La valeur des exportations fut assez stable après 1720, atteignant tout juste un peu plus d'un million de livres, soit à peu près le double de leur valeur au début des années 1690.

Après la Conquête, la fourrure continua de tenir le premier rang dans les exportations. Pendant les années 1760 et 1770, des trafiquants de Montréal poussèrent toujours plus loin à l'intérieur. Alexander Mackenzie voyagea, le long du Mackenzie, jusqu'à l'océan Arctique en 1789, et traversa les Rocheuses pour atteindre le Pacifique en 1793. La structure de base de la traite des fourrures resta inchangée jusque dans les années 1780, et les marchands francophones continuèrent d'y jouer un grand rôle. De même que les plus petits marchands anglophones, ils furent toutefois éliminés par les trafiquants d'Albany qui affluèrent nombreux dans la colonie après l'adoption de l'Acte de Québec et par la féroce concurrence qui s'ensuivit. En raison des distances de plus en plus grandes, il fallait des capitaux et un crédit accrus, dont disposaient seuls les plus gros marchands anglophones, comme Robert Ellice, John Forsyth et John Richardson, qui bénéficiaient d'associations commerciales avec des compagnies anglaises. Ces négociants formèrent la North West Company et, à la fin des années 1780, ils dominaient le commerce à partir de Montréal.

Le régime de travail des voyageurs changea. Un certain nombre (les « hivernants ») qui, pendant la saison des expéditions, transportaient des marchandises de postes comme Fort Chipewyan, sur le lac Athabasca, aux dépôts de transit des Grands Lacs, comme Grand Portage ou Fort William, vivaient en permanence dans l'Ouest, contribuant à un important métissage des populations autochtones. Mais la plupart des travailleurs affectés au transport continuèrent cependant d'œuvrer sur une base saisonnière, conduisant de grands canots de Lachine aux dépôts des Grands Lacs (on les appelait les « mangeurs de lard », le porc étant la base de leur alimentation). La majorité de ces voyageurs étaient encore recrutés dans la région de Montréal, et beaucoup d'entre eux habitaient en ville ; les autres venaient de paroisses rurales comme La Prairie et Sorel.

Le travail saisonnier de la traite des fourrures correspondait aux besoins économiques de la famille rurale qui comptait sur un revenu extérieur pour assurer sa subsistance dans les régions les plus pauvres, ou pour mettre les garçons en état d'acheter une ferme dans les régions les plus riches. Dans la région sablonneuse de Sorel, par exemple, l'absence de surplus agricoles forçait les familles à engager un des leurs dans la traite des fourrures pour se procurer de l'argent. Dans les années 1790, un tiers des adultes mâles de Sorel travaillaient comme voyageurs, ce qui a amené Allan Greer à les qualifier de semi-prolétaires (1985).

C'était l'époque des grands barons de la fourrure tels Simon McTavish, William McGillivray et Joseph Frobisher. Dans les années 1780, la North West Company expédia plus de 100 000 peaux de castor, environ 50 000 peaux de rat musqué et des dizaines de milliers d'autres peaux en Angleterre, soit pour la production locale de chapeaux et de vêtements, soit pour l'exportation en France et dans la Baltique. On peut juger des profits de la compagnie par l'exemple pour l'année 1791 où, ayant dépensé 16 000 livres sterling environ, elle vendit ses fourrures 88 000 livres sterling à Londres.

Dans les années qui suivirent sa création, la North West Company fit une vigoureuse concurrence à la Compagnie de la Baie d'Hudson fondée en 1670 par les renégats français Médard Chouart des Groseilliers et Pierre-Esprit Radisson et des marchands de Londres. Pendant un siècle, cette entreprise avait amassé des profits en exploitant des comptoirs sur la baie que fournissaient les intermédiaires cris. Si cette dernière avait un énorme avantage sur le plan géographique, les *Nor'Westers* étaient de rudes trafiquants expérimentés qui entretenaient de bons rapports avec les trappeurs autochtones.

Après la construction d'un premier poste à l'intérieur (Fort Cumberland, sur la Saskatchewan), en 1774, la Compagnie de la Baie d'Hudson en ouvrit des douzaines d'autres dans l'Ouest. En 1812, elle menaça les routes commerciales et des ravitaillements en vivres de la North West Company, en permettant à lord Selkirk de fonder un établissement écossais à la jonction des rivières Rouge et Assiniboine. Les *Nor'Westers* brûlèrent les habitations des Écossais et essayèrent de les affamer en coupant les approvisionnements de pemmican ; lors du massacre de Seven Oaks, en 1816, vingt colons furent tués. Mais la concurrence entre les deux compagnies se révélait ruineuse et, en 1821, la compagnie montréalaise fusionna avec la Compagnie de la Baie d'Hudson.

L'exploitation de produits agricoles était depuis longtemps un des objectifs des administrateurs coloniaux, mais elle fut retardée par la faiblesse numérique de la population et par son éloignement des grands marchés. Au XVIIIe siècle, la Nouvelle-France expédia du blé et des pois à la forteresse de Louisbourg et dans les colonies à sucre des Antilles françaises, mais les intendants visaient à satisfaire prioritairement le marché local et pendant les années de guerre aucune exportation n'était permise (Dechêne, 1994).

La Conquête et le changement de métropole allaient intégrer la province de Québec dans le réseau commercial plus vaste de l'Empire britannique et les autorités n'intervenaient pas sur le marché. Pendant la Révolution américaine, on eut recours aux produits agricoles du Québec pour le ravitaillement des forces britanniques. Au cours des années 1780, le blé devint un important produit d'exportation et, en 1802, on en expédia, du port de Québec, le nombre record d'un million de boisseaux sur les marchés de l'Empire en pleine croissance (Ouellet, 1966). La situation changea toutefois pendant la deuxième décennie du XIXe siècle, par suite de mauvaises récoltes, du phénomène nouveau de la surpopulation rurale et de l'apparition de blé à meilleur marché en provenance du Haut-Canada, circonstances qui firent bientôt du Bas-Canada un importateur net de blé. L'économie paysanne s'adapta en produisant plus d'avoine et de fourrage pour les chantiers forestiers. Au même moment, se répandait la culture de la pomme de terre, destinée à la consommation domestique.

Au début du XIXe siècle, le bois d'œuvre devint un des grands produits d'exportation. Quand les guerres napoléoniennes l'eurent coupée de la Baltique, l'Angleterre se tourna vers les forêts de pins blancs et de chênes de l'Amérique du Nord britannique pour s'approvisionner en matériaux de construction. Les tarifs et les pressions exercées par la guerre sur la marine britannique firent monter les prix : en 1810, le bois de charpente et le bois d'œuvre représentaient 75 % de la valeur des exportations du port de Québec. Le bois d'œuvre était expédié sur les marchés britanniques sous plusieurs formes, certaines pièces étant tout juste équarries. On exportait aussi du merrain (bois de chêne débité en planches), des madriers (de pin, de chêne ou d'orme de 7,5 cm), et de la potasse fabriquée à partir de cendres.

Le commerce du bois d'œuvre équarri et du madrier créa de nouveaux types d'emplois sur les chantiers, sur le cours des rivières et, à Québec, sur les rives du fleuve et dans les chantiers navals. Les bûcherons abattaient et équarissaient les arbres, les conducteurs d'attelage traînaient les pièces jusqu'à de petites rivières, les « draveurs » (*drivers*) en assuraient le flottage jusqu'à l'Outaouais ou le Saint-Laurent et, de là, les « cageux » et des pilotes les transportaient sur des « cages » (grands radeaux) jusqu'à Québec (figure 3.3) où elles étaient mesurées et marquées par des « mesureurs » (*cullers*). En plus de fournir un travail saisonnier aux

FIGURE 3.3
Trains de flottage de bois d'œuvre passant devant Oka sur le lac des Deux-Montagnes. Chaque année, des centaines de trains semblables descendaient les rivières des Outaouais et Richelieu puis le fleuve Saint-Laurent vers Québec, donnant de l'emploi aux *raftsmen* et aux draveurs.

fermiers des régions pionnières, cette industrie augmentait beaucoup les possibilités d'emplois en dehors de l'agriculture et marquait un notable changement dans l'économie rurale du Québec.

LA STRUCTURE COMMERCIALE PRÉINDUSTRIELLE

Pendant la période préindustrielle, les capitalistes marchands profitaient tant du commerce international que du commerce local. Leur activité correspondait aussi bien à celle d'un Robert Dugard (Miquelon, 1978) qui faisait des affaires en Normandie, mais aussi avec la Hollande, le Québec et la Martinique, qu'à celle d'un François-Augustin Bailly de Messein (Michel, 1979) qui fournissait les denrées nécessaires à une petite communauté rurale.

La politique impériale était largement dictée par le mercantilisme qui favorisait le monopole et qui considérait les colonies comme des fournisseurs de ressources naturelles d'une part, et comme des marchés pour les produits manufacturés de la métropole, d'autre part. En France, Jean-Baptiste Colbert, le principal ministre de Louis XIV, publia de nombreux règlements visant à l'amélioration et à la normalisation des produits français. Il eut aussi recours aux tarifs et aux privilèges pour protéger l'industrie métropolitaine. Le commerce colonial était encouragé, mais non la production de biens qui eussent fait concurrence aux produits français. Le mercantilisme visait une balance commerciale excédentaire et se caractérisait par l'imposition sur le commerce d'une autorité étatique centralisée, faite de contrôles tatillons, d'inspections minutieuses, et de monopoles (De Vries, 1976). Les autorités coloniales dépendaient de la collaboration des marchands qui recevaient en retour des nominations prestigieuses au Conseil supérieur et, après la Conquête, au Conseil législatif.

Sous le Régime français, il y eut parmi les marchands une certaine spécialisation, ceux de Québec s'adonnant aux affaires d'import-export, ceux de Montréal à la traite des fourrures. Au sommet de la hiérarchie se trouvaient les commerçants de l'import-export, habituellement des agents de maisons françaises.

François Havy et Jean Lefebvre, par exemple, représentèrent la compagnie Dugard, de Rouen, de 1732 aux années 1750. Ils importaient de France du textile, des vins, de l'eau-de-vie et de la quincaillerie qu'ils vendaient en gros à des marchands, comme le trafiquant de fourrures montréalais Pierre Guy, ou au détail dans les magasins de Québec. Ils exportèrent aussi des produits agricoles à Louisbourg et aux Antilles françaises, construisirent des navires pour le marché français et engagèrent des fonds dans des expéditions de chasse au phoque sur les côtes du Labrador. À leur apogée, Havy et Lefebvre avaient la haute main sur environ le tiers du commerce canadien. À l'instar d'autres gros commerçants dans le domaine de l'import-export, ils restèrent attachés à la France et y retournèrent après la Conquête (Miquelon, 1978).

Alexis Lemoine dit Monière (1680-1754) est un bon exemple du marchand fournisseur d'articles de traite; sa carrière illustre l'importance des alliances matrimoniales dans le milieu des capitalistes marchands à l'époque préindustrielle. Fils d'un petit commerçant de Trois-Rivières, il déménagea à Montréal et travailla d'abord comme voyageur, avant de financer ses propres voyages, en 1712. Trois ans plus tard, il épousait Marie-Louise Zemballe, ouvrait un magasin à Montréal et commençait à financer les expéditions de traite de son beau-frère, entre autres trafiquants.

En 1725, son second mariage — il épousa Marie-Josephte Couagne, fille d'un des plus riches marchands de Montréal — l'aida à consolider sa situation au sein de l'élite militaire et commerciale. Bien que le gros de ses affaires portât sur la traite des fourrures, Monière servait aussi, dans son magasin, une clientèle locale, en particulier d'anciens voyageurs et des officiers militaires. À l'exemple de beaucoup de marchands prospères, Monière plaça une partie de son capital dans des terres; son fils se maria dans le même milieu que son père et dirigea l'entreprise familiale jusqu'après la Conquête (*DBC*, III: 409).

Même si Québec resta le port le plus important tout au long de la période préindustrielle, l'expansion du commerce des fourrures et du blé permit de plus en plus aux directeurs montréalais de la North West Company de traiter directement avec les fournisseurs anglais. Cette tendance se maintint au tournant du XIXe siècle, au moment où Montréal se préparait à étendre ses services à la population croissante du Haut-Canada.

Éminent commerçant de la North West Company, Simon McTavish (1750-1804) laissa, à sa mort, une succession de 125 000 livres sterling. Né en Écosse, il émigra à New York et trafiqua à Détroit et à Michillimakinac, avant de déménager son entreprise à Montréal, à la fin de la Révolution américaine. Grâce aux capitaux accumulés par la traite des fourrures, il imita d'autres riches marchands anglophones et acheta une seigneurie. Sa seigneurie de Terrebonne représentait pour lui plus qu'une question de statut social ou qu'un placement sûr pour son capital commercial. Outre un moulin seigneurial, McTavish y exploita une fabrique de biscuits, un moulin à scie et une manufacture de barils pour le marché des trafiquants de fourrures de l'Ouest. Connu sous le nom du « marquis » en raison de son élégance, McTavish se fit construire une luxueuse résidence à Montréal, et, à l'âge de quarante-trois ans, il épousa une Canadienne française de dix-huit ans, Marie-Marguerite Chaboillez, qui, après la mort de son mari, se retira en Angleterre avec la fortune que celui-ci avait accumulée dans la traite des fourrures (*DBC*, V : 617-625).

Si, en raison de la faible population de la colonie, le commerce ne se pratiqua que dans les centres urbains pendant la plus grande partie du XVIIe siècle, les marchands s'établirent dans les campagnes quand la population s'accrut. Ces marchands, comme Joseph Cartier à Saint-Hyacinthe, par exemple, vendaient des produits importés — textiles, quincaillerie et alcool (tableau 3.2) — et achetaient en retour des produits agricoles, dont le blé. Sur une période de 38 mois, du 26 février 1794 au 30 décembre 1797, Cartier vendit pour plus de 55 000 livres à 317 clients. Comme il y avait peu de numéraire en circulation, le crédit jouait un rôle essentiel dans ce commerce, et les marchands ruraux devinrent, dans leurs communautés, d'importants prêteurs et détenteurs d'hypothèques. Le cas de Cartier est un bon exemple : à la fin de la période mentionnée plus haut, 6 clients seulement ne lui devaient rien, et 311 avaient accumulé pour 38 000 livres de dettes. Sans doute la mauvaise récolte de 1796 explique-t-elle l'ampleur de la dette totale, mais il reste que l'endettement des paysans fut un trait marquant du commerce rural.

Claude Pronovost (1998) a décrit l'implantation rapide de marchands ruraux au nord de Montréal au tournant du XIXe siècle. Bien que des dizaines d'hommes et quelques femmes y aient tenté leur chance entre 1740 et 1820, seuls ceux qui avaient des contacts urbains et des réseaux familiaux dans le commerce local étaient susceptible de réussir. Tout comme les PME de nos jours, la moitié des magasins firent faillite avant un an. Les marchands qui se maintenaient en affaires pendant dix ans, toutefois, étaient destinés souvent à devenir des notables dans leur communauté.

TABLEAU 3.2

Vente au magasin général, par Joseph Cartier, 1794-1797

Marchandises	Pourcentage des ventes
Tissus	35
Vêtements	10
Boissons alcoolisées	21
Aliments divers (graines, épices, sucre)	8
Quincaillerie	10
Ustensiles de cuisine	5
Outillage agricole et outils	5
Marchandises diverses (cuir, bois, tabac, etc.)	6

(Desrosiers, 1984)

Certains de ces marchands, François-Augustin Bailly de Messein (1709-1771) et Samuel Jacobs (décédé en 1786), par exemple, bâtirent des entreprises prospères et laissèrent des fortunes considérables. Fils d'un officier militaire de Québec, Bailly s'installa à Varennes en 1731. En une décennie, il devint le plus gros marchand de détail de la région, et sa clientèle s'étendait aux paroisses voisines. Quand il atteignit un certain âge, Bailly se retira du commerce, tout en continuant d'administrer ses grands domaines fonciers et de prêter de l'argent aux paysans (Michel, 1979).

La carrière de Samuel Jacobs se déroula sur le même modèle, mais c'est à de lucratifs contrats gouvernementaux, obtenus pendant la Révolution américaine tout autant qu'au commerce local, que ce marchand dut sa richesse. Jacobs arriva dans la colonie dans le sillage des troupes britanniques, en 1759. Il habita d'abord à Québec mais, conscient de la valeur stratégique du Richelieu, il ouvrit dès 1763 un magasin à Saint-Denis. À partir de 1770, il s'y installa et devint le principal marchand de la vallée du Richelieu, possédant un réseau de magasins où il vendait des vêtements, de la quincaillerie et du rhum. En retour il achetait du blé.

La Révolution américaine fournit à Jacobs une occasion rêvée d'expansion, puisqu'il fut nommé commissaire général adjoint et chargé de ravitailler en vivres les soldats britanniques cantonnés en grand nombre dans la région. Il laissa une succession de près de 20 000 livres sterling constituée surtout de créances, de marchandises et de propriétés immobilières situées dans la région de Saint-Denis (*DBC*, IV : 415-416 ; Greer, 1985).

Les marchands de la société préindustrielle éprouvaient de la difficulté à placer leurs capitaux ; les cas de Bailly et de Jacobs, tous deux propriétaires de grands biens fonciers, montrent que c'est la propriété foncière qui paraissait offrir la meilleure garantie et le plus sûr rendement sur le capital. À proximité des villes, des marchands comme Henri Hiché et William Grant, John Mure et William Pozer, ouvrirent des lots sur lesquels les artisans et les ouvriers pouvaient construire des maisons, en retour d'une rente perpétuelle (Dechêne, 1981). Les seigneuries présentaient aussi de bonnes occasions de placements, et les riches marchands n'étaient pas insensibles au statut de seigneur; en 1791, 32 % des seigneuries du Québec appartenaient — entièrement ou partiellement — à des anglophones, environ la même proportion était aux mains de l'élite francophone, tandis que l'Église et la Couronne britannique possédaient un quart des fiefs (Harris, 1987 : pl. 51).

LES ARTISANS

Tandis que les marchands vivaient de l'échange de biens dans le temps et l'espace, les artisans vivaient de la production de biens, généralement fabriqués selon des méthodes traditionnelles. Dans la société préindustrielle, les artisans travaillaient seuls ou avec un nombre limité de compagnons et d'apprentis, et ils avaient la haute main sur leur entreprise, travail, outils et atelier (figure 3.4). Comme il n'y avait, dans la colonie, ni confrérie ni corporation pour fixer les normes ou contrôler l'accès aux métiers, les artisans canadiens jouissaient d'une plus grande liberté que leurs confrères européens, et ce sont les forces du marché qui déterminaient l'évolution des métiers, sauf pour les bouchers et les boulangers, dont le nombre, la production et les prix de vente de leurs produits étaient réglementés par l'État. Et si certains métiers, comme ceux du cuir et des métaux, connaissaient une prospérité relative, le chômage saisonnier était un problème périodique, du fait que beaucoup de métiers dépendaient du commerce : tonneliers et charretiers, par exemple, travaillaient surtout pendant la saison de navigation. Le chômage saisonnier atteignait un sommet en hiver, en raison de la baisse de la construction et de la fermeture des chantiers navals.

L'immigration des artisans n'allant pas de pair avec la croissance de la population, l'expansion des métiers reposait sur l'apprentissage, des garçons (et, dans certains métiers comme la couture, des filles) étant placés auprès d'un maître pour une période de trois à sept ans. Les apprentis fournissaient une main-d'œuvre à bon marché, mais ils apprenaient un métier, vivaient avec la famille du maître et, à la fin de leur apprentissage, touchaient une modeste rémunération. Dans le contexte canadien, l'apprentissage se révéla un moyen d'adapter la main-d'œuvre aux besoins du marché (Hardy et Ruddel, 1977) et, comme dans les autres sociétés préindustrielles, il fut un important mécanisme de reproduction sociale.

Tout au long de la période préindustrielle, les ateliers restèrent pour la plupart des petites entreprises familiales, le mari et la femme travaillant seuls ou avec un apprenti. Les relations personnelles y dominaient, et l'on pratiquait peu la

FIGURE 3.4
Boutique de forgeron. Ce tableau donne un aperçu de l'échelle de production dans une boutique d'artisan et la gamme variée d'objets qu'un forgeron devait produire ou réparer.

division du travail, les compagnons et les apprentis les plus expérimentés pouvant fabriquer seuls un produit fini.

Dans les cas de métiers plus prospères, certains ateliers employaient plusieurs compagnons et apprentis. En 1744 déjà, à Québec, la forge de Richard Corbin comptait quatre employés, et le tonnelier Louis Paquet avait trois assistants. La tendance à l'exploitation de plus grands ateliers, avec plus de cinq employés, et à la division des tâches s'accrut au début du XIXe siècle, grâce à la croissance du marché local. Alors que les maîtres artisans produisaient sur commande, des marchands-artisans commencèrent à fabriquer des produits uniformisés pour la vente aux détaillants ruraux (Bluteau *et al.*, 1980).

La population relativement modeste de la colonie ne favorisait guère le développement de vigoureux corps de métier dans les campagnes. Certains artisans, comme les charpentiers, les meuniers et les forgerons, étaient établis dans la plupart des communautés rurales, il est vrai, mais ils devaient s'adonner à l'agriculture pour arrondir leurs revenus. Au contraire de l'Europe préindustrielle, la Nouvelle-France fut lente à se donner une industrie rurale, et seules les forges du Saint-Maurice offrirent du travail à temps partiel aux paysans des alentours (figure 3.5). Établies tout juste au nord de Trois-Rivières en 1739, les forges offraient du travail aux paysans — extraction du minerai, fabrication du charbon de bois,

FIGURE 3.5
Les forges du Saint-Maurice. Premier établissement industriel du Canada, les ferronneries produisirent des lingots de fer et des poêles pendant plus de cent ans, avant d'être forcées de fermer leurs portes en 1883. Lorsque les ferronneries ouvrirent en 1741, elles n'employaient que douze personnes à temps plein, mais plus de cent cinquante à temps partiel.

transport — et leur apportaient un revenu d'appoint. Au tournant du XIXe siècle, cependant, la prospérité des campagnes encouragea les artisans à s'y établir. À Saint-Denis-sur-Richelieu, par exemple, le nombre d'artisans passa de 26 en 1780, à plus de 80 vers 1820, dont plusieurs potiers. La croissance de l'artisanat rural permit aux fils de continuer dans le métier paternel qui désormais était plus rentable que l'agriculture (Toupin, 1997).

Certaines productions dépassèrent le cadre restreint de l'atelier artisanal. À partir des années 1660, les administrateurs coloniaux encouragèrent l'industrie minière locale, de même que la construction navale et la fabrication du goudron, en vue de réduire, pour ces produits, la dépendance de la France vis-à-vis des pays étrangers. Les forges du Saint-Maurice mises à part, le chantier naval de Québec, qui construisit plusieurs bâtiments de guerre pour le gouvernement français, et qui employait près de 200 hommes, fut la plus importante industrie du Régime français (Mathieu, 1971). Des entrepreneurs privés, qui employaient de quinze à trente ouvriers, construisaient aussi des navires océaniques et côtiers. La construction navale continua de croître sous le Régime britannique et devint, avec le commerce du bois d'œuvre, un secteur économique de pointe au début du XIXe siècle.

L'ÉCONOMIE PAYSANNE

La grande majorité de la population pratiquait une agriculture destinée à la consommation domestique ou locale. Si, pour les denrées essentielles, le Canada était à peine autosuffisant un demi-siècle après sa fondation, sa population agricole croissante produisait régulièrement, au XVIIIe siècle, des surplus pour l'exportation vers d'autres colonies ou vers les postes de traite de l'Ouest. L'agriculture fut toujours aléatoire cependant, et sujette aux caprices du climat. Dans la vallée du Saint-Laurent, un été froid et humide empêchait les grains de parvenir à maturité pendant la courte saison de croissance (120 jours dans la région de Montréal, et environ 115 près de Québec). Les gelées tardives du printemps ou hâtives de l'automne, comme celles de 1815 et de 1816, étaient désastreuses. Les parasites, comme la mouche de Hesse, qui commença à ravager le blé du Bas-Canada en 1809, représentaient un autre danger. Tant que la terre fut abondante et que les sols ne furent pas épuisés, l'agriculture du Québec connut peu de variations régionales. Toutefois, celles-ci devinrent plus prononcées au milieu du XVIIIe siècle, au fur et à mesure que les établissements progressaient dans la riche plaine de Montréal, dont le sol et le climat étaient meilleurs.

Mettre une terre en valeur était une rude tâche. Dans les basses terres du Saint-Laurent, où la tenure seigneuriale était en vigueur, il fallait normalement deux ans à une famille pour défricher un hectare d'une forêt d'arbres feuillus et pour construire une cabane de bois, et cinq ans pour défricher les trois hectares nécessaires à l'autosuffisance. Pendant ces années, la famille se nourrissait de produits locaux, parfois achetés au marché, mais le plus souvent fournis par des parents. Comme les familles étaient nombreuses et que la stratégie paysanne visait à garder la ferme intacte en la laissant à un seul héritier, la plupart des membres de chaque nouvelle génération devenaient des consommateurs pendant qu'ils défrichaient leurs terres. Ainsi, une bonne partie de la production coloniale était consacrée à satisfaire leurs besoins et à acquitter leurs obligations comme le paiement de la dîme et des droits seigneuriaux, ce qui ne laissait qu'une maigre portion de chaque récolte — au mieux 20 pour cent — pour la vente dans les villes ou pour l'exportation (Dechêne, 1994).

Les familles rurales ne furent jamais complètement autosuffisantes : elles achetaient des étoffes, des vêtements, de l'alcool, du thé et du café, du sel, des outils, des fournitures pour la maison et des batteries de cuisine. Dans les régions les plus anciennement peuplées, les paysans acquéraient déjà, dans les années 1740, des ustensiles en cuivre, de la faïence et du linge de table et de lit. Une étude de Christian Dessureault (1986) révèle qu'au début du XIXe siècle même les ménages les plus pauvres se procuraient des articles comme des batteries de cuisine en cuivre, des outils de fer et des vêtements. La famille paysanne moyenne possédait un poêle de fer — une dépense majeure — de même qu'une grande variété de biens de consommation ; les familles les plus riches possédaient des ustensiles de cuivre, d'étain et de fer en abondance, et certaines se procuraient aussi de la porcelaine et de l'argenterie.

Principale culture au Canada, le blé représentait les deux tiers de tout le grain qu'on y récoltait. Tandis que, dans les nouvelles terres, on semait presque exclusivement du blé, pour tirer profit de sa valeur commerciale, dans les fermes bien établies de dix hectares emblavés ou plus, on semait d'égales quantités de blé,

FIGURE 3.6
Château-Richer vers 1785. Cette aquarelle de Thomas Davies est une des meilleures illustrations du paysage rural. C'est dans le jardin situé devant la maison en pierre blanche qu'on produisait les légumes nécessaires à la consommation domestique ainsi qu'à l'approvisionnement du marché de Québec. Les nasses à anguilles qu'on aperçoit dans le fleuve alimentaient la capitale en poisson fumé.

d'avoine et de pois (ou fèves). Les pois et le blé étaient les grandes cultures dont on tirait de l'argent, avec le chanvre, le lin et le maïs, dont on écoulait aussi une certaine quantité sur le marché. Des jardins de ferme et de petits vergers fournissaient des carottes, des choux, des oignons, des légumes pour la salade, des courges, des fraises, des pommes et des poires, entre autres fruits, pour la consommation domestique, les surplus étant vendus lorsqu'on avait accès à un marché (figure 3.6).

La préférence accordée au blé plutôt qu'au fourrage, jointe à un marché limité pour les viandes, contribua à garder les troupeaux de petite taille. Le bétail devant être abrité et nourri pendant l'hiver, la plupart des fermiers abattaient tous les animaux qui n'étaient pas nécessaires à la traction et à la reproduction. Cette pratique, qui avait l'avantage de fournir de la viande pour l'hiver, avait cependant le désavantage de réduire la production d'engrais nécessaires à la fertilisation des champs, donc d'entraîner une baisse de rendement, au fur et à mesure que le sol perdait de sa fertilité naturelle.

TABLEAU 3.3

Production agricole

	1695	1734	1784
Population	12 786	37 716	113 012
Terres cultivées (en hectares)	9 610	55 768	536 721
Terres en pâturage (en hectares)	1 230	6 037	—
Animaux domestiques			
Chevaux	580	5 056	30 146
Bovins	9 181	33 179	98 951
Moutons	918	19 815	84 696
Porcs	5 333	23 646	70 465

(*Recensement du Canada*, 1871, vol. 4)

Au XVIIe siècle et dans les premières années du XVIIIe, la croissance de l'agriculture fut constante et en rapport étroit avec l'expansion démographique. Or, l'ouverture de nouveaux marchés d'exportation, dans le deuxième quart du siècle et après le début de la Révolution américaine, stimula la production, et la quantité des terres neuves qu'on défrichait surpassa de beaucoup la croissance de la population. Au début du XIXe siècle, l'expansion des villes et la plus grande dissémination de cultures — comme celle de la pomme de terre introduite par le gouverneur Murray dans les années 1760, destinée à l'alimentation des immigrants anglophones, mais aussi à la nourriture des animaux de ferme — créèrent une nouvelle demande sur le marché local. Le progrès de l'agriculture se maintint jusque dans la deuxième décennie du siècle, alors que le mauvais temps et la mouche de Hesse contribuèrent à ruiner la base, constituée par le blé, de l'économie agricole au Québec.

L'économie paysanne ayant pour but principal la reproduction sociale de la famille, la transmission de la terre restait un problème fondamental, que venait compliquer la Coutume de Paris en donnant à tous les enfants un droit égal à l'héritage, ce qui supposait le morcellement de la propriété familiale. D'une part, les familles paysannes aspiraient à établir chaque enfant sur une exploitation viable et, d'autre part, la cession de leur terre assurait la sécurité des parents pendant leur vieillesse (Dépatie, 1990).

Les familles paysannes trouvèrent diverses solutions à ce problème social, économique et juridique. Certaines essayaient d'acquérir de grandes propriétés pour annuler les effets du partage successoral. Dans les régions où la terre était abondante, les cultivateurs cherchaient à obtenir des concessions supplémentaires de façon à garantir à leurs enfants des fermes viables à leur mariage. Une autre pratique commune consistait, pour l'héritier de la terre, très souvent le cadet, à payer une indemnité à ses frères et sœurs (Michel, 1986 ; Paquet et Wallot, 1986). Par suite de la mise en œuvre de ces stratégies, la terre paysanne fut rarement morcelée.

À la fin du XVIIIe siècle, la coutume voulant que des parents âgés donnent leur ferme à l'un de leurs enfants, en retour d'une pension alimentaire, fournit d'autres exemples de consommation. Le tabac, l'huile à lampe, le sel, le poivre, le rhum, le vin et le thé figurent dans la liste des biens que Joseph Blanchard promettait de fournir annuellement à ses parents, en 1791 :

30 minots de farine
91 kilos de porc
1 mouton gras
2 minots de pois
1 minot de sel
450 grammes de poivre
100 têtes de chou
3 pots de rhum
3 pots de vin
11 kilos de sucre d'érable
200 oignons
5 kilos de chandelles ou 3 pots d'huile à lampe
14 kilos de tabac
4,5 kilos de beurre
25 stères de bois de chauffage
1,5 kilo de laine
1 vache à lait, 6 poules et 1 coq
4 chemises d'étoffe de laine et
1 ensemble complet de vêtements de travail des draps de lit et des chaussures au besoin
450 grammes de thé

Blanchard promettait encore d'acheter d'un marchand, tous les trois ans, un ensemble de vêtements du dimanche (Greer, 1985 : 35).

Le peuplement devenant plus dense et les familles ne pouvant plus obtenir de nouvelles terres dans la localité où elles habitaient, les fermiers les plus prospères achetaient des exploitations établies de voisins plus pauvres, lesquels se servaient du capital ainsi reçu pour repartir à zéro dans une autre paroisse. Avec le temps, ceux qui ne parvenaient pas à vivre de leurs terres se tournèrent de plus en plus vers le travail salarié pour augmenter leurs revenus. Un autre élément important dans la structuration de la société rurale était la possession inégale d'animaux de trait. Tandis que les paysans les plus prospères détenaient au moins un attelage de bœufs, les plus pauvres devaient louer de leurs voisins cet important moyen de production (Dechêne, 1974 ; Michel, 1986 ; Dessureault, 1986). Ainsi, la paysannerie dans la plaine de Montréal et autour de Québec était devenue économiquement hiérarchisée tandis que, dans les régions périphériques, elle demeurait relativement égalitaire.

Au début du XIXe siècle, les meilleures terres de la zone seigneuriale étaient occupées, alors que la piètre qualité des voies de communication et l'existence de nombreuses réserves du clergé et de la Couronne empêchaient l'expansion vers les zones de tenure franche. La subdivision des terres devint moins rare, ce qui amena la formation de villages habités par une classe en nette croissance de journaliers, qui saisissaient les occasions d'emploi de plus en plus nombreuses dans des secteurs comme le charroyage, le transport fluvial et la minoterie (Courville, 1984).

Au tournant du XIXe siècle, des observateurs britanniques critiquèrent les méthodes paysannes d'exploitation du sol (figures 3.7 et 3.8) sans chercher à comprendre les stratégies paysannes. Leurs critiques ont été reprises par Fernand Ouellet, selon qui la crise agricole qui commença en 1802 fut causée par la mentalité conservatrice des fermiers québécois (1966). Toutefois, les agronomes anglais qui visitèrent le Canada n'avaient pas su comprendre les particularités de l'agriculture coloniale ni voir ce que les pratiques paysannes comportaient de rationnel. L'accent mis par les Canadiens sur la culture des céréales diminuait la production d'engrais : au lieu d'en répandre une quantité limitée sur leurs terres, les fermiers réservaient ce fertilisant au jardin ou à des cultures plus exigeantes, comme celle de la pomme de terre.

L'expansion du peuplement sur des terres marginales fut un important phénomène au début du XIXe siècle, du fait que le travail forestier y tenait autant de place que l'agriculture. Or, dans les recensements, les statistiques fournies pour l'ensemble de la province ne rendent pas compte de ce facteur et donnent une image trompeuse de la production agricole. L'ouverture de régions nouvelles accrut aussi la demande locale de nourriture, les nouveaux colons comptant pour leur subsistance sur les régions établies, ce qui diminuait la quantité des surplus disponibles pour l'exportation (Dechêne, 1986).

L'absence de statistiques fiables sur la production agricole — les données sur la colonie regroupées dans les rares rapports des recensements sont souvent trompeuses (Courville, 1984) — ne facilite pas les évaluations d'ensemble de l'agriculture, au Québec, pendant la période préindustrielle. Bien que l'historiographie traditionnelle ait insisté sur l'autosuffisance de la paysannerie et sur son incapacité de saisir les occasions de capitaliser qu'offraient les marchés (Séguin, 1970 ; Ouellet, 1976), des recherches récentes ont prouvé l'existence d'une importante accumulation de capitaux dans les régions agricoles les plus riches (Dessureault, 1986 ; Paquet et Wallot, 1986) tandis que les habitants des régions périphériques complétaient leur revenu en travaillant en forêt (Hardy et Séguin, 1984). Plutôt qu'une crise générale qui aurait frappé l'agriculture du Québec, les problèmes du début du XIXe siècle reflètent une diversité régionale croissante. Capables de maintenir la viabilité de leurs exploitations, les fermiers de la plaine de Montréal et des alentours de Québec étaient prospères, mais ceux des régions plus éloignées de même que le prolétariat rural de plus en plus important souffrirent.

FIGURES 3.7 ET 3.8
Plusieurs Anglais critiquaient la charrue faite en bois et en fer (fig. 3.7), qui était pourtant bien adaptée aux sols compacts de la vallée du Saint-Laurent. Ils lui préféraient la charrue à bascule (fig. 3.8), utilisée en Angleterre et aux États-Unis, qui nécessitait moins de force animale et qui était plus facile à manipuler. Les fermiers du Québec n'étaient pas hostiles à l'innovation ; par exemple, à Saint-Hyacinthe vers les années 1830, un petit nombre de fermiers possédaient une charrue à bascule. Certains l'utilisaient comme seconde charrue pour effectuer des tâches précises ; des petits fermiers l'adoptèrent parce qu'ils n'avaient pas les moyens de posséder l'attelage de bœufs nécessaire pour tirer la charrue canadienne qui était plus lourde (Dessureault et Dickinson, 1992).

LA VIE QUOTIDIENNE

La vie rurale était liée aux saisons : de mai à octobre, on labourait et on semait, on sarclait, on fauchait et on engrangeait ; en hiver, on battait le grain, on vendait les surplus au marché et l'on poussait le défrichement. La bonne marche de la ferme reposait sur une division précise des tâches entre les membres de la famille. Les hommes, avec l'aide des garçons, accomplissaient les plus lourdes tâches, à l'extérieur : ils labouraient, abattaient les arbres, arrachaient les souches, creusaient les fossés ; les femmes s'occupaient des enfants, faisaient la cuisine et le ménage, confectionnaient les vêtements de tous les jours, tout en travaillant au jardin et au verger et en soignant les animaux. Les jeunes enfants aidaient leur mère, et constituaient une importante main-d'œuvre au sein de la famille, dont tous les membres, dès un très jeune âge, participaient à la moisson.

Les maisons rurales étaient habituellement construites de pièces de bois équarries. En 1731, sur l'île de Montréal, c'était encore le cas de 93 % d'entre elles. Elles étaient petites (six mètres sur huit environ) et, avec une ou deux chambres seulement, ne favorisaient guère l'intimité. Vers la fin du Régime français, les maisons de pierre se répandirent davantage dans les campagnes, en particulier dans les vieilles paroisses proches de Québec et sur la prospère rive sud du Saint-Laurent, à proximité de Montréal. Dans les régions de peuplement plus récent, les maisons de bois dominèrent tout au long de la période préindustrielle. En 1810, le colon allemand Johannes Monk, âgé de 70 ans, décida qu'il était trop vieux pour les travaux de la ferme : dans le bail qu'il signa alors, avec Peter Buss, de Sorel, on décrit sa propriété de Missisquoi, dans les Cantons de l'Est, qui comprenait « une maison d'habitation en pièces de bois, vieille mais en assez bon état, [et] une grange de colombages (aussi en bon état) ». La plupart des fermes possédaient une grange et une étable ; dans certaines régions, s'ajoutaient des bâtiments plus spécialisés : porcherie, poulailler, cabane à sucre et glacière.

Au XVIIe siècle, les intérieurs étaient austères et souvent enfumés ; le mobilier consistait surtout en un grand lit à rideaux pour les parents, un coffre, une table avec des bancs, des ustensiles de cuisine et des matelas de paille pour les enfants. En été, les maisons étaient infestées par les moustiques et les mouches ; en hiver toute l'activité était concentrée autour d'un foyer ouvert. Les conditions de vie s'améliorèrent au XVIIIe siècle, quand la prospérité rurale permit l'acquisition de meubles de meilleure qualité et de tissus importés. Après qu'on eut commencé à produire du fer, aux forges du Saint-Maurice, dans les années 1740, les poêles se répandirent, bouleversant les modes de chauffage et de cuisson.

Dans les villes, le logement et les conditions de vie différaient beaucoup selon la classe sociale (figure 3.9). Les marchands, les administrateurs et les membres du clergé vivaient dans de grandes maisons de pierre, dont certaines étaient tout à fait

FIGURE 3.9
L'angle de la rue Notre-Dame et de la place du marché (aujourd'hui place Jacques-Cartier) au début du XIXe siècle. À cette époque, le logement des classes populaires se trouvait surtout dans les faubourgs en raison du coût élevé des loyers à l'intérieur des murs de la ville. Celle-ci demeura néanmoins le centre des échanges. Devant les maisons de pierre des bourgeois, qui abritaient des commerces et des études professionnelles, se déroulaient des activités des classes populaires, charroyage et commerce de détail par une marchande publique et des artisanes iroquoises.

luxueuses. Des tapisseries tempéraient le froid et l'humidité, de l'argenterie agrémentait la table et les salons étaient meublés de plusieurs fauteuils confortables. Les parents avaient leur chambre à coucher, et la plupart des enfants leurs lits, même s'ils devaient partager leurs chambres. En revanche, la maison de l'artisan avait à peu près les dimensions et l'apparence de celle du paysan moyen, et souvent elle abritait aussi l'atelier. À Québec, le règlement sur les incendies exigeait que les maisons fussent construites en pierre, ce qui, pour l'artisan, augmentait le coût de son logement ; à Montréal, les maisons de bois restèrent les plus nombreuses jusqu'après la Conquête, ce qui, semble-t-il, permettait à l'artisan de dépenser davantage pour les meubles et les vêtements (Hardy, 1987).

Alors que se développait la vie urbaine, au tournant du XIXe siècle, les maisons de bois fournirent des logements à bon marché aux classes populaires des banlieues, pendant que le cœur des villes paraissait de plus en plus la chasse gardée de l'élite. Bien qu'un certain nombre de marchands voyageurs, d'artisans et de journaliers fussent locataires (un tiers des ménages de Montréal l'étaient en 1741), la plupart des familles possédaient leur propre maison (Massicotte, 1987 : 52).

Les marchands vivaient au-dessus de leurs magasins et de leurs entrepôts, et leurs entreprises faisaient habituellement appel au travail de plusieurs membres de leurs familles. Libérées des tâches quotidiennes par le travail des servantes, leurs femmes pouvaient aider à la tenue de livres ou à la bonne marche du magasin. Des veuves parfois prenaient la suite des affaires de leur mari. Marie-Anne Barbel devint l'un des marchands les plus prospères de la colonie, après la mort en 1745 de son mari, dont elle agrandit l'entreprise en ouvrant une poterie et en obtenant, en 1748, le monopole du commerce sur la Côte-Nord, de Charlevoix au Labrador.

Les villes étaient sales et insalubres. Les archives judiciaires montrent que leurs habitants laissaient les bestiaux et les porcs errer en liberté, et que les excès de vitesse des chevaux étaient une menace, comme l'étaient les pots de chambre que, des étages supérieurs, l'on vidait par la fenêtre. Paradoxalement, alors que les troupes servaient au maintien du bon ordre, les soldats étaient souvent à l'origine d'actes criminels. André Lachance (1984) montre qu'au XVIIIe siècle plus de 20 % des criminels étaient des militaires.

Le pain était la nourriture de base, tant en France qu'au Canada. Un adulte mâle en consommait environ 500 grammes par jour. Contrôlés, les boulangers devaient le vendre au poids et au prix fixés. La viande, et en particulier le porc, tenait une grande place dans l'alimentation des paysans. On abattait le bétail à l'automne ; on mangeait le porc, fumé et salé, pendant l'hiver, et l'on vendait le veau aux bouchers. Pendant le carême, la morue et l'anguille fumée devenaient les mets habituels. Quand les légumes et les fruits frais de l'été étaient épuisés, les familles commençaient à puiser dans les réserves d'oignons, de choux, de carottes et de fèves variées, entreposées sous terre, dans des caves, ou conservées sous forme de marinades.

Bien qu'on brassât de la bière dans la colonie, la plupart des hommes buvaient du vin et de l'eau-de-vie de France, tandis que les femmes buvaient habituellement de l'eau. Après l'intégration à l'Empire britannique, le thé devint une boisson commune, et le rhum remplaça le vin et l'eau-de-vie dans les classes populaires. Les habitudes anglaises stimulèrent le marché de la bière, et des brasseries, qui utilisaient des produits de l'agriculture locale, comme celle de John Molson (1786), se développèrent.

L'ÉDUCATION ET LA CULTURE

Contrairement à une grande partie de l'élite et à plusieurs artisans qui savaient lire et écrire, les classes populaires, comme ailleurs dans le monde, étaient en général illettrées. Selon les estimations d'Allan Greer (1978), portant sur la seconde moitié du XVIIIe siècle, moins de 10 % des paysans étaient capables de signer leur acte de mariage. La Nouvelle-France ne possédant pas encore de presses, aucun journal n'était publié, et on importait les livres de France. Pour pallier l'absence de bibliothèques publiques, certains établissements religieux prêtaient des livres à leurs anciens étudiants.

Après la Conquête, on importa des presses, et, en 1764, parut le premier journal de la colonie, la *Gazette de Québec*. Des journaux comme la *Gazette* étaient publiés une ou deux fois par semaine grâce à des imprimeurs qui travaillaient, seuls ou avec un ouvrier ou un apprenti, sur des presses à plat en bois, opérées manuellement, dont le rendement était d'environ soixante copies par heure. Au début, les ventes étaient faibles — on ne vendit que 143 exemplaires du premier numéro de la *Gazette de Québec* — et les éditeurs comptaient sur la publicité du gouvernement pour survivre.

Au début du XIXe siècle, cependant, des journaux comme le *Montreal Herald* vendaient environ 1000 copies par tirage. Le premier journal publié à Montréal fut la *Montreal Gazette*, journal bilingue fondé en 1778 par Fleury Mesplet, imprimeur lyonnais venu à Montréal pour encourager les Canadiens à soutenir les Américains dans leur lutte pour l'indépendance. Suspendue en 1779, la publication de la *Gazette* reprit en 1785. En 1822, elle était devenue un journal anglophone bien identifié aux marchands anglophones. La tradition québécoise de journalisme politique ne naquit vraiment qu'après 1805, au moment où se publièrent des journaux affichant des affiliations politiques claires. Le *Quebec Mercury* représentait les marchands anglophones et *Le Canadien*, les réformistes francophones.

L'éducation dans la société québécoise préindustrielle était dominée par les autorités religieuses. Pendant le Régime français, le Collège des Jésuites à Québec assurait aux garçons de l'élite coloniale un enseignement comparable à celui qui était offert dans une ville de province française. Le Séminaire de Québec tenait la plus importante école primaire, le petit Séminaire, et formait les prêtres canadiens dans son séminaire. De sa maison mère de Montréal, la Congrégation de Notre-Dame veillait sur l'éducation des filles grâce à ses écoles primaires installées dans les grandes villes. Après la Conquête, la disparition du Collège des Jésuites porta un dur coup à l'enseignement, qui ne commença à s'en remettre qu'au début du XIXe siècle avec la création d'un réseau de collèges classiques, dont l'essentiel des programmes portait sur la littérature, la rhétorique et la philosophie.

Un des premiers collèges classiques fut le Collège de Montréal, fondé par les Sulpiciens et conçu sur le modèle de leur maison mère. Après 1803, ce collège pour des garçons issus de l'élite, installé sur un agréable terrain situé à l'extrémité ouest de la ville, comptait 120 pensionnaires qu'on logeait dans de beaux grands dortoirs offrant le confort de cabinets de toilette intérieurs. Chaque étudiant devait payer une pension élevée et fournir sa literie et son argenterie. Les élèves se levaient à 5 h 30 et entraient en classe à 8 h, après avoir assisté à la messe et pris leur déjeuner; entre autres activités dominicales, les étudiants se rendaient en procession jusqu'à l'église paroissiale.

Malgré la vocation classique de ces écoles, l'éducation scientifique des étudiants n'était pas totalement négligée. Tôt, les Jésuites jouèrent un rôle important dans l'enseignement de l'hydrographie, et de nombreux missionnaires démontrèrent un intérêt considérable pour l'étude de la flore et de la faune de l'Amérique de même que pour l'ethnologie. Les figures scientifiques dominantes de l'histoire de la Nouvelle-France furent le gouverneur La Galissonière, qui étonna le naturaliste suédois Pehr Kalm par l'étendue de ses connaissances scientifiques, et les médecins et naturalistes Jean-François Gaultier et Michel Sarrazin dont les observations et les expériences furent reconnues par l'Académie des sciences.

Normalement, les professionnels, tels les notaires et les avocats, fréquentaient le collège classique puis complétaient leur formation en travaillant comme clercs dans une étude. Les associations familiales ou la cession de l'étude de père en fils, l'intimité du banc d'église, de la paroisse et de l'école ainsi que les mariages entre les familles de même rang contribuaient à cimenter la bourgeoisie. L'obligation de payer pour étudier dans les collèges classiques, de trouver un professionnel qui accepterait de former un clerc et d'avoir des relations pour établir une étude empêchait les garçons des classes populaires d'accéder aux professions libérales.

Comme l'Église s'opposait au théâtre, à l'opéra, à la danse et à la production littéraire du siècle des Lumières en général, les activités culturelles étaient peu développées dans la colonie. La controversée pièce de Molière, *Le Tartuffe*, qui se moquait de la bigoterie, fut condamnée par l'évêque en 1694, et, en 1753, l'évêque Pontbriand demanda aux catholiques de s'abstenir de lire les livres impies qui circulaient. À l'occasion, des collégiens montèrent des pièces de théâtre, mais le théâtre profane, mis à part l'expérience du Théâtre de société de Joseph Quesnel et les représentations offertes par les officiers militaires, ne commença à se développer qu'après la fondation du théâtre Molson en 1825. Par l'intermédiaire de confréries de dévotion (la Congrégation de la Sainte-Famille et la Congrégation des hommes), les prêtres tentèrent de contrôler la moralité de l'élite francophone et d'encourager les classes populaires à choisir des divertissements pieux. La création musicale était liée aux cérémonies religieuses, et les partitions musicales qui datent de cette époque ont le plus souvent un contenu religieux.

En dépit de la censure cléricale, la danse demeurait un des passe-temps favoris de l'élite coloniale sous les Régimes français et anglais. La mode française imposait les « scandaleuses » robes décolletées qui se portaient pendant les bals et dîners donnés par les dirigeants de l'administration coloniale. Lorsqu'en 1749 le gouverneur La Galissonière et l'intendant François Bigot visitèrent Montréal

FIGURE 3.10
Les jeux de cartes représentaient une importante activité de détente pour toutes les classes sociales. Dans son journal, George Stephen Jones, clerc de la ville de Québec, souligne l'importance des cartes et de la chanson comme passe-temps (Ward, 1989).

pendant le carnaval du Mardi gras, les membres de l'élite locale se surpassèrent les uns les autres. Madame Bégon décrivit les danses qui avaient duré jusqu'à 6 h 30 du matin et les sermons des prêtres qui avaient menacé de refuser la communion de Pâques à ceux qui osaient s'adonner à cette activité.

On connaît peu la culture populaire, bien que dans les campagnes les violoneux et les conteurs contribuèrent à perpétuer la tradition orale et le folklore de leurs ancêtres français, auxquels ils ajoutaient des éléments de leur cru (figure 3.10). Les jours fériés — en plus des dimanches, il y avait 37 jours fériés par an avant 1744 et 20 après 1744 — étaient l'occasion d'organiser des processions et de socialiser. Très peu d'artisans ou de paysans possédaient des livres, et c'est la littérature pieuse, en particulier la vie des saints, qu'on trouvait le plus dans les bibliothèques privées de toutes les classes sociales (Drolet, 1965; Dickinson, 1974a). À leur création, les journaux offrirent bien un certain contenu culturel, mais la production littéraire locale ne prit de l'importance qu'à partir de la seconde moitié du XIXe siècle.

FIGURE 3.11
Un ex-voto en remerciement à sainte Anne. La plupart des œuvres des artisans de la Nouvelle-France, sculptures ou peintures, étaient destinées à la décoration des églises et des chapelles, mais on trouve aussi des manifestations de l'art populaire sous la forme d'ex-voto. Dans cet exemple, Jean-Baptiste Auclair, Louis Bouvier et Marthe Feuilleteau remercient sainte Anne de les avoir sauvés d'un accident de canot au cours duquel deux de leurs compagnes se noyèrent. Cette peinture rappelle aussi que c'était la forme la plus répandue de mort accidentelle en Nouvelle-France.

La ferveur religieuse est difficile à mesurer. Comme les protestants n'étaient pas admis en Nouvelle-France, même si quelques centaines ont réussi à immigrer, tous les habitants étaient officiellement catholiques, sorte de monopole qui permit à l'Église d'influencer fortement la vie culturelle de la colonie. Certains marchands protestants qui arrivèrent dans la colonie au XVIIIe siècle, comme François Havy, ne purent jamais se marier à l'église ou assister à des cérémonies religieuses. La plupart choisirent de se convertir. On doit prendre avec un grain de sel les généralisations faites à partir de la critique émise par Mgr de Saint-Vallier sur les péchés commis par les fidèles et des lettres écrites par quelques prêtres autoritaires condamnant les pratiques déviantes de leurs paroissiens (Jaenen, 1976). Chose certaine, les règles établies par un clergé aussi rigoureux n'auraient même pas pu être respectées par les plus pieux.

Dans toutes les sociétés préindustrielles, la religion était au centre de la culture populaire. Les pèlerinages, les dispositions religieuses dans les testaments, le faible taux d'adultère, le petit nombre d'enfants conçus hors des liens du mariage ainsi que la participation à des confréries de dévotion (Cliche, 1988; Bates, 1986; Paquette et Bates, 1986; Caulier, 1986) marquent bien l'importance de la religion (figure 3.11). On assiste cependant à un important déclin de la ferveur religieuse vers la fin du XVIIIe siècle; par exemple, l'enrôlement dans les confréries de dévotion subit une longue période de déclin, des années 1760 jusque dans les années 1820. À la suite de l'interdiction des Jésuites et des Récollets, le nombre de fidèles par prêtre grimpa de 350 en 1759 à 1075 en 1805, alors que près d'une centaine de paroisses étaient privées d'un curé résident. L'incertitude qui régnait quant au droit de percevoir la dîme avant 1774 fut propice à l'évasion (Wallot, 1971). Bien que l'arrivée d'une cinquantaine de prêtres émigrés au cours de la Révolution française aidât à améliorer la situation, plusieurs prêtres n'avaient pas une formation théologique adéquate.

La pratique de la religion protestante s'organisa autour des Églises établies — l'Église d'Angleterre et l'Église d'Écosse — dans les centres urbains. Mais la plus grande partie de la religion populaire dans les Cantons de l'Est était amenée par des non-conformistes américains qui parcouraient la province à cheval à partir du Vermont. Un de ces missionnaires faisait ses visites d'un village à l'autre en suivant une route bordée d'arbres qu'il avait marqués; il subvenait à ses besoins en cultivant pendant l'été et en fabriquant des chaussures pendant l'hiver. En 1812, en dépit de la déclaration de la guerre, un ministre méthodiste décida d'organiser ce qu'il appela une « fête de l'amour » avec des paroissiens qui habitaient de part et d'autre de la frontière, qui se donnaient la main pendant une cérémonie religieuse. La guerre finit par provoquer une rupture entre les Églises du Canada et celles de la Nouvelle-Angleterre. L'érection de petites églises protestantes dans la région reflète bien l'importance de la religion non conformiste dans la vie des pionniers anglais.

LES RAPPORTS SOCIAUX ET LA CONTESTATION POPULAIRE

On a souvent décrit la Nouvelle-France comme ayant été une société harmonieuse et paisible, dans laquelle la religion et la stricte morale étaient prépondérantes. Cependant, les exemples de contestations et d'activités criminelles, en particulier sous forme de violence physique, abondent. André Lachance (1984) a recensé 82 cas de crimes graves comme le meurtre, le duel et l'infanticide (le suicide est aussi compté dans la liste de Lachance, car il était considéré comme un meurtre) entre 1712 et 1759. Les querelles dans les tavernes, dans les casernes et entre voisins n'étaient pas rares et comptaient pour la moitié des causes entendues en cour criminelle. Dans un cas, deux cordonniers de Québec, Louis Rousseau et Joseph Dugas, se disputèrent à propos d'une partie de billard. Dugas accusa Rousseau d'avoir triché, et après s'être injuriés les deux hommes en vinrent aux

TABLEAU 3.4

Activité criminelle en Nouvelle-France

	1650-1699		1712-1759	
	Total	%	Total	%
Crimes contre l'Église	19	3,9	12	1,2
Crimes contre l'État	32	6,5	149	15,0
Meurtres	43	8,8	82	8,2
Voie de fait	141	28,7	357	36,0
Insultes	54	11,0	83	8,4
Vols	83	16,9	204	20,4
Crimes sexuels	105	21,4	55	5,5
Autres	14	2,8	53	5,3

(Lachance, 1984)

coups. Rousseau coupa avec ses dents deux des doigts de Dugas et, en retour, Dugas mordit Rousseau à la joue jusqu'à lui en arracher un morceau.

Le vol était, après les voies de fait, le crime le plus répandu. Bien qu'il arrivât occasionnellement que des pauvres volent de la nourriture pour subvenir à leurs besoins, le crime contre la propriété le plus répandu était le vol par effraction dans les maisons ou les magasins.

Les crimes contre l'État prenaient principalement deux formes : l'agression contre les officiers de justice et la fabrication de faux. Par exemple, lorsque les huissiers François Clesse et Pierre Courtin se présentèrent pour saisir les biens de Joseph Ménard en 1737, à la suite d'un jugement porté contre lui pour dettes, les deux officiers furent menacés à la hache. Les faussaires étaient très actifs dans la colonie ; plusieurs d'entre eux étaient des soldats qui fabriquaient ou modifiaient la monnaie de carte.

Les crimes contre l'Église comme le blasphème et la sorcellerie étaient rares, mais en raison de la sévérité du code d'éthique de l'Église les délits à caractère sexuel étaient relativement nombreux, parmi lesquels la séduction était la forme la plus répandue. D'autres offenses comme le viol, l'adultère et la bigamie se rencontraient aussi. Il existe des causes enregistrées de couples accusés d'avoir cohabité avant le mariage.

Après la Conquête, le droit criminel britannique fut imposé et les juges de paix jouèrent un rôle important. Choisis parmi les élites locales, ces juges s'occupaient de toute procédure préliminaire et jugeaient les cas de moindre conséquence. L'étude de Donald Fyson (1995) souligne la continuité avec le Régime français avec une prédominance de la violence. Les juges de paix étaient également actifs à sanctionner les délits concernant les règlements de la milice et des corvées. À la cour supérieure, cependant, les crimes contre la propriété étaient plus nombreux (Fecteau, 1989).

L'État essaya de contrer les remontrances par certaines mesures comme le déni du droit de se rassembler pour discuter des questions publiques, sauf en présence d'un juge. En Amérique du Nord britannique, les protestations prirent la forme de pétitions, de réunions publiques et de demandes en vue de l'obtention d'une chambre d'Assemblée. À l'occasion, les troubles sociaux prirent la forme d'émeutes. En 1714, par exemple, les habitants de la paroisse de Saint-Augustin, située à vingt kilomètres au sud-ouest de Québec, marchèrent sur la capitale coloniale — certains armés de fusils — pour protester contre la pauvreté qui les accablait et le coût des denrées importées. L'État fit appel à ses troupes pour les empêcher d'entrer dans Québec et les obliger à se disperser.

La résistance populaire visa souvent les modes de taxation comme la dîme et les corvées. Par exemple, quand, en 1781, le grand voyer (commissaire aux routes) François-Marie Picotté de Bellestre ordonna aux habitants de Boucherville, Varennes et Verchères de construire un pont, les habitants refusèrent d'obtempérer et leur résistance soutenue retarda le projet jusqu'en 1788, après quoi il fut complètement abandonné (Robichaud, 1989: 104-114).

LES RELATIONS AVEC LES PEUPLES AUTOCHTONES

La résistance populaire de la période préindustrielle ne fut pas le fait de la seule population européenne. Les peuples autochtones sont quelquefois perçus comme ayant été passifs, dépendants des marchandises de traite, ce qui les aurait rendus faciles à manipuler par les missionnaires et les gouverneurs. Il n'en fut rien. La violence commise par des autochtones ivres à Montréal visait souvent d'autres Amérindiens mais une douzaine de colons blancs — et même un missionnaire sulpicien — en furent victimes. Les autorités craignaient de poursuivre les auteurs de ces actes, cependant, puisque l'alliance militaire des domiciliés étaient indispensable à la sécurité de la colonie. Ainsi, elles mirent à l'amende les fournisseurs de boissons enivrantes (Grabowski, 1993; Dickinson, 1994).

Bien que les Français aient réussi à entretenir des rapports pacifiques avec les autochtones de la vallée du Saint-Laurent, ils ne purent empêcher les Iroquois de trafiquer avec les Anglais et ne purent jamais compter sur leur appui militaire en temps de guerre. Dans l'Ouest, les Français connurent leur part de difficultés. La tribu des Renards harcela les trafiquants et les colons français de 1712 jusqu'à ce que le gouverneur Beauharnois ordonnât une guerre d'extermination contre elle dans les années 1730. Le « problème des Renards » une fois résolu, ce fut au tour des Sioux de résister aux Français. Dans la vallée du Mississippi, les Natchez et les Chicachas combattirent sans relâche la présence française sur leur territoire. Les autochtones de l'Ouest payèrent chèrement leur opposition à la présence des Français, car des centaines d'entre eux furent réduits à l'esclavage (Trudel, 1990). En dépit de l'importance qu'ont accordée les historiens aux relations harmonieuses entre les alliés autochtones et les Français, les officiers se plaignirent sans cesse de ce que les autochtones n'étaient que des barbares auxquels on ne pouvait faire confiance (Dickinson, 1987 ; MacLeod, 1995). Une étude récente suggère qu'une attitude raciste émerge à la suite des frustrations engendrées par les guerres contre les Natchez et les Renards alors que les défauts des autochtones sont attribués à leur nature même et non plus à un manque d'éducation (Belmessous, 1999).

Au lendemain du traité de Paris (1763), l'administration britannique elle aussi eut à faire face à de graves problèmes avec quelques-uns des anciens alliés des Français. Tandis que les Indiens installés dans la vallée du Saint-Laurent s'étaient placés sous la protection des Britanniques, les tribus de l'Ouest, menées par le chef outaouais Pontiac, attaquèrent les trafiquants britanniques dans la région des Grands Lacs et capturèrent tous les forts britanniques, à l'exception de celui de Détroit. Pendant les années de guerre, les Indiens avaient reçu peu de marchandises de traite et s'étaient plaints des forts prix fixés par les trafiquants britanniques, de la piètre qualité de leurs marchandises et du peu de présents offerts, suivant la tradition, pour sceller les alliances. Malgré la Proclamation royale, qui réservait aux peuples autochtones les terres qui n'avaient pas déjà été cédées ou vendues, les Indiens craignirent toujours que les colons américains ou britanniques ne s'emparent de leurs territoires. Les tribus n'étaient cependant pas suffisamment unies entre elles et, avec la fin de la Nouvelle-France (1763), les autochtones ne pouvaient plus exercer une forme de « balance de pouvoir » entre Britanniques et Français. Ils se soumirent en 1766.

La Conquête affecta peu la vie des Montagnais et des Cris. Les Micmacs de la Gaspésie, par contre, durent faire face à la concurrence de réfugiés acadiens qui s'y établirent après 1760 et de Loyalistes après 1783. Au début, les conflits concernaient la récolte de foins dans les prairies naturelles mais le saumon devint l'enjeu principal. Avec la baisse des stocks de morue, les Acadiens récoltèrent de plus en plus de saumon que des entrepreneurs comme Urbain Laviolette envoyaient sur le marché de Québec. Les Micmacs prétendaient avoir l'usage exclusif des rivières à saumon mais le lieutenant-gouverneur Cox décida qu'aucun groupe ne pouvait exclure les autres (Blais, 2001).

Pendant la Révolution américaine, les autochtones du Québec regroupés sous la désignation des Sept Nations du Canada et la plupart des Iroquois de New York se tinrent du côté des Britanniques, mais leur soutien fut toujours tiède. Ils percevaient ces événements comme extérieurs à leurs préoccupations premières et veillaient d'abord à assurer leur survie (Ostola, 1989). Dès 1774, l'Acte de

Québec faisait quasiment disparaître l'immense territoire que la Proclamation royale semblait leur avoir réservé. L'indépendance des États-Unis (1783) mit un terme aux espoirs qu'ils auraient pu conserver. En même temps, ils reprirent leur rôle d'alliés militaires et se soumirent à leur « père » britannique qui fournissait munitions et protection. La guerre de 1812 mit fin à leur rôle militaire (White, 1991, Havard, 2003). À la même époque, leur rôle économique disparut aussi avec le déplacement de la traite dans la vallée de la Saskatchewan.

LES FEMMES DANS LE QUÉBEC PRÉINDUSTRIEL

Dans les sociétés préindustrielles, les responsabilités et les droits de la collectivité, en particulier ceux de la famille, primaient sur les droits individuels. Comme nous l'avons vu, un mariage était l'occasion d'élaborer une stratégie, afin d'aider tous les enfants à acquérir une terre. Les mineurs (l'âge de la majorité était fixé à 25 ans en Nouvelle-France) devaient obtenir la permission de leurs parents pour se marier, et même s'ils étaient majeurs, lorsque le mariage ne satisfaisait pas les desseins de la famille, il était très mal vu. Le rôle des femmes doit être perçu du point de vue de leur position dans une famille élargie. Alors qu'elles jouissaient d'une grande liberté dans l'organisation de leur travail, elles étaient toujours soumises aux obligations de la vie familiale.

Le droit français avait comme fondement l'idéologie paternaliste et autoritaire, selon laquelle les femmes étaient soumises à leur père et à leur mari. Tant qu'elles étaient mineures, les femmes demeuraient sous l'autorité du père et ne pouvaient pas se marier ou signer un contrat sans sa permission. À l'intérieur du mariage, le chef de famille mâle détenait tous les pouvoirs sur sa famille, et sa femme et ses enfants devaient respecter son autorité. Il avait l'obligation de nourrir les membres de sa famille, mais avait le droit de leur administrer des châtiments corporels ; les femmes battues devaient prouver que leur vie était en danger avant de se voir accorder le droit de se séparer.

Les hommes géraient les biens de leurs épouses, mais ceux qu'elles avaient apportés en dot ou obtenus par héritage ne pouvaient être hypothéqués ou aliénés sans leur permission. À l'occasion, une femme mariée déposait une requête en séparation de biens lorsque son mari administrait mal ses affaires, ou lorsqu'il était alcoolique, ou qu'il la battait. Bien entendu, le divorce était interdit par l'Église et les couples étaient toujours considérés comme mariés, même lorsqu'ils vivaient séparés (Savoie, 1986). Seules les femmes adultes non mariées, des célibataires ou des veuves, jouissaient d'une autonomie juridique.

En dépit de ces restrictions, certaines femmes utilisaient leurs droits pour administrer des biens, établir des droits de succession et être en affaires. Par exemple, Marie-Anne Barbel, veuve de Jean-Louis Fornel, et Marie-Charlotte

Denys de la Ronde, veuve du lieutenant-gouverneur de Montréal, Claude de Ramezay, devinrent d'importantes femmes d'affaires. À la mort de son mari, en 1724, Marie-Charlotte Denys reprit les affaires de son mari, dont une scierie qui produisait des madriers destinés au marché local et à l'exportation. Elle et sa fille célibataire, Louise de Ramezay, furent d'importantes propriétaires terriennes et s'engagèrent dans diverses activités industrielles, dont une briqueterie, une fabrique de céramique et une tannerie. Marie-Anne Barbel succéda à son mari à son décès en 1745, et présida à la croissance de l'entreprise familiale en établissant une poterie, et en assumant la ferme des postes du roi sur la côte nord (Plamondon, 1986). Ces réussites furent toutefois exceptionnelles. Les veuves encore en âge de procréer cherchaient à se remarier tandis que les plus vieilles dépendaient du soutien de leur famille pour survivre (Brun, 2000).

Les femmes secondaient souvent leur mari dans leurs affaires, et il n'était pas rare de voir un mari en confier l'administration à sa femme pendant son absence, ou lui demander de le représenter en cour. Les communautés religieuses de femmes, quoique sous l'autorité de l'évêque, jouissaient d'une relative autonomie et permettaient aux femmes d'exercer un certain pouvoir.

Cette dépendance juridique fut accentuée par le manque d'emplois pour les femmes. En effet, celles-ci ne pouvaient occuper aucun poste officiel ni exercer une profession libérale. Le travail de bureau, comme celui d'écrivain au bureau de l'intendant, était un type d'emploi réservé aux hommes. Les jeunes filles étaient engagées comme servantes, mais on attendait des femmes mariées qu'elles se consacrent à leur foyer. Pour survivre, les veuves des classes populaires devaient prendre des chambreurs, faire des lavages, tenir une taverne ou s'engager comme domestiques. Comme le prouve le contrat notarié signé entre Catherine Thibault et Pierre Couraud, les veuves indigentes devaient souvent placer leurs enfants comme domestiques à l'extérieur.

> Catherine Thibault veuve de déffunt Nicolas Benoist, cy-devant habitant de La rivière des prairies et laditte Catherine Thibault demeurant à La Longue pointe chez le Sieur Lespérance [...] laquelle estant chargé de quatre filles et sans biens se trouve aujourd'huy obligée pour leur faciliter la vie et l'entretient de les pourvoir en service chez de très honnestes gens. Et pour cet effet a promis et promet donner pour six années entières [...]. Marie Joseph Benoist sa fille agée d'environ douze ans au sieur Pierre Courraud de Lacoste ci-présent et acceptant pour par luy l'entretenir et nourrir et selon son état, l'élever dans la religion catholique, apostolique et romaine. Et laditte Marie Joseph Benoist le servir bien duement et fidellement, faire sont profit, éviter son dommage, et ledit Sieur Lacoste s'oblige à la fin desdittes six années luy donner un habillement tout neuf suivant sa qualité et condition à savoir un manteau d'étamine, une jupe de flanelle, une coiffe noire, une paire de souliers et une paire de bas; et en outre toutes les hardes qu'elle aura; avec six chemises neuves [...].

Les rapports sociaux de sexe étaient caractérisés par de fortes inégalités ayant des conséquences légales et sur le travail. On s'attendait à ce que les femmes soient soumises à leur père et ensuite à leur mari. On les jugeait selon leur chasteté ; les insultes mettant en doute la conduite d'une fille rejaillissaient sur tous les membres de la famille (Moogk, 1979).

CONCLUSION

L'organisation sociale du Québec préindustriel s'appuyait sur une population agricole ayant un accès raisonnable à la terre. La famille paysanne était la principale unité de production, et ses surplus agricoles faisaient vivre les seigneurs et le clergé. Malgré ces prélèvements, elle était en mesure d'assurer sa reproduction sociale. Par l'entremise des marchands ruraux, l'économie paysanne était reliée à une économie de marché élargie. Une forte proportion du commerce de la colonie était basée sur l'exportation de produits moteurs vers les marchés européens.

Le Québec demeura une société rurale préindustrielle pendant les deux premiers siècles de son histoire. Les villes de Québec et de Montréal étaient les deux seuls vrais centres urbains, et, au début du XIXe siècle, les deux villes n'avaient qu'une modeste population d'environ 10 000 âmes chacune. Montréal, par exemple, à la fin des guerres napoléoniennes ne possédait aucun édifice public important : très peu d'entre eux dépassaient deux étages et sa principale église, la première église Notre-Dame, petite et sans éclat, bloquait une artère principale. Son élite visible dans les garnisons, les commerces, les séminaires et la bureaucratie royale vivaient côte à côte avec les artisans et les journaliers, leurs tavernes et leurs maisons de chambres étant toutes situées à l'intérieur de l'enceinte fortifiée.

Le grain, le bois de chauffage et les légumes consommés dans la ville provenaient en grande partie de l'île de Montréal ; une partie de la farine de la ville était moulue à Pointe-Sainte-Anne dont le moulin seigneurial était visible du port. Sauf l'hiver, pendant lequel le commerce extérieur était bloqué par les glaces, le bois d'œuvre, la fourrure et le blé transitaient par la ville. Cependant, à l'exception du port, des services de comptabilité et des entrepôts, la saveur de la ville, ses odeurs et ses bruits étaient ceux de la vie quotidienne : charretiers, foin, odeurs du marché, fumée, déchets humains et d'animaux, eaux stagnantes et pourries, colporteurs, enclumes, pas cadencé des soldats et cloches d'églises. Le bois demeura le combustible et le matériau de construction le plus important ; le cheval, l'humain, le vent et l'eau produisaient l'énergie nécessaire à la ville.

En dehors de Montréal et Québec, les régions se développèrent sans trop subir la présence des autorités politiques ou judiciaires du moins jusqu'au début du XIXe siècle alors que les juges de paix faisaient leur apparition. Dans la vallée du Richelieu, les paysans du XVIIIe siècle, comme ils l'avaient fait au cours du siècle précédent, produisaient du blé, des pois et de l'avoine, d'abord pour subvenir aux besoins de leur famille, et leurs surplus servaient à payer le seigneur, l'Église et les marchands locaux. Aucune route ne reliait les régions éloignées comme la Gaspésie à la ville de Québec, et celles-ci demeuraient dans le giron des ports européens.

Les femmes jouaient un rôle primordial en fournissant un toit, de la nourriture, des vêtements et du travail agricole dans cette économie préindustrielle. La couture était le principal métier réservé aux femmes, alors que les épouses des boutiquiers, bouchers et artisans supervisaient les apprentis, les livres, les stocks et les ventes. Les filles issues des classes populaires travaillaient comme domestiques dans les maisons bourgeoises, tandis que les veuves conservaient les boutiques et les commerces de leurs maris ou trouvaient du travail comme pourvoyeuses, marchandes ambulantes ou colporteuses, en vendant des articles de mode, en devenant tenancières de tavernes, en travaillant sur les bacs, dans les maisons de chambres ou comme aubergistes.

BIBLIOGRAPHIE

Le Québec préindustriel

En plus des ouvrages cités à la fin du chapitre précédent, les lecteurs devraient consulter Dale MIQUELON, *New France, 1701-1744*, McClelland & Stewart, 1987. Pour avoir une bonne vue d'ensemble de la vie urbaine, consulter l'excellent ouvrage d'André LACHANCE, *La Vie urbaine en Nouvelle-France*, Boréal, 1987. Le premier volume de l'*Atlas historique du Canada* est aussi un ouvrage essentiel. Le Programme de recherches en démographie historique de l'Université de Montréal a joué un rôle primordial dans les études démographiques sur le Canada. Avec l'ouvrage de pionnier de Jacques HENRIPIN, *La Population canadienne au début du XVIIIe siècle*, Institut national d'études démographiques, 1954, *Vie et mort de nos ancêtres*, PUM, 1975, d'Hubert CHARBONNEAU est la meilleure introduction à cette science dans le contexte de la Nouvelle-France. La période des filles du roi est analysée par Yves LANDRY, *Les Filles du roi en Nouvelle-France; étude démographique*, Leméac, 1992 et le comportement des pionniers dans le collectif dirigé par Hubert CHARBONNEAU, *Naissance d'une population*, PUM, 1987.

La théorie des produits moteurs

L'importance des produits moteurs a longtemps été débattue. Le travail sur la pêche a connu un regain d'énergie avec les études de François BRIÈRE, *La Pêche française en Amérique du Nord au XVIIIe siècle*, Fides, 1990 et de Laurier TURGEON, « Pour une histoire de la pêche: le marché de la morue à Marseille au XVIIIe siècle », *Histoire sociale/Social History*, 14, 28, 1981 : 295-322, « Pour redécouvrir notre 16e siècle: les pêches à Terre-Neuve d'après les archives notariales de Bordeaux», *RHAF*, 39, 4, 1986 : 523-549. Les pêcheries de Gaspé sont traitées par David LEE, *The Robins of Gaspé, 1766-1825*, Fitzbury and Whiteside, 1984. La traite des fourrures a plus retenu l'attention. L'ouvrage de Harold INNIS, *The Fur Trade in Canada*, University of Toronto Press, 1956, est essentiel et est complété par un récent débat entre William John ECCLES, «A Belated Review of Harold Adams Innis's *The Fur Trade in Canada*», et Hugh M. GRANT, «One Step Forward, Two Steps Back : Innis, Eccles and the Canadian Fur Trade». Voir aussi Gratien ALLAIRE, «Officiers et marchands : les sociétés de commerce des fourrures, 1715-1760», *RHAF*, 40, 3, hiver 1987 : 409-428. De W. T. EASTERBROOK et M. H. WATKINS, *Approaches to Canadian Economic History*, McClelland & Stewart, 1967, est aussi un ouvrage utile. Pour mieux comprendre la mise en marché du castor, on consultera Thomas WIEN, «Selling Beaver Skins in North America and Europe 1720-1760 : The Uses of Fur Trade Imperialism», *Revue de la Société historique du Canada*, 1, 1990 : 293-317.

Le commerce

Les entreprises commerciales préindustrielles n'ont pas suscité autant d'intérêt que celles des décennies qui suivirent, mais *Dugard of Rouen. French Trade to Canada and the West Indies, 1729-1770*, McGill-Queen's, 1978, de Dale MIQUELON est une excellente étude de cas portant sur le commerce colonial au XVIIIe siècle. L'article de James PRITCHARD sur la navigation, «The Pattern of French Colonial Shipping to Canada before 1760», *Revue française d'histoire d'outre-mer*, 63, 231, 1976 : 189-210 est tout aussi important. Pour une analyse du commerce entre les colonies, on pourra consulter Jacques MATHIEU, *Le Commerce entre la Nouvelle-France et les Antilles au XVIIIe siècle*, Fides, 1981. Quant à la traite des fourrures, elle a été étudiée par José IGARTUA, *The Merchants and Négociants of Montréal, 1750-1775 : A Study in Socio-Economic History*, Michigan State University, 1974, et Gratien ALLAIRE, *Les Engagés de la fourrure, 1701-1745 : une étude de leur motivation*, Concordia University, 1982. Plus tard, on a porté une grande attention aux marchands ruraux, notamment dans «Un marchand rural en Nouvelle-France : François-Augustin Bailly de Messein, 1709-1771», *RHAF*, 33, 2, 1979 : 215-262, de Louis MICHEL. Denis VAUGEOIS a pour sa part étudié quelques marchands juifs arrivés avec les troupes britanniques, *Les Juifs et la Nouvelle-France*, Boréal Express, 1968. Voir aussi Claude DESROSIERS, «Un aperçu des habitudes de consommation de la clientèle de Joseph Cartier, marchand général à Saint-Hyacinthe à la fin du XVIIIe siècle», *Communications historiques*, 1984 : 91-110. Sur le commerce des grains, *Le partage des subsistances sous le régime français*, Boréal, 1994 de Louise DECHÊNE est indispensable.

La production industrielle

L'étude de Jean-Pierre HARDY et David-Thierry RUDDEL, *Les Apprentis artisans à Québec, 1660-1815*, PUQ, 1977, donne un bon aperçu des conditions de travail des artisans et traite aussi des changements apportés par l'introduction des méthodes britanniques après la Conquête. Jacques MATHIEU, dans *La Construction navale royale à Québec, 1739-1759*, Société historique de Québec, 1971, et Cameron NISH, dans *François-Étienne Cugnet. Entrepreneurs et entreprises en Nouvelle-France*, Fides, 1975, ont étudié les grandes entreprises. Roch SAMSON, pour sa part, a utilisé le cadre théorique de la proto-industrialisation dans son analyse « Une industrie avant l'industrialisation. Le cas des forges du Saint-Maurice », *Anthropologie et sociétés*, 1986.

La société paysanne

Louise DECHÊNE a étudié la société paysanne dans *Habitants et marchands de Montréal au XVIIe siècle*, Plon, 1974, et ses « Observations sur l'agriculture du Bas-Canada au début du XIXe siècle », dans Joseph GOY et Jean-Pierre WALLOT, dir., *Évolution et éclatement du monde rural, France-Québec, XVIIe-XXe siècles*, PUM et École des hautes études en sciences sociales, 1986 : 189-202, sont brillantes. Les études de Sylvie DÉPATIE, « La transmission du patrimoine dans les territoires en expansion : un exemple canadien au XVIIIe siècle », *RHAF*, 44, 2, 1990 : 171-198, de Louis LAVALLÉE, *La Prairie en Nouvelle-France. Étude d'histoire sociale*, McGill-Queen's, 1992 et Thomas WIEN, *Peasant Accumulation in a Context of Colonization. Rivière-du-Sud, Canada, 1720-1775*, Ph. D., McGill University, 1988, jettent un éclairage nouveau sur le monde rural. Fernand OUELLET a contribué de façon importante à l'étude de cette période avec *Histoire économique et sociale du Québec*, Fides, 1966. En plus du livre d'Allan GREER déjà mentionné dans le chapitre précédent, les lecteurs devraient consulter la thèse de Christian DESSURAULT, *Les Fondements de la hiérarchie sociale au sein de la paysannerie : le cas de Saint-Hyacinthe, 1760-1815*, Université de Montréal, 1986. Sur les débuts de la transformation de la société rurale, on consultera Serge COURVILLE, « Esquisse du développement villageois au Québec : le cas de l'aire seigneuriale entre 1760 et 1854 », *Cahiers de géographie du Québec*, 28, 73-74, 1984 : 9-46.

La religion

La vue d'ensemble de la religion en Nouvelle-France de Cornelius JAENEN que nous avons citée dans le chapitre précédent et l'étude de Jean-Pierre WALLOT, « La religion catholique et les Canadiens au début du XIXe siècle », *Canadian Historical Review*, 52, 1, 1971 : 51-94, devraient être tempérées par les ouvrages de Marie-Aimée CLICHE, *Les Pratiques de dévotion en Nouvelle-France. Comportements populaires et encadrement ecclésial dans le gouvernement de Québec*, PUL, 1988 ; et de Brigitte CAULIER, *Les Confréries de dévotion à Montréal du 17e au 19e siècle*, Université de Montréal, 1986, qui sont moins subjectives.

Les femmes

L'histoire des femmes n'a pas encore totalement couvert la période préindustrielle. La tentative du Collectif Clio de récrire l'histoire en adoptant un point de vue de femmes dans *Histoire des femmes au Québec*, Le Jour, 1992, n'est pas très réussie pour la période préindustrielle. L'article de Jan NOEL « New France : Les femmes favorisées », dans Véronica STRONG-BOAG et Anita CLAIR FELIMAN, dir., *Rethinking Canada. The Promise of Women's History*, Copp Clark Pitman, 1986, apporte une vision plus provocante. « Une femme d'affaires en Nouvelle-France : Marie-Anne Barbel, veuve Fornel », *RHAF*, 31, 2, 1977 : 165-185, de Lilianne Plamondon, apporte un exemple de carrière d'une femme d'affaires. Sur les problèmes rencontrés par les femmes, on pourra consulter Marie-Aimée CLICHE, « Filles-mères, familles et société sous le Régime français », *Histoire sociale/Social History*, 21, 41, 1988 : 39-70. Lyne PAQUETTE et Réal BATES, « Les naissances illégitimes sur les rives du Saint-

Laurent avant 1730», *RHAF*, 40, 2, 1986: 239-252; Real Bates, «Les conceptions prénuptiales dans la vallée du Saint-Laurent avant 1725», *RHAF*, 40, 2, 1986: 253-272; et Sylvie Savoie, *Les Couples en difficulté aux XVIIe et XVIIIe siècles: les demandes en séparation en Nouvelle-France*, maîtrise, Université de Sherbrooke, 1986. Une nouvelle perspective sur les veuves et les rapports sociaux de sexe se trouve dans Josette Brun, *Le Veuvage en Nouvelle-France: genre, dynamique familiale et stratégies de survie dans deux villes coloniales au XVIIIe siècle, Québec et Louisbourg*, Université de Montréal, 2000.

Les autochtones

Après «l'âge héroïque», l'intérêt des historiens pour les autochtones diminue. Parmi les bonnes études couvrant cette période, signalons Louise Tremblay, *La Politique missionnaire des Sulpiciens au XVIIe et début du XVIIIe siècles*, maîtrise, Université de Montréal, 1981; et Daniel Francis et Toby Morantz, *Partners in Furs. A History of the Fur Trade in Eastern James Bay, 1600-1870*, McGill-Queen's, 1983. Les relations avec le pouvoir colonial sont traitées par John A. Dickinson, «French and British Attitudes to Native Peoples in Colonial North America», *Storia Nordamericana*, 4, 1-2, 1987: 41-56; et Saliha Belmessous, *D'un préjugé culturel à un préjugé racial: La politique indigène de la France au Canada*, Paris, École des hautes études en sciences sociales, 1999. La diplomatie française dans l'ouest est analysée par Gilles Havard, *Empire et métissages. Indiens et Français dans le Pays d'en Haut, 1660-1715*, Sillery, Septentrion, 2003.

TROISIÈME PARTIE

La transition vers le capitalisme industriel

CHAPITRE IV

Politique et institutions en mutation 1815-1885

Au Québec, d'importants changements sociaux, politiques, religieux, institutionnels et culturels accompagnèrent le passage au capitalisme industriel. Malgré la présence d'une chambre d'Assemblée, le pouvoir politique restait, en 1810, dans une large mesure entre les mains du gouverneur. Les structures institutionnelles restaient passablement rudimentaires.

Les rébellions de 1837-1838 et la restructuration de la vie publique canadienne au cours des années 1840 marquèrent un tournant dans l'évolution politique du pays. Dans l'histoire constitutionnelle du Québec, cette période mettait fin à la lutte entre le pouvoir législatif et le pouvoir exécutif. Le gouvernement responsable, le système des partis et l'alliance des éléments politiques centristes du Haut et du Bas-Canada témoignaient de l'affirmation du pouvoir du Parlement aux dépens de l'exécutif. Les principales composantes du système de cabinet britannique se mettaient en place.

L'obtention de cette démocratie bourgeoise établie sur le modèle britannique s'accompagna d'autres changements politiques importants. Durant les années 1840, les premiers éléments significatifs de fédéralisme apparurent au sein de la structure politique et administrative du Canada-Uni. En Ontario et au Québec, l'éducation, la justice et le gouvernement local prenaient leurs traits particuliers. Le fédéralisme se concrétisa dans la Confédération. Au cours des années 1880, l'affaire Riel et d'autres questions politiques que le gouvernement Macdonald eut à régler confirmèrent que le Québec n'avait qu'un statut minoritaire au sein de l'État canadien et que son gouvernement provincial n'était qu'une administration régionale.

Bien que certains historiens comme J.I. Little insistent sur le maintien d'institutions et d'identités régionales très marquées, la formation au Québec d'un État centralisé et bureaucratisé constituait une évolution capitale. La justice, l'éducation, l'administration des terres de la Couronne, des chemins de fer locaux, des municipalités, ainsi que la colonisation donnèrent au Québec des pouvoirs très étendus sur des régions isolées.

La démocratie bourgeoise, le fédéralisme et la formation de l'État bureaucratique correspondaient à l'évolution des rapports sociaux. Durant les années 1880, l'« autocratie » préindustrielle — l'administration coloniale, les seigneurs, l'élite cléricale et les grands marchands — avaient cédé le pouvoir aux industriels et à leurs alliés de la bourgeoisie québécoise. Loin d'être réactionnaires, ces derniers utilisèrent leur nouveau pouvoir politique pour refondre les structures préindustrielles dans des moules qui répondaient aux intérêts économiques et sociaux des nouveaux groupes dominants.

Partie prenante dans le réalignement des classes après 1838, une fraction importante de la bourgeoisie québécoise s'allia avec l'Église catholique, qui sortait renforcée des rébellions. Le terrain d'entente allait être l'autonomie locale et un nationalisme vaguement défini qui pourrait servir à la fois au clergé et à la bourgeoisie. Sur le plan social et économique, ce réalignement au sein des élites du Bas-Canada eut pour effet d'amener l'État à promouvoir vigoureusement le développement des moyens de transport et de l'industrie. Il eut aussi pour effet d'accroître le pouvoir de l'Église de modeler les institutions sociales et scolaires destinées aux classes populaires.

Au cours du passage au capitalisme industriel, la fonction et le pouvoir de l'Église catholique changèrent radicalement. À la fin de la période préindustrielle, l'Église du Bas-Canada était faible. Ses ressources humaines déclinaient ; ses pouvoirs religieux, fonciers et civils étaient contestés. Dans les campagnes, elle faisait face aux prétentions croissantes de la bourgeoisie locale pour les pouvoirs idéologique, social et de taxation. Au cours du siècle, cependant, la part des préoccupations locales diminua au fur et à mesure que l'Église s'intéressa à Rome et à des questions de doctrine qui avaient une portée mondiale.

Sous le Régime français comme sous le Régime anglais, l'Église avait toujours appuyé l'autorité établie. Ce soutien se révéla particulièrement précieux en 1837-1838, comme en témoigne le jugement de l'évêque de Québec, Joseph Signay, selon lequel l'insurrection et la violence étaient « Criminel[les] aux yeux de Dieu et de [la] sainte religion ». L'Église joua un rôle particulièrement important dans la neutralisation de l'agitation populaire. Dans les campagnes, les curés recevaient des directives des évêques leur demandant d'appuyer l'autorité britannique en place et la monarchie de droit divin. Chargés de la cure de Montréal, les Sulpiciens exerçaient une forte influence sur les Irlandais catholiques et contribuèrent de façon décisive à les empêcher de se ranger du côté des patriotes. Lord Durham a reconnu l'importance de cette intervention :

> [Les prêtres] ont un pouvoir presque absolu sur la classe la plus modeste des Irlandais. On prétend que leur influence a été très fortement exercée l'hiver dernier pour gagner la loyauté d'un bon nombre d'Irlandais durant les troubles.

L'élément le plus important dans ce réalignement de l'Église fut la croissance de l'idéologie ultramontaine subordonnant les églises nationales à Rome. Fortement influencée par les événements en Europe, l'Église adopta des positions plus rigoristes, plus interventionnistes dans les affaires laïques, et plus critiques envers les idéologies libérales associées à la France républicaine et à l'Amérique anglo-saxonne. La hiérarchie réussit à confirmer son autorité morale et sociale et émergea comme le principal défenseur de la nation canadienne (Hubert, 2000).

Au cours des années 1840 et 1850, d'autres fondements de l'organisation sociale, notamment le droit, les structures de la propriété foncière et les institutions politiques, scolaires et sociales, revêtirent de nouvelles formes. Le droit civil québécois et le régime seigneurial furent réformés pour mettre l'accent sur la propriété foncière libre et individuelle et la liberté de contrat et de travail. Les élites prêtèrent une nouvelle attention à la direction des classes populaires rurales et urbaines. Un système scolaire universel, un appareil judiciaire étendu à toute la province, avec ses palais de justice, sa police et ses prisons rurales, la mise sur pied de structures municipales et de nouvelles formes de taxation facilitèrent l'assujettissement des Québécois à un État bureaucratisé et centralisé.

La culture constituait un élément important de cette structure en mutation. Il peut sembler paradoxal de prime abord que le nationalisme ait été encouragé, d'une part, par des membres de l'Église qui rejetaient les valeurs de la Révolution française et, d'autre part, par des chefs de file francophones qui soutenaient l'intégration du Québec dans le vaste État canadien. Ce paradoxe trouve son explication dans la mutation des élites québécoises et dans leur besoin d'orienter l'idéologie populaire. Le développement de bibliothèques, de musées d'histoire et de sciences naturelles surtout chez les anglophones, traduisait une volonté de dégrossir les masses dont l'ignorance freinait le progrès. Pour leur part, les classes populaires manifestaient leur résistance à l'échelle de la famille, de la taverne, du rang, de l'association de bienfaisance, du syndicat et du quartier. Pour combattre cette indépendance, les intellectuels laïques et cléricaux élaboraient une idéologie nationale unificatrice enracinée dans le catholicisme, la langue française, de la famille préindustrielle et de l'idéalisation de la vie rurale. Ainsi on développa des modèles de comportement véhiculés par l'école. Les femmes, confinées au couvent ou à la vie de famille, devinrent d'importants agents de propagation de cette idéologie.

L'ÉTAT ET LE DÉVELOPPEMENT ÉCONOMIQUE

Dans la société préindustrielle, l'État fournissait peu d'infrastructures de transport et de communication. Le coût des fortifications, les dépenses militaires et les frais de l'administration d'une colonie dépassaient de loin les sommes d'argent consacrées aux travaux publics destinés à faciliter le commerce ou l'industrie. L'État mercantiliste privilégiait ses amis grâce aux monopoles, aux contrats de l'armée et à la protection accordée en haute mer.

Au début du XIXe siècle, le changement d'attitude de l'État à l'égard du développement économique suivit l'évolution des conditions militaires et économiques. Fait symbolique, on démolit les fortifications de Montréal en 1818, pendant que l'État commençait à affecter son budget militaire à la construction de canaux et de routes (Legault, 1986). Les canaux de Lachine, de Chambly, du Saint-Laurent et Rideau reçurent des injections massives de capitaux de l'État et servirent à la fois de routes militaires et de voies d'accès aux routes commerciales du Saint-Laurent aux dépens des routes américaines rivales.

Au milieu du XIXe siècle, la construction de lignes de chemin de fer était devenue une priorité de l'État. Les autorités bas-canadiennes (puis québécoises) se lançaient avec enthousiasme dans la loterie des chemins de fer, tandis que des régions et des localités rivalisaient pour obtenir le service ferroviaire et l'accès aux grandes lignes. Alors que les coûts de la police provinciale, de l'éducation et des chemins de colonisation se chiffraient respectivement à 66 000 $, 233 410 $ et 11 000 $ en 1875, le gouvernement québécois dépensait 3 481 670 $ pour la construction de chemins de fer et 407 176 $ pour le service de la dette publique sur ces travaux au cours de l'exercice financier 1876-1877.

Un changement fondamental d'idéologie accompagna ce processus. Dans la société préindustrielle, la taxation prenait souvent la forme de corvées ou de droits de douane. La construction de routes, dont le chemin du Roy, avait été exécutée traditionnellement au moyen de la corvée ; au cours des années 1760, chaque habitant devait consacrer huit jours aux travaux de voirie, en plus d'entretenir les chemins de sa terre sous peine de payer une amende de 20 shillings. Après 1815, les routes royales commencèrent à bénéficier de subventions, tandis que les municipalités prirent en charge les routes de campagne ; par la suite, on subventionna les chemins de colonisation qui donnaient accès aux ressources forestières. La corvée céda alors la place aux soumissions, aux routes à péage et aux taxes (Robichaud, 1989 : 23, 33).

La Loi sur les garanties de 1849 et la Loi sur les municipalités de 1852 facilitèrent le financement des chemins de fer par le gouvernement central et les municipalités. En 1870, le gouvernement du Québec mit de côté 3 208 500 acres de terres de la Couronne pour promouvoir la construction d'un chemin de fer sur la rive nord du Saint-Laurent; deux ans plus tard, les contribuables montréalais approuvèrent l'octroi d'une subvention d'un million de dollars à la Montreal Colonization Railway. Un nouveau partenariat s'établit ainsi entre le capital et l'État dans le réseau des transports du Québec. Les politiciens et les entrepreneurs passaient en toute liberté du conseil d'administration au cabinet, l'Église appuyant avec enthousiasme l'octroi par l'État de subventions pour le développement économique.

LES RÉBELLIONS DE 1837 ET 1838

Les premières décennies du XIXe siècle se caractérisèrent par la lutte politique et sociale entre les élites préindustrielles qui détenaient le pouvoir exécutif et les membres des professions libérales francophones qui dominaient l'Assemblée. Dans la presse et à la Chambre, le gouverneur et le Conseil exécutif étaient de plus en plus en butte aux attaques des avocats, des notaires, des médecins, des aubergistes et des petits marchands. Pendant la période 1792-1836, 77,4 % de la députation de l'Assemblée appartenait aux classes marchandes et aux milieux professionnels (Ouellet, 1976: 299).

La Chambre disputait à l'exécutif le droit de regard sur l'attribution des postes dans l'administration, la milice et la magistrature. En 1829, un comité notait dans son rapport que, des 39 magistrats de Montréal, 22 étaient natifs de Grande-Bretagne, 7 étaient étrangers, 3 étaient Canadiens anglais et seulement 7 étaient Canadiens français. Le même comité accusait le président de la Cour des sessions trimestrielles, Robert Christie, de destituer des magistrats selon son bon vouloir, « d'espionner la conduite et le vote de cette chambre » et d'attirer « le mépris [sur] cette magistrature ». Tandis que Fernand Ouellet considère l'Assemblée comme un groupe de petits bourgeois conservateurs et frustrés, Yvon Lamonde voit le Parti canadien comme un mouvement de résistance démocratique qui éveille la conscience. Pour Papineau, « l'enjeu est simple mais fondamental : pas de démocratie véritable sans contrôle des dépenses publiques par les représentants du peuple » (Lamonde, 2000b: 89-90). Allan Greer, pour sa part, s'intéresse davantage aux réalités locales et insère le mouvement insurrectionnel dans un contexte internationale de résistance démocratique (Greer, 1997).

Avec la construction d'ouvrages militaires et de canaux qui formèrent les plus grands projets de travaux de la période, les contrats du gouvernement représentaient d'importants facteurs de l'économie locale. À la même époque, l'approvisionnement de l'armée britannique rapportait quelques-uns des plus gros contrats de fournitures à des marchands locaux. D'autres membres de la bourgeoisie supportaient mal la présence des grandes compagnies de terres anglophones qui s'occupèrent de la mise en valeur des Cantons de l'Est au cours des années 1830. Les attaques contre le monopole de ces compagnies et leurs pratiques de peuplement posaient les questions de colonisation et suscitèrent donc l'intérêt de l'Église et de la paysannerie sans terre.

Aux désaccords sur les contrats, le favoritisme et le pouvoir, s'ajoutait la question du prestige. La discrimination ethnique devenait monnaie courante, puisque des notaires, des avocats, des arpenteurs et des médecins francophones en vue se retrouvaient à un niveau inférieur dans l'échelle sociale de la colonie. Dans cette société coloniale, on suivait la préséance et l'ordre en usage dans les réunions officielles en Angleterre : royauté, clergé, noblesse, officiers de la maison royale, militaires, membres des professions libérales, artisans, ouvriers (Senior, 1981 : 39). Mais ces questions de fierté étaient somme toute mineures ; le succès des Patriotes dépendait surtout de leur capacité à mobiliser la population autour d'enjeux comme la démocratie, la citoyenneté et le nationalisme (Greer, 1997).

On peut trouver des preuves solides de consensus sur des politiques de financement, de réglementation et de mise en valeur comme la construction de routes, de ponts, de canaux et de chemins de fer. Alan Dever montre que 82 % des motions visant le développement économique présentées à l'Assemblée ont été adoptées à l'unanimité et conclut que « le conflit était l'exception plutôt que la règle » (Dever, 1976). Beaucoup de députés appuyaient les démarches des minotiers, des propriétaires urbains et des fabricants pour supprimer les entraves préindustrielles à la libre circulation des biens et de la main-d'œuvre. Bref, l'Assemblée s'opposait souvent aux grands marchands capitalistes en prônant le droit de regard sur les affaires locales et le développement industriel. Certains anglophones siégeant à l'Assemblée étaient membres du Parti canadien, puis devinrent des Patriotes, notamment Marcus Child, de Stanstead, Ephraim Knight, de Missisquoi, et Robert Nelson, de Montréal. Certains autres comme John Neilson, W. H. Scott et E. B. O'Callaghan représentaient des circonscriptions francophones et se rangeaient également du côté des Patriotes.

Après 1840, ce consensus en faveur du développement économique se manifesta dans l'appui accordé par tous les partis à la construction de canaux, de chemins de fer et d'usines. En 1846, Étienne Parent, éditeur du *Canadien,* soulignait le fait que l'avenir de la bourgeoisie francophone était lié au capitalisme industriel :

> [...] l'industriel est le noble de l'Amérique ; et ses titres valent mieux et dureront plus longtemps que ceux des nobles du vieux monde. Les revers ni les révolutions ne les détruiront.
>
> Ce sont des cités sans nombre et des empires que l'industriel a conquis sur la nature sauvage, non plus avec l'épée et le sang d'autres hommes, mais bien avec la hache et les sueurs de son propre front. Honorons donc l'industrie, messieurs, non pas seulement de gestes et de paroles, mais par nos actes.

Jusqu'aux années 1830, l'objectif commun fut peut-être la démocratie parlementaire britannique avec comme thèmes récurrents le républicanisme et le nationalisme ; on s'entendait moins sur la séparation de l'Église et de l'État, la réforme de la Coutume de Paris et l'abolition du régime seigneurial. Quant à l'anticléricalisme, il mena à des affrontements avec l'Église catholique. La question de l'instruction primaire universelle resta une pomme de discorde entre l'Église et la bourgeoisie francophone jusqu'aux années 1840. Au cours des premières décennies du XIXe siècle, on avait vainement tenté de mettre sur pied un système d'éducation britannique hiérarchisé. La Loi sur les écoles de fabrique de 1824 constituait une tentative pour étendre l'influence des laïcs sur les finances des paroisses, tout en ménageant les susceptibilités du clergé. Cette loi accordait aux marguilliers le droit de regard sur les écoles primaires locales et le droit d'utiliser un quart du fonds de la fabrique pour la construction de nouvelles écoles. Une loi de 1829 allait beaucoup plus loin et soustrayait l'éducation à l'influence du clergé local en confiant l'administration des écoles aux députés de l'Assemblée et à un syndic élu (Chabot, 1975).

L'Église se préoccupait en particulier de maintenir son influence sur la paysannerie. Les médecins et les notaires locaux contestaient les pouvoirs des curés de campagne. En 1831, un membre en vue du clergé faisait cette mise en garde : « Il est temps de nous organiser, avant que l'effervescence patriotique et libérale tourne toutes les têtes. Déjà l'on parle contre les prêtres, contre l'autorité épiscopale même, jusque dans la Chambre d'Assemblée. » Le nombre grandissant des membres des professions libérales et des marchands locaux par rapport au clergé rendait leur idéologie plus dangereuse.

Sur la scène politique, la bourgeoisie qui dominait l'Assemblée axa sa lutte sur trois grandes demandes : le gouvernement responsable, le contrôle de la liste civile (la plupart des impôts nécessaires pour rémunérer les fonctionnaires locaux requéraient l'approbation de l'Assemblée) et un conseil législatif élu. Jusqu'aux années 1830, on exigea ces réformes politiques fondamentales en vertu des tactiques permises par la Constitution britannique — tentatives de mise en accusation du juge en chef en vue de sa destitution, pétitions au Parlement de Westminster, blocage des projets de loi du gouvernement. Pour leur part, les autorités britanniques, frustrées par les actions de l'Assemblée élue par le peuple, exercèrent leurs pouvoirs de façon autocratique et arbitraire : suspension des sessions, truquage des élections, refus de l'élection de Papineau à la présidence de l'Assemblée, emprisonnement des éditeurs des journaux de l'Opposition. Dans le contexte de l'intensification de la crise politique, on eut recours à la Loi de l'émeute, à l'armée et, finalement, à la Loi martiale pour faire régner l'ordre.

À mesure que les questions de politique scolaire, de taxation de réforme du régime de la propriété foncière, du système judiciaire et du pouvoir de la bureaucratie s'aggravaient dans la société en voie d'industrialisation, les enjeux augmentaient d'autant. En 1822, on présenta un projet de loi sur l'Union au Parlement de Westminster. Le projet, qui proposait l'union du Haut et du Bas-Canada et l'abolition du français comme langue officielle, prévoyait notamment que « tous procédés par écrit [...] des dits Conseil Législatif et Assemblée [...] seront dans la langue anglaise, et dans aucune autre » ; ces termes ne laissaient aucun doute quant à l'avenir des Canadiens français et de leur bourgeoisie au sein d'un Canada uni.

Bien qu'il n'ait jamais été adopté, ce projet de loi représenta un événement déterminant dans l'évolution de ce qui allait devenir le mouvement patriote. L'Écossais John Neilson, éditeur de la *Gazette de Québec*, comptait parmi ceux qui s'étaient joints au mouvement de réforme. Il écrivit à Papineau : « Quel sort les habitants du pays auront-ils à espérer de gens qui vont [agir] de tel [sic] façon ? » En signe de protestation, on envoya des délégations en Angleterre présenter des pétitions portant la signature de quelque 50 000 Bas-Canadiens contre le projet de loi.

À la fin des années 1820, le chef patriote Louis-Joseph Papineau devint davantage nationaliste, républicain et critique à l'égard de la pratique constitutionnelle britannique. Au début des années 1830, des assemblées, des défilés, des sociétés secrètes, des émeutes et des journaux radicaux comme *La Minerve et* le *Vindicator* montraient clairement que la lutte de la bourgeoisie à l'Assemblée pouvait déboucher sur un vaste mouvement révolutionnaire.

En 1830, après la révolution de juillet en France, des étudiants en droit et en médecine escaladèrent le mur du prestigieux Collège de Montréal, pendirent un professeur en effigie et hissèrent le drapeau tricolore de la Révolution française au mât de l'institution. Toujours au cours des années 1830, le jour de la Saint-Jean-Baptiste donnait lieu à une fête nationaliste turbulente où l'on célébrait le saint patron du Canada français avec des chants révolutionnaires et des *toasts* portés en l'honneur des États-Unis. Et on adopta un drapeau tricolore vert (au lieu du bleu de la Révolution française), blanc, rouge.

L'agitation sociale n'était pas le seul fait de la bourgeoisie. Les artisans et les ouvriers francophones de Montréal, de Québec et de la vallée de l'Outaouais devaient rivaliser avec la main-d'œuvre irlandaise bon marché et les nouvelles formes d'organisation du travail, qui comprenaient notamment les vastes chantiers de construction, les magasins de compagnies et le contrat de travail journalier.

La paysannerie québécoise faisait face à des disparités régionales grandissantes, au manque de terres, à l'émigration ainsi qu'à la dépendance grandissante vis-à-vis du travail salarié dans le domaine de l'exploitation forestière. Encouragés par le Parti patriote, les paysans contestaient l'autorité des représentants locaux de l'oligarchie, notamment dans la magistrature et la milice, à l'aide de charivaris (Greer, 1997). Les paysans avaient une longue tradition de braconnage, de dérobade à la dîme et de fraude des droits seigneuriaux. En 1825, des censitaires se plaignirent dans une pétition que des seigneurs violaient le droit seigneurial en refusant de faire des concessions de terres, en dégarnissant des terres à bois avant de les concéder et en accroissant les droits seigneuriaux. Devant l'endettement grandissant des censitaires, la perception des droits devint une préoccupation dominante des seigneurs et ceux-ci eurent recours à la justice pour faire payer les paysans. En 1838, les Sulpiciens rapportaient que les arrérages de leurs 1376 censitaires ruraux de l'île de Montréal s'établissaient à un total de £ 13 000. Dans une autre seigneurie de la région montréalaise, les deux tiers des censitaires avaient des arrérages à la fin des années 1830 (Young, 1986 : 73).

La bourgeoisie tentait de rendre plus soumise la paysannerie. Ancien notaire et protonotaire de Québec, Joseph-François Perrault établit, en 1789, les règles de conduite pour les juges de paix et rédigea, en 1814, un manuel de droit criminel pour les étudiants en droit. Son *Code rural à l'usage des habitants tant anciens que nouveaux du Bas-Canada* (1832) exposait à grands traits les devoirs civils et religieux des paysans. Il montrait l'accord parfait entre l'Église et l'État sur des mesures qui allaient de l'obligation du citoyen de remplir la charge de marguillier à celle de faire dresser tous les contrats par un notaire, en passant par celle de payer la dîme, d'élever des enfants, de servir dans la milice et de réparer les routes. Perrault appuyait manifestement l'Église :

> On juge du zèle des habitants pour leur religion par la beauté de leur église, de leur considération pour leur Curé, par l'étendue de son logement, et du respect qu'ils ont pour leurs morts par le bon état de leur cimetière.

Loin d'être vieux jeu et de constituer un processus juridique coupé de la réalité, ce code touchait directement la vie quotidienne et s'inscrivait dans une vaste tentative pour enrégimenter la population.

Durant toute cette période, les autorités impériales, provinciales et municipales prirent des mesures pour contenir les classes populaires des campagnes et des villes. Ainsi, les lois britanniques sur le délit de coalition (1800) sur les maîtres et les domestiques (1849) de même que la législation provinciale relative à la désertion des apprentis (1802) et au sabotage ouvrier (1841) entravèrent la formation de syndicats et le déclenchement de grèves. En 1831, les règlements de police de la ville de Montréal obligeaient tout travailleur à donner un préavis de 15 jours avant de quitter son emploi (Tremblay, 1983).

À la même époque, on renforça les règlements sur les tavernes, les marchés et l'éclairage. Les loisirs étaient perçus comme une menace particulière. Entre 1817 et 1826, les magistrats de Montréal interdirent non seulement les charivaris, les

FIGURE 4.1
Les émeutes à Montréal en 1849. À mesure que la paralysie du régime politique imposé en 1791 s'accroissait en raison de l'impasse constitutionnelle entre l'Assemblée et le Conseil législatif, les autorités britanniques se tournaient de plus en plus vers les troupes de garnison. Selon l'historienne de l'armée, Elinor Senior (1981 : 72), le recours à la troupe devint « une opération militaire presque normale au cours des élections tenues à Montréal ». Comme lors des élections de 1832, 1844, 1846 et 1847, on eut recours à la Loi de l'émeute et à la troupe ainsi que pendant la grève de 1843, les troubles de 1849 et l'émeute de 1853. L'imposition de la loi martiale, accompagnée de la suspension du gouvernement civil et du système judiciaire, revêtait un caractère plus sérieux. Pratiquement jamais utilisée en Angleterre, la Loi martiale fut appliquée au Bas-Canada pour quelques mois durant la rébellion de 1837 et de nouveau en 1838. Un historien du droit comme Jean-Marie Fecteau (1987 : 495) établit un parallèle entre l'application de la Loi martiale et la Loi sur les mesures de guerre qui fut imposée au Québec en 1970.

jeux de hasard dans les marchés municipaux et les coups de fusil pour célébrer des anniversaires, mais même le patinage et les promenades en traîneau dans les limites de la ville.

Parallèlement, l'affrontement entre les Patriotes et l'exécutif s'intensifia. À Montréal notamment, les magistrats durent faire appel à la troupe de plus en plus souvent. En 1832, une émeute particulièrement sanglante éclata dans la circonscription de Montréal-Ouest où les Patriotes cherchaient à faire élire Daniel Tracey, éditeur du *Vindicator*, emprisonné pour diffamation et récemment libéré. Il n'y avait pas de scrutin secret à cette époque et le vote se déroulait pendant plusieurs jours. À la suite d'affrontements répétés, la Loi de l'émeute fut proclamée, la troupe ouvrit le feu et trois personnes furent laissées sans vie dans la rue

Saint-Jacques (figure 4.1). Tandis que le gouverneur Aylmer qualifiait l'événement de « simple accident », les Patriotes rebaptisaient la rue Saint-Jacques, « rue du Sang » (Senior, 1981 : 20). Le surlendemain de sa victoire électorale, Tracey mourut du choléra.

Le sort des Patriotes était de plus en plus lié à la direction et à l'idéologie de Louis-Joseph Papineau. Fils d'un artisan, son père exerçait à la fois comme notaire et arpenteur ; à la suite de sa réussite professionnelle, il put faire l'acquisition d'une seigneurie qu'il lui cédera. Louis-Joseph, après avoir étudié le droit, passa la plus grande partie de sa vie à faire de la politique grâce, toujours, au soutien financier de son père. Forte personnalité, son refus de recourir à une rébellion armée et son ambivalence idéologique, quant à l'importance relative du catholicisme, de la bourgeoisie et du régime seigneurial, marquèrent sa carrière. Également présentes chez beaucoup de ses collègues, ces ambiguïtés sur les objectifs sociaux, religieux et nationaux firent de la première rébellion de 1837 un mouvement aux objectifs sociaux essentiellement conservateurs.

Papineau amena les Patriotes qui voulaient transformer l'hostilité populaire latente en un front commun contre l'Église, les seigneurs, les grands marchands et l'autoritarisme britannique à concentrer leur lutte contre le pouvoir des « bureaucrates ». Tout compte fait, il défendait l'Église, le droit civil québécois et le régime seigneurial qu'il considérait comme les fondements de sa définition de la cause « nationale » :

> [...] dans l'idée de Papineau, l'équilibre social reposerait en définitive sur deux institutions fondamentales pour autant qu'elles retrouveraient leur sens originel : le régime seigneurial et le droit coutumier français. Le premier, essentiellement favorable à une répartition égale de la propriété foncière, le seigneur étant conçu comme le gardien de l'égalité sociale, et obstacle infranchissable aux spéculations capitalistes, possédait en outre l'immense avantage, selon Papineau, de maintenir l'individualité du Bas-Canada face au bloc anglo-saxon qui l'entourerait. Grâce au droit coutumier français, support indispensable du régime seigneurial, le Bas-Canada serait en mesure de se développer dans le sens même de ses traditions (Ouellet, 1964 : 14).

En février 1834, l'Assemblée, se plaignant d'avoir été insultée et foulée aux pieds par le gouverneur, adopta les Quatre-vingt-douze Résolutions. Exprimant leur soutien au républicanisme américain, les auteurs des résolutions menaçaient de mettre le gouverneur en accusation en vue de le faire destituer. Malgré la perte de l'appui des réformistes modérés, les candidats patriotes remportèrent 77 des 88 sièges de l'Assemblée aux élections tenues plus tard la même année.

En 1835, les Tories tinrent de grandes assemblées et formèrent des groupes de volontaires armés : le British Rifle Corps, la Montreal British Legion et le Doric Club. Le Parti patriote mit sur pied une organisation paramilitaire, l'Association des Fils de la liberté, et tint des assemblées populaires au cours desquelles la foule agitait des drapeaux révolutionnaires et dansait autour de la colonne de la liberté. Plusieurs Tories souhaitaient un affrontement armé.

Les Quatre-vingt-douze Résolutions étaient restées lettre morte. L'Assemblée était déjà surexcitée quand elle apprit que le ministre des Colonies, lord Russell, autorisait le gouverneur à puiser dans les revenus de la Chambre sans son accord. Lors de la publication des mandats d'arrestation contre eux, à l'automne de 1837, les chefs patriotes se réfugièrent à la campagne et l'activité révolutionnaire se concentra dans les régions de la vallée du Richelieu et du lac des Deux-Montagnes. Le 23 octobre, à l'assemblée des Six-Comtés, tenue à Saint-Charles, les orateurs dénoncèrent l'oligarchie qui détenait l'exécutif et demandèrent que les magistrats et les officiers de la milice soient élus par le peuple. Après la lecture du mandement de Mgr Lartigue à Montréal, le lendemain, 1200 Patriotes se massèrent devant la cathédrale Saint-Jacques en chantant *La Marseillaise* et en criant « À bas le mandement ! » et « Vive Papineau ! »

Le premier affrontement important eut lieu le 23 novembre 1837 dans le village de Saint-Denis, sur le Richelieu. Au cours d'une bataille qui dura toute la journée, 800 hommes repoussèrent les troupes britanniques. Cependant, la condamnation de la révolution par l'Église, les faibles capacités de commandement des chefs révolutionnaires, l'incapacité de canaliser l'appui de la paysannerie et l'inefficacité de l'organisation militaire empêchèrent les Patriotes de mener une résistance soutenue. Après une victoire des troupes britanniques à Saint-Charles, le 25 novembre, la rébellion s'apaisa dans les comtés de la rive sud du Saint-Laurent.

À Montréal, les autorités religieuses craignaient une offensive générale. Toutefois, la ville demeura calme et c'est au nord, dans la région du lac des Deux-Montagnes, que la résistance se poursuivit. Le 14 décembre, quelque 2000 hommes de troupe attaquèrent des Patriotes barricadés dans l'église de Saint-Eustache, dont 58 furent tués. Dans le sac qui suivit, 60 maisons et fermes furent brûlées. Deux jours plus tard, le village de Saint-Benoît fut pillé et incendié à son tour.

Les rébellions de 1838 poursuivirent des objectifs plus révolutionnaires. Papineau en exil, Robert Nelson, plus radical, prit la direction du mouvement. La première rébellion avait engendré une profonde amertume accompagnée d'une hostilité dirigée contre les autorités en général et, en particulier, les magistrats. Le 28 février, Nelson entra au Canada près d'Alburg, au Vermont, avec 160 hommes. Avant d'être repoussé aux États-Unis par la milice locale, il lança une proclamation d'indépendance annonçant que le Bas-Canada devenait une république et réclamant la séparation de l'Église et de l'État et la nationalisation des réserves du clergé et des terres de la British American Land Company.

Selon cette proclamation, les écoles confessionnelles seraient abolies ; le français et l'anglais seraient les deux langues officielles ; les peuples autochtones jouiraient des mêmes droits que tous les autres citoyens; les objectifs chartistes du suffrage universel, du scrutin secret et de la liberté de la presse seraient affirmés; quant à la peine de mort, elle serait abolie. Mais la différence la plus importante entre les objectifs de la rébellion de 1837 et ceux de la rébellion de 1838 résidait dans la question foncière et les rapports sociaux du régime seigneurial. La proclamation déclarait:

> Que la Tenure Féodale ou Seigneuriale, est, de fait, abolie, comme si elle n'eut jamais existé dans ce pays.
>
> Que toute personne qui porte ou portera les armes, ou fournira des moyens d'assistance au Peuple Canadien dans sa lutte d'émancipation, est déchargée de toutes dettes [...] envers les Seigneurs, pour arrérages en vertu de Droits Seigneuriaux ci-devant existants.

Après l'échec des raids frontaliers, une société secrète paramilitaire, l'Association des frères-chasseurs, fut établie dans la partie occidentale du Bas-Canada en juillet 1838. Dans la région de la vallée du Richelieu, notamment dans les environs de Saint-Denis, 1500 hommes prêtèrent serment et on prépara partout au Bas-Canada des soulèvements qui devaient coïncider avec une nouvelle rébellion dans le Haut-Canada (Senior, 1985: 165). Les troubles furent en fait moins importants: au début de novembre, des soulèvements éclatèrent à Beauharnois, à Napierville et à Châteauguay où l'on s'en prit en particulier aux seigneurs (figures 4.2 et 4.3).

L'insurrection fut limitée dans l'espace et dans le temps. Il se peut que l'ardeur des Patriotes ait été refroidie par la vive opposition de l'Église, par l'octroi par lord Durham d'une amnistie à tous les chefs patriotes de 1837, sauf à huit d'entre eux, et bien sûr par la supériorité de la force militaire. On a estimé à 2500 le nombre des frères-chasseurs qui affrontèrent les troupes régulières appuyées par des unités de la milice locale, y compris les Montreal Volunteers forts de 2000 hommes, les Indiens de la réserve de Saint-Régis et des troupes du Haut-Canada. Après plusieurs escarmouches dans les comtés du sud-ouest, la rébellion prenait fin.

Au lendemain de la première rébellion, la loi martiale avait été proclamée, la constitution bas-canadienne suspendue et lord Durham nommé gouverneur en chef de l'Amérique du Nord britannique. Contrairement à la clémence dont elles avaient fait preuve à la suite de la première insurrection, les autorités imposèrent des peines sévères après novembre 1838. Ainsi, quelque 850 Patriotes furent arrêtés; de ce nombre, 108 furent passés en conseil de guerre, dont 99 condamnés à mort. Finalement, 12 furent pendus et 58 déportés dans des colonies pénitentiaires australiennes. Le Parlement du Bas-Canada fut suspendu et remplacé par un conseil spécial. Une trentaine de députés furent victimes de la répression.

Suivant les interprétations de Stanley Ryerson (1976) et Jean-Paul Bernard (1983), Allan Greer (1997: 315) estime que les Rébellions eurent des retombées

FIGURE 4.2
Des rebelles peints par Jane Ellice en novembre 1838. Sans armes, sans formation militaire, ni soutien des Indiens, il était problématique d'organiser un soulèvement militaire contre les forces armées britanniques. Des 150 à 300 hommes qui occupèrent le manoir seigneurial de Beauharnois, seulement la moitié avaient des mousquets ; les autres portaient des piques et des gourdins.

FIGURE 4.3
Des gardes du régiment des Grenadiers. En juillet 1838, les autorités britanniques disposaient de 4704 soldats et de 527 officiers au Bas-Canada. De même, 3000 fantassins, une troupe de cavalerie et trois compagnies d'artillerie étaient stationnées dans le Haut-Canada.

importantes sur l'histoire du Canada : « Après avoir piétiné le défunt républicanisme démocratique, on a enfermé le Bas-Canada à l'intérieur d'une unité plus vaste et majoritairement anglophone. Depuis, les rapports entre la majorité et la minorité n'ont cessé d'être une source de malaise, de problèmes et de crises périodiques. »

Les historiens *whigs* avaient marginalisé les rébellions. Vaines, non britanniques et nationalistes, elles étaient considérées comme des événements ayant détourné les Canadiens des solutions constitutionnelles et conduisant à un régime autoritaire et francophobe. Les Canadiens français, toujours selon cette interprétation, ont mis des années avant de liquider l'héritage des rébellions. Ils n'y sont parvenus que grâce à des compromis, à une nouvelle alliance entre les deux groupes ethniques représentés par Robert Baldwin et La Fontaine, à une association biculturelle qui a été à l'origine du système des partis et du régime fédéral canadiens et à la collaboration au sein du cadre constitutionnel britannique.

Pour leur part, les historiens néo-nationalistes, comme Maurice Séguin, voient la défaite des rébellions et l'Union comme une nouvelle étape de l'asservissement des Canadiens. Plus récemment, Marcel Bellavance situe les rébellions dans le courant libéral et nationaliste qui prédominait en Europe et réaffirmait ainsi la normalité de l'expérience québécoise. Il estime que l'échec révolutionnaire priva les Canadiens de « leur entrée véritable dans l'histoire » et que le mouvement politique fait preuve de « la même soif de liberté face au pouvoir, même quête de justice et de démocratie, même valorisation de la culture nationale, même recours à l'histoire et aux traditions, même émergence du sentiment et de la conscience nationale » (Bellavance, 2000 : 374, 376).

Nous estimons que les rébellions doivent être vues comme une partie intégrante d'une suite d'événements politiques conduisant de l'autoritarisme à la démocratie bourgeoise. L'Acte de Québec et l'Acte constitutionnel avaient laissé le Bas-Canada avec des institutions préindustrielles. Les rébellions ont servi à y mettre de l'ordre, éliminant les membres les plus turbulents de la bourgeoisie francophone, accordant le pouvoir pendant quelque temps à l'autoritaire Conseil spécial et entérinant la prééminence d'une Église conservatrice aux dépens des libéraux. Elles ont également préparé le terrain pour une transformation profonde des institutions judiciaires, foncières, sociales, scolaires et religieuses.

Les rébellions s'inscrivaient dans le contexte de l'accession au pouvoir des éléments de la bourgeoisie bas-canadienne qui allaient subordonner le régime seigneurial et le droit coutumier français de la période préindustrielle au développement économique, à l'autonomie locale et à la formation d'un État bureaucratique centralisé. Les membres de cette bourgeoisie constataient que beaucoup de leurs objectifs sociaux et économiques coïncidaient avec ceux qui étaient poursuivis par le Conseil spécial. D'ailleurs, Charles Poulett Thompson, lord

Sydenham, qui avait été envoyé en 1839 à titre de premier gouverneur du futur Canada-Uni ne venait pas des élites préindustrielles. C'était un administrateur dynamique dont la famille avait d'importants intérêts commerciaux, industriels et miniers dans les ports de la Baltique et en Amérique latine et centrale. Sydenham avait pour mission de remettre en place un gouvernement britannique stable au Canada, de moderniser les structures administratives de la colonie et de rendre celle-ci attrayante pour les investisseurs de la métropole.

LE RÔLE DU CONSEIL SPÉCIAL

Le Conseil spécial qui dirigea la province de 1838 à 1841 apporta des changements fondamentaux à la structure des institutions du Bas-Canada et mit en branle un processus de changement également fondamental des relations sociales et des formes de la propriété foncière. Bien que la majorité des membres fût tirée de l'élite britannique, des Canadiens y collaborèrent aussi (Watt, 1997). L'État assuma dès lors un rôle actif dans l'organisation et le financement des institutions sociales et scolaires. Bien que sa législation ne fût que provisoire, souvent élaborée à la hâte et peu susceptible de recueillir l'appui du peuple, sa structuration du cadre institutionnel fut légitimée plus tard par les politiciens du Bas-Canada eux-mêmes sous le régime du gouvernement responsable.

Ainsi, le Conseil spécial créa de nouveaux établissements destinés au prolétariat urbain tels que le Montreal Lunatic Asylum (1839), et versa des fonds à des dizaines d'écoles, de collèges catholiques, de sociétés littéraires et de maisons pour les indigents, les orphelins, les veuves, les enfants abandonnés, les personnes âgées et les malades de la province. Le Conseil spécial répondit aussi aux demandes locales d'amélioration des moyens de transport en subventionnant la construction de ponts, de routes et du canal de Chambly. À Montréal, on régla de vieilles querelles relatives aux terres seigneuriales, les propriétaires fonciers se voyant offrir le choix de commuer leurs droits seigneuriaux en droits de libre propriété.

Autre sujet de plainte des capitalistes locaux: la précarité de leurs investissements en l'absence d'un système d'enregistrement public. On remédia à cette situation par l'adoption, en 1841, de la Loi sur l'enregistrement; cette loi exigeait que tous les actes translatifs de propriété — ventes de terres, donations, hypothèques et autres charges immobilières — soient enregistrés aux bureaux d'enregistrement de comté. D'importantes ordonnances municipales et judiciaires contribuèrent également à accroître le pouvoir de l'État sur les campagnes. Des tribunaux des petites créances itinérants, par exemple, furent mis sur pied dans les districts de Montréal, Trois-Rivières et Québec, et on créa une police rurale dans la région de Montréal.

Par ailleurs, le Conseil spécial agit rapidement pour rassurer le clergé catholique qui craignait le pire de Durham et d'un régime autoritaire. Les communautés religieuses durent fournir un inventaire complet de leurs biens et de leurs œuvres sociales, mais elles furent traitées avec respect. Tandis qu'on rédigeait l'ordonnance concernant les biens de son institution, le supérieur du séminaire de Montréal, Joseph-Vincent Quiblier, et son avocat rencontrèrent le premier secrétaire de lord Durham, Charles Buller, huit jours de suite. À l'issue des réunions, Quiblier décrivit l'ordonnance qui en résulta comme « la Loi, la plus Catholique, la plus Papiste, qu'il [le Parlement de Grande-Bretagne] ait Sanctionnée depuis plus de 300 ans ».

Le Conseil spécial reconnut le rôle social important de l'Église catholique et lui accorda les nouveaux pouvoirs d'une corporation, tout en consolidant ses droits de propriété. L'octroi de ces privilèges se fondait sur le fait que le capital et l'influence idéologique de l'Église devaient être mis au service de l'État. C'est pourquoi on autorisa l'entrée de nouveaux ordres catholiques au Bas-Canada, on précisa les droits pour les institutions religieuses de posséder des biens de mainmorte, c'est-à-dire des biens exempts d'impôts, on indemnisa pleinement les ordres religieux qui décidèrent de transformer leurs seigneuries en tenure libre et on permit aux Sulpiciens d'augmenter leurs effectifs.

Les institutions préindustrielles qui avaient bien servi les élites allaient s'avérer inadéquates pour une société en voie d'industrialisation. Ainsi, le Collège de Montréal, collège classique pour les fils de famille bourgeoise, ne pouvait plus répondre aux besoins d'éducation d'une ville industrielle comme Montréal. De plus, de nouvelles sources de mécontentement et de résistance apparurent : des pressions croissantes s'exercèrent sur les structures traditionnelles de soutien des familles et sur une main-d'œuvre urbaine salariée de plus en plus nombreuse ; quant à la paysannerie, elle n'était pas prête à accepter de nouvelles formes de taxation et de pouvoir étatique. Cette situation entraîna une restructuration fondamentale des institutions du droit, de la propriété foncière, de l'éducation, de l'assistance sociale et de la santé. La structure de l'État et des entreprises évoluait à mesure qu'une nouvelle bureaucratie et une nouvelle organisation de la gestion et du travail se mettaient en place.

LE RÉGIME SEIGNEURIAL ET LE DROIT

Les activités de seigneurs, tels que Barthélemy Joliette, avaient montré que le régime seigneurial était compatible avec des activités industrielles comme le sciage du bois, la construction de chemins de fer et le développement urbain. Cependant, les industriels s'opposaient aux monopoles des seigneurs sur les sources d'énergie hydraulique et sur les moulins où les paysans devaient apporter leur blé, et aux entraves à la libre cession des biens. À la recherche de nouveaux marchés urbains ou d'exportation, ils voulaient construire des minoteries, des filatures de laine et des scieries sans ingérence ni redevances seigneuriales. Dès 1816, l'entrepreneur William Fleming contesta le monopole des seigneurs de l'île de Montréal sur la minoterie en construisant un moulin à Lachine. De plus, les spéculateurs urbains, notamment ceux de Montréal, refusèrent de payer les lods et ventes à titre de droits supplémentaires sur les améliorations qu'ils apportaient à leurs propriétés.

Les seigneuries entravaient l'expansion industrielle de bien d'autres façons. La raffinerie de sucre des Redpath, par exemple, était située sur un domaine seigneurial et, même s'il chevauchait le canal Lachine, en banlieue de Montréal, le terrain sur lequel elle était construite servait à l'entreposage du blé et au pâturage des bêtes du seigneur. Tant que le droit seigneurial n'était pas modifié, on ne pouvait pas obliger les seigneurs à céder leurs terres à des fins industrielles. Au lendemain des rébellions, le Conseil spécial avait introduit des principes de régime de libre propriété dans les rapports de propriété à Montréal en permettant en 1840 la commutation volontaire. La législation de 1854, la Cour spéciale de 1855 (figure 4.4) et une nouvelle loi adoptée en 1859 étendirent ces principes à toute la province et les rendirent universels et de plus en plus impératifs.

Les exigences d'abolition des droits seigneuriaux et d'établissement d'un marché « libre » de terres et de main-d'œuvre, par les industriels, menèrent inévitablement à des attaques contre le système judiciaire. Aussi la réforme du droit devint-elle un élément central de la formation d'un État québécois moderne et centralisé. Reflet de ses origines préindustrielles, la Coutume de Paris intégrait les droits de propriété dans un cadre seigneurial, familial et religieux ; comme les droits de propriété individuelle étaient rarement absolus, l'aliénation de la terre se compliquait d'autant. Du point de vue de l'universalité, il était important de disposer d'une version anglaise du code puisque certains anglophones, notamment ceux des Cantons de l'Est, n'appliquaient pas le droit civil français.

En revendiquant un nouveau code fondé sur la culture juridique britannique, les grands capitalistes réclamaient un système dans lequel tous les créanciers auraient droit à un traitement égal. Pour protéger leurs investissements dans la propriété foncière, ils exigeaient qu'on apportât des modifications aux règlements relatifs aux hypothèques et à l'enregistrement et des restrictions aux privilèges fonciers des femmes, des enfants et des artisans. En 1846, un auteur anonyme fit état dans une revue juridique québécoise, la *Revue de législation et de jurisprudence*, des pressions qui s'exerçaient en vue de réviser les codes préindustriels :

> Les conquêtes que les sociétés modernes nous ont faites dans la politique, la science et les arts, l'agriculture, l'industrie et le commerce, ont rendu nécessaire la réformation des vieux codes qui régissaient les sociétés anciennes. Partout l'on a ressenti l'insuffisance des lois faites pour un ordre d'idées et de choses qui n'existent plus, et

FIGURE 4.4
La Cour spéciale. Formée de membres de l'élite juridique et présidée par La Fontaine, la Cour spéciale fut établie en 1855 pour examiner la question du régime seigneurial. L'abolition de ce régime posait tout le problème des rapports de propriété dans une société où l'idéologie capitaliste devenait dominante. D'un côté, le régime seigneurial constituait clairement une entrave aux droits individuels et au principe de la liberté de contrat. De l'autre, il s'enracinait dans un autre principe fondamental : les droits de propriété. La solution consista à obliger les censitaires à dédommager les seigneurs de leurs pertes de revenus, l'État aidant en versant des subventions additionnelles aux seigneurs en remplacement des lods et ventes. Comme la grande majorité des censitaires n'avaient pas les moyens d'acquitter une telle somme, affirme Jack Little (1982), ils payèrent plutôt la rente constituée, demeurant ainsi fondamentalement dans le même état d'assujettissement qu'auparavant. Les véritables bénéficiaires, conclut Little, furent les entrepreneurs : en tant qu'anciens seigneurs, ils continuèrent à toucher une rente égale à l'ancienne ; en tant que capitalistes, il leur était désormais plus facile de spéculer sur les terres, d'avoir la mainmise sur les réserves forestières et de construire des moulins hydrauliques sur les anciennes seigneuries.

> le besoin de refondre les anciens systèmes et d'en promulguer de nouveaux, afin de se mettre au niveau des progrès de la civilisation (Fecteau, 1986 : 134).

C'est George-Étienne Cartier qui dirigea la refonte du code civil. Établie en 1857, la commission de codification des lois du Bas-Canada était composée de vieux collègues, René-Édouard Caron, Charles Dewey Day et Augustin-Norbert Morin. C'étaient des individus avec une perspective sociale profondément

FIGURE 4.5
Le palais de justice et la prison de Saint-Jean. On peut voir des palais de justice similaires à Rimouski, en Beauce, à Bedford et à Huntingdon. L'essor d'un appareil judiciaire centralisé constituait un élément important de la pénétration des institutions dans toutes les régions du Bas-Canada. Comte tenu de la formation de 19 districts judiciaires, au moins 14 nouveaux palais de justice et autant de prisons furent construits de 1859 à 1863 ; exception faite de quelques asiles, pénitenciers ou installations militaires, les palais de justice étaient les édifices les plus imposants de leur district. L'architecte du ministère des Travaux publics leva un ensemble uniforme de plans de palais de justice et de prisons. Le gouvernement central déterminait l'emplacement exact de chaque édifice et fixait des détails comme la hauteur du banc du juge, la structure et le drainage des six toilettes du bâtiment et la qualité et le nombre des couches de peinture à donner. L'expansion du système judicaire en région favorisa la formation d'élites juridiques locales.

conservatrice mais convertis au libéralisme économique. Ainsi, les contraintes féodales et familiales de la Coutume de Paris disparurent car rien ne devait entraver la liberté des hommes à contracter des ententes. Au début des années 1860, la commission produisit huit rapports qui furent soumis à un comité spécial de l'Assemblée législative présidé par Cartier lui-même. Un an avant la Confédération, le nouveau code entra en vigueur et devint un pilier idéologique essentiel garantissant la spécificité du droit québécois (Young, 1994).

En 1857, Cartier avait présenté deux projets de loi visant à mettre sur pied un système juridique uniforme et centralisé. Ces projets de loi réorganisaient le système des tribunaux bas-canadiens, créaient 19 districts judiciaires, prévoyaient la construction de palais de justice et de prisons (figure 4.5) et précisaient la façon dont le nouveau code civil devait être appliqué dans les Cantons de l'Est (Young, 1982).

L'ÉDUCATION

Au début de la période industrielle, l'État créa d'importantes institutions sociales. La plupart des Bas-Canadiens ne savaient alors ni lire ni écrire. Au cours des années 1840, des lois sur l'instruction façonnèrent un système scolaire fondé sur la religion et établirent une association entre l'Église et l'État dans le domaine de l'éducation. Dans le secteur catholique, des communautés religieuses nouvellement arrivées au Québec, comme les Frères des écoles chrétiennes, fournirent des instituteurs, tandis que des ordres établis de longue date comme les Sœurs de la Congrégation de Notre-Dame étendirent grandement le champ de leurs activités d'enseignement. En 1853, les religieux représentaient 11 % des instituteurs des écoles catholiques; en 1887, leur proportion s'élevait à 48 %. Le nombre des élèves fréquentant les écoles primaires était passé à 178 961 en 1866.

Tandis que les classes populaires recevaient une instruction primaire, l'essor de l'éducation supérieure québécoise permit la consolidation et la reproduction de la bourgeoisie. La reconnaissance de l'agronomie, du génie, du droit et de la médecine comme champs de pratique professionnelle contribua à éloigner les classes inférieures de la société et les femmes des connaissances scientifiques, de l'accès au capital et du pouvoir dans le secteur de la production industrielle. En 1852, l'Université Laval fut créée à Québec et, en 1876, cet établissement ouvrit un campus à Montréal; en 1873, on mit sur pied l'École polytechnique, qui s'affilia à cette même université en 1887. Quant aux universités anglophones, elles bénéficièrent de l'apport du capital industriel des Molson, des Redpath et des Macdonald (tabac). En 1843, on créa la faculté des arts de l'Université McGill; à la fin du XIXe siècle, cette même université comptait cinq facultés. Les anglophones des Cantons de l'Est étaient desservis par l'Université Bishop (fondée en 1851).

La médecine offre un bel exemple de la reconnaissance légale des professions libérales au Bas-Canada. Avant 1850, la plupart des médecins, comme la majorité des avocats et des notaires, s'étaient initiés à leur profession par l'apprentissage avec des professionnels établis. En 1850, les médecins obtinrent la reconnaissance légale de leur profession, commencèrent à publier des revues spécialisées et étendirent leur pouvoir sur les hôpitaux et sur des groupes professionnels concurrents comme les sages-femmes. En 1847, le Collège des médecins et chirurgiens du Bas-Canada était fondé et une loi obligeait tous les futurs médecins à fréquenter des écoles de médecine reconnues et à passer des examens communs à tous ces établissements. Les universités étaient le pivot de la légitimation de la profession. Dès 1833, l'Université McGill commença à décerner des diplômes de médecine, tandis que les médecins francophones étaient formés à l'École de médecine et de chirurgie de Montréal (1843) et à la faculté de médecine de l'Université Laval (1852). Une deuxième école de médecine anglophone fut établie à l'Université Bishop en 1871 (Bernier, 1989).

Les étudiants en médecine étaient issus dans une large mesure de familles bourgeoises. Contrairement à l'Université McGill, dont les étudiants provenaient de partout en Amérique du Nord, l'Université Laval et l'École de médecine et de chirurgie de Montréal formaient des diplômés québécois du réseau des collèges classiques. En 1870, par exemple, 72 % des étudiants de l'Université Laval étaient originaires de la ville de Québec et de l'est du Québec. Par ailleurs, tandis que 82 % des étudiants en médecine de l'Université Bishop venaient de la communauté anglo-québécoise, seulement 30 % de ceux qui étaient inscrits à l'Université McGill de 1849 à 1939 étaient originaires de la province (Weisz, 1987).

Désormais, des musées, des sociétés d'histoire naturelle et d'autres sociétés savantes regroupaient des amateurs éclairés cherchant à s'instruire plutôt qu'à être divertis. Le nombre d'expositions à Montréal et à Québec passa d'une par décennie en 1801-1810 à 2 à 3 par année vers le milieu du siècle (Gagnon, 1994 : 31). Les anglophones étaient les plus actifs dans l'établissement de la Montreal Library (1811), la Natural History Society of Montreal (1827) et le Mechanic's Institute (1828). En 1833, le peintre Joseph Légaré créa la Galerie de peinture de Québec tandis qu'un regroupement d'artistes montréalais dont le représentant le plus célèbre fut Cornelius Krieghoff ouvre la Montreal Gallery of Pictures (précurseur du Musée des beaux-arts) en 1846. L'entreprise la plus ambitieuse fut celle d'Alexandre Vattemare qui voulait insérer son musée de Québec dans un réseau d'échange international d'objets artistiques et culturels.

LA SANTÉ PUBLIQUE ET L'ENVIRONNEMENT

Les petites villes typiques (de la première moitié du XIXe siècle), dépourvues d'administrations municipales, de systèmes d'égout, de services de collecte des ordures ménagères ou d'approvisionnement en eau potable, ainsi que les villes de Québec et Montréal, étaient sans défense contre les épidémies. Au printemps de 1832, aux prises avec la propagation de l'épidémie de choléra asiatique venant d'Europe, les autorités firent adopter des lois de quarantaine, établir des bureaux de santé publique et construire une station de quarantaine à la Grosse Île, située à quelque 50 kilomètres en aval de Québec. Ces mesures ne purent cependant pas empêcher la dramatique progression de la maladie qui fut la cause de 82 % (2723) des cas de décès à Québec et de 74 % (2547 cas) à Montréal en 1832 ainsi qu'un nombre indéterminé en zone rurale (Dechêne et Robert, 1979). En 1847, environ un tiers des 60 000 immigrants irlandais en quarantaine à la Grosse Île moururent du choléra ; payés 4 dollars par jour, les fossoyeurs de l'île traînaient les morts au moyen de crochets jusque dans des fosses communes.

FIGURES 4.6 ET 4.7
La santé publique et l'environnement, l'eau au XIXe siècle. Le déversement des déchets urbains, industriels et agricoles a transformé plusieurs cours d'eau de la vallée laurentienne en égouts à ciel ouvert. Au milieu du XIXe siècle, ces rivières — outre leur importance pour le transport et comme source de pouvoir hydraulique — fournissaient de la nourriture, de l'eau, de la glace et des loisirs aux populations riveraines. Les troupeaux broutaient l'herbe des îles concédées en communes seigneuriales, tandis que la pêche commerciale se pratiquait à travers la région. Avec le déclin de la chasse à la suite du défrichement des forêts, la pêche était vitale pour les populations iroquoises de Kahnawake, Akwesasne et Kanesatake. Les soldats de la garnison nageaient dans le fleuve au large de l'île Sainte-Hélène pendant l'été, alors que des Écossais pratiquaient le curling sur la glace devant le port de Montréal l'hiver. Voici deux usages importants des cours d'eau autour de Montréal : la pêche aux aloses dans la rivière des Prairies (1866) et la coupe commerciale de la glace dans le Saint-Laurent (1884).

Devant la propagation des épidémies, la population s'en prit aussi bien aux immigrants qu'aux autorités. Lors de l'épidémie de 1847, quelque 2000 émeutiers de la basse-ville de Québec attaquèrent l'hôpital des immigrants qu'ils identifiaient comme la source du choléra. On assista également à une réaction populaire pendant l'épidémie de variole de 1885 : des fonctionnaires de la santé publique et de la police furent pris à partie lorsqu'ils tentèrent de vacciner systématiquement la population.

Pour leur part les autorités pensaient que les miasmes étaient responsables. La crainte de la pollution incita la création de nouveaux cimetières à la périphérie des villes suivant en cela l'exemple du Père Lachaise de Paris ou le Mount Auburn de Cambridge au Massachusetts. Ainsi furent créés les cimetières protestants du Mont Hermon à Québec (1849), du Mont-Royal à Montréal (1852) et l'imposant cimetière Notre-Dame-des-Neiges pour les catholiques de Montréal (1855).

Si les épidémies comme le choléra sont désormais choses du passé, d'autres menaces pour la santé publique et l'environnement sont apparues. La pollution des cours d'eau par l'industrie et les activités agricoles est aujourd'hui une préoccupation de premier plan. Au XIXe siècle, la qualité de l'eau était essentielle car les rivières servaient à de multiples usages comme réseau de transport, source de pouvoir hydraulique, d'eau potable, de nourriture et de loisirs (figures 4.6 et 4.7). Les îles en Montérégie servaient de pâturages et la pêche commerciale était pratiquée tout autour de l'île, notamment par les Iroquois. Les soldats de la garnison se baignaient au large de l'île Sainte-Hélène l'été tandis que des Écossais y pratiquaient le curling l'hiver.

LA RELIGION

L'Église joua un rôle de plus en plus important dans l'encadrement et l'embrigadement idéologique des classes populaires. Dans le Québec préindustriel, les églises n'avaient pas été à l'abri de mouvements de contestation. Le fait de boire pendant les services religieux, le chahut et l'obstruction qu'on y faisait étaient apparemment tels qu'une loi visant à maintenir le bon ordre dans les églises, les chapelles et autres lieux destinés au culte public fut adoptée en 1821. Selon cette loi, les marguilliers étaient autorisés à arrêter les flâneurs, les buveurs et les chahuteurs et à les traduire devant les magistrats. Au besoin, ces derniers pouvaient nommer des agents de police chargés de prêter main-forte aux marguilliers. La présence physique du clergé déclina avant les rébellions de 1837-1838 : le nombre de catholiques par prêtre passa de 750 à 1834 au Bas-Canada entre 1780 et 1830 (Gagnon et Lebel-Gagnon, 1983 : 374).

À la Petite-Nation, où le premier colon était arrivé en 1805, la seigneurie resta sans prêtre résident jusqu'en 1828. Au début, le seigneur nourrissait et logeait le prêtre missionnaire desservant, tout en mettant à sa disposition une chapelle située dans son manoir. Une fois la paroisse fondée, le prêtre se plaignit que les paroissiens refusaient de payer la dîme et qu'il en était réduit à « gratter parmi les souches pour trouver [sa] subsistance (Baribeau, 1983 : 125 ; Harris, 1979 : 347) ».

La situation n'était guère meilleure dans les villes. Durant les années 1830, un tiers des adultes décédés à Montréal furent inhumés sans cérémonie religieuse. Seulement 36 % des membres de la paroisse de Montréal se donnaient la peine de communier à l'occasion de Pâques, la fête religieuse la plus importante de l'année. Par ailleurs, à la paroisse du Sault-aux-Récollets, en banlieue de Montréal, les propriétaires de bancs d'église rédigèrent des pétitions dénonçant la conduite grossière de certains de leurs compatriotes et « le ridicule de l'irréligieux » qui entravait la célébration des offices.

Après 1840, l'Église catholique connut un regain de vocations. Le nombre des prêtres québécois monta en flèche et, selon Louis-Edmond Hamelin, le nombre des fidèles par prêtre chuta de 1080 à 510 entre 1850 et 1890 (Gagnon et Lebel-Gagnon, 1983 ; Linteau *et al.*, 1989, I : 261). Par ailleurs, de nouveaux diocèses furent fondés à travers la province, à Trois-Rivières (1852), à Saint-Hyacinthe (1852), à Rimouski (1867), à Sherbrooke (1874), à Chicoutimi (1878) et à Nicolet (1885). Au cours de cette période, les communautés religieuses masculines virent leur effectif passer de 240 à 1984 membres.

Resté stable au cours des décennies antérieures, l'effectif des communautés religieuses féminines doubla durant les années 1840 pour atteindre 3783 membres en 1881. La Congrégation de Notre-Dame, qui n'avait jamais compté plus de 80 religieuses aux XVIIe et XVIIIe siècles, vit son effectif quintupler entre 1830 et 1870 (Danylewycz, 1988). En 1891, cette communauté dirigeait dix écoles à Montréal uniquement. Pendant la seconde moitié du XIXe siècle, 25 communautés religieuses féminines, dont 9 d'origine française, furent fondées au Québec, tandis que 12 ordres masculins, tous français, furent mis sur pied au cours de la même période (figure 4.8).

En imposant leurs institutions sociales et scolaires dans un Québec en voie d'industrialisation, les communautés religieuses masculines et féminines purent tirer avantage de leur expérience préindustrielle de la vie communautaire, de l'autorité, de la discipline et de la surveillance ainsi que de leur compréhension des rapports entre l'isolement, le travail et la prière. Tout comme les ordres religieux, les organisations laïques telles que les sociétés d'entraide, les coopératives de frais funéraires, les associations de bienfaisance et les organisations philanthropiques comme les Dames de la charité et la Saint-Vincent-de-Paul furent encouragées. Dans sa thèse de doctorat, Brigitte Caulier montre l'essor prodigieux des confréries de dévotion de Montréal après 1820 (figure 4.9).

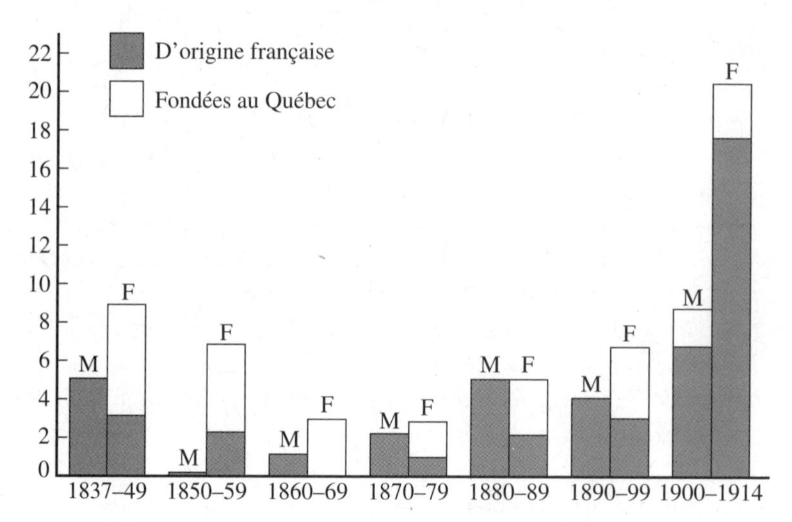

FIGURE 4.8
Les communautés religieuses fondées ou implantées au Québec, 1837-1914 (Danylewycz, 1987 : 47).

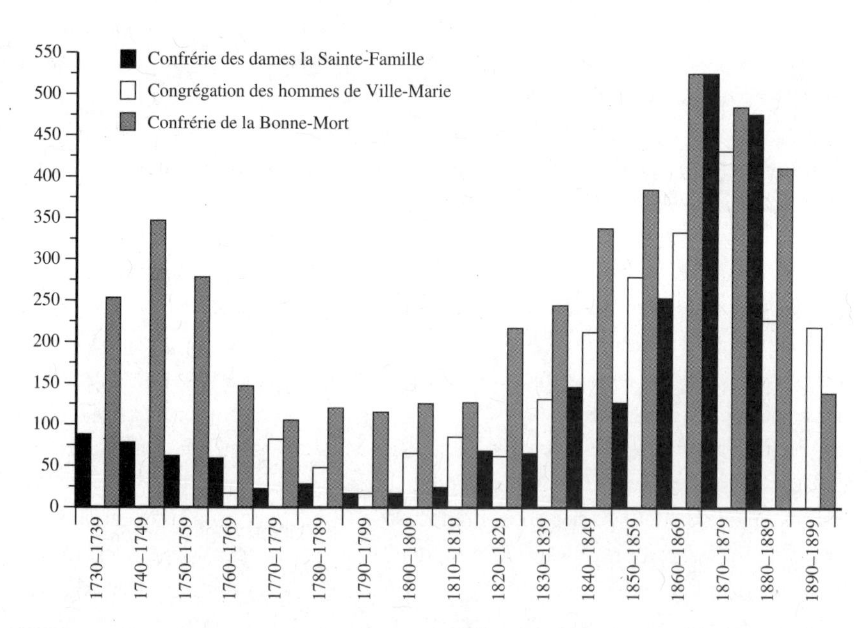

FIGURE 4.9
Les effectifs de trois confréries de dévotion catholiques de la paroisse de Montréal. Ces confréries assuraient à leurs membres des cercueils, des moyens de transport et un service funèbre. Dans une de ces sociétés, les cotisations varièrent de 30 à 60 cents par an au cours des années 1860. Ces confréries accumulaient un capital important que les autorités religieuses pouvaient investir dans un refuge, un asile ou une autre œuvre sociale (Caulier, 1986 : 82).

FIGURE 4.10
Le Grand Séminaire et Collège de Montréal en 1876. La taille de l'édifice montre clairement l'importance des fonctions éducative et institutionnelle de l'Église catholique dans le Québec en voie d'industrialisation. Inspiré de l'architecture des séminaires de France, l'édifice fut bâti sur le domaine de la montagne des Sulpiciens au cours des années 1860 grâce au capital tiré par cette communauté religieuse de la commutation de ses terres seigneuriales en libre propriété. Au Grand Séminaire (partie gauche de l'institution), 7529 séminaristes provenant de 34 diocèses de l'est de l'Amérique furent formés entre 1840 et 1940, et plus de 4000 furent ordonnés prêtre. La formation du clergé (les cours se donnaient en latin avant 1967) a atteint son apogée entre 1940 et 1965, quand 1747 jeunes hommes devinrent prêtres alors que, pour la période 1966-1991, 413 seulement furent ordonnés. Le Collège de Montréal accueillait surtout les fils de l'élite de la région montréalaise. Son corps professoral masculin et essentiellement clérical donnait le cours classique comprenant les niveaux suivants : les éléments, la syntaxe, la méthode, les belles-lettres, la rhétorique et la philosophie.

Cependant, la pauvreté et la misère urbaines prirent des proportions accablantes à Montréal. En 1847, une sœur qui visitait les hangars abritant des immigrants se scandalisa de trouver 1500 malades du choléra, couchés deux par lit, « souffrants et abandonnés ». L'année suivante, 332 des 650 immigrants hébergés dans ces hangars moururent avant d'avoir été transportés dans un autre abri. Lors du grand incendie de 1852, 1100 maisons furent détruites. Pour répondre aux besoins sociaux grandissants, l'Église décida de fonder des hôpitaux, des orphelinats, des maternités, des garderies, des maisons d'industrie, des dépôts de nourriture, des hospices et des asiles pour les indigents, les personnes âgées et les aliénés (Lapointe-Roy, 1987).

Le Séminaire de Montréal (figure 4.10) est un exemple de l'énorme problème de manque de personnel jusqu'en 1850. En plus de la surveillance de la paroisse de Montréal, cette institution était chargée de l'administration de trois seigneuries, d'une mission indienne, d'un collège et de plusieurs couvents. Le Séminaire devait aussi diriger les œuvres sociales catholiques de Montréal en plein essor. Mais, pour remplir sa tâche, il ne disposait que de 20 prêtres en 1840, dont deux avaient plus de 70 ans. En dépit d'une situation apparemment impossible, il contribua à la reconstruction de l'église Notre-Dame, de même qu'à l'érection de l'église Saint-Patrick pour les Irlandais et de nouvelles églises dans les quartiers populaires de Montréal. Son grand intérêt pour les écoles primaires l'incita à subventionner des ordres enseignants comme les Frères des écoles chrétiennes et les Sœurs de la Congrégation de Notre-Dame. Le Séminaire offrit également des terrains destinés à la construction d'une maison d'industrie, parraina l'entretien de 30 à 40 enfants irlandais de l'orphelinat des Sœurs grises et mit sur pied un dépôt pour les pauvres ou les sœurs distribuaient de la farine, des pommes de terre, des pois et du bois de chauffage.

La subordination des Sulpiciens à leur évêque constitue un élément important de l'histoire des institutions montréalaises. Modèles par excellence d'une institution préindustrielle, les Sulpiciens étaient les seigneurs et les curés titulaires de la paroisse de Montréal. Au cours des années 1820, ils surveillaient encore, sans autre expertise que la leur, la construction de leur nouvelle église paroissiale de 4968 places. Durant les deux décennies suivantes, ils dirigeaient leurs œuvres sociales et avaient autorité sur des communautés religieuses féminines sans avoir à rendre de comptes. Cependant, peu à peu, même s'ils conservaient leur mainmise sur la formation des prêtres et sur la paroisse de Montréal, les Sulpiciens furent assujettis à l'autorité de l'État et, pendant les années 1860, ils perdirent d'importants pouvoirs aux mains de l'évêque de Montréal, Mgr Ignace Bourget. Le démembrement de la paroisse de Montréal en est une belle illustration. En 1886, le pape Léon XIII créa l'archidiocèse de Montréal et ce sont des archevêques comme Mgrs Édouard-Charles Fabre et Paul Bruchési qui dominèrent par la suite la vie religieuse de la ville. Ces évêques profondément conservateurs travaillèrent à supprimer les troubles religieux. Ils tentèrent de réprimer la sexualité et la culture populaire et reléguèrent les femmes à des domaines bien précis. Ils s'opposèrent de plus au théâtre, aux loteries, aux pèlerinages mixtes, aux parcs d'attractions, aux carnavals, aux concours de bébés et à la danse pour les jeunes gens. Par ailleurs, il était interdit aux jeunes filles d'assister à des assemblées publiques et aux femmes de porter des bijoux ou des montres.

En 1886, Paul Deschamps, fermier d'un domaine religieux situé en banlieue de Montréal, passa un bail qui contenait la clause suivante :

> Le Preneur s'engage à ne point souffrir de danse ni aucun autre désordre dans sa maison ; il ne permettra pas non plus que la ferme ou la partie réservée en bois devienne un rendez-vous de plaisir, ni qu'on y fasse aucun pique-nique, même pour un but de charité [...].

Il semble qu'il y ait eu, à partir de 1839, un renouveau de ferveur qui, selon Louis Rousseau, entraîna un changement profond d'attitude et de comportement de la population à l'égard de la religion. Cette année-là, en effet, eurent lieu les premières retraites pastorales et, en 1841, 30 000 personnes de la région de Montréal se rendirent au mont Saint-Hilaire assister à la consécration d'une croix. De plus, alors qu'en 1839 seulement 36 % des membres de la paroisse Notre-Dame de Montréal faisaient leurs Pâques, dans les années 1860, 3 % de la population catholique du diocèse de Montréal s'abstenaient de les faire. Les croix de chemins pullulaient dans les campagnes et deux tiers des paroisses fondées avant 1800 possédaient une chapelle où se rendaient les processions en 1846 (Remiggi et Rousseau, 1998 : 125 ; Hudon, 1996 ; Hubert, 2000).

Le catholicisme demeurait la religion dominante mais les communautés protestantes et juives étaient aussi en pleine expansion, surtout en milieu urbain. Les nombreuses églises assuraient la visibilité des protestants mais non moins important était le réseau institutionnel mis en place répondant aux besoins éducationnels (l'Université McGill et la Montreal High School en sont les principaux exemples) et en services sociaux. Les œuvres de bienfaisance se multiplièrent entre la création de la Female Benevolent Society en 1815 et la Saint Margaret's Home for incurables en 1883. Durant cette même période, on trouvait 32 œuvres prenant soin des veuves, des orphelins, des vieillards, des immigrants et des nécessiteux (Harvey, 2001).

TABLEAU 4.1

Répartition religieuse de la population de Montréal, 1851-1891

Religion	1851	1861	1871	1881	1891
Anglicane	3 993	9 739	11 573	14 726	19 684
Presbytérienne	2 832	7 824	7 289	11 597	14 846
Méthodiste	1 213	3 774	4 503	5 327	6 803
Baptiste	1 272	604	925	1 412	1 525
Autre protestante	8 410	1 954	2 663	3 160	2 844
Total protestante	16 070	23 956	28 771	36 212	45 709
Juive	181	403	409	811	2 457
Catholique	41 464	65 896	77 980	103 579	134 142

L'OBTENTION DE LA DÉMOCRATIE BOURGEOISE

Au lendemain de la première rébellion, lord Durham avait été chargé d'examiner les causes de l'agitation et de proposer des solutions aux problèmes politiques du Canada. Dans son rapport publié en 1839, Durham fit une nette distinction entre la rébellion du Haut-Canada et celle du Bas-Canada. Il considérait le conflit social comme un facteur important dans le Haut-Canada, mais il interpréta la lutte au Bas-Canada comme une lutte ethnique de « deux nations en guerre au sein d'un même État ». Imprégné de libéralisme et grandement influencé durant son séjour au Canada par les *tories* et les grands marchands qui détestaient les Canadiens français, Durham porta un jugement sévère sur leur culture qu'il qualifia de « stagnante ». Comme *whig*, il avait une aversion particulière pour le droit français et le catholicisme :

> On ne peut guère concevoir de nationalité plus dépourvue [...] que celle des descendants des Français dans le Bas-Canada, du fait qu'ils ont conservé leur langue et leurs coutumes particulières. C'est un peuple sans histoire et sans littérature.

Mais derrière le préjugé ethnique marqué et les opinions d'Edward Gibbon Wakefield, conseiller principal de Durham, en faveur d'une forte immigration britannique, se profilait une préoccupation pour les questions de capital, de main-d'œuvre et de terre et une insistance sur la nécessité de ce que Durham appelait le « progrès industriel ». À cet égard, Durham se fit l'écho des discours qu'avaient prononcés les membres de la bourgeoisie, les artisans et les industriels à l'Assemblée du Bas-Canada :

> Une partie très considérable de la province n'a ni chemins, ni bureaux de poste, ni moulins, ni écoles, ni églises. Les gens peuvent récolter assez pour leur propre subsistance, et jouir même d'une abondance grossière et sans confort, mais ils peuvent rarement acquérir la fortune. [...] Les moyens de communications entre eux ou avec les villes principales de la province sont limités et incertains.

Le parti de Papineau — du moins ce qu'il en restait qui liait le nationalisme au droit français, au régime seigneurial et au catholicisme — jetait naturellement l'anathème sur l'idéologie de Durham. Mais une fraction de la bourgeoisie, dirigée d'abord par La Fontaine puis par Cartier, pressentit les possibilités du développement capitaliste industriel. Pour eux, la collaboration entre les deux groupes ethniques et l'intégration des objectifs nationalistes bas-canadiens dans la vaste réalité économique canadienne constituaient un compromis politique acceptable. Quelques mois à peine après la publication du rapport Durham, La Fontaine dans une lettre à Francis Hincks reconnaissait qu'il « aimait les principes de gouvernement tels qu'exposés dans le rapport Durham ». Hincks représentait les promoteurs du Haut-Canada comme le constructeur du canal Welland, William Merritt, le marchand de blé William Pearce Howland et le négociant Isaac Buchanan.

Les deux principales propositions de Durham visaient à unir le Haut et le Bas-Canada et à accorder à la colonie un gouvernement responsable pour lui permettre de diriger ses affaires intérieures. Les autorités de Londres rejetèrent sa proposition de gouvernement responsable, mais elles agirent rapidement en vue d'unir le Haut et le Bas-Canada. Aux termes de l'Acte d'Union de 1840, le Canada-Uni se voyait accorder une assemblée législative dans laquelle le Canada-Est (Bas-Canada) et le Canada-Ouest (Haut-Canada) eurent chacun 42 sièges. Ce semblant d'égalité était en réalité une négation de la représentation proportionnelle, car le Bas-Canada avait alors une population sensiblement plus élevée, 650 000 habitants, que celle du Haut-Canada qui n'en comptait que 450 000. Cet arrangement assurait la supériorité politique de la population minoritaire anglophone : c'était le but premier de l'Union.

L'émergence d'une alliance politique biculturelle sous le régime de l'Union ne tarda pas à décourager les tentatives d'isolement ethnique. Dans son adresse aux électeurs de Terrebonne, La Fontaine réclama l'accès aux ressources de l'intérieur du pays, l'abolition de la tenure seigneuriale et la construction de canaux. Bien qu'il ait été battu aux élections de 1841, son programme l'amena à s'allier au groupe des réformistes haut-canadiens dirigé par Robert Baldwin. Ce dernier trouva un siège à La Fontaine dans une circonscription de Toronto et, au cours des années suivantes, les deux hommes mirent sur pied un parti binational : le Parti réformiste. En 1842, comme leur formation politique dominait l'Assemblée, Baldwin et La Fontaine furent invités à faire partie du gouvernement. Vaincu aux élections de 1844, le Parti réformiste n'en était pas moins devenu un fait central de la politique canadienne, legs dont Cartier et John A. Macdonald héritèrent pendant les années 1850.

Le Parti réformiste avait pour premier objectif d'obtenir la responsabilité ministérielle. La mainmise sur les ressources locales, les marchés et la bureaucratie de l'État allait faciliter la création d'un milieu propice aux industriels : canaux, chemins de fer, institutions financières en plein essor, main-d'œuvre stable et soutien de l'État. Cette lutte pour l'autonomie locale coïncidait avec la campagne grandissante pour le libre-échange en Grande-Bretagne ; au cours des années 1840, le déclin du mercantilisme aboutit à l'abandon du protectionnisme et à une réévaluation du coût, de la fonction et de l'organisation politique de l'Empire.

En 1847, lord Elgin fut nommé gouverneur général du Canada-Uni. Bien qu'il était francophobe et critique à l'égard de l'usage que les Canadiens français faisaient de la pratique constitutionnelle britannique, Elgin était prêt à accepter le principe de la responsabilité ministérielle qui était déjà appliqué dans des colonies comme la Nouvelle-Écosse. Après les élections de cette année-là, au cours desquelles les réformistes remportèrent les deux tiers des sièges à pourvoir, Elgin demanda à Baldwin et à La Fontaine de former le nouveau gouvernement.

Après la législation autorisant le retour au pays des exilés de 1837-1838 et la reconnaissance du français comme langue officielle, la signature par lord Elgin de la loi indemnisant les Patriotes des pertes subies pendant la rébellion souligne l'importance de l'acquis que représente la responsabilité ministérielle : exaspérés

FIGURE 4.11
L'incendie du parlement à Montréal en 1849.

par cette loi, les tories se rassemblèrent à Montréal, le 25 avril 1849, pour marcher en masse sur le parlement, symbole du gouvernement responsable (figure 4.11).

> Il était neuf heures du soir et l'assemblée siégeait toujours, lorsqu'une volée de pierres fracassèrent les fenêtres grillagées et vinrent s'écraser au milieu de la Chambre. Au même moment, une douzaine de brutes firent irruption dans la grande salle en brandissant des bâtons en direction des lampes à gaz. En quelques instants, la Chambre fut prise d'assaut par les émeutiers. L'un d'entre eux lança des pierres sur l'horloge; un autre, gravissant les marches du fauteuil de l'orateur sous le regard éberlué de Morin, déclara: «Je dissous ce Parlement français»; un autre mit le trône en pièces. Perry décrocha un portrait de Papineau et le piétina; quelqu'un d'autre s'empara de la magnifique masse et la lança au travers d'une fenêtre en direction de la foule excitée. Certains députés qui s'étaient réfugiés dans la bibliothèque en sortirent pour annoncer que le feu était pris. [...]
>
> À ce moment, les flammes léchaient le plafond et les émeutiers couraient autour de l'immeuble, chantant et criant, célébrant la fin de la domination française. Ils avaient repoussé les pompiers et crevé leurs boyaux. À minuit, les flammes éclairaient encore la nuit sombre (Monet, 1981: 407-408).

Le mouvement annexionniste provoqua une autre crise en 1849. Un certain nombre d'industriels et de marchands importants de Montréal, tenants d'une intégration continentale, accordèrent leur appui au Manifeste annexionniste, qui réclamait « une amiable et pacifique séparation de la Grande-Bretagne et une union sur des bases équitables avec [les Etats-Unis] ». À la même époque, les rouges, parti dont les points essentiels du programme étaient la séparation de l'Église et de l'État et la sécularisation de la société québécoise, préconisaient également l'annexion, dans leur journal *L'Avenir*. Cependant, l'appui du peuple à l'annexion était faible et seules une poignée de partisans croyaient que l'avenir du nationalisme canadien-français résidait dans une alliance avec le conservatisme montréalais ou dans une intégration à une vaste union américaine.

La prédominance politique et idéologique des réformistes et de leurs successeurs conservateurs était due à une approche pragmatique de l'idéologie qui épousait les valeurs du capitalisme libéral, tout en s'accommodant des valeurs sociales de l'Église catholique. Tandis que La Fontaine et Cartier s'occupaient activement de politique et de droit, on pouvait percevoir clairement l'évolution de l'idéologie dans la carrière d'historien de François-Xavier Garneau (1809-1866). Quand il était clerc du notaire Archibald Campbell à Québec, il avait beaucoup lu sur le libéralisme européen et, à la suite d'un voyage aux États-Unis, il prit conscience de son identité de Nord-Américain. Son séjour à Londres comme secrétaire de Denis-Benjamin Viger de 1831 à 1833 lui permit de compléter sa formation. Après l'échec des rébellions, il devint fonctionnaire. Outré par les remarques méprisantes de Durham sur la culture canadienne-française, il écrivit, de 1845 à 1848, une *Histoire du Canada* en quatre volumes, qui soulignait l'identité distincte du Canada français et assimilait son histoire à une lutte pour la survie. La première édition renfermait une interprétation libérale critique de l'Église, mais des pressions cléricales incitèrent Garneau à adopter un point de vue plus conservateur sur les questions religieuses dans des éditions subséquentes (celles de 1852 et 1859). Salué comme le livre québécois le plus important du XIXe siècle, l'ouvrage de Garneau contribua grandement à façonner l'historiographie francophone pendant un siècle.

Garneau ne s'intéressait guère à la religion en soi, mais plutôt aux rapports entre l'Église et l'État. Dans le contexte de l'essor du pouvoir clérical et de la montée de l'ultramontanisme, la dimension religieuse de l'histoire du Québec fut accentuée par des auteurs tels que le sulpicien Étienne-Michel Faillon (1799-1870), dont les ouvrages sur la Nouvelle-France accordèrent une place prépondérante à l'Église et soulignèrent la sainteté des fondateurs du Canada français.

La réalité politique montra que les réformistes occupaient une position de premier plan. À droite, les *tories* anglophones étaient isolés, tandis qu'à gauche les rouges avaient toujours du mal à s'assurer un fort appui populaire. En 1844, ces derniers fondèrent l'Institut canadien et ils ne cessèrent d'être en butte à l'opposition de l'Église jusqu'à ce que Wilfrid Laurier fasse la paix avec elle au nom des libéraux québécois en 1877. Outre la chaire et le confessionnal, l'Église disposait de puissants moyens pour éliminer ses adversaires. Ainsi, un rouge, le libraire Édouard-Raymond Fabre, imputa la chute de ses ventes de livres aux institutions religieuses ; l'Institut canadien eut du mal à obtenir des salles de réunion, la plupart d'entre elles appartenant à l'Église ; un radical, Médéric Lanctot, vit l'évêque de Montréal s'opposer à lui ; des avocats et des notaires rouges constatèrent que l'Église confiait des affaires lucratives à leurs confrères réformistes.

Quand Joseph Guibord, membre de l'Institut canadien, mourut en 1869, sa femme, incapable d'obtenir une sépulture catholique, dut inhumer temporairement sa dépouille dans le cimetière protestant et porter l'affaire devant les tribunaux. L'Église résista pendant cinq ans, et ce n'est qu'après la mort de Mme Guibord que le plus haut tribunal d'Angleterre, le Conseil privé de Londres, trancha la question. En novembre 1875, 1235 soldats accompagnèrent les restes de Guibord au cimetière catholique de la Côte-des-Neiges où, en vertu d'une décision judiciaire, il fut enterré. Des gardes étaient postés pour surveiller le cercueil renforcé de ciment, tandis que Mgr Bourget déclarait que la tombe serait séparée de la partie consacrée du cimetière.

Les rouges étaient divisés sur la question du développement industriel. Tributaires de la tradition rurale de Papineau, certains s'en prenaient aux chemins de fer et mettaient l'accent sur le régime seigneurial, le droit français et le nationalisme. Cependant, une majorité semblait avoir accepté l'argument d'Étienne Parent selon lequel l'industrie était le seul moyen de conserver la nationalité canadienne-française (Bernard, 1971 : 31). Les différends idéologiques des rouges et la faiblesse de leur base politique en faisaient des proies faciles pour les réformistes pragmatiques, forts de leurs bons rapports avec leurs confrères du Haut-Canada, de leur alliance avec le clergé et de leur recours efficace au patronage d'État. Les rouges tentaient d'intégrer l'agriculturalisme, l'idéalisme et le rêve d'indépendance de Papineau dans la réalité de l'industrialisation et du fédéralisme. En même temps, les réformistes offraient des compromis réalisables : maintenir un bloc francophone au sein d'un vaste parti binational, tout en mettant l'accent sur la séparation de la politique et des institutions au sein d'un régime fédéral officieux et nébuleux mais en pleine progression. Au sein de leur premier cabinet, Baldwin et La Fontaine établirent un système de double cabinet où l'un et l'autre devinrent procureur général respectivement du Canada-Ouest et du Canada-Est. Chaque section eut aussi son ministre des Travaux publics et un solliciteur général.

Le Parti réformiste accorda une attention de plus en plus grande aux réalités politiques et régionales du Bas-Canada. Il encouragea des journaux partisans comme *La Minerve*, à Montréal, et *Le Journal de Québec*, à Québec, et subventionna des projets de colonisation et de construction de chemins de fer et de canaux locaux. À Québec, Hector Langevin s'affirmait comme un politicien conservateur prudent qui entretenait des relations utiles avec la presse et les milieux religieux et financiers de la région. Les élections et les contrats du gouvernement étaient surveillés de près ; toutes les nominations de juges, d'officiers de la milice, de fonctionnaires des douanes, d'inspecteurs d'écoles, d'aumôniers de prisons et d'employés des postes passaient par le bureau du chef régional du parti.

Par ailleurs, le Parti réformiste prêta une attention particulière à la majorité anglophone de Montréal et des Cantons de l'Est. Des dirigeants comme Alexander Galt, John Rose et Thomas D'Arcy McGee obtinrent des postes importants au sein du parti et du gouvernement. Le nationalisme ardent de certains Canadiens français fut abandonné en douce au profit de la rhétorique biculturelle. Les anglophones reçurent l'assurance que les Canadiens français avaient le cœur britannique et que le Canada avait le bonheur de réunir en son sein deux populations issues de deux grandes civilisations. Nulle part cette rhétorique ne fut plus évidente que lors des négociations qui aboutirent à la Confédération ; la minorité anglophone du Bas-Canada se vit alors donner des garanties quant aux écoles protestantes, à la répartition des taxes scolaires et à un nombre fixe de circonscriptions dans les Cantons de l'Est. À Montréal et à Québec, des chefs politiques comme La Fontaine, Cartier et Langevin lièrent leur parti aux grands intérêts industriels en acceptant des postes d'administrateurs, des contrats et des contributions à leur formation politique.

À la fin des années 1850, le Parti réformiste était devenu essentiellement le Parti conservateur. L'un de ses points forts était son alliance avec le clergé catholique. Ce qui était alors en jeu, ce n'était pas la ferveur religieuse, mais bien plutôt l'importance sociale et politique de la religion officielle. Au cours des années 1840, les réformistes avaient appuyé la colonisation, la tempérance et l'influence du clergé sur la Société Saint-Jean-Baptiste. Le Parti réformiste élaborait toujours sa législation scolaire et sociale après avoir consulté les autorités religieuses. De plus, dans des domaines particulièrement délicats comme le droit, le régime seigneurial et la Confédération, on prenait grand soin d'obtenir l'appui du clergé.

Les dirigeants politiques étaient particulièrement attentifs au moindre signe d'agitation populaire. Le siège du Parlement fut déménagé de Montréal, en proie à des troubles, et l'on eut recours à de nouveaux tribunaux, à la police et à l'appui de l'Église pour contenir les campagnes. En 1849, face aux émeutes paysannes qui éclataient un peu partout contre l'instruction obligatoire et les taxes scolaires, les réformistes ne tardèrent pas à réagir. On porta des accusations d'incendie criminel et d'association de malfaiteurs, et des juges de paix furent dépêchés sur les lieux. La Fontaine exigea un soutien plus ferme des autorités religieuses dans le but de faire obéir les habitants des campagnes. À l'île Bizard, après que le curé eut enjoint ses paroissiens de se soumettre à la loi scolaire, ceux-ci menacèrent de mettre le feu à son presbytère. Mgr Bourget intervint en visitant lui-même la paroisse et en ordonnant la fermeture de l'église jusqu'à ce qu'on se soit conformé à la loi. En divers autres endroits, des écoles furent incendiées et les prêtres, les percepteurs et les maîtres d'écoles firent l'objet de menaces.

Médéric Lanctot et sa grande association de protection des ouvriers du Canada, qui regroupait 26 corps de métiers, constituaient une menace du fait qu'ils encourageaient l'action politique des classes laborieuses. Axée sur son interprétation de classe de la société québécoise, l'association ouvrière avait trois objectifs : accroître la collaboration entre le travail et le capital, améliorer le sort des travailleurs et arrêter l'émigration vers les États-Unis. Cette organisation était composée de délégués de différents corps de métiers, dont celui des métallurgistes peut nous servir d'exemple. En 1859, ceux-ci mirent sur pied à Montréal un syndicat dominé dans une large mesure par des ouvriers d'origine britannique et s'affilièrent à l'Iron Molders Union of America. Même si sept des dix métallurgistes francophones qui avaient déménagé de la Mauricie à Montréal joignirent immédiatement les rangs du syndicat, un profond clivage opposa ses membres francophones et anglophones. Peter Bischoff (1992) suggère à cet égard que, compte tenu des dissensions intestines, les métallurgistes francophones se seraient rapprochés de la grande association où leurs compatriotes dominaient.

La grande association suscita une vive réaction chez les industriels, dans le clergé et chez les politiciens conservateurs. Fils d'un notaire patriote qui avait été déporté en Australie, Lanctot avait été attiré par l'Institut canadien avant même d'être reçu avocat en 1860. Il s'engagea dans une âpre lutte contre Mgr Bourget, tout en s'opposant au projet de confédération. Jouissant d'un appui solide parmi les ouvriers de Montréal, il fonda un journal, *L'Union nationale*, se fit élire conseiller municipal et se prépara à affronter George-Étienne Cartier.

Les sympathies de Lanctot pour la classe ouvrière menaçaient notamment les industriels qui appuyaient le parti de Macdonald et de Cartier. La grande association s'inspirait du socialisme européen et réclamait la création de conseils de prud'hommes chargés d'assurer l'amélioration des conditions de travail et l'égalité de tous devant la loi. À Montréal, elle reçut l'appui de 25 organisations ouvrières, prit part à deux grèves, ouvrit des boulangeries populaires et attira quelque 15 000 personnes à ses assemblées. L'Église et les industriels les plus influents de la ville soutinrent la campagne de Cartier. William Molson appuya sa candidature et Mgr Bourget publia deux lettres pastorales exhortant les électeurs à respecter le *statu quo*.

LES FEMMES ET L'ÉTAT

La question de la place des femmes dans la société et dans le monde du travail s'inscrivait dans le contexte plus large de la question des rapports sociaux de sexe, qui incluait la violence physique et les rapports de propriété. Comment un juge, vivant dans une société qui mettait l'accent sur le régime matrimonial et le patriarcat, devait-il réagir dans un procès civil intenté par un mari à son beau-père qu'il accusait d'avoir recueilli sa femme après qu'elle eut été battue ? En rejetant la plainte, le juge nota :

> [...] la preuve montrait que le plaignant s'était conduit d'une façon très indigne et que, lorsque sa femme s'était présentée à la maison de son père, le soir, saignant par suite des mauvais traitements qu'elle avait subis, personne n'aurait pu refuser de la recueillir.

Pendant cette période, on assista à une augmentation des restrictions au statut légal des femmes par l'application de l'égalité devant la loi et du raffermissement du pouvoir du mari. La Loi sur l'enregistrement de 1841 limita la protection des biens des femmes mariées en mettant le douaire sur le même pied que les hypothèques usuelles, c'est-à-dire sur le même pied qu'un droit fondé sur la priorité de l'enregistrement. La Loi sur les faillites de 1843 suivit le même principe en ce qui regardait les commerçants. Le Code civil entérina la conception bourgeoise de la propriété en accordant la priorité au contrat écrit sur des droits matrimoniaux traditionnels des femmes (Bradbury, 1997 : 31).

L'obtention de la responsabilité ministérielle permit aussi aux réformistes d'atteindre un autre but : l'abolition du droit de vote des femmes. Bien que peu de femmes eussent alors ce droit, elles pouvaient malgré tout jouer un rôle déterminant dans les élections de certaines circonscriptions urbaines âprement disputées. Ainsi, en 1832, 13 % des électeurs de la circonscription de Montréal-Ouest étaient des femmes et, des 225 femmes inscrites sur la liste électorale, 199 exercèrent leur droit de vote, la plupart contre le Parti patriote. Papineau, qui faisait campagne contre le droit de vote des femmes, invoquait la nécessité de protéger celles-ci des violences qui pouvaient marquer les élections. C'est en 1834 que John Neilson, un Patriote modéré jouissant de l'appui de Papineau, proposa pour la première fois d'enlever le droit de vote aux femmes. Comme la plupart de ses contemporains, Papineau considérait que les femmes n'avaient pas leur place dans la sphère publique : « Il est odieux de voir traîner aux hustings des femmes par leur mari, des filles par leur père, souvent même contre leur volonté. L'intérêt public, la décence, la modestie du sexe exigent que ces scandales ne se répètent plus » (Greer, 1997 : 188). Le retrait du droit de vote fut enfin adopté en 1849 (Bradbury, 1990).

LA CONFÉDÉRATION

À la fin des années 1850, le fédéralisme officieux et le système des partis issus de l'Acte d'Union cessèrent de fonctionner sous la pression du régionalisme, des tensions ethniques grandissantes et des demandes de la Grande-Bretagne pour que le Canada assume une plus large part des coûts de sa défense et de son administration. Parallèlement, le gouvernement lança des programmes économiques toujours plus ambitieux en matière de construction de canaux et de chemins de fer et de développement industriel, ce qui rendit nécessaire le maintien d'un État central fort.

Les conservateurs du Bas-Canada ne tardèrent pas à se compter au nombre des partisans enthousiastes du mouvement en faveur de la fédération. Lors des conférences de Charlottetown et de Québec, en 1864, les délégués bas-canadiens ne livrèrent aucune bataille et, malgré l'opposition acharnée des rouges, ils acceptèrent un État fortement centralisé. Selon le projet de fédération, la défense des intérêts régionaux était confiée dans une large mesure à une chambre haute qui n'exercerait aucun contrôle financier et dont les membres seraient nommés à vie par le gouvernement central. Ces mêmes délégués ne s'opposèrent pas non plus à l'octroi au gouvernement central du droit de désaveu et du pouvoir de nommer les lieutenants-gouverneurs provinciaux.

Malgré son passé de Patriote, Cartier (figure 4.12), principal membre bas-canadien du gouvernement, devint un ardent anglophile et un partisan convaincu des institutions britanniques. Il évoqua l'idée d'une nouvelle « nationalité politique » au sein de laquelle « les Anglo-Canadiens et les Français sauront apprécier leur position les uns vis-à-vis des autres. Placés les uns près des autres, comme de grandes familles, leur contact produira, affirmait-il, un esprit d'émulation salutaire ». Le chef des rouges, Antoine-Aimé Dorion, enrageait de voir que les conservateurs acceptaient le projet de confédération, lui-même étant exclu des négociations. Quant à son frère, Jean-Baptiste-Éric, qui reprochait aux Canadiens français de « dormir sur les deux oreilles », il allégua que la Confédération ne serait en fait qu'une « union législative déguisée ». Comme les conservateurs détenaient une majorité plus que suffisante à l'Assemblée pour approuver les résolutions relatives au projet de fédération, on pouvait ne pas tenir compte des oppositions.

Durant les premières décennies qui suivirent l'instauration de la Confédération, le Québec, contrairement à l'Ontario, fit peu d'efforts pour affirmer son autonomie. Des dirigeants comme Cartier, Langevin et Joseph Cauchon avaient bâti leur carrière sur la dualité des institutions britanniques, telles que le gouvernement responsable, le système de cabinet et un régime fédéral *ad hoc* qui venait d'être concrétisé dans la Confédération. De jeunes conservateurs comme Joseph-Adolphe Chapleau souscrivirent à la rhétorique de leurs aînés. Ce dernier,

FIGURES 4.12 ET 4.13
Louis-Joseph Papineau et George-Étienne Cartier. Bien qu'issus de familles bourgeoises et éduqués au Séminaire de Montréal, Louis-Joseph Papineau et George-Étienne Cartier étaient bien différents l'un de l'autre. Anglophile, Cartier se trouvait à l'aise chez les négociants et les politiciens britanniques. Il participa activement au développement industriel du Québec, à la formation d'un État fédéral et d'une nouvelle nation. Il expliquait ainsi, en 1864, sa conception du Canada à bâtir : « Mais si nous nous unissions, nous formerons une nationalité politique qui n'aura aucun rapport avec l'origine nationale ou la religion des individus [...]. J'entends ainsi la diversité de races au Canada : nous ne sommes pas pour lutter entre nous, mais pour une généreuse émulation pour le bien public » (Young, 1982 : 121).

bien qu'il s'interrogeât en privé pour savoir si le rôle du Québec au sein de la Confédération était d'« apporter de l'eau au moulin des autres », défendit en public le régime fédéral qui, affirmait-il, protégeait « l'autonomie de notre province ».

Tout en parlant en faveur de l'autonomie provinciale, les chefs conservateurs québécois n'en étaient pas moins des centralisateurs. La plupart d'entre eux prônèrent le double mandat qui permettait aux hommes politiques de siéger en même temps au Parlement fédéral et aux assemblées des provinces. La correspondance du premier ministre Macdonald avec Langevin ne laisse cependant planer aucun doute quant à la subordination de la législation québécoise à celle d'Ottawa.

> J'ai lu le projet de loi de Chauveau [premier ministre du Québec] non sans un grand étonnement. Il accorde au parlement local un pouvoir infiniment plus grand que

> celui que nous avons ici ou que les Lords ou les Communes ont en Angleterre. Ce projet de loi ne fera pas du tout l'affaire, mais vous n'avez pas besoin de lui en parler. Je rédigerai un projet de loi qui, je pense, sera cohérent ; je ferai tout ce qu'il faut et vous le remettrai quand vous viendrez.

Les conditions financières de la Confédération assujettissaient davantage le Québec à Ottawa, puisque plus de la moitié du revenu de la province se présentait sous la forme d'une subvention fédérale. Comme les finances québécoises s'écoulaient en subventions aux chemins de fer, Ottawa commença à mettre Québec en garde contre les conséquences de sa politique. « Une tâche des plus difficiles vous attend, si la province doit être sauvée de la faillite, écrivait Galt au premier ministre Joly en 1879. En cas d'échec, la Confédération devra alors faire place à une union législative. »

L'attaque la plus importante contre la centralisation croissante de l'État canadien vint du juge Thomas J.-J. Loranger. La Confédération, écrivait-il, semblait fonctionner au détriment du Canada français :

> L'union politique qui pour les autres populations signifie accroissement de force, développement de puissance et concentration d'autorité, signifie pour nous, faiblesse, isolement, menace, et l'union législative veut dire l'absorption politique !

En opposition avec l'accroissement du pouvoir d'Ottawa, Loranger mit l'accent sur l'autonomie des provinces, l'indépendance des lieutenants-gouverneurs et plaida en faveur de ce qui serait connu sous le nom de théorie du pacte :

> En se constituant en confédération, les provinces n'ont pas entendu renoncer et de fait n'ont pas renoncé à leur autonomie ; cette autonomie, leurs droits, leurs pouvoirs et leurs prérogatives, elles les ont expressément conservés, pour ce qui est du ressort de leur gouvernement interne ; en formant entre elles une association fédérale sous les rapports politiques et législatifs, elles n'ont formé un gouvernement central que pour des fins interprovinciales.

Ces aspirations à l'autonomie provinciale eurent peu d'influence politique avant 1887. La Confédération avait enfermé le Québec dans un État fédéral où, pour le moment du moins, les principaux pouvoirs appartenaient au gouvernement central. En acceptant de subordonner le Québec à Ottawa, les conservateurs ne faisaient que suivre la logique économique centralisatrice du capitalisme industriel canadien. Engagés dans la politique nationale et dans la ruée vers les capitaux et le commerce avec l'Ouest, les banquiers, les grossistes et les industriels de la province avaient peu de temps à consacrer aux subtilités constitutionnelles, à l'affaire Riel ou aux relations fédérales-provinciales. L'opposition libérale du Québec, qui ne constitua jamais une menace sérieuse pour les conservateurs avant sa réconciliation avec l'Église en 1877, restait incapable de se dépouiller de ses vestiges de « rougisme » et de former une coalition politique gagnante. Ce n'est qu'avec l'accession d'Honoré Mercier au poste de premier ministre en 1887 que les politiciens québécois purent commencer à exploiter avec efficacité la question des droits provinciaux.

CONCLUSION

Le Québec de 1885 était un monde très différent de celui de 1815. La répression des rébellions de 1837-1838, l'obtention de la démocratie parlementaire, l'entrée en vigueur d'un nouveau régime fédéral et l'alliance entre les autorités religieuses, la bourgeoisie francophone et les industriels laissaient la province aux mains d'éléments conservateurs. Ces forces allaient dominer le Québec pendant une bonne partie du XXe siècle. Au cœur de ce pouvoir se trouvait l'Église qui dominait sans partage l'infrastructure institutionnelle du Québec catholique.

BIBLIOGRAPHIE

Le nationalisme et les rébellions

Outre l'ouvrage de Fernand OUELLET, *Louis-Joseph Papineau : un être divisé*, Société historique du Canada, 1964, *L'Histoire sociale des idées au Québec, 1760-1896*, Fides, 2000, d'Yvan LAMONDE accorde une grande place à la question nationale. Stanley RYERSON, *Le Capitalisme et la Confédération : aux sources du conflit Canada-Québec (1760-1873)*, Parti Pris, 1976, est toujours utile. Pour les interprétations des rébellions, consulter Jean-Paul BERNARD, *Les Rébellions de 1837-1838*, Boréal, 1983. Allan GREER, *Habitants et patriotes. La rébellion de 1837 dans le Bas-Canada*, Boréal, 1997, permet de situer les rébellions dans un contexte politique plus large. On peut trouver des détails sur les rébellions dans les deux livres d'Elinor SENIOR, *British Regulars in Montreal*, McGill-Queen's, 1981, et *Red coats and Patriotes : The Rebellions in Lower Canada, 1985*. Jean-Marie FECTEAU traite des aspects juridiques des rébellions dans « Mesures d'exception et règle de droit ; les conditions d'application de la loi martiale au Québec lors des rébellions de 1837-1838 », *McGill Law Journal/Revue de droit de McGill*, 32, 3, 1987 : 465-495. Pour le traitement réservé aux rebelles, voir George RUDÉ, *Protest and Punishment : The Story of the Social and Political Protesters Transported to Australia, 1788-1868*, Oxford University Press, 1978.

Périodes de l'Union et de la Confédération

La politique à l'époque de l'Union, de la Confédération et des périodes qui ont suivi celle-ci est décrite dans Jacques MONET, *La Première Révolution tranquille : le nationalisme canadien-français (1837-1850)*, Fides, 1981 ; Jean-Paul BERNARD, *Les Rouges : libéralisme, nationalisme et anticléricalisme au milieu du XIXe siècle*, PUQ, 1971 ; Brian YOUNG, *George-Étienne Cartier : bourgeois montréalais*, Boréal Express, 1982. Pour l'étude de l'évolution des institutions, le livre de J. M. S. CARELESS, *The Union of the Canadas : The Growth of Canadian Institutions 1841-1857*, McClelland & Stewart, 1967, est particulièrement utile, ainsi qu'Allan GREER et Ian RADFORTH, *Colonial Leviathan: State Formation in MidNineteeth-Century Canada*, University of Toronto Press, 1992. Sur le libéralisme, on consultera Yvon LAMONDE, *Gens de parole. Conférences publiques, essais et débats à l'Institut canadien de Montréal (1845-1871)*, Boréal, 1990 et Michel DUCHARME, *Du tryptique idéologique. Libéralisme, nationalisme et impérialisme au Haut-Canada, au Bas-Canada et en Grande-Bretagne entre 1838 et 1840,* M.A., Université de Montréal, 1999. La question du gouvernement responsable est traitée dans Phillip A. BUCKNER, *The Transition to Responsible Government: British Policy in North America, 1815-1850*, Greenwood Press, 1985. Nous insistons davantage sur l'État central. Pour une vision plus régionale on peut consulter Jack I. LITTLE, *State and Society in Transition. The politics of Institutional Reform in the Eastern Townships, 1838-1852*, McGill-Queen's University Press, 1997 et Christian DESSUREAULT et Christine HUDON, « Conflits sociaux et élites locales au Bas-Canada : le clergé, les notables, la paysannerie et le contrôle de la fabrique », *Canadian Historical Review*, 80, 3, 1999 : 413-39.

Religion et éducation

Pour le clergé, voir Serge GAGNON et Louise LEBEL-GAGNON, « Le milieu d'origine du clergé québécois 1775-1840 : mythes et réalités », *RHAF*, 37, 3, 1983 : 373-398. Un survol utile est Pierre SAVARD, *Aspects du catholicisme canadien-français au XIXe siècle*, Fides, 1980 et peut être complété par Rolland LITALIEN, dir., *L'Église de Montréal. Aperçus d'hier et d'aujourd'hui*, Fides, 1986. Le livre de Richard CHABOT, *Le Curé de campagne et la contestation locale au Québec de 1791 aux troubles de 1837-1938*, Hurtubise HMH, est essentiel pour les questions scolaires et le clergé. La religion populaire fait l'objet d'un essor historiographique remarquable. La cartographie illustre ce phénomène dans Frank W. REMIGGI et Louis ROUSSEAU, *Atlas historique des pratiques religieuses : Le sud-ouest du Québec au XIXe siècle*, PUO, 1998. Ollivier HUBERT analyse le resserrement du contrôle clérical dans *Sur la terre comme au ciel : la gestion des rites par l'Église catholique au Québec (fin XVIIe-mi-XIXe siècle)*, PUL, 2000. Pour sa part, Christine HUDON se concentre sur les réalités locales dans *Prêtres et fidèles dans le diocèse de Saint-Hyacinthe, 1820-1875*, Septentrion, 1996. Également intéressant est René HARDY, *Contrôle sociale et mutation de la culture religieuse au Québec, 1830-1930,* Boréal, 1999.

Sur la culture on peut consulter Hervé GAGNON, *L'Évolution des musées accessibles au public à Montréal au XIXe siècle : capitalisme culturel et représentations idéologiques,* Ph.D., Université de Montréal, 1994. Allan GREER aborde la question de l'alphabétisation dans « The Pattern of Literacy in Quebec, 1745-1899 », *Histoire sociale/Social History*, 11, 22, 1978 : 295-335, tandis que l'éducation des femmes est le sujet de deux volumes de Nadia FAHMY-EID et Micheline DUMONT, *Maîtresses de maison, maîtresses d'école : femmes, famille et éducation dans l'histoire du Québec* et *Les Couventines : l'éducation des filles au Québec dans les congrégations religieuses enseignantes 1840-1960*, Boréal, 1983 et 1986. Les collèges classiques sont étudiés par Claude GALARNEAU, *Les Collèges classiques au Canada français*, Fides, 1978. On consultera également Andrée DUFOUR, *Tous à l'école : État, communautés rurales et scolarisation au Québec de 1826 à 1859*, Hurtubise HMH, 1996 et Jean-Pierre CHARLAND, *L'Entreprise éducative au Québec, 1840-2000*, PUL, 2000. L'avènement des institutions sociales fait l'objet de l'étude d'André CELLARD, *Histoire de la folie au Québec de 1600 à 1850*, Boréal, 1991. Les œuvres caritatives protestantes font l'objet de la thèse de Janice HARVEY, *The Protestant Orphan Asylum and the Montreal Ladies Benevolent Society : A Case Study in Protestant Child Charity in Montreal, 1869-1879*, M.A., Université McGill, 2001.

Droit

Pour les institutions judiciaires voir Evelyn KOLISH, *Nationalismes et conflits de droits : le débat du droit privé au Québec, 1760-1840*, Hurtubise HMH, 1994 ; et John BRIERLEY, « Quebec's Civil Law Codification Viewed and Reviewed », *McGill Law Journal/Revue de droit de McGill*, 14, 1968 : 521-589. Le numéro de juillet 1987 du *McGill Law Journal* (33, 3), consacré à l'histoire juridique du Québec, est d'un intérêt tout particulier. Sur le droit de vote des femmes voir Bettina BRADBURY, « Devenir majeure. La lente conquête des droits », *Cap-aux-Diamants*, 21, printemps 1990 : 35-38. Voir aussi Brian YOUNG, *The Politics of Codification, the Lower-Canadian Civil Code of 1866*, McGill-Queen's University Press, 1994. Pour l'intersection entre le droit et la société on consultera Jean-Marie FECTEAU, « Régulation sociale et répression de la déviance au Bas-Canada au tournant du 19e siècle », *RHAF*, 38, 4 1985 : 499-522 et Bettina BRADBURY, « Wife to Widow : Class, Culture, Family and Law in Nineteenth Century Quebec », *Grande Conférence Desjardins 1*, Université McGill, 1997.

CHAPITRE V

Une économie et une société en transition 1815-1885

Au début du xixe siècle, le Bas-Canada était toujours préindustriel. La production agricole et artisanale était une affaire de famille et les produits se consommaient localement. Montréal, qui allait devenir au cours du siècle la plaque tournante de la société capitaliste et industrielle du Québec, n'était encore qu'une ville commerciale que les artistes comme Thomas Davies (1832) intégraient dans un environnement bucolique (figure 5.1).

Au cours du xixe siècle, le Québec passa à l'ère du capitalisme industriel. Peu à peu les manufactures remplacèrent les ateliers artisanaux, la part de l'agriculture destinée au marché s'accrut et le capital joua un rôle de plus en plus important dans les rapports sociaux. En 1815 il n'existait aucune banque ; en 1875, seize banques avaient leur siège social au Québec. Alors qu'en 1816 les activités artisanales dépendant de la force musculaire dominaient, dans les années 1890, la part du produit national brut attribuable à la production manufacturière atteignait presque celle de 1980 et la fumée des usines était symbole de prospérité (figure 5.2).

Au Québec, la valeur des produits manufacturés passa de 600 000 dollars en 1851, à 15 millions en 1861 pour atteindre 104 millions en 1881. Cette année-là, 2904 employés travaillaient pour la compagnie ferroviaire du Grand Tronc, et quelque 14 000 personnes à Montréal dépendaient directement des activités du chemin de fer (Hamelin et Roby, 1971 : 267). La productivité par employé augmenta d'une façon spectaculaire et une part de plus en plus importante de la production industrielle fut consacrée à la consommation domestique ; l'importance grandissante de l'industrie manufacturière dans la mise en conserve des viandes, le raffinage du sucre, la production du beurre, du fromage, du pain, des cigares et des textiles indique le déclin de l'autosuffisance familiale pour certains types de vêtements et d'aliments.

FIGURES 5.1 ET 5.2
Thomas Davies, Montréal 1812 et Montréal c1890. À la fin de l'ère préindustrielle, Montréal était encore une ville fortifiée entourée de vergers et de champs. À la fin des années 1880, les cheminées d'usines crachaient une épaisse fumée et les bourgeois s'étaient réfugiés sur les pentes du mont Royal pour échapper à la pollution.

Cette transition vers le capitalisme industriel, beaucoup plus que l'utilisation de la vapeur ou de nouvelles techniques, modifia profondément les méthodes traditionnelles du travail et les rapports sociaux. Pour ceux qui pouvaient investir, ce fut une époque d'accroissement des richesses, des pouvoirs et des privilèges sociaux. Les élites déjà en place profitèrent de l'accroissement des pouvoirs civils de l'État, de l'évolution des pouvoirs policiers et judiciaires, des conflits ethniques et de l'influence idéologique et institutionnelle de l'Église pour raffermir leur autorité.

Quant aux paysans, aux colons, aux petits salariés et aux veuves, leur survie se résumait souvent à une lutte quotidienne pour trouver de l'emploi ou simplement pour joindre les deux bouts. Mais, à travers les conflits ethniques et les grèves ainsi qu'à l'occasion de certaines épidémies, on discerne une résistance aux changements fondamentaux dans le monde du travail et des relations sociales. Cette opposition se traduisit de nouveau par des émeutes, des grèves ou des manifestations politiques, d'autres fois par une résistance à l'autorité sous le couvert d'actions individuelles comme l'incendie criminel, les voies de fait ou simplement le refus d'assister aux services religieux, de payer la dîme, les taxes ou les droits seigneuriaux. Sans être particulièrement nouveau, chacun de ces actes représentait néanmoins un combat social constant.

Dans le monde du travail, on perçut l'effet de cette transition sur l'aménagement des lieux et les méthodes de travail, sur le sexe et l'âge de la main-d'œuvre, par la transformation de certaines techniques artisanales et par la propriété des moyens de production. Dans le monde de la finance, cette même période favorisa l'émergence de nouveaux établissements bancaires et d'assurances où l'accumulation et l'investissement des capitaux prévalaient sur les fonctions financières traditionnelles.

Au cours de la transition, la structure institutionnelle du Québec — appareil bureaucratique de l'État, régime d'hypothèques et d'attribution des terres, lois foncières et code civil — se modifia aussi. Des subsides accrus pour les routes, les canaux et les chemins de fer, la création d'un État fédéral en 1867 et l'implantation de la politique nationale, dix ans plus tard, indiquaient clairement qu'à la fin de cette période le Québec faisait désormais partie d'un État canadien élargi.

Cette transformation se caractérisa aussi par des changements significatifs dans les relations sociales. Les rébellions de 1837-1838, la résistance de la population à la réforme scolaire et à l'imposition de taxes locales dans ce qui fut appelé la guerre des éteignoirs dans les années 1840, la mise à sac du parlement de Montréal en 1849, les émeutes religieuses des années 1850, les grèves et la naissance de syndicats dans les années 1850 et 1860 révélaient des tiraillements inhérents à cette transition. Le réalignement des élites dans les années 1840, la force montante du clergé catholique aux dépens des seigneurs et de nombreux marchands renforcèrent l'importance d'une alliance naissante entre les leaders politiques et religieux, et ceux du capitalisme industriel. À un autre niveau de l'échelle sociale, les autochtones, les femmes des classes populaires, les paysans sans terre, les enfants, les immigrants et les ouvriers non spécialisés des agglomérations urbaines formaient les éléments d'un prolétariat québécois naissant.

Au cours du XIXe siècle, une bourgeoisie s'installa au pouvoir au Bas-Canada selon un mode de fonctionnement démocratique. Des institutions de l'Ancien Régime, telles que les Églises établies, le pouvoir oligarchique, le régime seigneurial et le système juridique préindustriel cédèrent la place aux politiciens élus, aux institutions parlementaires, aux nouvelles bureaucraties, à un nouveau code civil et à une nouvelle organisation judiciaire. Le tout inspiré par une idéologie prônant l'individu, le droit à la propriété et de passer contrat, ainsi que les qualités de la libre concurrence en économie.

Mais cette transition ne s'établit pas uniformément. Certaines régions rurales demeurèrent en marge des circuits commerciaux, tandis que d'autres se caractérisèrent par l'urbanisation, une production accrue et une spécialisation destinée à des marchés particuliers. Remplaçant le travail artisanal, la production industrielle fut implantée à différentes époques et dans des métiers variés. Dans les grands chantiers de construction, les chantiers maritimes, les fonderies, les brasseries et les distilleries, ce type de production apparut dès le début du siècle, tandis que, dans d'autres secteurs, les méthodes artisanales perdurèrent. Dans l'industrie du cuir, par exemple, différents modes de production coexistaient — production artisanale, travail en sous-traitance et production manufacturière. Et, comme nous le verrons plus loin, l'énergie due à la vapeur, même à la fin du siècle, demeurait moins importante que celle produite par les moulins à eau.

Dans l'introduction de ce livre, nous avons vu que 1815-1885 était une période de transition. La fin des guerres napoléoniennes marqua un début d'intérêt officiel renouvelé pour la colonie et celui d'une immigration importante en provenance des îles britanniques. L'année 1816 allait s'avérer dramatique pour la vie rurale : la pire des récoltes, de mémoire d'homme, souligna les carences de l'agriculture au Bas-Canada et une importante immigration britannique modifia la réalité démographique. Les années 1810 virent aussi l'établissement officiel d'institutions bancaires au Québec et une pression accrue de la part des producteurs industriels qui favorisaient la réforme du régime seigneurial et juridique.

C'est à la fin de cette longue période que la supériorité métropolitaine de Montréal apparut évidente. Les années 1880 seraient celles de la Commission royale d'enquête sur les relations entre le capital et le travail, des premières lois industrielles du Québec et de la montée des Chevaliers du travail. Ces années coïncidèrent aussi avec l'établissement à Montréal de sièges sociaux de grandes entreprises industrielles, financières et de transport. L'exécution de Louis Riel en

1885 ainsi que l'instauration d'une politique nationale allaient mettre en relief, au Québec, les implications industrielles, idéologiques et politiques de l'État fédéral établi en 1867.

Dans le Canada préindustriel, les marchands, les seigneurs, le haut clergé et les administrateurs coloniaux formaient l'élite. Au cours de la transition, ils furent concurrencés par de grands industriels. Ces derniers s'objectaient au régime seigneurial et à ses conséquences sur la liberté de propriété et du travail. Ils réclamaient un État central fort, une main-d'œuvre abondante, des aliments moins chers, de nouveaux canaux et des installations ferroviaires, ainsi qu'une protection pour leurs capitaux et leurs produits manufacturés.

LA DÉMOGRAPHIE

En dépit de l'immigration britannique du XIXe siècle, le Québec demeurait majoritairement francophone. La population globale y quadrupla, passant de 340 000 âmes en 1815, à 1 359 027 en 1881 (figure 5.3). La croissance urbaine fut un facteur démographique appréciable. Des augmentations importantes de la superficie de Montréal et du nombre de petits centres urbains contribuèrent à réduire l'importance relative de la population rurale. À Montréal, la population passa de 9000 habitants en 1815 à plus de 50 000 vers les années 1850. Serge Courville (1984) a étudié la croissance des villages de la zone seigneuriale au début du XIXe siècle. En 1831, 208 villages, concentrés dans la région de Montréal, représentaient 44 108 personnes d'une population rurale totalisant 392 485 âmes, tandis que Montréal, Trois-Rivières et Québec regroupaient une population de 56 668 âmes. Le pourcentage de la population urbaine passa de 11,2 % en 1831 à 27,8 % en 1881 (tableau 5.1).

La croissance de la population francophone du Québec augmentait par le simple excédent des naissances. Avec un taux de natalité et de mortalité stable, la population française catholique passa de 288 000 en 1815 à 929 817 en 1871. Le nombre de naissances par mariage catholique (y compris les catholiques anglophones) était de 7,1 de 1816 à 1820, et de 6,7 de 1876 à 1880. L'on ne doit pas exagérer le caractère exceptionnel de ces taux, puisqu'ils se comparent à ceux des États-Unis et d'autres régions canadiennes à la même époque. Et même, en 1871, par exemple, le taux de natalité au Québec était inférieur à celui de l'Ontario. Après cette période, le taux de natalité ontarien commença à décliner plus rapidement que celui du Québec. Le taux de mortalité ne fluctua aussi que très peu. Le taux annuel de décès par 1000 habitants d'obédience catholique était de 24,5 de 1816 à 1820, et de 24,3 de 1876 à 1880 (Charbonneau, 1973).

L'importance et l'hétérogénéité de la population anglophone augmentaient rapidement. Au chapitre trois, nous avons vu que l'immigration en provenance

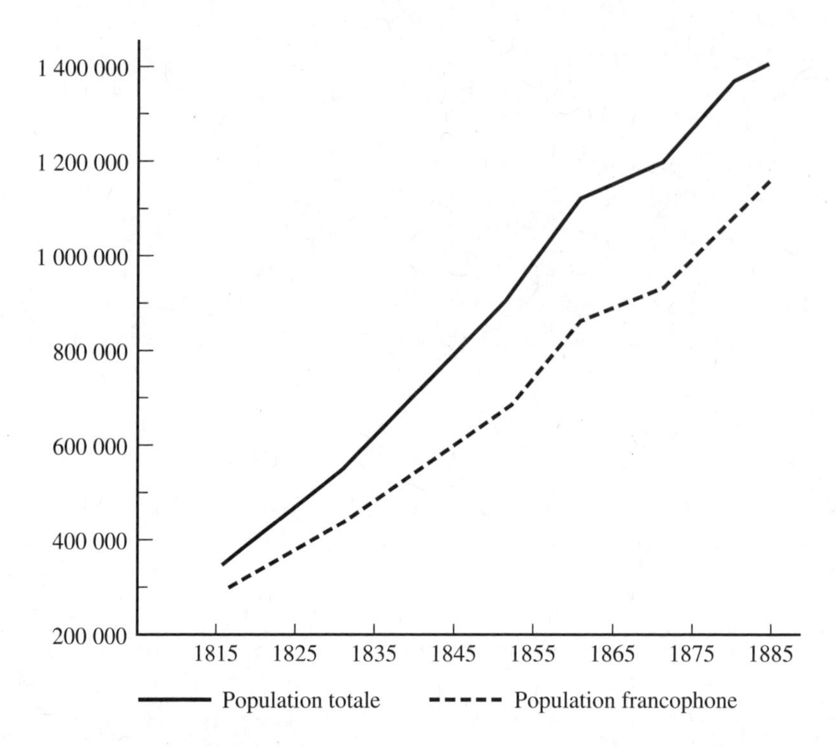

FIGURE 5.3
Population du Québec, 1815-1885.

TABLEAU 5.1

La population du Bas-Canada, 1815-1881

Année	Population totale	Population urbaine	Pourcentage de la population urbaine	Émigration (décennie antérieure)
1815	340 000	c 30 000	c 8,8	–
1822	427 000	–	–	–
1831	553 134	56 668	10,2	–
1844	697 000	–	–	–
1851	890 261	–	–	35 000
1861	1 111 566	–	–	70 000
1871	1 191 516	271 851	22,8	100 000
1881	1 359 027	378 512	27,9	120 000

(Bernier et Boily, 1986; Lavoie, 1972)

TABLEAU 5.2

Arrivées dans le port de Québec, 1829-1851

Année	Angleterre	Irlande	Écosse	Total
1829	3 500	9 600	2 600	15 700
1830	6 700	18 300	2 400	27 400
1831	10 300	34 100	5 300	49 700
1832	17 400	28 200	5 500	51 100
1833	5 100	12 000	4 100	21 200
1834	6 700	19 200	4 500	30 400
1835	3 000	7 100	2 100	12 200
1836	12 100	12 500	2 200	26 800
1837	5 500	14 500	1 500	21 500
1838	700	1 400	500	2 600
1839	1 500	5 100	400	7 000
1840	4 500	16 200	1 100	21 800
1841	5 900	18 300	3 500	27 700
1842	12 100	25 500	6 000	43 600
1843	6 400	9 700	5 000	21 100
1844	7 600	9 900	2 200	19 700
1845	8 800	14 200	2 100	25 100
1846	9 100	21 000	1 600	31 700
1847	31 000	54 310	3 700	89 010
1848	6 000	16 500	3 000	25 500
1849	8 900	23 100	4 900	36 900
1850	9 800	17 900	2 800	30 500
1851	9 600	22 381	7 000	38 981
Total	192 200	410 991	74 000	677 191

(Ouellet, 1981)

des États-Unis était le facteur dominant de l'augmentation de la population anglophone avant les guerres napoléoniennes. Cet apport américain se concentra à Montréal et le long de la frontière, dans les comtés de Huntingdon, Missisquoi et Beauharnois, dans les Cantons de l'Est. Après les guerres napoléoniennes, une dépression dans l'agriculture et des crises industrielles dans les îles britanniques amenèrent de nouveaux immigrants. Entre 1815 et 1851, dans le port de Québec, on enregistra plus de 800 000 immigrants d'origine britannique et irlandaise. Même si la plupart d'entre eux avaient décidé de se rendre au Haut-Canada et aux États-Unis, quelque 50 000 s'établirent au Bas-Canada (tableau 5.2).

Cette immigration fit passer le pourcentage des anglophones dans la population globale de 15 % en 1815 à un sommet de 24,3 % en 1861 ; ce n'est que plus tard que le taux de la population anglophone dans la population québécoise commença à décliner. En 1871, concentrés à Gaspé, dans les Cantons de l'Est, la vallée de l'Outaouais et les centres urbains, les anglophones représentaient plus de 38 % de la population de l'île de Montréal et 20 % de celle du Québec. De toute la population provinciale, 5,9 % étaient d'origine anglaise, 4,2 % écossaise et 10,4 % irlandaise. Seuls une poignée de ces immigrants anglophones appartenaient à la petite noblesse, ou, comme ce fut le cas de Hugh Allan et de William Price, étaient les descendants de familles britanniques riches et en vue.

La plupart des immigrants arrivaient dans les cales insalubres et surchargées des navires transporteurs de bois qui revenaient, allégés de leur cargaison, vers les ports canadiens. Des armateurs et des capitaines peu scrupuleux entassaient de 80 à 90 personnes dans un espace de 80 mètres carrés. Voici ce qu'en rapporte James Hunt, immigrant irlandais qui, en compagnie de sa femme enceinte et de deux autres membres de sa famille, fit route de Dublin à Québec en 1823 en compagnie de 97 adultes et de 44 enfants sur le brigantin *William* :

> [...] ni lui ni sa famille n'eurent droit à une couchette, sauf sa femme qui mourut presque de froid et à qui l'on permit de coucher dans une cabine pour trois nuits ; au cours des dix premières nuits, ils furent obligés de dormir entre les couchettes, et les autres fois dans la chaloupe de sauvetage. Au cours des trois dernières semaines du voyage, ils durent s'étendre sur des cordages où l'enfant qu'il avait avec lui mourut, tandis que sa femme accouchait de celui qu'elle portait.

Ces navires d'immigrants étaient souvent porteurs de maladies infectieuses telles que le typhus, la variole et le choléra. Des milliers de gens mouraient en mer ou en quarantaine à la Grosse-Île près de Québec. Ces épidémies se répandaient dans la population. De toutes les épidémies de choléra au Bas-Canada en 1832, 1834, 1845, 1851, 1854 et 1857, celle du choléra asiatique, apportée en 1832 par le navire *Voyageur*, fut la plus mortelle. Cette année-là, on enregistra plus de 5000 morts (Dechêne et Robert, 1979 ; Bilson, 1980 : 179).

Bien que Don Akenson (1984) ait insisté sur l'importance du nombre d'immigrants irlandais devenus paysans, les travaux de Sherry Olson (1998) soulignent leur importance dans la main-d'œuvre peu qualifiée de la société industrielle. La majorité des travailleurs irlandais travaillaient dans la construction ou le secteur des transports mais ils formaient aussi le tiers des tailleurs d'habit et occupaient huit des dix-huit postes de policier. Quelque 5 % des immigrants irlandais demeurèrent au Québec, 15 % d'entre eux s'établirent dans le Haut-Canada, la plupart dans les régions rurales, tandis que le reste émigra aux États-Unis. Les immigrants qui se fixèrent dans les ports de Montréal et de Québec devinrent une source importante de main-d'œuvre salariée. Le fait qu'en 1831 plus de 40 % des ouvriers montréalais fussent anglophones contribua à exacerber les tensions ethniques au Bas-Canada. En privé, le haut clergé accusait les Britanniques de déverser au Bas-Canada un prolétariat sans terre et malade du choléra.

La part des anglophones dans l'économie s'accrut considérablement. Comme entrepreneurs, banquiers et producteurs industriels, ils étaient souvent favorisés dans la course aux contrats, militaires ou institutionnels, accordés par le gouvernement britannique. Les marchands anglophones dominaient le système bancaire du Bas-Canada, tout autant que les circuits canadiens de la finance internationale. Pourtant, si le capital étranger au Québec était majoritairement britannique, le capital américain s'imposa de plus en plus vers les années 1880. Dans les secteurs manufacturiers et des transports, de nombreux ingénieurs, entrepreneurs, détenteurs de brevets et importateurs de technologie étaient d'origine américaine ou britannique.

Dans certaines régions, cette présence anglophone accrue favorisa l'émergence d'un nationalisme québécois. Des professionnels francophones de Montréal, des marchands et des paysans de la vallée du Richelieu, des draveurs et des bûcherons de la vallée de l'Outaouais voyaient d'un mauvais œil l'expansion de communautés anglophones ainsi que leurs revendications. Leur pouvoir dans les économies locales ajouta à cette hostilité. Le cas de Stephen Tucker, dans la seigneurie de la Petite-Nation, en est un bon exemple. Cette seigneurie était majoritairement francophone et catholique, mais 96 des 145 reconnaissances de dette signées devant le notaire de l'endroit, entre 1837 et 1845, étaient payables à Tucker, marchand général anglophone exploitant une scierie. Au milieu des années 1840, Tucker, que l'on disait avoir offert 40 dollars aux catholiques qui embrasseraient la religion baptiste, possédait 44 propriétés, dont la plupart avaient été saisies à des débiteurs francophones (Baribeau, 1983 : 136).

Les francophones ne prisaient guère non plus les privilèges et les politiques d'établissement des grandes sociétés propriétaires de biens-fonds, telles que la British American Land Company qui contrôlait plus de 570 000 hectares et tenta d'y attirer des paysans anglais avant de se rabattre sur des Écossais chassés de leurs terres dans les *Highlands* (Little, 1989).

Grâce à une plus grande mobilité offerte par les réseaux de chemins de fer, une partie importante du surplus de la population rurale alla chercher du travail dans les centres industriels du Québec ou de la Nouvelle-Angleterre. Cette émigration eut des répercussions considérables sur les changements démographiques d'un Québec en voie d'industrialisation. Selon Bruno Ramirez (1992), l'émigration devint dès lors une stratégie familiale plus attrayante que la colonisation. Des familles envoyèrent certains de leurs membres dans les villes de la Nouvelle-Angleterre qui avaient tissé des liens paroissiaux avec leur communauté d'origine. Les émigrants de Berthier, région voisine de Montréal, choisirent les villes de filatures du Rhode Island, tandis que les émigrants de Rimouski préférèrent rejoindre les communautés industrielles du sud du Massachusetts, comme Fall River.

TABLEAU 5.3

Enfants abandonnés à l'Hôpital des Sœurs Grises à Montréal, 1820-1840

Année	Nombre d'enfants abandonnés	Nombre d'enfants placés dans une famille	Nombre d'enfants décédés
1820	64	6	55
1825	98	3	88
1830	108	9	98
1835	131	13	108
1840	152	8	135

(Gossage, 1983)

Contrairement à ce mode communautaire et familial de l'émigration vers les États-Unis, la colonisation à l'intérieur du Bas-Canada différait grandement. Tandis que la région du Saguenay–Lac-Saint-Jean se développait grâce aux sociétés de colonisation, le peuplement de la vallée de l'Outaouais se caractérisait par une plus grande diversité chez ses colons francophones. Entre 1815 et 1854, des 151 francophones de la Petite-Nation, dont l'origine peut être établie, 26 avaient habité un certain temps au Haut-Canada, 11 provenaient de centres urbains et les 124 autres venaient de 53 localités rurales du Bas-Canada (Baribeau, 1983 : 39). Le soutien de l'État pour les sociétés de colonisation, notamment après l'adoption de la loi de 1869, favorisait l'établissement des francophones dans les Bois-Francs et en Estrie.

Contrairement aux colons, les ouvriers des manufactures recevaient un salaire direct et, grâce aux chemins de fer, ils revenaient plus facilement dans leur communauté. Autre facteur important dans les politiques économiques familiales, les femmes et les enfants constituaient une main-d'œuvre précieuse dans les villes de filatures, tandis que la main-d'œuvre saisonnière en forêt dans les régions de colonisation demeurait essentiellement masculine. Entre 1840 et 1880, quelque 325 000 Québécois, majoritairement francophones, émigrèrent aux États-Unis.

La surpopulation, les migrations et les nouvelles méthodes de travail propres à la période de transition bouleversèrent la vie familiale et les rapports sociaux. Dans la ville de Québec, le nombre des naissances illégitimes, surtout dans les années 1860, augmenta considérablement (tableau 5.3 et figure 5.4). Les statistiques sur le nombre des nouveau-nés abandonnés à l'Hôpital des Sœurs Grises de Montréal laissent entrevoir des mariages différés et des naissances illégitimes, quoiqu'on n'ait pas de chiffres précis sur le nombre d'enfants abandonnés par des femmes mariées ou encore venues de la campagne pour accoucher à Montréal.

D'une façon constante, les données des recensements sous-estiment les populations autochtones. Nombre d'entre elles, tout spécialement les familles de

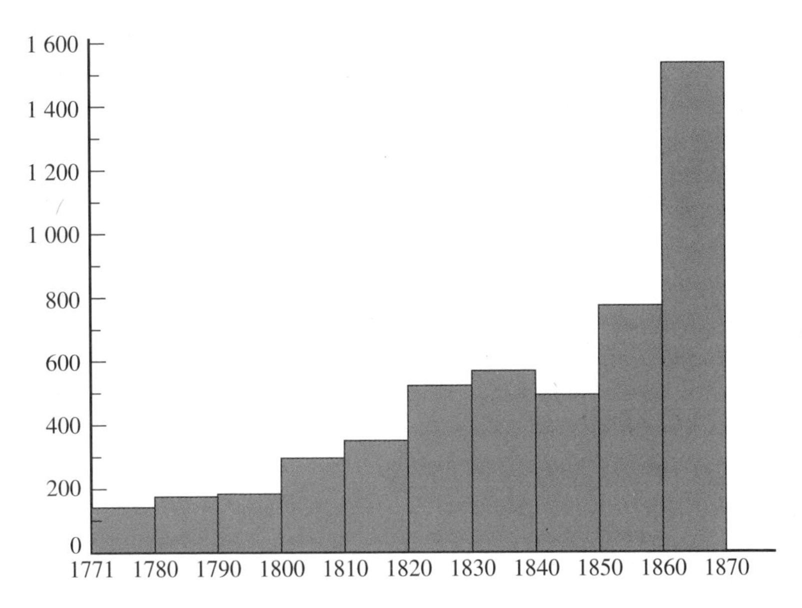

FIGURE 5.4
Naissances illégitimes dans la ville de Québec, 1771-1880 (*Recensement du Canada*, 1871, V : 359).

chasseurs, furent oubliées par les agents recenseurs. Même des groupes plus sédentaires, tels que les Hurons de Lorette, ne figuraient pas au recensement de 1881 où il ne fut fait mention que de 36 autochtones vivant dans la région de Québec. On y dénombra aussi 7515 autochtones vivant à l'intérieur des limites de la province d'alors et 5016 occupant les territoires à l'est de la baie d'Hudson. Des communautés iroquoises de la région de Montréal, des Abénaquis en face de Trois-Rivières et des Micmacs de Gaspésie côtoyaient les communautés blanches, mais la majorité des autochtones vivaient en bandes de chasse éparpillées sur l'ensemble du bouclier canadien. Bien qu'il ait pu exister plus de 15 000 autochtones à l'intérieur des limites actuelles du Québec, leur statut et leur influence ne cessèrent de se marginaliser par rapport à la société blanche.

L'URBANISATION

Du simple point de vue du commerce des produits moteurs, l'avenir de Montréal ne s'annonçait guère brillant au cours des premières décennies du XIXe siècle. La ville perdit le commerce des fourrures et son influence politique dans l'Ouest au profit de la Compagnie de la Baie d'Hudson, et le commerce du bois équarri demeura concentré à Québec. Même si Montréal jouait un rôle commercial important dans l'approvisionnement du Haut-Canada et l'exportation de son blé, l'extraordinaire croissance de la ville au cours de la transition nous oblige à voir au-delà d'une simple interprétation de l'histoire canadienne fondée sur le développement de produits moteurs.

Cette croissance était attribuable en grande partie aux industries urbaines en expansion, dans lesquelles travaillait une main-d'œuvre qualifiée tout autant que non qualifiée. En 1881, Montréal et sa banlieue produisaient 52 % des biens manufacturés au Québec, alors que la ville de Québec n'en produisait que 9,3 % (Hamelin et Roby, 1971 : 298). La population de Montréal passa de 10 000 habitants en 1816, à 57 715 en 1851, et atteignit 140 747 âmes en 1881. Sa croissance en tant que métropole fut accélérée par la mise en valeur de l'énergie hydraulique, l'installation de lignes de chemins de fer, la construction de canaux et la concentration de capitaux industriels et financiers.

Au cours des décennies 1840 et 1850, l'élite politique montréalaise tira profit des institutions locales en expansion, telles que le gouvernement municipal, la Chambre de commerce et la Commission du port, pour donner une dimension transcontinentale à la ville. Des politiciens, comme George-Étienne Cartier, qui entretenaient des liens évidents avec des industriels, obtinrent l'amélioration du canal maritime en aval de Montréal, et ce, jusqu'en eau profonde, ainsi que des voies navigables en amont, comme le canal de Lachine, jusque dans l'arrière-pays canadien et américain. À Montréal, la construction du Grand-Tronc et l'érection du pont Victoria donnèrent à la ville le seul pont de la province sur le Saint-Laurent, lui accordant par le fait même un avantage quant au trajet du réseau ferroviaire. En 1885, Montréal était devenue le terminus ferroviaire des réseaux international et continental du Grand-Tronc, du Canadian Pacific, du Vermont Central et du Delaware and Hudson. La présence des chemins de fer stimulait aussi la production industrielle. La région montréalaise produisait 40 % de toute la production canadienne de la nourriture et des boissons ainsi que du matériel de transport.

En raison de sa dépendance envers les activités de la construction navale et du bois équarri, deux secteurs en déclin au cours de la seconde partie du siècle, la ville de Québec se retrouva en mauvaise position pendant cette période de transition vers le capitalisme industriel (figure 5.5). De plus, la santé économique de la ville de Québec était menacée par l'abolition en Grande-Bretagne des droits sur le bois de la Baltique, par une demande américaine accrue pour le bois de sciage transporté grâce au réseau des canaux et des chemins de fer nord-sud, et par le traité de réciprocité de 1854 qui permettait la libre entrée du bois aux États-Unis. Comme résultat, la population de Québec ne s'accrut que lentement et son port océanique perdit son importance relative. Déjà avant 1867, sa fonction de centre administratif et politique déclinait et, en 1871, la garnison britannique quittait la ville.

FIGURE 5.5
Le chantier maritime et la cour à bois de l'anse au Foulon. Au cours de la première moitié du XIXe siècle, le commerce du bois était l'une des principales activités de la ville de Québec. De grands trains de flottage en provenance de l'Outaouais étaient amarrés à Sillery et le bois équarri chargé à bord de navires ou utilisé dans la construction navale. Au cours des années 1860, les exportations et la construction de navires en bois déclinèrent fortement : d'environ 18 millions de pieds de bois équarri en 1862-1866, les exportations chutaient à un peu plus de 7 millions de pieds entre 1882-1886.

Bien qu'abritant un port important sur le Saint-Laurent, mais dépourvue de pont, la ville restait isolée des réseaux de canaux et ferroviaires. Déjà en 1844, un journal du Maine, l'*Eastern Angus*, prédisait le déclin de la ville de Québec comme centre industriel et commercial :

> Depuis nombre d'années, Québec n'est plus un centre commercial important [...] et bien qu'elle soit un endroit de grand intérêt en raison de ses fortifications et de ses événements historiques, sa position au cœur d'une région montagneuse n'en fait pas un lieu aisé de résidence. Sauf pour le commerce du bois, les affaires y déclinent. Au moins les neuf-dixièmes de tous les allers et retours à Québec se font par Montréal.

Certaines villes québécoises devinrent des centres de services et des centres industriels régionaux : en 1871, Trois-Rivières avait une population de 7570 âmes, Sherbrooke de 4432, Hull de 3800, Saint-Hyacinthe de 3746 et Saint-Jean de

TABLEAU 5.4

Les villes du Québec et de l'Ontario, 1850-1870

	Québec		Ontario	
	1850	*1870*	*1850*	*1870*
Par ordre d'importance				
+ 25 000	2	2	1	2
5000-25 000	0	3	4	10
1000-5000	14	22	33	69

(McCallum, 1980 : 55)

TABLEAU 5.5

Activités industrielles à Trois-Rivières, 1871

Secteur	Nombre de fabricants	Nombre d'employés
Aliments, boissons et tabac	14	25
Cuir	24	193
Textiles, chapeaux, vêtements	30	206
Bois, mobilier	25	454
Métaux	21	91
Autres	10	49
Total	124	1 018

(Hardy et Séguin, 1984 : 182)

3022. En 1850, le Québec comptait 14 villes dont la population variait entre 5000 et 1000 habitants en comparaison de 33 villes pour l'Ontario ; en 1870, leur nombre s'élevait à 22 au Québec et à 69 en Ontario (tableau 5.4). Une ville comme Saint-Hyacinthe, par exemple, possédait les commerces et industries nécessaires pour combler les besoins en nourriture, boissons, vêtements, bois de chauffage et matériaux de construction (Gossage, 1999 : 44).

Trois-Rivières offre un bon exemple de ville de services préindustrielle passée à l'ère industrielle. En 1852, année où elle devenait centre diocésain, Trois-Rivières comptait moins de 5000 habitants. Cette même année, George Baptist construisit sa scierie dans la vallée du Saint-Maurice et le gouvernement y entreprit la construction d'écluses et de barrages flottants pour empêcher les billots d'être déchiquetés par les chutes et les rapides de la rivière Saint-Maurice. Ce développement de l'arrière-pays donna une nouvelle importance régionale à la ville. En 1865, les 182 navires au long cours qui abordèrent à Trois-Rivières chargèrent plus de 20 millions de pieds de bois destiné aux marchés latino-américain, américain et britannique. En 1878, un chemin de fer était construit le long de la rivière Saint-Maurice et, en 1881, la ville de Trois-Rivières se trouvait reliée par rail à Montréal et à Québec. En 1871, sa population atteignait 8600 habitants, et 1018 ouvriers y travaillaient dans des manufactures. Au cours des années 1880, le processus d'industrialisation s'accéléra encore grâce à l'ouverture d'une biscuiterie, d'ateliers de menuiserie, de forges et de fabriques de chaussures (tableau 5.5).

LE TRANSPORT

Le transport fut un facteur clé de la transition du Québec vers le capitalisme industriel. En 1809, le brasseur John Molson lança le premier bateau à vapeur au Canada, l'*Accomodation*, événement qui allait transformer le système du transport maritime entre les villes de Montréal et de Québec. En 1831, le navire à aubes *Royal William* était construit à Québec. Doté d'un moteur de 200 chevaux-vapeur, fabriqué à Montréal, il fut le premier navire marchand, mû en grande partie à la vapeur, à faire la traversée de l'Atlantique. L'arrivée des bateaux à vapeur et des chemins de fer modifia la production industrielle, le capital, l'organisation des sociétés et les concentrations de main-d'œuvre. En 1885, le réseau des chemins de fer couvrait la presque totalité du sud du Québec, tandis que d'autres régions éloignées ne restaient desservies que par des routes raboteuses et la navigation à voile.

Port d'importance considérable pour les navires océaniques, Montréal s'efforçait de protéger le réseau du Saint-Laurent, comme son commerce avec le Haut-Canada et le Midwest américain, contre ses concurrents de la Nouvelle-Angleterre et du littoral atlantique. En 1825, le parachèvement des 605 kilomètres du canal Érié reliant les Grands Lacs au port de New York paraissait particulièrement menaçant mais, à la fin des années 1840, l'accès à l'intérieur du continent à partir de Montréal s'améliorait le long des axes Richelieu, Outaouais et Saint-Laurent. Le canal de Lachine, complété une première fois en 1820, fut reconstruit dans les années 1840 avec de nouvelles écluses et des bassins d'évitage, puis les canaux de Beauharnois, de Cornwall et de Welland furent construits à leur tour. Ces aménagements permirent aux navires d'aller de Montréal au lac Ontario et au-delà.

Le long de l'Atlantique et du Saint-Laurent, le commerce intérieur et côtier dépendait aussi des réseaux de transport. Même si les marchands anglophones exerçaient le monopole du commerce vers le Haut-Canada, les marchands francophones conservaient celui du flottage du bois et du cabotage en aval de Montréal. En 1840, des marchands locaux, dont Jacques-Félix Sincennes de

Sorel, fondaient la Richelieu Company. Le commerce entre d'importants centres riverains d'agriculture, de services et de scierie comme Saint-Césaire, Belœil, Saint-Denis et Saint-Jean, ainsi que le transport du bois par le réseau fluvial de la rivière Richelieu et du lac Champlain la firent prospérer. Après 1853, le déclin du commerce sur le Richelieu, la construction du réseau ferroviaire du Grand-Tronc et l'importance grandissante des réseaux intégrés de la navigation à vapeur amenèrent le transfert du siège social de l'entreprise à Montréal et son incorporation à un réseau maritime et ferroviaire plus important.

Même aux beaux jours de la construction des canaux, l'intérêt se portait déjà sur le transport ferroviaire. Ces engins à vapeur roulant sur rails de fer assuraient le transport des marchandises à longueur d'année. Au même moment, de nouvelles techniques en génie civil donnaient accès à des régions jusque-là inaccessibles par voie navigable. Les chemins de fer attiraient donc l'attention des marchands et des industriels, puisqu'ils leur ouvraient de nouveaux marchés et leur offraient de nouvelles ressources, tout en augmentant leur influence dans le monde de l'industrie, des finances et de la politique.

L'idée des premiers grands chemins de fer interprovinciaux et internationaux voyait le jour dans les années 1840. En 1846, les compagnies obtenaient l'autorisation de relier Montréal au port d'hiver de Portland, dans le Maine. En 1860, le réseau s'étendait de Sarnia, en Ontario, à Portland, via Montréal et les Cantons de l'Est. La compagnie du Grand-Tronc continua d'étendre son réseau sur la rive sud du Saint-Laurent et, en 1860, la ligne atteignait Rivière-du-Loup. Puis, en 1876, la ligne de l'Intercolonial reliait Montréal aux Maritimes par la vallée de la Matapédia et la rive nord du Nouveau-Brunswick.

La construction du Grand-Tronc représentait beaucoup plus qu'un haut fait isolé d'ingénierie et d'entrepreneuriat. Son influence sur les charretiers indépendants de Montréal témoigne de son effet sur l'économie de Montréal. Au XIXe siècle, le transport des gens et des marchandises était un élément essentiel de l'économie urbaine, et valorisait le métier de charretier. La transformation de cette occupation illustre bien les changements survenus dans les méthodes de travail, ainsi que les relations de pouvoir dans un Montréal en voie d'industrialisation. En 1861, quelque 70 % des 1188 charretiers de Montréal étaient indépendants, propriétaires de leurs chevaux et voitures. Seule une minorité d'entre eux travaillaient à salaire et conduisaient des attelages appartenant à des employeurs propriétaires de grandes écuries. Concurrents depuis toujours, les charretiers devaient maintenant affronter une nouvelle forme de concurrence, et à une autre échelle, générée par un capitalisme industriel centralisé qui allait de pair avec le transport par rail et canaux.

Déjà, en 1820, l'ouverture du canal de Lachine avait nui aux charretiers de l'important circuit Montréal-Lachine. Au milieu du siècle, l'accès aux gares

FIGURE 5.6
Le pont Victoria. Les plans du pont Victoria furent dessinés par l'ingénieur Robert Brian Stephenson, fils de l'inventeur de la locomotive à vapeur. Les travaux furent entrepris en 1854 et l'importante travée centrale érigée au cours de l'hiver 1858-1859. Les échafaudages étaient montés directement sur la glace et le travail se poursuivait jour et nuit, afin que l'assemblage du pont soit complété avant l'amorce du printemps. L'ouverture du pont, en 1859, donnait à Montréal un accès au port d'hiver de Portland, Maine.

ferroviaires constituait un débouché essentiel à la survie des indépendants. Au début, la compagnie du Grand-Tronc avait fait affaire avec les charretiers locaux qui transportaient des marchandises du port à l'entrepôt de Pointe-Saint-Charles ou sur la glace du Saint-Laurent, et ce, jusqu'à l'ouverture du pont Victoria en 1859 (figure 5.6). Mais à la suite d'une rationalisation des opérations de la compagnie en 1863, un contrat exclusif fut accordé à John Shedden. Grâce à un monopole lui assurant la desserte de certaines gares du Grand-Tronc, son entreprise de transport avait déjà rapidement pris de l'expansion au Haut-Canada ; le contrat pour Montréal lui accordant des taux privilégiés pour le transport et la collecte des marchandises aux entrepôts et à la gare de Montréal, Shedden engagea 24 charretiers et construisit une écurie pour 64 chevaux.

Les charretiers indépendants protestèrent en disant que ce contrat menaçait leur gagne-pain. Au mois de septembre 1864, ils se mirent en grève. Ils accusaient la compagnie du Grand-Tronc de violer sa charte en établissant un monopole. Toutefois, malgré une bonne organisation et la capacité de paralyser le transport à Montréal, les charretiers échouèrent, car ils ne réussirent pas à s'assurer le soutien politique des marchands et des autorités municipales. Lorsqu'ils mirent fin à leur grève, quelques jours plus tard, leur cause était bel et bien perdue, tandis que le pouvoir de la compagnie et la légitimité de ses pratiques commerciales étaient renforcés (Heap, 1977).

La construction du Grand-Tronc et les importants subsides accordés à ces travaux par le gouvernement canadien désavantagèrent grandement d'autres centres urbains, surtout ceux de Québec et de Trois-Rivières et le long de la rive nord du Saint-Laurent. Même si, en 1871, le Québec possédait plus de 1235 kilomètres de voies ferrées, aucune ne desservait encore la rive nord. En 1854, le trajet entre Québec et Montréal prenait plus de 21 heures exigeant le passage du Saint-Laurent par traversier vers Lévis, puis de nouveau à Longueuil jusqu'à l'achèvement du pont Victoria en 1859.

Le manque de capitaux, une hostilité féroce de la part de la compagnie du Grand-Tronc, la faiblesse économique de la ville de Québec et des autres villes de la rive nord retardèrent la construction du North Shore Railway. De plus, la position de faiblesse du Québec dans l'État fédéral créé par la Confédération, combinée à une forte alliance entre le pouvoir central et la compagnie du Grand-Tronc eurent pour effet de retarder le projet ferroviaire pendant plus de trente ans, ce qui accula presque Québec à la faillite. Enfin, le réseau ferroviaire de la rive nord fut parachevé dans les années 1880, et la ville de Québec eut sa première gare.

Comme le laisse clairement entrevoir l'effet de la construction du Grand-Tronc sur la vie des charretiers montréalais, les chemins de fer ne représentaient pas uniquement un moyen de transport. Pour les historiens Tom Traves et Paul Craven (1983), la compagnie du Grand-Tronc était la première grande entreprise industrielle du Québec intégrée verticalement et horizontalement. Ils font aussi remarquer que, même avant l'achèvement de son réseau, la compagnie entretenait elle-même ses voies, utilisait son propre réseau télégraphique et exploitait des élévateurs à grains et des bateaux à vapeur. Elle possédait de plus une structure administrative et comptable complexe pour gérer toute son infrastructure.

La construction des chemins de fer exigeait de lourds investissements. Les ateliers du Grand-Tronc furent construits sur des terres arables au sud-ouest de la ville, entre le canal de Lachine et le fleuve Saint-Laurent. Le site de 41 hectares avait été acheté à 4 communautés religieuses, à des prix variant entre 700 et 1500 livres sterling l'hectare. La présence d'industries stimula la croissance de Pointe-Saint-Charles et d'autres communautés ouvrières qui s'étendaient le long du canal Lachine.

Les plans de 1854 de la compagnie du Grand-Tronc indiquent un bâtiment de plus de 60 000 mètres carrés pour les ateliers de Pointe-Saint-Charles où étaient regroupées les installations de fonte, de forge, d'entreposage et de montage de locomotives. L'élimination systématique des entrepreneurs indépendants faisait partie des politiques de la compagnie. En plus de fabriquer ses propres wagons, locomotives et rails, celle-ci ajoutait à ses installations des ateliers de sciage, de laminage, de peinture et de vernis. Les ateliers étaient éclairés par 700 becs de gaz et chauffés à la vapeur par la combustion de leur propre sciure de bois. Vers 1871, quelque 750 employés travaillaient aux installations de Pointe-Saint-Charles.

Malgré la présence de beaucoup de travailleurs spécialisés, ceux-ci avaient perdu leur autonomie et la propriété de leurs moyens de production ; les comptes rendus quotidiens témoignent d'une production industrielle et d'une organisation administrative propres à la compagnie du Grand-Tronc.

LES PRODUCTEURS INDUSTRIELS

À Montréal, bien avant la révolution dans les transports, la production industrielle existait déjà dans les secteurs des brasseries, des chantiers maritimes et des minoteries. Dès 1831, la famille Ogilvie y possédait un moulin à vapeur. Les exemples du brasseur John Molson et du maçon John Redpath illustrent bien cette évolution du travail artisanal vers la production industrielle.

Le déclin de l'autosuffisance et la croissance de la consommation alimentaire urbaine offraient de nouveaux marchés aux producteurs urbains. Vers 1850, les brasseurs montréalais déclaraient un chiffre d'affaires de 750 000 livres sterling. Déjà en 1785, John Molson père possédait une brasserie à Montréal et, au début du XIXe siècle, lui et ses trois fils avaient commencé à diversifier leurs investissements dans les bateaux à vapeur, les fonderies, les chantiers maritimes, la distillation du whisky, les scieries, la spéculation foncière, l'entreposage, les banques et les chemins de fer. L'histoire de la famille Molson illustre bien l'importante relation entre l'industrie, l'accumulation de capitaux et l'investissement dans la propriété foncière. Au milieu du siècle, cette famille était de loin devenue le plus grand propriétaire terrien laïque ; les avoirs de seulement deux des Molson étant évalués à plus de 43 296 livres sterling.

Le cas de John Redpath offre un autre exemple de cette évolution du travail artisanal vers la production industrielle. Originaire d'Écosse, il devint un important maçon de Montréal, au cours de la décennie 1820-1830, et il accumula des capitaux grâce à d'importants projets de construction, tels des canaux, des églises et d'autres institutions publiques. Des projets d'envergure, comme l'église Notre-Dame et le canal Rideau, amenèrent de nouveaux comportements dans le monde du travail et des affaires. Sur une période de dix-huit mois (1826-1827), John Redpath soumissionna pour quatorze contrats dont la Montreal Water Company, le British and Canadian School, une maison pour les Molson, une autre pour l'éclusier du canal de Lachine et un magasin pour les marchands Forsyth et Richardson. C'est avec le capital accumulé qu'il construisit la première raffinerie de sucre au Canada (figure 5.7).

Une grande partie du capital et des moyens de production était concentrée entre les mains de Québécois anglophones. L'interprétation culturelle de ce phénomène pose un problème, et l'image de la structure familiale canadienne-française et du « système rural fermé », telle que dépeinte par Everett Hughes, doit

FIGURE 5.7
La raffinerie de sucre Redpath. Cette raffinerie de sept étages, construite en 1854, représentait un investissement de 40 000 livres sterling. En moins d'une année, plus de 100 employés y raffinaient 3000 barils de sucre de canne des Antilles par mois. L'illustration montre l'importance du canal de Lachine et donne une idée de la distance de cette nouvelle banlieue par rapport à Montréal. On note aussi la présence de charretiers, ainsi que celle de bateaux à voiles et à vapeur.

être rejetée en tant qu'explication de l'inaptitude des élites francophones à dominer l'industrialisation et la capitalisation au Québec (Rioux et Martin, 1964 : 85). En effet, de nombreux faits confirment la participation francophone au développement industriel et ferroviaire.

Des professionnels d'origine urbaine, tel George-Étienne Cartier, s'adaptèrent aux conditions changeantes du capitalisme du XIXe siècle. Les origines ethniques de ce dernier ne l'empêchèrent nullement de s'intégrer et de s'épanouir dans le monde interethnique, extra-familial et masculin du monde des affaires et de la politique montréalais. Se retrouvaient dans son cabinet d'avocat des clients commerciaux tels que le gouvernement français, le Séminaire de Montréal, la compagnie du Grand-Tronc, diverses compagnies minières, de chemins de fer et d'assurances. Il investit les revenus gagnés dans sa pratique du droit et par ses activités politiques dans l'immobilier, ce qui lui rapporta des rentes substantielles. Vers 1860, il plaça ses capitaux dans les banques et, à un moindre degré, dans des actions de compagnies industrielles.

Ni l'élite traditionnelle, ni le clergé, ni les seigneurs ne s'opposèrent au capitalisme industriel. Le Séminaire de Montréal, par exemple, était l'un des deux plus grands actionnaires de la compagnie du Grand-Tronc, tandis qu'à Québec le clergé local achetait des titres des chemins de fer régionaux. Qualifiant « d'œuvre patriotique » le chemin de fer qui desservait la ville de Québec, l'archevêque de

FIGURE 5.8
Observation de l'inauguration du chemin de fer de Joliette par un étudiant.

Québec en acheta 124 parts, le Séminaire de Québec 48 et les Ursulines 40. William Ryan (1966) a noté le même genre d'appui clérical régional aux chemins de fer et aux activités industrielles.

De nombreux faits corroborent aussi l'engagement des seigneurs dans l'activité industrielle. Le seigneur de Lotbinière défendit ardemment les chemins de fer en les comparant au système sanguin du corps humain. Il prédisait que « là où ces artères de fer ne porteront pas la vie, il y aura déclin ». Les seigneurs comprirent le potentiel industriel de leurs sites hydrographiques, de leurs forêts et de leurs mines. Tandis que certains choisissaient de louer ou de vendre des terres à vocation industrielle ou des réserves forestières, d'autres participèrent activement au développement industriel.

Par exemple, dès 1820, Barthélemy Joliette, utilisant le capital accumulé grâce à ses droits seigneuriaux, construisit un moulin, à côté duquel il érigea une église et un collège classique. En 1837, il bâtit un deuxième moulin et une distillerie. Et, en 1850, il avait déjà construit l'un des premiers chemins de fer du Québec (figure 5.8) dont il se servait pour acheminer le bois de ses scieries jusqu'au fleuve Saint-Laurent (Robert, 1972).

Mais c'est l'attitude des dirigeants politiques québécois après 1840 qui fut encore plus déterminante pour l'industrialisation. Des premières années de collaboration entre Louis-Hippolyte La Fontaine et Francis Hincks, jusqu'aux carrières de George-Étienne Cartier, Hector Langevin, Joseph-Adolphe Chapleau et Honoré Mercier, il apparaît clairement que l'alliance entre quelques-uns des politiciens québécois les plus influents et les groupes d'intérêts ferroviaires et industriels était une réalité fondamentale de la vie politique québécoise. Cette réalité se traduisit par un appui soutenu de la part du Québec à diverses entreprises ferroviaires. La Loi sur les garanties (1849) et la Loi sur les municipalités (1852) facilitèrent l'octroi de subventions publiques, surtout à la compagnie du Grand-Tronc.

Dans les années 1870, le Québec, bien plus que l'Ontario, empruntait largement sur les marchés britannique, français et américain pour financer le réseau ferroviaire de la rive nord. Au cours de l'exercice financier terminé en juin 1877, la province avait dépensé 3 481 670 $ directement pour les chemins de fer et 407 176 $ au service de la dette qui était en grande partie attribuable à des investissements antérieurs dans les chemins de fer. Le total de toutes les autres dépenses gouvernementales n'atteignait pas 2 000 000 $.

Montréal, en particulier le long du canal de Lachine, abritait la majeure partie des premières activités industrielles du Québec. À la fin des années 1840, les manufacturiers profitaient des améliorations du transport maritime et utilisaient l'énergie hydraulique des écluses récemment agrandies pour leurs moulins à farine, leurs scieries, leurs tonnelleries, leurs chantiers maritimes, leurs raffineries de sucre, leurs fabriques de clous, de lits, de chaises, de portes et fenêtres, de scies, de haches et de marteaux. En 1856, le long du canal, plus de 1203 ouvriers s'activaient dans les industries mues par la force hydraulique. En 1871, 44 établissements industriels employaient 2613 ouvriers et 938 autres travaillaient dans les ateliers de la compagnie du Grand-Tronc (McNally, 1982 : 117 ; Willis, 1987 : 220).

Les ateliers, les cales sèches, la scierie et la fonderie d'Augustin Cantin, le plus important constructeur de bateaux à vapeur de Montréal, occupaient onze acres de terrain aux environs de la première écluse. Cantin, natif de Cap-Santé près de Québec, avait fait son apprentissage à Liverpool et à New York. Grâce à ses compétences dans les nouvelles techniques de construction navale, il se lança en affaires. En 1850, il investit 10 000 livres sterling dans la construction d'une cale sèche et, en 1855, sept bateaux à vapeur destinés au marché tant national qu'international étaient construits sur son chantier. De 200 à 250 hommes travaillaient dans l'usine de Cantin, l'une des premières où furent intégrés appareils moteurs et coques d'acier (Tulchinsky, 1977 : 210).

L'ORGANISATION DU TRAVAIL

La production au niveau industriel exigeait beaucoup plus qu'un esprit d'entreprise ou une organisation précise du travail. Dans certains cas, il fallut instaurer de nouvelles formes de discipline et de gestion ; dans d'autres, des cadences de travail, des relations avec les ouvriers, des critères de précision et de régularité qui différaient grandement des anciennes traditions du travail à la maison, à la ferme ou à l'atelier. Ce processus aboutit à la perte du statut artisanal et à la prolétarisation du travail.

Il semble que le système de l'apprentissage se soit modifié après 1810. Les maîtres prirent de moins en moins de responsabilités de nature parentale envers les apprentis et remplacèrent de plus en plus le gîte, le couvert et l'éducation par un salaire. L'augmentation du nombre d'apprentis par maître nécessitait de plus grands ateliers, une répartition du travail dans certaines activités commerciales et une modification du mode d'apprentissage qui passa de l'acquisition de compétences générales du métier au simple contrat de travail dans une tâche spécialisée. Ce processus était déjà en marche au cours de la deuxième décennie du siècle. En 1815, par exemple, le sculpteur Louis Quévillon, établi dans la région de Montréal, employait plus de quinze apprentis et ouvriers à des tâches bien définies dans l'assemblage de mobilier et d'orneménts d'églises. Utilisant une main-d'œuvre bon marché et des motifs standardisés, il instaurait ainsi une production de masse pour meubler et décorer des dizaines d'églises à la grandeur du Bas-Canada.

Après 1820, du fait d'une expansion urbaine accélérée, l'exemple de Quévillon se multiplia. Un tiers de tous les artisans de Montréal travaillaient dans la construction. Ces hommes voyaient leur travail traditionnel menacé sur deux plans : par le pouvoir grandissant de l'entrepreneur général qui souvent réduisait leur indépendance ou l'exigence des compétences d'un charpentier, plâtrier, vitrier ou maçon et, à partir de 1840, par la concurrence des manufacturiers de plus en plus importants installés aux environs du canal de Lachine qui fournissaient des produits de construction normalisés, tels que portes et fenêtres.

Bien que des historiens comme Fernand Ouellet laissent entendre que ces transformations aient eu pour effet de marginaliser les artisans canadiens-français, Joanne Burgess (1988) fait valoir qu'au cours du premier tiers du XIXe siècle les ouvriers du cuir de Montréal, issus de la population francophone, constituaient « une communauté essentielle et dynamique qui possédait une longue tradition du travail artisanal, capable de se régénérer et d'attirer de nombreuses nouvelles recrues ». Peter Bischoff (1992), quant à lui, utilise la migration des travailleurs de la Mauricie vers les fonderies du canal de Lachine à Montréal, et le maintien des réseaux de quartier chez les familles d'artisans comme exemple de dynamisme chez les forgerons francophones qui, après 1850, transmettaient leur tradition de père en fils. Les deux auteurs insistent sur le rôle des industries rurales dans la vitalité des industries montréalaises et la mobilité de la main-d'œuvre.

Les activités liées à la transformation du cuir — tannage, fabrication de chaussures, gants, selles et harnais — permettent l'observation des étapes de la production industrielle dans un secteur entier et dans une région extérieure à Montréal. Traditionnellement, le tannage était une activité familiale et artisanale. L'on retrouvait de nombreuses tanneries le long de la rue Saint-Vallier à Québec et dans le secteur des tanneries Rolland, à l'ouest de Montréal. La plupart des tanneurs étaient propriétaires de leur atelier qui, souvent, jouxtait leur maison. En temps normal, peu de gens y étaient employés (en 1842, il y avait en moyenne 3,5 personnes par tannerie dans la ville de Québec) et l'investissement moyen par tannerie était de 7500 $ (Ferland, 1985 : 52). Au début du XIXe siècle, ces petites tanneries se multipliaient et, vers 1851, on en retrouvait plus de 100 à l'échelle du Québec.

Néanmoins, l'industrie du cuir se modifiait et se déplaçait vers l'ouest. Un rapport du Montreal Board of Trade de 1865 fait état des changements dans la production et les marchés de la semelle de cuir :

> L'industrie de la semelle de cuir est concentrée entre les mains de ceux qui possèdent capital et expertise. L'an dernier, la production a largement excédé la demande et une grande partie des stocks a été expédiée en Grande-Bretagne. Le cuir noir ou corroyé, destiné au marché de Montréal, provient en grande partie de petites tanneries éparpillées à la grandeur du [Haut-Canada].

Une partie de ce changement était attribuable à l'influence croissante des Américains dans l'industrie du cuir au Québec, à leur capital, à leur machinerie (machine à fendre, nouvelles presses, cuves et fourneaux) et à leur savoir-faire dans l'intégration verticale de la production. Les frères Shaw du Massachusetts, par exemple, améliorèrent l'utilisation de l'écorce de pruche (*tsuga canadiensis*) dans les opérations de tannage. Exploitant la vaste réserve d'écorce de pruche des Cantons de l'Est, ils investirent, avant 1871, 255 000 $ dans leurs ateliers et leurs installations hydrauliques et à vapeur. Quelque 126 ouvriers travaillaient dans leurs usines de Montréal, Roxton Falls et Waterloo. À la fin du siècle, l'écorce locale épuisée, de grandes tanneries rurales, comme celles des Shaw, déménagèrent en Ontario.

Dans le secteur de la chaussure, la production artisanale subit des changements avant même l'introduction de la machine. En 1849, Brown et Childs ouvraient leur manufacture à Montréal. Là encore, le capital combiné à une expérience de gestion dans l'organisation du travail, l'utilisation de la vapeur et de nouvelles techniques provoquèrent de profonds changements dans cette industrie québécoise.

Vers 1871, les plus importants manufacturiers de chaussures, à Montréal et à Québec, produisaient 500 000 paires de chaussures par année. La production par employé était élevée. À Québec, Joseph Poirier, avec 23 employés, fabriquait plus de 19 000 paires de chaussures par année. Dans les usines, la main-d'œuvre spécialisée, comme les monteurs de tiges et les tailleurs de cuir, travaillait au même endroit que les opérateurs de machine et les manœuvres, mais une main-d'œuvre à domicile était de plus en plus utilisée.

Le travail industriel était souvent répétitif et organisé de façon à employer le plus de main-d'œuvre non spécialisée, et par conséquent moins bien payée. Du point de vue de l'employeur, les femmes et les enfants constituaient un excellent réservoir de travailleurs. En 1871, 25 % des garçons de Montréal âgés de 11 à 14 ans travaillaient. À la même époque, les femmes représentaient 33 % de la main-d'œuvre montréalaise, tout particulièrement dans les secteurs du textile, du vêtement et du caoutchouc. Le même phénomène se remarque dans des centres plus petits comme Saint-Hyacinthe où la domesticité féminine déclina au profit de travail dans les usines de textiles, de vêtements et de chaussures (Gossage, 1999 : 61). En 1861, 16,8 % des femmes sur le marché du travail étaient employées dans des industries tandis qu'en 1891 ce secteur en occupait 56,9 %. Le travail domestique ne représentait alors que 19,9 % des femmes salariées.

Mais la résistance aux changements que ce soit dans le mode et le lieu du travail ou contre la forme de propriété des moyens de production s'organisait. En dépit de la difficulté d'organiser des grèves et d'autres formes de résistance, le militantisme ouvrier s'avérait particulièrement dynamique dans les secteurs du transport, de la construction et du cuir. De 1820 jusque vers 1850, des émeutes et des grèves menées par les terrassiers irlandais à Lachine, et sur d'autres sites de construction du Saint-Laurent, survenaient périodiquement. En 1844, les charretiers qui transportaient la pierre menacèrent de tuer leur entrepreneur si leur salaire et leurs conditions de travail ne s'amélioraient pas. À la faveur de la nuit, les charrettes de l'employeur furent détruites et des lettres de menaces affichées (Willis, 1987 : 97). Dans le secteur de la construction, les confrontations les plus sanglantes eurent lieu à Beauharnois en 1843, lorsque 20 grévistes furent tués par les troupes britanniques. Les grèves se multiplièrent au cours du siècle. Entre 1843 et 1879, il y eut 61 grèves et, entre 1880 et 1895, 102 grèves.

En 1866, une grève importante éclata chez les travailleurs des chantiers maritimes à Québec. Organisés en société de secours mutuels, quatre années plus tôt, ceux-ci revendiquaient désormais un salaire égal pour un travail égal. Toutefois, leurs revendications dépassaient les questions salariales puisqu'ils tentaient aussi de reprendre le contrôle de leur lieu de travail. Entre autres choses, ils réclamaient le retrait des machines à vapeur pour certains travaux et le contrôle du nombre d'ouvriers employés à certaines tâches en particulier.

La violence éclatait régulièrement entre les groupes ethniques. Le long du canal de Lachine, des ouvriers immigrants originaires des comtés de Connaught et Cork en Irlande s'affrontaient ouvertement, tandis qu'entre 1830 et 1840 des confrontations, connues sous le nom de *Shiners War*, survinrent entre ouvriers irlandais et francophones dans les camps de bûcherons de la vallée de l'Outaouais. La construction du canal Rideau achevée, les ouvriers irlandais optèrent pour le travail en forêt, secteur d'activité traditionnellement réservé aux fermiers francophones pour qui les revenus de ce travail hivernal étaient essentiels à l'économie familiale. Dans le port de Québec et dans les chantiers maritimes, les relations ethniques entre travailleurs irlandais et francophones avaient toujours été bonnes. Les francophones étaient en majorité dans les chantiers maritimes, et les Irlandais travaillaient surtout comme débardeurs. Cependant, en raison d'un déclin dans la construction navale, les francophones se tournèrent de plus en plus vers les emplois de débardeurs. À la suite des émeutes de 1878 et 1879, la Ship Labourers Benevolent Society adopta un règlement stipulant qu'on devait employer un même nombre de francophones et d'Irlandais sur un chantier.

Au cours des décennies 1830 et 1840, l'antagonisme de classe, un des facteurs de la montée du syndicalisme, fit son apparition dans de nombreux métiers. C'est à cette époque que les tailleurs, les fabricants de chaussures, les boulangers, les menuisiers, les imprimeurs, les mécaniciens, les pompiers, les peintres, les tailleurs de pierre et les laitiers s'organisèrent en syndicats (Palmer, 1985 : 30).

Au début des années 1880, les Chevaliers du travail s'imposaient au Québec. Malgré une interdiction formelle de l'archevêque Taschereau — il qualifiait l'adhésion à ce syndicat de « péché mortel » (1886) — le programme des Chevaliers, qui encourageaient la solidarité de classe, l'autonomie ouvrière sur le chantier et la journée de neuf heures, attira de nombreux travailleurs québécois. Leur symbolisme et leurs rituels secrets, leurs pique-niques, galas et défilés, leur promotion d'une autonomie personnelle et de la tempérance reflétaient les préoccupations culturelles, ouvrières et familiales de nombreux ouvriers francophones et anglophones. Prônant la solidarité ouvrière, les Chevaliers organisèrent aussi les syndicats féminins.

Montréal et Québec, où avaient lieu des rassemblements de 8000 à 15 000 personnes, demeuraient les châteaux forts des Chevaliers du travail, bien que des réunions aient aussi été organisées à Hull, Sillery, Buckingham, Valleyfield, Sherbrooke et Bedford. En 1886, le mouvement atteignait son apogée au Québec en prenant part aux grèves importantes des tonneliers, des fabricants de chaussures et des ouvriers en métaux. Contrairement à la plupart des régions nord-américaines, où le mouvement périclita rapidement, les Chevaliers du Québec et de la Nouvelle-Angleterre tinrent beaucoup plus longtemps et demeurèrent une force importante jusque dans les années 1890.

LES BANQUES ET LES ÉTABLISSEMENTS FINANCIERS

L'accès au capital était crucial pour les producteurs industriels qui, en dehors de la nécessité d'avoir un lieu où effectuer leurs opérations de change, devaient investir lourdement dans les installations. Amasser du capital d'investissement n'était pas la priorité des premières banques du Québec. La Banque de Montréal fut fondée en 1817 (figures 5.9 et 5.10), et la Banque de Québec, un an plus tard, pour faciliter les transactions commerciales des marchands. Mais, au fur et à mesure de l'identification des besoins des producteurs industriels, les banques et les autres établissements financiers ajoutèrent aux opérations de change des opérations de prêts et d'épargne. Ces nouvelles fonctions permirent aux capitalistes qui contrôlaient les banques d'amasser du capital sous de nouvelles formes.

Plus tard au cours du siècle, les entreprises hypothécaires, la bourse, les compagnies d'assurances et du marché des obligations municipales entrèrent en compétition avec les sociétés nationales et de secours mutuel dans le but de s'accaparer l'épargne des paroisses rurales, des cols blancs et des classes populaires. L'octroi d'une charte à la Bourse de Montréal en 1874 facilita, légitima et institutionnalisa l'accumulation du capital au Québec. Dix des soixante-trois compagnies enregistrées à la Bourse en 1874 étaient des sociétés industrielles (Sweeny, 1978 : 184).

Au cours des années 1870, les activités du domaine de l'assurance vie, une autre façon d'accumuler du capital, prirent de l'importance. En 1871, la plus importante compagnie canadienne, Sun Life, fut fondée par un groupe de capitalistes montréalais. Très rapidement, grâce aux primes, l'entreprise amassa d'énormes capitaux qui furent d'abord investis dans des hypothèques, puis, de plus en plus, dans des services publics. En 1877, la compagnie commença à vendre de l'assurance dans les Antilles et, au tournant du siècle, elle occupait une part importante du marché de l'assurance en Asie, en Grande-Bretagne, aux États-Unis et en Afrique. L'étendue de ses activités permit à la compagnie d'accumuler une immense réserve de capital, qu'elle réinvestissait ensuite dans les activités industrielles du Québec et d'ailleurs.

La carrière de Hugh Allan est un bon exemple de la relation entre le capital d'investissement et la production industrielle, le rôle de la famille et des liens de parenté, l'accès aux institutions financières et la question plus importante du pouvoir dans une société industrielle capitaliste. Quand il mourut, en 1882, Hugh Allan était devenu le premier capitaliste à posséder un monopole au Québec. Bien que son empire n'ait pas eu le degré de rationalisation d'une organisation industrielle plus contemporaine, Hugh Allan avait les ressources en capital public et privé pour développer un complexe industriel, financier et de transport intégré.

FIGURES 5.9 ET 5.10

La nouvelle église paroissiale, Notre-Dame de Montréal, et la Banque de Montréal.

Ces deux édifices qui se font face sur la place d'Armes symbolisaient le pouvoir économique dans cette société en mutation. Le Séminaire de Montréal collectait les droits seigneuriaux de toute l'île de Montréal. La construction du siège social de la Banque de Montréal en face du Séminaire devint l'un des symboles du pouvoir économique anglophone à Montréal.

Né dans une grande famille écossaise de la marine marchande, Allan émigra au Canada en 1826. Avec l'aide de son père, il s'associa dans une compagnie qui avait construit l'une des plus grandes flottes marchandes de l'Atlantique Nord. À partir de cette base, il s'engagea dans l'économie industrielle. Exploitant la force croissante de Montréal comme métropole, il prit part aux marchés toujours plus grands générés par la révolution des transports et devint le principal bailleur de fonds du premier consortium du Canadian Pacific Railway. Hugh Allan fut aussi président de la Montreal Telegraph Company (1852) et de la Montreal Warehousing Company (1865). De plus, il était membre du conseil d'administration d'autres entreprises telles que la Montreal Railway Terminus Company (1861), la Canadian Railway Station Company (1871), la St. Lawrence International Bridge Company (1875) et la Detroit River Tunnel Company. II prit aussi une part active dans le financement de douzaines d'entreprises dans les secteurs du coton et de la laine, du tabac, de la chaussure, du fer et de l'acier, du matériel roulant et du papier.

Président de la Cornwall Woolen Manufacturing Company et de la Canada Cotton Manufacturing Company, Hugh Allan fut l'un des fondateurs de cette dernière qui, grâce en grande partie à la politique nationale, déclarait des dividendes de 11 % en 1880, de 20 % en 1881 et de 14 % en 1882. II fut aussi l'un des présidents de l'Adams Tobacco Company (1882) et l'un des administrateurs de la Canada Paper Company, l'une des premières industries inscrites à la Bourse de Montréal. L'industrie des pâtes et papiers était un secteur en expansion et, entre 1861 et 1881, la production de la compagnie doubla à deux reprises.

Hugh Allan participa aussi au développement des activités économiques reliées aux ressources naturelles telles que l'agriculture, l'élevage, la pêche et les mines. Président de la Montreal and Western Land Company, de la North-West Cattle Company et de la Canada and Newfoundland Sealing and Fishing Company, il fut nommé au poste d'administrateur de trois compagnies minières ontariennes et d'une entreprise d'extraction de marbre du Vermont. Le charbon constituait la principale ressource minière pour des industriels capitalistes comme Hugh Allan, puisque c'était la source énergétique de ses chemins de fer, de ses bateaux et de nombre de ses fabriques. Administrateur de nombreuses mines de charbon des Maritimes, il fut aussi président de la Vale Coal, Iron and Manufacturing Company (1873) qui approvisionnait en charbon de nombreuses et importantes industries de Montréal.

Le financement de toutes ces activités industrielles provenait en partie du crédit et des services bancaires de sa banque et de six compagnies d'assurances dans les domaines de la vie, de la marine et des incendies. Sa banque, la Merchants Bank, qui obtint sa charte en 1861, acquit rapidement la réputation

TABLEAU 5.6

Banques francophones établies avant 1874

	Fondation	Destin
Banque du Peuple (Montréal)	1835	Fermée en 1895
Banque Nationale (Québec)	1860	Fusionnée en 1924
Banque Jacques-Cartier (Montréal)	1862	Réorganisée en 1900
Banque Ville-Marie (Montréal)	1872	Fermée en 1899
Banque de Saint-Jean (Saint-Jean)	1873	Fermée en 1908
Banque d'Hochelaga (Montréal)	1874	Changée de nom en 1925
Banque de Saint-Hyacinthe (Saint-Hyacinthe)	1874	Fermée en 1908

(Rudin, 1985 : 5)

d'être la banque la plus dynamique au Canada. Vers la fin des années 1870, elle était la deuxième banque en importance après la Banque de Montréal et nombre de ses prêts servaient à financer les compagnies de Hugh Allan.

Hugh Allan était à l'origine d'une dynastie familiale, et les générations suivantes hériteraient de son pouvoir économique. Son frère cadet, Andrew, participa à la création de la Montreal Ocean Steamship Company et s'enrichit à son tour. L'un des fils de Hugh, Hugh Montagne Allan, devint président de la Merchants Bank deux décennies après la mort de son père.

Les entrepreneurs francophones étaient bien au fait de l'importance des banques et du capital d'investissement, mais trouvaient difficile de soutenir la concurrence des pouvoirs cumulatifs et internationaux de leurs homologues anglophones. En 1835, la Banque du Peuple était fondée et lorsqu'elle obtint sa charte, en 1844, elle détenait un capital-actions de 200 000 livres sterling. En 1846, d'éminents hommes d'affaires francophones et anglophones fondèrent la Banque d'épargne de la cité et du district de Montréal dans le but d'amasser les épargnes des classes populaires à des fins d'investissement. Cette banque fut élevée, par le haut clergé catholique de Montréal, au rang d'œuvre philanthropique.

Au cours de la période antérieure à 1874, sept petites banques furent fondées par des francophones pour contrer la discrimination que manifestaient envers leur communauté les banques établies, pour promouvoir l'épargne locale et pour émettre des bons et investir. Ces banques se caractérisaient par leur sous-capitalisation, leur régionalisme et se rapprochaient en cela de plus petites banques anglophones, comme l'Eastern Townships Bank (tableau 5.6).

LE CAPITALISME COMMERCIAL

Dans le Québec préindustriel, les marchands avaient été, bien entendu, une force importante et le commerce avait coexisté aisément avec d'autres activités préindustrielles. Bien que les marchands du XIXe siècle aient été soutenus par un réseau commercial de plus en plus complexe de services bancaires, d'assurances, de courtage, de transport maritime, d'entreposage, et par des services juridiques, la nature de leurs activités locales et internationales ne se modifia pas de façon significative au cours de la période de transition. Ce qui changea grandement, ce furent les possibilités d'investir le capital accumulé dans le commerce.

Le commerce local et régional demeurait l'activité essentielle de nombreux marchands côtiers, commerçants urbains et marchands généraux de village. Derrière des commerces plus évidents comme ceux du bois équarri et du blé, il y avait celui des approvisionneurs qui, par bateaux, acheminaient l'avoine pour les chevaux de Québec ; des producteurs locaux et des marchands qui fournissaient le beurre, les pommes, les œufs, les pommes de terre et la farine aux camps de bûcherons de l'Outaouais, du Saint-Maurice et du Saguenay ; des pourvoyeurs en bois de chauffage de Châteauguay ou Saint-Jérôme pour les poêles de Montréal ; ainsi que le commerce des éleveurs de porcs des Cantons de l'Est pour les troupes britanniques stationnées dans la province. Il existait aussi une petite armée de cabaretiers, hôteliers, opérateurs de traversiers, halliers, marchands de volaille et marchands ambulants qui procuraient nourriture, boissons alcooliques, médicaments et articles divers aux particuliers. Serge Jaumain (1987) a fait ressortir la diversité et l'importance des activités commerciales en soulignant que le nombre de marchands ambulants recensés dans la province quintupla entre 1851 et 1891, passant de 67 en 1851 à 344 en 1891.

Jusqu'au milieu du XIXe siècle, le commerce du bois équarri demeura important, bien qu'il finît par être dépassé par la transformation des produits de la forêt en potasse, bois de construction, douves, madriers et papier. Quelques-unes des grandes fortunes familiales du Québec, celles des McLaren de la vallée de l'Outaouais, des Sharple et des Price à Québec, s'établirent à partir du commerce du bois et des scieries. Les Price représentent peut-être le meilleur exemple d'une famille enrichie dans l'industrie forestière.

Arrivé au Canada en 1810 à titre de représentant d'une entreprise de bois britannique, William Price (1789-1867) décida de vendre, dans les années 1820, et pour son propre compte, du bois équarri à la marine britannique. En 1833, lui et ses associés détenaient des contrats individuels de plus de 200 000 livres sterling et acheminaient vers l'Angleterre 100 bateaux chargés de bois par année. Dans les années 1840, il contrôlait quelque 19 940 kilomètres carrés de réserves forestières dans la région du Saguenay–Lac-Saint-Jean, 400 kilomètres carrés sur la rive sud, et une partie importante de deux seigneuries. Au fur et à mesure que le commerce du bois scié progressait, William Price réinvestissait ses profits du bois équarri dans le domaine des scieries. Le bois de ses concessions forestières servait à approvisionner ses 33 scieries situées le long du Saguenay et sur les rives du Saint-Laurent.

Ces scieries produisaient 500 000 madriers par année pour le marché britannique et d'énormes quantités de bois de sciage pour les marchés américains. Aux environs de 1861, 12 000 colons de la région du Lac-Saint-Jean assuraient à William Price une main-d'œuvre dépendante, en été pour ses scieries, et en hiver pour la coupe du bois.

William Price était aussi un grand propriétaire foncier et sa ferme de 325 hectares près de Chicoutimi, qui employait jusqu'à 100 ouvriers agricoles, approvisionnait ses chantiers en beurre, porc, blé, bœuf et betterave à sucre. En 1860, un prêtre de la localité affirmait que la moisson de la ferme de Price égalait celle de toute la paroisse (Ryan, 1966 : 142). Sa biographe, Louise Dechêne, évoque sans ambiguïté sa personnalité et son monopole : « William Price gouvernait la région ; charitable envers ses employés dociles, il pouvait être sans pitié pour ceux qui contestaient son empire. »

Par suite de l'augmentation de la population, de l'achèvement du canal Rideau (1832), de l'amélioration du canal de Lachine (dans les années 1840) et de la construction des premiers chemins de fer vers le Haut-Canada (au cours des années 1850), le commerce avec le Haut-Canada prit de nouvelles dimensions. La vente en gros devint une activité de plus en plus importante pour les marchands montréalais qui acheminaient par bateau, vers le Haut-Canada, quincaillerie, thé, café, coton, laine, soie et sucre. Quant aux produits du Haut-Canada, blé, farine, avoine, beurre, porc, bois équarri, douves, madriers et potasse, ils arrivaient à Montréal à des fins de consommation locale ou d'exportation. Le commerce du blé revêtait une importance particulière puisqu'en 1851 le Bas-Canada importait la moitié de sa consommation totale, dont une grande partie en provenance du Haut-Canada. Cette année-là, près de 4,3 millions de barils de blé ontarien furent importés au Québec. Le blé et la farine comptait pour 78 % de tout le tonnage transitant par les canaux du Saint-Laurent (McCallum, 1980 : 35, 71).

L'AGRICULTURE

L'agriculture, comme nous l'avons vu précédemment, faisait déjà partie des marchés d'échange dans la société préindustrielle, et la paysannerie québécoise avait l'habitude de l'endettement envers les marchands ou les seigneurs. Mais la plus grande transformation survenue pendant la période de transition fut peut-être le grand mouvement migratoire vers de nouvelles régions agricoles, vers des centres industriels de la province et même vers la Nouvelle-Angleterre, lorsque les terres seigneuriales furent toutes occupées, après 1830. À la même époque, s'installait une dépendance accrue envers l'industrie pour des produits fabriqués autrefois localement, comme ceux du cuir. Cette dépendance obligea les fermiers à produire en fonction des besoins du marché. Puis, au fur et à mesure que le régime seigneurial disparaissait, l'agriculture fut aussi affectée par des changements dans les lois réglementant la propriété foncière. En dehors des basses terres du Saint-Laurent, il y eut un mouvement vers l'agroforesterie — système économique dans lequel les fermiers dépendaient des revenus du travail saisonnier en forêt — et un phénomène croissant de régionalisme.

Entre 1815 et 1840, les exportations de blé en provenance du Bas-Canada déclinèrent en raison des mauvaises conditions climatiques et des attaques de parasites comme la mouche de Hesse. Une diminution que l'on attribuait aussi à l'absence de grands troupeaux — source de fumier et, par conséquent, d'engrais —, à l'établissement de colons sur les terres moins propices à la culture des céréales, ainsi qu'aux changements dans la production pour satisfaire à la demande de marchés locaux en expansion. L'importance de ces facteurs variait dans l'ensemble du Bas-Canada. Au fur et à mesure que les disparités régionales s'accentuaient, une migration accrue de jeunes gens des régions agricoles plus pauvres devenait la source d'une main-d'œuvre pour les centres industriels du Bas-Canada et de la Nouvelle-Angleterre.

C'est la plaine de Montréal qui semble avoir le mieux résisté aux changements qui affectaient l'agriculture. Très fertile, on y ouvrit de nouvelles terres jusqu'en 1830. Au cours de la première moitié du siècle, Saint-Hyacinthe était une autre région des basses terres en développement qui offrait des conditions d'exploitation agricole comparables à celles du début de la colonie. Dans la région de Québec, Montmagny continuait à produire un surplus de grains.

Toutefois, les conditions dans Charlevoix se détérioraient au fur et à mesure que le mince territoire abritant des terres arables devenait de plus en plus densément peuplé. Les concessions seigneuriales de La Malbaie s'agrandirent dans les années 1820, mais, comme elles étaient concentrées dans un arrière-pays montagneux et improductif, les familles rurales devaient se partager entre les activités agricoles, forestières et la pêche. Dans certaines parties de la vallée de l'Outaouais, l'expansion de la population obligea les fermiers à s'établir sur les flancs improductifs du bouclier canadien.

Selon Normand Séguin (1977), la dépendance de cette population agricole marginale envers la rémunération salariale procurée par le travail forestier caractérisait l'économie agroforestière des vallées de l'Outaouais, du Saint-Maurice et du Saguenay. La vallée du Saint-Maurice en est un bon exemple. Au cours de la courte saison de culture, les familles rurales cherchaient à satisfaire leurs besoins alimentaires et à se procurer des revenus en expédiant des produits comme le bois de chauffage vers Montréal et Trois-Rivières, le fourrage, l'avoine, les pommes de terre et les pois vers les camps de bûcherons de la région (figures 5.11 et 5.12). Mais l'hiver, la survie de la famille rurale sur les terres pauvres de la région du Saint-Maurice dépendait du travail des hommes en forêt. Un modèle

FIGURES 5.11 ET 5.12

Le bois dans l'économie locale. Pour plusieurs, commerce du bois signifie exportation du bois équarri. Pourtant, ces photos illustrent bien l'importance des marchés locaux pour les produits du bois et montrent les pièges d'une explication simpliste de la dynamique de l'activité économique au Québec. La figure 5.11 montre un marché de bois de chauffage à Trois-Rivières. Dans les années 1820, par exemple, 23 000 cordes de bois dur étaient vendues comme bois de chauffage à Montréal. On peut donc croire qu'il y avait autant de bois consommé sur le marché local que destiné à l'exportation. La Lambkin Furniture Manufacture (figure 5.12) fut une autre de ces industries qui se développèrent en fonction des marchés locaux. Elle utilisait des machines actionnées à la vapeur et à l'énergie hydraulique. L'édifice de trois étages servait d'entrepôt et de magasin; le séchoir était situé de l'autre côté de la rue. Une douzaine d'employés y utilisent l'érable, le frêne et le pin local dans la construction de meubles, de cercueils et de charpenterie pour les églises et les habitations. Même si l'on utilisait une machinerie moderne, actionnée à la vapeur, les activités y conservaient certaines caractéristiques artisanales. Un artiste de renom décorait les beaux meubles. Le troc, particulièrement celui du bois, servait souvent de monnaie d'échange. Les propriétaires de cette industrie furent de surcroît les premiers architectes du canton de Missisquoi.

qui ne s'applique cependant pas à toutes les régions. Par exemple, Jack Little (1989) fait valoir que, dans les Cantons de l'Est, les fermiers avaient peu de liens avec l'industrie du bois et produisaient essentiellement pour la consommation domestique. La main-d'œuvre d'hiver, dans les compagnies forestières, provenait de celle des moulins.

Dans les années 1850, le travail en forêt payait de 7 à 10 dollars par mois, et dans les années 1880, de 12 à 22 dollars (Hardy et Séguin, 1984: 131). Une grande partie de cette main-d'œuvre salariée était constituée d'hommes célibataires et d'adolescents; rarement y retrouvait-on des garçons de moins de seize ans et des hommes de plus de quarante-cinq ans. En général, les hommes mariés ne travaillaient en forêt que si leurs fils étaient trop jeunes pour le faire.

La coupe commençait avec les premières neiges et allait en s'accentuant avec les premières gelées qui permettaient le transport de la nourriture et du bois. Jusqu'en 1920, époque où le travail à la pièce remplaça le salaire, les équipes de coupe comprenaient cinq hommes: deux trieurs, un conducteur d'attelage, un abatteur et un empileur. Dès le début du XIXe siècle, la hache traditionnelle du bûcheron fut remplacée par le godendart, grosse scie servant à tronçonner, maniée par deux hommes. L'épinette était le produit principal de la région du Saint-Maurice. Glissé jusqu'aux berges ou empilé directement sur les rivières gelées, le bois était ensuite transporté par flottage jusqu'au moulin ou au port lorsque survenait le dégel de la mi-avril.

Ces économies forestières locales étaient dominées par des producteurs forestiers, comme William Price, qui avaient la mainmise sur les forêts, les réseaux de transport, la commercialisation des produits du bois et le marché de la main-d'œuvre. Ils contrôlaient aussi la consommation locale par l'usage du troc dans les magasins de l'entreprise. Le compromis pour les paysans était qu'en contribuant par leur labeur à la fortune des grands capitalistes québécois du bois ils assuraient ainsi la reproduction sociale de leur famille.

Dans les régions rurales de la plaine de Montréal, l'économie rurale subissait aussi une transformation. À la fin du XVIIIe siècle, l'essor des ventes de blé avait favorisé l'intégration progressive de la paysannerie à l'économie de marché. Le blé demeurait toujours de première importance, mais les marchés urbains du fourrage et des produits laitiers prenaient de l'expansion. La différenciation sociale parmi les agriculteurs, déjà apparente au tournant du siècle, devenait de plus en plus marquée au fur et à mesure que les plus gros fermiers, bénéficiaires de cette économie de marché, se distançaient de leurs voisins plus pauvres.

L'accroissement du nombre de ruraux dépourvus de terre contribua au développement des industries rurales et à l'expansion de villages dans la région de Montréal, surtout au cours de la période 1815-1831 (Courville, 1984). Si, de tout temps, il y avait eu des tanneurs et des forgerons dans les villages et les villes, à

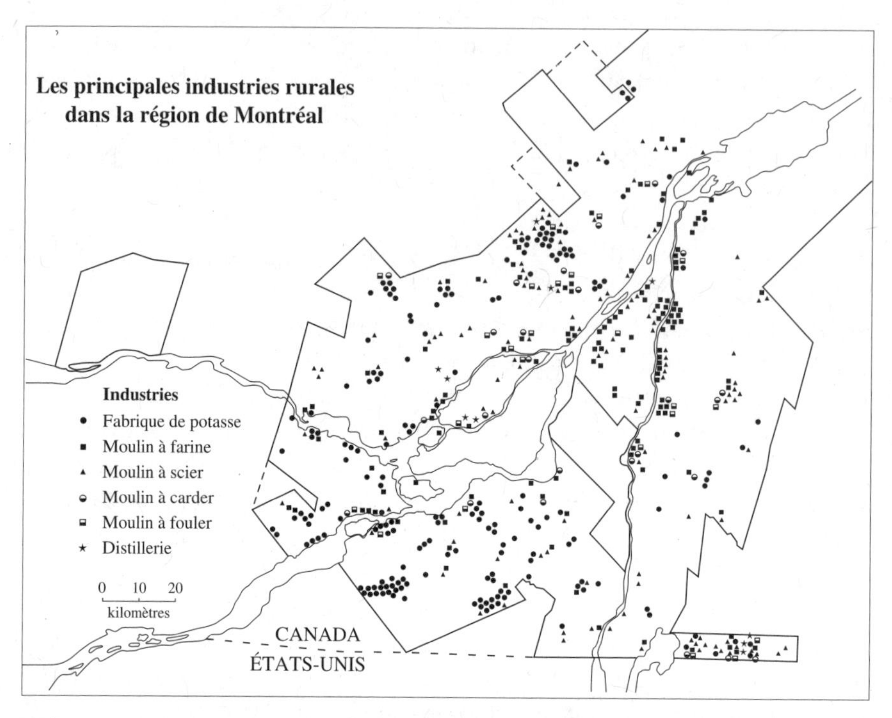

FIGURE 5.13
Carte préparée par Serge Courville (1988) représentant la répartition et la diversité des industries rurales de la région de Montréal en 1831. Comptant sur les surplus de l'agriculture locale, ces industries produisaient à la fois pour les marchés locaux et d'exportation.

partir de cette époque de nouvelles marchandises furent produites dans de petits centres régionaux (figure 5.13). Par exemple, à Saint-Charles, un village de la vallée du Richelieu, la chapellerie et la poterie devinrent des activités importantes, tandis que, en amont, Saint-Jean évoluait comme centre de production de faïence. Dans d'autres petits centres, le développement de la tonnellerie, de la carrosserie et du métier de tailleur indiquait bien la transformation croissante de l'économie rurale.

De nouvelles cultures et une spécialisation accrue montrent que des changements fondamentaux dans la structure de l'agriculture québécoise se produisaient. Au cours de la deuxième décennie du XIXe siècle, les pommes de terre faisaient partie du menu quotidien des paysans. L'expansion de la production laitière, conséquence de la demande accrue des populations urbaines locales et, plus tard, des marchés d'exportation, améliora la qualité du cheptel québécois et augmenta la production de fourrage, tels le trèfle et le foin. À la fin du siècle, le Québec comptait 1992 fromageries et était devenu, avec l'Ontario, le plus grand exportateur d'Amérique de fromage, une denrée d'exportation qui, à l'époque, était la deuxième en importance au Canada.

Le déclin de la production du blé au Québec et sa disparition des marchés d'exportation font donc partie d'une réorganisation plus importante des économies et des marchés changeants. Toutefois, loin d'être rétrogrades, comme l'a suggéré Fernand Ouellet, ces changements dans la production apportaient des réponses rationnelles aux réalités du marché et permettaient aux fermiers d'exploiter des marchés locaux en expansion ainsi que, plus tard, de nouveaux marchés britanniques pour les produits laitiers.

Il apparaît de plus en plus clairement que nombre de paysans sans terre n'eurent d'autres choix que de quitter quelques-unes des plus anciennes régions rurales. Ainsi, en 1831, sur l'île d'Orléans, 41 % des chefs de famille n'étaient pas propriétaires (Ouellet, 1976). Et bien que la stratégie paysanne avait toujours été de garder aux fermes du Québec une dimension qui leur assurait la viabilité, plutôt que de les subdiviser à l'infini entre les héritiers, certaines commencèrent à être morcelées. Au milieu du siècle, une forte colonisation s'implantait à l'extérieur des basses terres du Saint-Laurent. Mais, en dépit d'un soutien important du réseau familial, du clergé, du gouvernement et des sociétés de colonisation, les colons affrontaient de sérieuses difficultés. Les terres arables des Laurentides et des Appalaches étaient isolées et les routes de colonisation ouvertes lentement, ce qui rendait difficile l'approvisionnement et l'acheminement de la potasse, du porc et du beurre vers les marchés.

La colonisation francophone des régions non développées des Cantons de l'Est fut souvent entravée par la présence des grandes sociétés propriétaires de biens-fonds. Détentrices de chartes leur accordant de vastes territoires, ces sociétés privées voyaient avant tout aux intérêts de leurs actionnaires et de l'Empire. Mais quelle qu'ait été leur attitude envers les francophones, les dirigeants de ces entreprises avaient peu de considération pour les colons en général, qui ne disposaient pas de capital pour acheter des terres. Des sociétés de colonisation, comme la British American Land Company et la Megantic Land Company, abandonnaient tout simplement leurs mandats de colonisation, au profit de l'exploitation de leurs ressources en pin et en épinette au moyen de l'abattage et des scieries.

La construction du Grand-Tronc et le Traité de réciprocité de 1854 stimulèrent l'agriculture dans les cantons qui y étaient propices, par exemple dans celui de Compton d'où l'on expédiait de la laine et du bétail vers les marchés américains (Little, 1989). Résultat, de nombreux francophones qui émigrèrent dans la région étaient des travailleurs de chantier célibataires plutôt que des fermiers autonomes. Cette tendance à employer une main-d'œuvre francophone non spécialisée dans les Cantons de l'Est s'accentua, dans les années 1850, pour des centres industriels comme celui de Sherbrooke. En 1871, les francophones étaient en majorité dans les Cantons de l'Est, mais dans les institutions, par la visibilité de la langue anglaise et par le pouvoir économique, la minorité anglophone dominait toujours.

Au nord du Saint-Laurent, la colonisation se développait dans les régions des Laurentides, le long de l'Outaouais, du Saint-Maurice et du Saguenay. La population du Saguenay passa de 3000 âmes, en 1844, à 19 800 en 1871, ce qui représentait 1 % de la population du Québec. Au nord de Trois-Rivières, 1 200 000 hectares de terres situées le long du bassin du Saint-Maurice étaient propices à des établissements agricoles. Afin de faciliter l'exploitation de la région, une route de colonisation de 160 kilomètres fut construite dans la vallée. Sur la rive nord, le développement des chemins de fer joua aussi un rôle important. Dans les années 1850, la construction du Grand-Tronc, sur la rive opposée du Saint-Laurent, amenait l'établissement de quatre petites aciéries dans la vallée du Saint-Maurice, tandis que la construction de la North Shore Railway en 1870 stimulait la production industrielle et agricole locale. De 1850 à 1875, quatorze nouvelles paroisses virent le jour dans la région. La population de cette région (y compris celle de Trois-Rivières) passa de 30 000 âmes, en 1851, à 50 000 en 1881 (Hardy et Séguin, 1984).

Dans l'industrie laitière, la période de transition eut de profonds effets sur la division des tâches dans les familles d'agriculteurs. Le soin des animaux et la production du beurre destiné à la consommation domestique ou au troc dans la communauté locale avaient toujours été le travail des femmes dans le Québec préindustriel. Mais face à la croissance des marchés d'exportation, l'investissement dans le cheptel et les bâtiments, de même que dans de nouvelles techniques comme les écrémeuses, transféra la production domestique du beurre et du fromage aux établissements industriels, ce qui eut pour effet de réduire le pouvoir économique des femmes à l'intérieur du ménage (Cohen, 1984).

Au cours de la période du Traité de réciprocité (1854-1866), les exportations de beurre et de fromage québécois vers les marchés américains augmentèrent rapidement, tout particulièrement en provenance des cantons de Huntingdon, Châteauguay et Missisquoi. Un ensemble de lois régissant l'industrie laitière, la création d'un corps d'inspecteurs, l'organisation des producteurs en associations professionnelles et une amélioration des appareils de réfrigération et de ventilation dans les trains et les bateaux facilitèrent l'entrée du beurre et du fromage canadien sur les marchés britanniques et accélérèrent le passage de la production domestique à la production de marché. En 1873, s'ouvrait la première crémerie québécoise et, en 1891, on en comptait 112 dans la province.

LA VIE SOCIALE

Au cours du passage au capitalisme industriel, l'accroissement du pouvoir de l'Église catholique, les manifestations de résistance populaire aux changements, les affrontements religieux et ethniques et le phénomène de la compartimentation des quartiers selon la classe et l'ethnie constituèrent des jalons des mutations importantes qui s'opéraient alors dans les rapports sociaux.

Dans Québec, les quartiers ouvriers s'étendaient près des chantiers de construction navale et des tanneries, sur le bord de la rivière Saint-Charles (figure 5.14). À la fin des années 1850, les quartiers populaires progressaient à Montréal, le long du canal de Lachine et au nord-est de la vieille ville. À Pointe-Saint-Charles, les ateliers de chemins de fer et les usines bordant le canal employaient différents types de travailleurs : ouvriers de chantier, contremaîtres, ferronniers, cordiers, charpentiers, ouvriers de filature, gardes, peintres, serruriers et chaudronniers. Jusqu'à la mise en service des tramways dans ce secteur, au cours des années 1870 et 1880, les ouvriers devaient habiter près de leur lieu de travail. Certains de ces quartiers ouvriers étaient peuplés de gens de différentes ethnies (Sainte-Anne et Pointe-Saint-Charles, par exemple), tandis que Sainte-Cunégonde et Saint-Henri, situés plus loin le long du canal de Lachine, comptaient une population principalement francophone.

Malgré l'existence de logements construits par les compagnies, la pratique habituelle était celle des subdivisions en lots ; les ouvriers qualifiés mieux payés finançaient la construction de leurs habitations unifamiliales ou, plus souvent, de leur duplex et triplex. Ceux qui n'avaient pas accès au capital devenaient pensionnaires ou locataires. L'accroissement des locataires constitua une facette importante de cette période de transition. Dans le Montréal préindustriel des années 1740, moins de 30 % des ménages avaient été locataires mais, en 1825, ils étaient presque 70 % (Massicotte, 1987). À l'aide des rôles d'évaluation de la ville de Montréal, Robert Lewis (1990) montre que le taux d'accession à la propriété — particulièrement parmi les ouvriers non spécialisés — chuta brusquement avant 1842, puis de nouveau pendant la période 1861-1881. En 1842, seulement 5,7 % des ouvriers non spécialisés chefs de famille de Montréal possédaient une maison ; ce taux baissa à 3,6 % en 1881. Lewis conclut : « L'accession à la propriété dans le Montréal de la fin du XIXe siècle restait un privilège de classe, réservé à 15 % des familles. »

Jusqu'aux années 1840, Saint-Henri avait été un village de tanneurs et de cordonniers séparé de Montréal par les vastes étendues du domaine seigneurial des Sulpiciens. En 1825, il comptait 466 habitants, dont 63 % déclaraient travailler dans le commerce du cuir, notamment des tanneurs, des cordonniers et des selliers. L'agrandissement du canal de Lachine, la construction de routes et de

FIGURE 5.14
Le quartier Saint-Roch après un incendie en 1866. Ce quartier populaire de Québec, dépourvu d'éclairage public, d'aqueducs et d'égouts avant la seconde moitié du XIXe siècle, se caractérisait par sa population de petits propriétaires. Si les journaliers travaillaient dans les chantiers navals avoisinants, nombres d'artisans travaillaient, quant à eux, dans leurs boutiques près de leurs maisons. Les familles des quartiers populaires urbains élevaient alors des animaux et produisaient des aliments pour satisfaire une partie de leurs besoins. Le logement et les dépendances étaient en bois. De grands incendies éclataient régulièrement et avaient des conséquences catastrophiques pour ces quartiers, comme en témoigne cette photographie. En 1845, par exemple, le feu détruisit 1630 maisons et 3000 ateliers, boutiques et dépendances du quartier Saint-Roch (Dechêne, 1981). Le même quartier fut de nouveau ravagé par le feu en 1866. En 1853, un gros incendie dévasta également les quartiers populaires de Saint-Laurent et de Sainte-Marie à Montréal.

chemins de fer, ainsi que le morcellement du domaine seigneurial et des propriétés de campagne en zones industrielles et en logements ouvriers mirent Saint-Henri sur la voie du développement industriel.

Au cours des années 1850, la fabrication du cuir dans les ateliers d'artisans céda le pas à la « manufacture dispersée », système selon lequel les chaussures étaient cousues par des hommes et des femmes travaillant à la maison pour le compte d'entrepreneurs. Quelque 20 ans plus tard, ce système, tout comme la cordonnerie artisanale, connut un déclin rapide face à la concurrence d'une fabrique de chaussures de 50 employés, d'une tannerie à vapeur de 80 employés et de 2 fabriques de briques. En 1871, Saint-Henri avait une population de presque 2500 habitants. Entre 1879 et 1881, le village atteignit un autre niveau d'industrialisation avec la construction de vastes abattoirs, de la fabrique de machines à coudre William's et de la Merchants' Cotton Mill. Les deux dernières fabriques employaient un grand nombre de femmes (Lauzon et Ruelland, 1985).

À l'époque, 74 % des habitants de Saint-Henri étaient locataires. Onézime Bourelle et sa femme, Philomène Mire, représentaient ce qui peut être considéré comme un couple ouvrier type de leur localité. Mariés dans leur village natal de Saint-Isidore en 1859, les Bourelle étaient allés travailler en Nouvelle-Angleterre avant de venir s'établir à Saint-Henri où Onézime trouva un emploi de policier, puis du travail à la raffinerie de sucre Redpath. Les Bourelle louaient un logement de quatre pièces situé au deuxième étage d'un immeuble en bois de quatre appartements pour loger leur famille de neuf personnes. L'un des locataires, un laitier, payait un supplément de loyer pour l'étable sise dans l'arrière-cour, où il gardait sept vaches. Chaque appartement donnait accès à une cour où les locataires avaient des toilettes et des remises extérieures séparées. Les Bourelle n'avaient ni jardin ni animaux, mais leur propriétaire, qui occupait un des appartements, gardait un porc dans la cour. Pour ces familles, la vie sociale tournait autour des églises, des tavernes et des commerces de la rue Notre-Dame (Lord, 2000).

La résidence bourgeoise montréalaise répondait aux désirs des membres de la classe bourgeoise de se regrouper en quartiers, isolés des logements ouvriers et des activités industrielles. Les habitations des quartiers bourgeois étaient des maisons unifamiliales faites de matériaux de construction différents et bâties sur de grands terrains. À l'est, les bourgeois francophones construisaient d'élégantes résidences en pierre grise en haut des rues Saint-Denis et Saint-Hubert, tandis que, plus à l'ouest, leurs homologues anglophones s'implantaient dans le *Square Mile*, comprenant des villas, et des maisons en rangée situées à proximité des domaines des grands capitalistes montréalais, aux abords du mont Royal. Dans une banlieue desservie par le tramway, près de ce qui est aujourd'hui le Forum de Montréal, 93 des 94 personnes qui achetèrent une maison de 1860 à 1885 portaient des noms anglophones. Les propriétaires de cette banlieue avaient six mois pour ériger des clôtures et planter des arbres en bordure de leur propriété. Leurs contrats restreignaient l'usage du terrain à des résidences privées, imposaient l'installation de toits à revêtement ignifuge et l'utilisation de la pierre et de la brique comme matériaux de construction, et interdisaient toute construction à moins de 12 pieds de la rue.

Comme l'habitation, la vie culturelle était fonction de la classe. À Saint-Hyacinthe, les jeunes filles de l'élite locale passaient leurs vacances à faire de l'équitation, à se promener dans les bois, à rendre visite à des amis, à sortir, à flirter, à faire de la dentelle et à jouer du piano. À l'été de 1876, la famille Dessaulles prit le train pour aller en vacances à Old Orchard Beach, sur la côte du Maine.

Malgré son mode de vie apparemment frivole, Henriette Dessaulles, adolescente âgée de 14 ans, avait un esprit vif et critique, comme en témoigne son dédain pour les couvents, les prêtres et les retraites :

> Un autre mois [mars] qui commence ; au couvent c'est le mois ridicule et ennuyeux. Si on est sage on gagne une rose en papier de soie et on va très solennellement la déposer devant une grande statue laide de Saint-Joseph. Chaque semaine on change ses roses pour une branche de lis, toujours en papier sale, les fleurs en sont plus ou moins nombreuses suivant le nombre de roses. Au bout du mois, on va, toujours en procession, porter notre provision de lis au pauvre Saint-Joseph qui conserve son air un peu bête… parce qu'on l'a fait ainsi, je sais, je ne lui reproche rien. (1er mars 1875)
>
> […]
>
> La retraite continue. Tout m'y ennuie, excepté le silence qui me ravit ! […] Décidément, il est ridicule cet homme [le prédicateur] qui ramène tout en bas, qui ne parle que du laid en nous, dans la mort et dans l'éternité, avec ses descriptions insensées des châtiments ! (4 octobre 1875)
>
> […]
>
> Il [monsieur le curé Prince] sait mieux se moucher bruyamment dans son mouchoir rouge que confesser des jeunes filles. Je crois même qu'il ne soupçonne pas l'existence d'êtres comme nous. Pour lui, il y a des prêtres, des religieuses, des vieux parents, peut-être des garçons. (31 janvier 1876)
>
> (*Journal d'Henriette Dessaulles*, p. 38, 73 et 95)

À Montréal, les bourgeois mirent sur pied des clubs de curling, de cricket, de tandem et de chasse, tandis que les hommes des classes populaires jouaient à la crosse, au hockey et au baseball. Les courses de chevaux, la lutte, la boxe et les combats de coqs attiraient des foules nombreuses. Avec l'ouverture de bains publics, au cours des années 1880, la natation, auparavant uniquement pratiquée dans les eaux dangereuses et glaciales du Saint-Laurent, devint très populaire. Ainsi, lors de l'inauguration d'un bain dans un barrage de retenue du canal de Lachine, 3296 hommes et garçons vinrent y nager durant les quatre premiers jours. Les autorités municipales durent limiter le temps de baignade des nageurs à 20 minutes en raison de l'encombrement des lieux ; de plus, elles adoptèrent un règlement visant à préserver la moralité publique, en insistant pour que les usagers portent un maillot. Le patinage était un autre sport populaire et, au cours des années 1870, on ouvrit des patinoires privées payantes sur des terrains inoccupés appartenant à la ville. Parmi les activités récréatives populaires figuraient encore les défilés, les promenades en traîneau, les pique-niques, les cirques, les concerts de fanfare, les feux d'artifice et les spectacles de variétés. Après 1853, les jardins Viger, espace vert aménagé de trois acres où l'on trouvait des arbres, une serre, des fontaines, des promenades, et où l'on donnait des concerts publics gratuits, devinrent le parc le plus fréquenté de Montréal (figure 5.15).

FIGURE 5.15
À Cacouna, après le déjeuner, sur une allée de quilles. Cacouna, un village du Bas-Saint-Laurent, fut un site de villégiature pour la bourgeoisie montréalaise. À mesure que les robes de la fin de l'époque victorienne devenaient plus sophistiquées, il devint probablement de plus en plus difficile de s'adonner à cette activité.

Les tavernes étaient un élément important de la culture populaire des Québécois, et Montréal passait pour avoir une taverne pour 150 habitants (DeLottinville, 1981-1982 : 12). En plus d'être des débits de boisson, les tavernes étaient le théâtre de formes de récréation populaire comme les jeux d'argent, le billard, la musique et les discussions politiques. La taverne tenait lieu encore de solution de rechange aux nouvelles structures de régulation sociale du Québec en voie d'industrialisation : le paternalisme des employeurs, les Églises catholique et protestante, les syndicats, la police, les associations de bienfaisance et les sociétés nationales comme la Young Men's Christian Association (YMCA) et la Société Saint-Jean-Baptiste (figure 5.16).

Les tensions ethniques entre francophones et anglophones sont souvent perçues comme des caractéristiques immuables de la période post-Conquête. Vers 1850, cependant, les tensions ethniques semblent avoir été atténuées par la promiscuité de la vie urbaine comme en témoignent les nombreux francophones portant des noms d'origine britannique. Peter Ward (1989 : 23-24) commente à ce sujet un extrait du journal de George Stephen Jones, lorsqu'il décrit la cour qu'il faisait à Honorine Transwell, à Québec :

> Le journal offre un excellent exemple de mariage et de vie sociale interculturels entre des bien nantis de la moitié du XIXe siècle. […] George et Honorine étaient tous deux issus de familles où les mariages entre Anglais et Français étaient courants. Le père, le grand-père et l'arrière-grand-père d'Honorine avaient tous épousé des Canadiennes françaises, et sa sœur venait tout juste d'épouser un « Canadien ». Le mari que son père aurait préféré pour elle était aussi un Canadien français. […] Le mode de visites sociales décrit dans ce journal corrobore ces affirmations.

En dépit de l'histoire récente des violents conflits entre les deux groupes, en particulier pendant 1837-1838, à des niveaux plus terre à terre de la vie sociale dans la communauté, certains membres de la majorité francophone et de la minorité anglophone avaient trouvé une façon très efficace de vivre en harmonie.

FIGURE 5.16
Conception des autorités victoriennes sur les vices les plus répandus. Ceux-ci étaient très nettement divisés selon les sexes : les hommes aimaient boire, priser du tabac, jouer aux cartes et manger, alors que les femmes s'adonnaient à la vanité, au thé et aux commérages.

LES FEMMES

La transition posait des problèmes particuliers aux femmes, notamment à celles qui ne pouvaient pas compter sur le réseau des relations familiales. Les tâches qu'elles avaient accomplies au sein de la famille préindustrielle — préparation de repas, soin des animaux domestiques habillement, etc. — prirent des dimensions différentes dans une société urbaine et industrielle qui mettait l'accent sur le travail salarié, la location du logement, l'économie de marché et la consommation. Les familles urbaines continuèrent de garder des animaux chez elles, chevaux, vaches, volaille et porcs, jusqu'à ce que les édiles exercent des pressions, au cours des années 1860, pour rendre cette pratique de plus en plus difficile. La volaille et le porc étaient d'une importance particulière pour l'alimentation des classes populaires. La chute du nombre de porcs après 1861 (tableau 5.7) souligne l'effet des règlements municipaux sur les stratégies du survie familiale de ces classes. C'est ainsi que les familles urbaines durent acheter de la viande plutôt que d'en produire elles-mêmes.

Les veuves et les femmes célibataires ou abandonnées sans capital faisaient face à des conditions matérielles précaires. Tandis que la société préindustrielle avait été tout aussi patriarcale, les normes culturelles de la société en voie d'industrialisation imposèrent aux femmes de nouvelles façons d'agir qui subordonnaient l'action économique indépendante aux idéaux de la famille. On comptait un grand nombre de femmes chefs de famille : en 1881, 30 % des Montréalaises

TABLEAU 5.7

Animaux domestiques à Montréal, 1861-1891

	Chevaux	Vaches laitières	Porcs	Volaille
1851	2077	1528	1877	—
1861	2892	2160	2644	—
1871	3530	1837	831	—
1881	4479	1658	180	—
1891	6751	1290	92	9589

(Adapté de Bradbury, 1984 : 15)

âgées de plus de 40 ans étaient veuves. Généralement sans capital ni expérience de travail salarié, elles acceptaient de travailler dans les domaines où elles pouvaient exercer leurs talents de ménagères, soit le nettoyage, le lavage, la cuisine ou la tenue de pensions ou de tavernes.

> À la mort de son mari, la veuve McGrath restait avec trois enfants âgés de 4 à 9 ans. Elle recueillit deux autres veuves, dont l'une avait un enfant de 11 ans. Deux d'entre elles travaillaient comme laveuses, la troisième vendait des produits au marché. À elles trois, elles gardaient cinq cochons, en mangeant probablement quelques-uns et en vendant d'autres pour amasser de l'argent (Bradbury, 1984).

Traditionnellement, les femmes avaient travaillé en collaboration avec leur mari dans les ateliers et au marché, représentant ainsi une sorte d'« investissement caché » dans l'entreprise familiale. Les femmes abandonnées ou les « vieilles filles » trouvèrent des moyens de gagner leur vie dans les marchés, les épiceries et les tavernes. Quatre des trente et un éventaires du marché Sainte-Anne à Montréal étaient loués à des femmes en 1834, et les seize femmes tenancières de tavernes de Montréal représentaient 9,2 % de tous les détenteurs de permis de taverniers de la ville en 1850.

Bettina Bradbury insiste sur l'inégalité des rapports sociaux de sexe, inégalité fondée dans la loi et dans l'idéologie bourgeoise aussi bien catholique que protestante :

> À l'époque, les pouvoirs et les droits n'étaient pas distribués également dans les familles, quelle que fût leur appartenance sociale. Dans les familles ouvrières, la dépendance salariale emprisonnait les femmes et les enfants dans une relation de dépendance à l'égard de leur mari ou de leur père, laquelle était tout à la fois réciproque, complémentaire et hiérarchique. Les femmes étaient frappées d'incapacité légale dès le mariage. Cela signifiait que la plupart d'entre elles n'avaient pas le droit d'administrer leurs propres biens ni même leurs propres salaires. Elles ne pouvaient non plus se présenter au tribunal sans le consentement de leur mari. Aux termes du Code civil, la femme était tenue d'obéir à son mari, de le suivre dans le domicile qu'il

avait choisi et de lui être fidèle. Le mari de son côté, était tenu de subvenir aux besoins de sa femme selon ses moyens. L'adultère du mari n'était punissable, à moins qu'il n'ait entretenu une maîtresse au domicile conjugal (Bradbury, 1995 : 294-295).

LA RÉSISTANCE POPULAIRE

Au cours de cette période de transition, la résistance populaire se manifesta à maintes reprises. Au début du XIXe siècle, les signes traditionnels de régulation sociale comme les charivaris étaient perceptibles à Montréal. Ainsi, en 1821, le mariage d'une veuve avec un homme plus jeune offensa les mœurs du peuple. Pour marquer sa désapprobation, une foule de quelque 500 personnes se rassembla devant la maison des nouveaux mariés et, après s'être battus avec les officiers de police, les manifestants obligèrent le couple à verser une contribution à la Female Benevolent Society.

Les cohues, les émeutes et les grèves étaient monnaie courante dans la vie urbaine, tandis que l'incendie criminel et les émeutes devenaient partie intégrante de la célébration populaire des jours de fête. À l'époque de la Confédération, la fête de la reine Victoria donna lieu à une grande agitation dans les quartiers irlandais de Montréal.

> [...] armés de gourdins et de pierres, ils [les Irlandais] ont échappé à la surveillance de la police qui était trop occupée au Champ-de-Mars. Ils sont arrivés au marché Bonsecours et ont commencé à s'en prendre violemment aux gamins canadiens-français qui résidaient dans ce secteur. Les pierres et les bâtons ont volé dans toutes les directions jusqu'à l'arrivée de quelques policiers qui ont dispersé les jeunes délinquants (*Montreal Gazette*, 25 mai 1867).

Les archives judiciaires révèlent une vaste panoplie de délits commis par des membres des classes populaires. En 1870, 11 135 personnes furent mises aux arrêts à Montréal, dont 5358 (4313 hommes et 1045 femmes) pour des infractions liées à l'ivrognerie : état d'ivresse publique, tapage injurieux, *delirium tremens*. Les détenus venaient principalement des groupes socioprofessionnels suivants : ouvriers (2121), vagabonds (895), prostituées (843), charretiers (727), cordonniers (302), commis (235) et taverniers (170). On peut se faire une idée de la résistance en milieu de travail au début de cette période de transition en consultant les statistiques sur les délits commis par les domestiques. Sur les 114 domestiques arrêtés à Québec entre 1816 et 1820, 38 l'ont été pour désertion, 18 pour absence sans permission, 14 pour mauvaise conduite et 12 pour tapage, nuisance et dommages (Lacelle, 1987 : 52).

Les élections étaient constamment troublées, et le magistrat et la troupe n'étaient jamais bien loin du bureau de vote. Lors des élections particulièrement violentes de 1844, un brasseur fut assommé ; lorsqu'il revint à lui, il s'aperçut qu'il était « nu jusqu'aux jambes ». À Québec et à Montréal, les discours de l'ancien moine Alexandre Gavazzi contre l'Église catholique firent descendre les Irlandais dans les rues et les désordres se soldèrent par dix morts. Pendant l'épidémie de variole de 1885, des quartiers entiers de Montréal résistèrent violemment aux fonctionnaires de la santé publique qui tentaient de vacciner la population. L'archevêque de Montréal ordonna à ses prêtres de ne pas entraver le travail des médecins et de rassurer leurs paroissiens.

C'est dans les régions rurales que se manifesta le plus fortement la résistance populaire bien que la crainte des fidèles de se voir refuser les sacrements par le curé était un obstacle important (Hudon, 1996 : 428). La création de gouvernements municipaux et de commissions scolaires dans les années 1840, et en particulier l'administration et les taxes qui les accompagnaient, donnèrent lieu à une vaste révolte. Au cours de la deuxième moitié de la décennie, la « guerre des éteignoirs » — une protestation sociale contre la taxation scolaire — fit rage dans la région de Trois-Rivières. Alors que le clergé et les professionnels appuyaient, de façon générale, les réformes, l'élite terrienne et la paysannerie se révoltèrent ouvertement. Dans une lettre adressée à Louis-Hippolyte La Fontaine en mars 1850, le député de Nicolet déclarait :

> Le Conseil municipal [de Saint-Grégoire] n'a pu siéger lundi, parce que M. L. M. Cressé a fait descendre 150 Irlandais de Ste-Monique armés de double bâtons. Il y a une conspiration d'organisée dans les paroisses, pour détruire les maisons d'écoles et incendier les propriétés des commissaires des écoles qui feront leurs devoirs. Le Comté sera bientôt dans un état d'anarchie (Nelson, 2000).

LES PEUPLES AUTOCHTONES

L'expérience de travail des peuples autochtones dans la société en voie d'industrialisation était comparable à celle des Blancs. Tout comme les autres travailleurs forestiers de la vallée de l'Outaouais, les Mohawks, établis à Kahnawake depuis les années 1670, combinaient les activités agricoles avec le commerce de la fourrure et du bois. Reconnus partout au Canada comme pagayeurs, travailleurs du transport et emballeurs dans le commerce de la fourrure, les hommes de Kahnawake devinrent par la suite des draveurs très habiles et des conducteurs de bois. À Kanesatake, dans la seigneurie du lac des Deux-Montagnes, le Séminaire de Montréal possédait 200 maisons occupées par des Mohawks et des Algonquins qui vivaient comme travailleurs agricoles ou forestiers (Dépatie, Lalancette et Dessureault, 1987 : 164).

Les Hurons de Lorette poursuivirent les changements amorcés au cours du XVIIIe siècle, abandonnant l'agriculture au profit de l'exploitation des ressources animales de leurs vastes territoires de chasse, situés, selon leurs prétentions, entre les rivières Saguenay et Saint-Maurice. Avec le développement de la colonisation dans le Saguenay après 1840, le gouvernement réduisit le territoire huron, qu'il limita finalement à 9600 acres en 1853. Les Huronnes s'intégrèrent progressivement à l'économie locale en se rendant au marché de Québec pour y vendre des paniers, des mocassins et d'autres produits de fabrication artisanale.

Dans le Nord, les Cris et les Inuits disposaient d'importantes ressources qui leur permettaient de sauvegarder leur indépendance culturelle, face à l'influence des missionnaires et des trafiquants blancs. Les Cris installés autour de la baie James travaillaient pour la Compagnie de la Baie d'Hudson comme journaliers, guides, pourvoyeurs, voyageurs et fabricants de biens essentiels au transport comme les canots et les mocassins. Ceux qui vivaient à l'intérieur des terres n'avaient pour leur part que peu de contacts avec la compagnie. Vers les années 1850, la compagnie réussit à établir la paix entre les Cris et les Inuits et commença à profiter des activités des Inuits, comme la pêche à la baleine, la chasse aux phoques aux animaux à fourrure (Francis et Morantz, 1983).

Les activités de coupe de bois de William Price le long de la Côte-Nord perturbèrent la vie des Montagnais qui virent leur mode de vie traditionnel menacé par la destruction de la forêt. En 1849, les Montagnais de Betsiamites demandèrent une compensation financière et un grand territoire comme réserve. Le gouvernement leur refusa la compensation financière, ne leur accordant finalement qu'une petite réserve en 1861. Le déclin des activités de chasse et de trappe amena plusieurs Montagnais à chercher de l'emploi sur les chantiers de coupe et comme rameurs et guides pour les prospecteurs et les sportifs (Bédard, 1988).

CONCLUSION

L'exemple de Saint-Hyacinthe illustre bien les répercussions de la période de transition au Québec. Entre le milieu des années 1830 et 1881, de grands changements survinrent (figures 5.17 et 5.18). Toutefois, dans les régions et dans certains secteurs économiques, tels que la transformation du cuir ou l'agriculture et même la fabrication, la transition vers le capitalisme industriel s'opéra inégalement. Le chevauchement de la période préindustrielle et industrielle, le nouveau pouvoir du capital et les formes changeantes du travail eurent de profondes influences sur les relations sociales, la vie politique et les structures institutionnelles du Québec.

FIGURE 5.17
Saint-Hyacinthe vers 1836. Dans les années 1830, Saint-Hyacinthe comptait 1000 âmes. Son importance, les formes d'énergie utilisée, l'influence de l'église paroissiale et sa relation étroite avec la campagne environnante renforçaient sa vocation préindustrielle. Le seigneur Jean Dessaulles (1766-1835) y était la personnalité locale marquante. Non seulement siégea-t-il à l'Assemblée législative, mais il lui revient de déterminer les sites du pont, du marché, du palais de justice et du collège classique.

FIGURE 5.18
Vue aérienne de Saint-Hyacinthe en 1881. À cette époque, ce village était devenu une ville industrielle de 5321 habitants. La croissance urbaine, les chemins de fer, les nouveaux ponts, les barrages et les perfectionnements apportés aux techniques hydrauliques, ainsi que les grands établissements religieux, que l'on aperçoit dans l'angle supérieur droit de la photo, indiquent bien la transition vers l'industrialisation. À l'avant-plan, on aperçoit les filatures et les tanneries mues par énergie hydraulique et, à proximité du chemin de fer, la cheminée d'une fonderie. La ville possédait aussi une manufacture de corsets, une fabrique de chaussures, sa propre banque ainsi qu'une cathédrale.

BIBLIOGRAPHIE

Ouvrages d'intérêt général

L'histoire économique de la période est traitée par Jean HAMELIN et Yves ROBY, *Histoire économique du Québec, 1851-1896*, Fides, 1971 ; et John MCCALLUM, *Unequal Beginnings; Agriculture and Economic Development in Quebec and Ontario until 1870*, University of Toronto Press, 1980. Pour la transition de Montréal au capitalisme voir la thèse de Robert SWEENY, *Internal Dynamics and the International Cycle: Questions of the Transition in Montreal, 1821-28*, Ph. D., Université McGill, 1986.

La vie rurale

Sur les rapports ville-campagne voir Serge COURVILLE, *Entre ville et campagne*, PUL, 1990, et Serge COURVILLE et Normand SÉGUIN, *Le Monde rural québécois au XIXe siècle*, SHC, 1989. Au sujet de l'agriculture et de la colonisation dans les Cantons de l'Est, voir les deux ouvrages de Jack LITTLE, *Crofters and Habitants. Settler Society, Economy and Culture in a Quebec Township, 1848-1881*, McGill-Queen's, 1991 et *Nationalism, Capitalism and Colonization in Nineteenth-Century Quebec: The Upper Saint-Francis District*, McGill-Queen's, 1989. Normand SÉGUIN dans *La Conquête du sol au 19e siècle*, Boréal Express, 1977, décrit le secteur agroforestier. Les carrières des seigneurs Papineau et Joliette sont décrites dans « Of Poverty and Helplessness in Petite Nation », dans J. BUMSTEAD, dir., *Canadian History before Confederation*, Irwin Dorsey, 1979 : 329-354, de Richard COLEBROOK HARRIS ; *La Seigneurie de Petite-Nation, 1801-1854 : le rôle économique et social du seigneur*, Asticou, 1983, de Claude BARIBEAU ; et « Un seigneur entrepreneur, Barthélemy Joliette, et la fondation du village d'Industrie (Joliette) », *RHAF*, 26, 3, 1972 : 375-396, de Jean-Claude ROBERT. Pour l'administration seigneuriale, voir Françoise NOËL, *The Christie Seigneuries: Estate Management and Settlement in the Upper Richelieu Valley, 1764-1854*, McGill-Queen's, 1992. Une communauté rurale irlandaise est décrite par D. Aiden MCQUILLAN, « Pouvoir et perception : une communauté irlandaise au Québec au dix-neuvième siècle », *Recherches sociographiques*, 40, 2, 1999 : 263-83.

L'urbanisation et les rapports sociaux

Au sujet du choléra, voir Louise DECHÊNE et Jean-Claude ROBERT, « Le choléra dans le Bas-Canada, mesure des inégalités devant la mort », dans Hubert CHARBONNEAU et André LAROSE, dir., *Les Grandes Mortalités*, Ordena, 1979 : 229-257. Bruno RAMIREZ décrit les migrants dans *Par monts et par vaux. Migrants canadiens-français et italiens dans l'économie atlantique, 1860-1914*, Boréal, 1992. Le développement urbain à Saint-Hyacinthe est décrit par Peter GOSSAGE, *Families in Transition: Industry and Population in Nineteenth-Century Saint-Hyacinthe*, McGill-Queen's University Press, 1999. La ville de Montréal est décrite par Paul-André LINTEAU, *Histoire de Montréal depuis la Confédération*, Boréal, 1992 et la ville de Québec par John HARE, Marc LAFRANCE et David-Thiery RUDDEL, *Histoire de la ville de Québec 1608-1871*, Boréal, 1987. Hélène BÉDARD décrit les rapports entre les autochtones et la société environnante dans *Les Montagnais et la réserve de Betsiamites : 1850-1900*, IQRC, 1988.

Les affaires

Jean-Pierre Kesteman décrit l'industrialisation dans une partie des Cantons de l'Est dans *Une bourgeoisie et son espace: industrialisation et développement du capitalisme dans le district de Saint-François (Québec), 1823-1879*, Ph. D., UQAM, 1985; et Gerald Tulchinsky décrit la communauté d'affaires montréalaise dans *The River Barons: Montreal Businessmen and the Growth of Industry and Transportation 1837-1853*, University of Toronto Press, 1977; et Ronald Rudin, le monde bancaire francophone, dans *Banking en français: The French Banks of Quebec 1835-1925*, University of Toronto Press, 1985. Au sujet des compagnies de chemins de fer en tant que manufacturières, voir «Canadian Railways as Manufacturers, 1850-1880», *Communications historiques*, 1983: 254-281, de Paul Craven et Tom Traves et, sur le développement du canal de Lachine, consulter *The Process of Hydraulic Industrialization on the Lachine Canal 1840-80: Origins, Rise and Fall*, Environnement Canada, 1987, de John Willis. Pour les affaires de l'entrepreneur Price voir Louise Dechêne, «Les entreprises de William Price 1810-1850», *Histoire sociale/Social History*, 1, 1, 1968: 16-52. Sur la sidérurgie en milieu rural on consultera René Hardy, *La Sidérurgie dans le monde rural: les hauts fourneaux du Québec au XIXe siècle*, PUL, 1995. Sur l'exploitation des forêts voir Guy Gaudreau, *Les Récoltes des forêts publiques au Québec et en Ontario, 1840-1900*, McGill-Queen's University Press, 1999.

Le travail

Trois thèses décrivent le monde du travail au XIXe siècle: Jacques Ferland, *Évolution des rapports sociaux dans l'industrie canadienne du cuir au tournant du 20e siècle*, Ph. D., McGill University, 1985; Joanne Burgess, *Work, Family and Community: Montreal Leather Craftsmen, 1790-1831*, Ph. D., UQAM, 1987; et Peter Bischoff, *Tensions et solidarité: la formation des traditions chez les mouleurs de Montreal, Hamilton et Toronto, 1851 à 1893*, Ph. D., Université de Montréal, 1992. Le livre de Fernand Harvey, *Le Mouvement ouvrier au Québec*, Boréal Express, 1980, décrit les Chevaliers du travail au Québec. Au sujet des charretiers et des fabricants de chaussures, consulter «La grève des charretiers à Montréal, 1864», *RHAF*, 31, 3, 1977: 371-395, de Margaret Heap; et «L'industrie de la chaussure à Montréal: 1840-1870 — le passage de l'artisanat à la fabrique», *RHAF*, 31, 2, 1977: 187-210, de Joanne Burgess. Sur le rapports entre le travail et le quartier, voir Gilles Lauzon, *Habitat ouvrier et révolution industrielle: le cas du village de Saint-Augustin*, RCHTQ, 1989.

La société

La structure sociale urbaine et les stratégies économiques des élites sont discutées dans Jean-Paul Bernard *et al.*, «La structure professionnelle de Montréal en 1825», *RHAF*, 30, 3, 1976: 383-415; Paul-André Linteau et Jean-Claude Robert, «Propriété foncière et société à Montréal: une hypothèse», *RHAF*, 28, 1, 1974: 45-65; et Louise Dechêne, «La rente du faubourg Saint-Roch à Québec, 1750-1850», *RHAF*, 34, 4, 1981: 569-596. Les stratégies des classes populaires sont décrites par Lucia Ferretti, *Entre voisins. La société paroissiale en milieu urbain: Saint-Pierre-Apôtre de Montréal, 1848-1930*, Boréal, 1992.

Différents aspects de l'histoire de la famille sont analysés dans Bettina Bradbury, dir., *Canadian Family History. Selected Readings*, Copp Clark Pitman, 1992 et *Familles ouvrières à*

Montréal. Âge, genre et survie quotidienne pendant la phase d'industrialisation, Boréal, 1995. Pour une étude approfondie du travail des femmes, voir Marie LAVIGNE et Yolande PINARD, *Travailleuses et féministes : les femmes dans la société québécoise*, Boréal, 1983. Les religieuses sont étudiées par Marta DANYLEWYCZ, *Profession : religieuse. Un choix pour les Québécoises, 1840-1920*, Boréal, 1988.

Peter DELOTTINVILLE traite de la culture populaire dans « Joe Beef of Montreal : Working Class Culture and the Tavem », *Labour/Le travail*, 8-9, 1981-1982 : 9-40. Pour les ouvriers, voir les deux articles de Robert TREMBLAY : « La grève des ouvriers de la construction navale à Québec (1840) », *RHAF*, 37, 2, 1983 : 227-240 et « Un aspect de la consolidation du pouvoir d'État de la bourgeoisie coloniale : la législation anti-ouvrière dans le Bas-Canada, 1800-1850 », *Labour/Le travail*, 8-9, 1981-1982. Pour les domestiques, voir Claudette LACELLE, *Les Domestiques en milieu urbain canadien au XIX*[e] *siècle*, Environnement Canada, 1987. La thèse de David HANNA, *Montreal: A City Built by Small Builders, 1867-1880*, McGill University, 1986, analyse les métiers de la construction à Montréal. On peut aussi consulter les ouvrages de Serge GAGNON et notamment son *Mariage et famille au temps de Papineau*, PUL, 1993.

QUATRIÈME PARTIE

Une socio-économie capitaliste

CHAPITRE VI

Le capitalisme industriel 1886-1930

Les nouvelles formes d'énergie, surtout l'électricité, les progrès technologiques et l'expansion rapide de la production industrielle contribuèrent au plein développement du capitalisme industriel québécois. Mais, plus important encore, la propriété des moyens de production devint de plus en plus concentrée. Des monopoles dominèrent les secteurs du transport, de la finance et des industries de pointe, comme celle du textile, et cette concentration du capital et de la propriété dans l'économie québécoise contribua au développement d'une bourgeoisie homogène pancanadienne regroupée à Montréal et à Toronto.

Après la Première Guerre mondiale, le capital américain s'imposa dans l'économie québécoise et, en même temps, les industries en expansion du secteur des richesses naturelles dépendirent progressivement des marchés américains. C'est aussi au cours de cette période que les filiales des grandes entreprises et les villes nées de l'exploitation de ces richesses naturelles devinrent des caractéristiques importantes du paysage québécois.

Le capitalisme industriel apporta de nouveaux modèles de planification de la production et du travail, des méthodes de gestion et de comptabilité. De grandes sociétés dont les conseils d'administration étaient composés de membres nommés par cooptation, et qui comportaient des systèmes de gestion interdépendants se développèrent. Au cours de la période de transition du XIXe siècle, les petits ateliers et les artisans spécialisés avaient conservé une certaine importance. Mais, au tournant du siècle, le poids de l'industrie mécanisée et spécialisée se faisait de plus en plus sentir. Les plus grands ateliers ferroviaires au monde, les ateliers Angus, appartenant à la compagnie Canadien Pacifique, étaient situés à Montréal (Ramirez, 1986 : 13). À la même époque, des métiers de transformation autrefois rentables se transformaient en commerces de services, par exemple, le forgeron en garagiste.

Au début du XXe siècle, l'agriculture n'était plus le secteur d'emploi le plus important. Les méthodes d'agriculture évoluaient peu, mais un nombre sans cesse croissant de jeunes gens délaissaient l'agriculture et la pêche au profit du travail dans les mines, les forêts ou les usines. Les nouvelles villes minières du Nord attirèrent des immigrants et des paysans sans terres. Dans les villes du Sud, les nouvelles formes de travail dans les bureaux et dans des entreprises telles Bell et les tabacs Macdonald créèrent des emplois pour les jeunes femmes.

Ces transformations dans les modes de production, dans l'importance du capital et dans la géographie de l'activité économique correspondent à des changements dans la consommation et la culture. L'automobile, les cigarettes, la radio et le cinéma introduisirent des nouveaux comportements dans une société théoriquement dominée par une religiosité conservatrice. Bien qu'elles étaient plus répandues dans les centres comme Montréal et Québec, l'électrification et l'amélioration des réseaux de transports rendirent disponibles les produits de consommation de la société industrielle dans presque toutes les régions de la province dans les années 1930.

Avant l'adoption de la politique nationale en 1879, l'activité industrielle était dispersée des Maritimes jusqu'au centre du Canada. Après 1880, la concentration de la production industrielle profita largement au sud de l'Ontario et à la région montréalaise. Dès 1919, 80 % de la production manufacturière canadienne provenait de l'Ontario et du Québec.

Tandis que la croissance rapide de la population montréalaise et l'expansion de son pouvoir financier et manufacturier témoignaient de sa vigueur dans la vie économique de la province, d'autres activités industrielles se développaient partout dans la province, ainsi que dans les régions riches en ressources minières, forestières et hydrauliques (figure 6.1). Quelques-unes de ces activités échappaient à l'influence directe de Montréal et dépendaient plutôt de Toronto et de New York. Mais, en même temps, ce développement industriel était inégal puisqu'il laissait de côté d'importantes régions dominées par les petites villes de services et l'agriculture traditionnelle où le contact avec la société de consommation demeurait marginal. Ces contrastes entre « différents Québec » furent accentués par la Première Guerre et la Dépression.

L'expansion rapide de l'instruction, les nouveaux modes de communication par rail, par route, par télégraphe, par téléphone et par poste entre les villes et les campagnes, les transformations des moyens de production et des types de propriété, l'influence grandissante du capital et de l'État amenèrent des changements dans les relations sociales. La bourgeoisie anglophone se replia sur elle-même. À Montréal, de nouvelles municipalités comme Westmount et Ville Mont- Royal se coupèrent administrativement et se différencièrent physiquement de la grande agglomération (figure 6.2). Partout au Québec, dans les villes industrielles, les

FIGURE 6.1
Le sud du Québec en 1930.

quartiers séparés aux maisons de style Tudor et les clubs de curling attestaient d'une existence à part pour les directeurs locaux et les ingénieurs.

Murray Ballantyne, fils d'un sénateur montréalais, décrit ainsi les attitudes caractéristiques de l'élite anglophone montréalaise après la Première Guerre :

> Canadien d'origine britannique, je suis né et j'ai été élevé dans ce que l'on appelait le « mille doré » de Montréal. J'ai vécu entouré de Canadiens français, mais sans jamais vraiment les connaître. J'ai étudié à l'Université McGill où j'ai obtenu mon diplôme en histoire. J'assistais à tous les cours que le département d'histoire offrait, mais je ne comprenais toujours rien aux Canadiens français. Ceux-ci ne semblaient pas avoir une grande importance (AGEUL, 1962 : 25).

Dans le monde du travail, les effets positifs des gains salariaux, l'accès plus universel aux produits de consommation et l'amélioration des conditions de travail furent contrebalancés par de constants problèmes d'hygiène publique, et surtout par le taux élevé de mortalité infantile chez les francophones. En plus des problèmes de santé, le taux de chômage démesuré et la lutte quotidienne pour la simple survie aggravèrent les différences pendant la crise économique, tout autant que l'isolement de plus en plus prononcé des classes et les inégalités de la société industrielle.

FIGURE 6.2
L'avenue Mount Stephen dans le bas Westmount au début des années 1900. Bastion traditionnel de la bourgeoisie anglophone, la fondation de Westmount remonte aux deux dernières décennies du XIXe siècle et aux deux périodes de prospérité immobilière qui survinrent avant et après la Première Guerre mondiale. Tandis que les grands capitalistes s'établissaient au sommet de la montagne, les professionnels, les gestionnaires et les marchands construisaient leurs maisons sur le versant de la montagne, vers le bas Westmount. Sur la photographie, on remarque l'utilisation de la brique et du lattis de bois comme matériaux de construction dans les maisons semi-détachées, ainsi que l'influence esthétique de la ville par la présence d'arbres, de trottoirs et la position des maisons sur les lots.
L'absence d'une église catholique à Westmount contrastait fortement avec la pléthore des églises d'obédience protestante. Le terrain de jeu de boule et les clubs de tennis, l'architecture des bâtiments publics, le parc et le réseau de bibliothèques soulignaient l'héritage britannique. Mais l'isolement social et ethnique de Westmount s'accentua dans les années 1883-1918, lorsqu'elle refusa d'être annexée à la ville de Montréal. Westmount comme sa contrepartie francophone, Outremont, demeurèrent indépendantes.

La tradition de solidarité envers la communauté et le lieu de travail, commune au XIXe siècle et institutionnalisée par l'appui important des Québécois aux Chevaliers du travail, fut supplantée au XXe siècle par les institutions conservatrices du syndicalisme catholique et international. L'immigration, l'insécurité économique et la force de l'idéologie catholique conservatrice résultèrent en une plus grande division entre les ethnies, les ouvriers et, jusqu'en 1930, en un manque d'enthousiasme pour les mouvements progressistes.

Dans la classe ouvrière, l'adolescence marquait habituellement l'entrée sur le marché du travail. Quant aux jeunes femmes, confinées aux emplois les moins bien rémunérés dans les ateliers, elles furent de plus en plus dirigées vers les secteurs réservés à leur sexe : travail de bureau, soins infirmiers et enseignement. Sous couvert de spécialisation, l'enseignement et les soins infirmiers restèrent tous deux sujets à la prolétarisation ; de même que le professionnalisme croissant dans le domaine de la médecine réduisit progressivement le pouvoir des sages-femmes, une occupation traditionnelle des femmes. Maintenu au bas de l'échelle dans la hiérarchie des cols blancs en plein développement, le travail de bureau féminin resta peu valorisé et mal payé. Au cours de la Première Guerre mondiale, la féminisation du travail de bureau s'accentua en raison de la pénurie de main-d'œuvre.

LES ASPECTS DÉMOGRAPHIQUES

L'augmentation de la population québécoise, qui passa de 1 359 027 âmes en 1881 à 2 874 662 en 1931, ne se fit pas au même rythme qu'ailleurs au Canada, en raison surtout du développement des Prairies. Le pourcentage de la population québécoise dans l'ensemble du Canada passa de 31,4 % en 1881 à 27,7 % en 1931. Dans les années 1920, près du tiers de la population canadienne vivait à l'ouest de l'Ontario. Cette partie du Canada n'abritait qu'une fraction de la population francophone et n'entretenait que peu de rapports avec le Québec. En 1941, dans l'ensemble des quatre provinces de l'Ouest, il n'y avait que 138 000 habitants dont la langue maternelle était le français. Seuls 5 % d'entre eux étaient nés dans l'Est (Joy, 1972 : 45). Une réalité qui rendit dramatiques les luttes pour la survie de la langue et des écoles chez les minorités catholiques françaises de l'Ouest.

En dépit de l'importance de l'immigration au Québec, au début du XXe siècle, les francophones n'en continuèrent pas moins de représenter 80 % de la population provinciale tout au long de cette période. Le taux de natalité chuta d'une manière dramatique, passant de 50 pour 1000 à l'époque préindustrielle, à 40,1 pour 1000 en 1884-1885, et à 29,2 entre 1931 et 1935. Le Québec affichait toujours le taux de natalité le plus élevé au Canada mais la fécondité des familles

TABLEAU 6.1

La mortalité infantile à Montréal entre 1885 et 1914 (par mille de population)

Année	Catholiques francophones	Autres catholiques	Protestants
1885	408,9	189,5	198,3
1890	249,4	204,6	146,2
1895	259,0	199,6	172,3
1900	282,5	235,4	102,8
1905	255,4	198,7	174,4
1911	225,6	179,3	140,6
1914	182,3	195,0	115,8

(Tétreault, 1983 : 512)

rurales en était largement responsable. Et encore, mêmes les épouses en milieu rural auraient voulu réduire leur fécondité mais en étaient découragées par le clergé et l'ignorance de méthodes contraceptives efficaces (Bouchard, 2000a). De toutes les femmes québécoises mariées nées en 1887, 20,5 % mirent plus de dix enfants au monde. Elles donnèrent le jour à 50 % des enfants de leur génération (Collectif Clio, 1982 : 249).

L'abaissement du taux de mortalité, qui chuta à 11,4 pour 1000 entre 1931 et 1935, contribua largement à l'augmentation de la population (Charbonneau, 1975 : 44). Au tournant du siècle, la diarrhée était la cause première de la mortalité infantile, et la tuberculose, celle des adultes. Martin Tétreault (1983) a montré que la mortalité infantile (mort d'un enfant au cours de sa première année) était propre à une certaine classe et à une certaine ethnie. En 1900, par exemple, le taux de mortalité chez les enfants de familles catholiques francophones de Montréal était presque trois fois plus élevé que celui des enfants de familles protestantes (tableau 6.1). Pendant les années 1920, la construction d'une usine d'épuration des eaux usées à Montréal, la pasteurisation généralisée du lait et les programmes d'hygiène publique entraînèrent une baisse importante du taux de mortalité. Cependant, même à la fin de la Seconde Guerre, plus de 100 enfants sur 1000 mouraient toujours avant leur premier anniversaire.

La proportion de femmes célibataires fut aussi un facteur démographique important. Au cours de la période 1884-1930, le taux de nuptialité se stabilisa à 7 mariages par 1000 femmes. Dans l'ensemble de la province, le taux des femmes célibataires de 40 ans atteignit quelque 20 %, avec une proportion plus marquée dans la région de Montréal. Marta Danylewycz (1988) fait remarquer que dans de nombreuses régions de la plaine de Montréal, « où le manque de terres était endémique et le taux d'émigration élevé, de 25 % à 35 % des femmes ne se marièrent jamais » ; et, à Montréal même, « au moins une femme sur trois était toujours célibataire à l'âge de quarante ans ». À partir de 1880, et jusque dans les années 1920, un pourcentage de plus en plus élevé de ces femmes célibataires prirent le voile.

La période fut aussi marquée par une urbanisation accrue. La proportion de la population urbaine québécoise passa de 36,1 % en 1901, à 63,1 % en 1931. La croissance de l'agglomération de Montréal constitua un facteur important de cette urbanisation puisque sa population doubla entre 1896 et 1911. En 1931, celle-ci atteignit 818 577 âmes, ce qui représentait 28,4 % de la population provinciale. On peut comparer ces données à celles sur l'agglomération de Québec, dont la croissance fut plus lente : sa population passa de 63 090 habitants en 1896 à 78 710 en 1911, et atteignit 130 594 âmes en 1931.

La position dominante de Montréal ne doit pas faire oublier l'expansion marquée des autres centres urbains du Québec comme Saint-Hyacinthe qui accueillirent des industries textiles et de la chaussure. Ces secteurs employaient 51 hommes à Saint-Hyacinthe en 1861, mais 634 personnes dont 178 femmes en 1891 (Gossage, 1999 : 77). Les 24 villes et villages de plus de 2500 âmes en 1901 étaient devenus 44 en 1931. Une grande partie de ce développement survint dans les régions pourvues de richesses naturelles le long du Saint-Laurent, du Saint-Maurice et du Saguenay, ainsi que dans les environs de Montréal. Au tournant du siècle, dans le comté de Chicoutimi par exemple, des usines de pâtes et papiers ouvrirent. Et, au fur et à mesure que les installations du port régional, du chemin de fer, de l'énergie hydraulique et des usines prirent de l'importance, la population s'urbanisa presque entièrement. Dans ce comté, le taux d'urbanisation passa de 17 % en 1881 à 62 % en 1921 (figure 6.3). Des villes champignons, comme Arvida qui comptait 1949 habitants en 1928, étaient construites en respectant les clivages sociaux et ethniques de l'entreprise qui leur donna naissance (Igartua, 1996).

L'urbanisation allait de pair avec une concentration accrue de la population provinciale anglophone qui, en proportion, déclinait ; ainsi, en 1941, quelque 70 % des anglophones du Québec étaient regroupés à Montréal (Rudin, 1985 : 37). Dès 1911, dans tous les comtés traditionnellement anglophones des Cantons de l'Est, à l'exception de celui de Brôme, la majorité était francophone (Joy, 1972 : 28). Quant à la population anglophone de la ville de Québec, elle déclina sans cesse pour, en 1901, ne représenter que 7 % de ses habitants. Même si la majorité des anglophones du Québec étaient d'origine britannique ou irlandaise, une immigration en provenance d'autres pays européens commença à modifier cette stabilité ethnique, surtout à Montréal. En 1931, la population montréalaise était d'origine française à 63,9 %, britannique et irlandaise à 21,8 % et d'autres origines à 14,3 %. La concentration de la population d'origine britannique et irlandaise dans les nouvelles banlieues expliquait leur présence plus faible à Montréal. Dans l'ensemble de la province, seulement 15,1 % de la population était d'origine

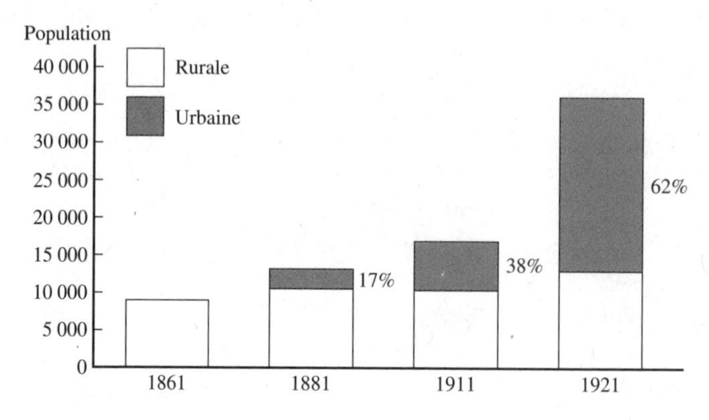

FIGURE 6.3
L'urbanisation du comté de Chicoutimi entre 1861 et 1921.

britannique ou irlandaise et 5,9 % n'était ni française, ni britannique, ni irlandaise (figure 6.4).

Au cours des trois premières décennies du siècle, le Québec, en particulier la ville de Montréal, demeura une destination privilégiée des immigrants. Entre 1901 et 1930, 632 671 immigrants manifestèrent leur intention de s'établir au Québec. La plus grande vague d'immigration survint entre 1911 et 1915, avec une moyenne annuelle de 46 491 arrivants. Cet apport compensa en partie la perte de quelque 600 000 Québécois qui émigrèrent vers les États-Unis entre 1880 et 1930.

Il existait une communauté juive à Montréal depuis les années 1760, mais elle ne se développa rapidement qu'à partir de 1890. De 2473 âmes en 1891, la population juive de Montréal atteignit 28 807 âmes en 1911. On comptait parmi eux quelques professionnels, manufacturiers ou marchands, mais nombre de ces Juifs montréalais de la première génération travaillèrent dans l'industrie du vêtement. En 1931, 1608 Juifs exerçaient le métier de tailleur à Montréal, tandis que 1232 Juives étaient couturières. Le recensement de 1931 révèle que 42,1 % de toute la main-d'œuvre juive travaillait dans les manufactures et 35,1 % dans le commerce, alors que 5,1 % déclarait avoir une profession libérale (Bernier et Boily, 1986 : 208).

Le Prix Nobel de littérature, Saul Bellow, décrit ainsi son enfance dans le Montréal des années 1920 :

> Dans ma famille, mes parents parlaient russe entre eux. Les enfants parlaient yiddish avec leurs parents, anglais entre eux, et français dans la rue… Je n'étais jamais conscient de la langue que je parlais. Je ne faisais aucune distinction et j'utilisais simplement la langue appropriée à mon interlocuteur. Je savais à quelle culture j'appartenais. Voilà comment je vivais.

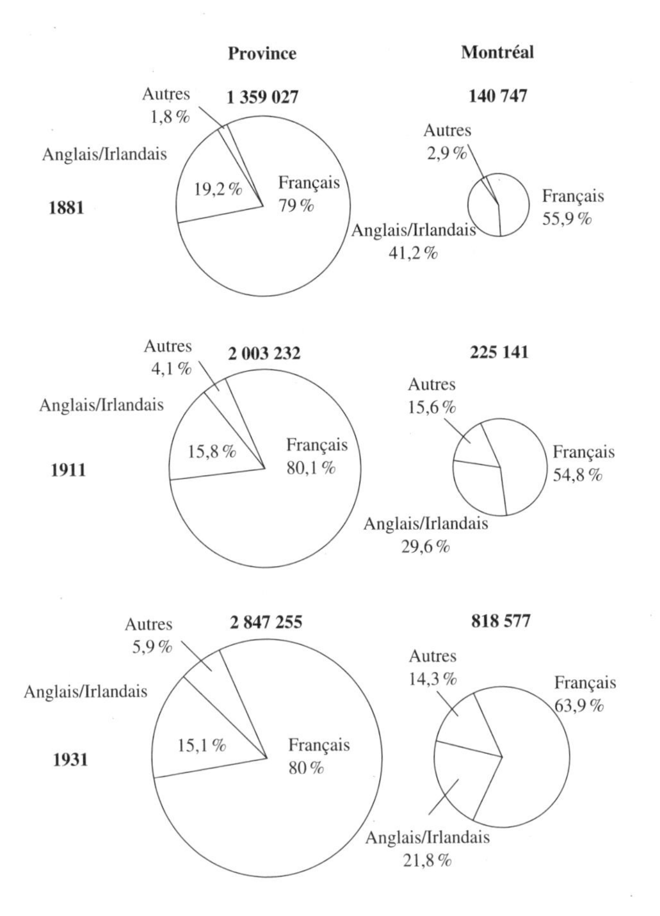

FIGURE 6.4
La composition ethnique de la province de Québec et de la ville de Montréal, 1881-1931 (selon Bernier et Boily, 1986 : 43).

Pendant cette période, les Italiens acquirent une certaine importance dans la vie urbaine de Montréal. Au début du siècle, beaucoup d'entre eux furent recrutés en Italie en tant qu'immigrants temporaires et employés comme travailleurs saisonniers dans les chantiers de construction des chemins de fer ou des tramways. En 1903, par exemple, le Canadien Pacifique engagea plus de 3500 Italiens, amenés ici la plupart du temps par l'entremise de recruteurs tels qu'Antonio Cordasco (Harney, 1979 : 74). Deux travailleurs sur trois étaient non spécialisés. Nombre de ces travailleurs du Canadien Pacifique étaient jeunes, et une grande partie du travail était saisonnier. Certains de ces immigrants temporaires s'établirent à Montréal et fondèrent des familles, en général avec une femme d'origine italienne. En 1905, la première paroisse italienne de Montréal fut fondée pour desservir la communauté, qui passa de 1398 âmes en 1901 à 13 922 en 1921 (Ramirez et Del Balso, 1980 : 43).

Malgré l'importance et la visibilité de ces groupes ethniques, le profil démographique de Montréal demeura avant tout francophone. L'étude de Lucia Ferretti (1985) sur la paroisse ouvrière de Sainte-Brigide, dans l'est de Montréal, reprend les caractéristiques du XIXe siècle décrites par Gilles Lauzon (1987) au sujet de la paroisse Saint-Henri. Les modèles familiaux et domestiques de la paroisse Sainte-Brigide font ressortir une homogénéité ethnique et sociale chez les francophones, ainsi que la formation et la reproduction d'une classe ouvrière francophone montréalaise. Les travailleurs francophones respectaient les conventions de leur classe et épousaient les enfants issus de la même classe sociale. De tous les ouvriers qui célébraient leur mariage à l'église de la paroisse, 61 % étaient nés à Montréal ; pour les autres, formant 39 %, les mariés étaient originaires des parties rurales de la région montréalaise, surtout de l'île de Montréal même ou des Basses-Laurentides ; d'autres provenaient de communautés ouvrières urbaines, comme celle de Saint-Roch, dans la ville de Québec. Les nouveaux arrivés dans la paroisse trouvaient souvent gîte et emploi grâce aux réseaux familiaux ou villageois.

LES PEUPLES AUTOCHTONES

Au cours de cette période, des établissements et des industries reposant sur les ressources naturelles commencèrent à empiéter sur les territoires autochtones. De plus, dans toute la Laurentie, le gouvernement réserva ou vendit de larges étendues de territoire à des clubs privés de chasse et de pêche. En 1895, par exemple, Henri Menier, industriel chocolatier français, acheta l'île d'Anticosti (mot dérivé de l'amérindien *Naticosti* « là où l'on chasse l'ours ») et la convertit en réserve sportive privée. En 1926, l'île fut rachetée par la Consolidated Bathurst qui l'intégra à son empire de pâtes et papiers. À partir du début des années 1900, les Montagnais durent acheter leurs provisions pour leurs expéditions de trappe hivernales. De plus en plus dépendants d'une économie monétaire, beaucoup se firent guides de chasse et de pêche pour les Blancs nantis.

Au fur et à mesure que les extractions minières et le tourisme accordaient une nouvelle importance au Nord, la traditionnelle indifférence de l'État pour les revendications territoriales des autochtones s'accentuait. Le sort réservé aux territoires hurons en est un bon exemple. Vers les années 1880, la chasse constituait une des principales activités des Hurons de Lorette, de la rivière Saguenay jusqu'au Saint-Maurice. En 1893, l'on vit cette activité totalement bouleversée par l'achèvement de la ligne de chemin de fer au Lac-Saint-Jean et la création du parc des Laurentides en 1895. Les promoteurs obtinrent d'immenses concessions de terrains, le long de leur ligne qu'ils convertirent en clubs privés de chasse et de pêche. Des gardes-chasse, employés par ces propriétaires et le gouvernement provincial, chassèrent les Hurons hors de leur territoire traditionnel.

Les conséquences culturelles et économiques de cette méconnaissance des besoins et des droits des autochtones s'avérèrent dramatiques. Entre 1900 et 1930, les Hurons de Lorette eurent un taux de mortalité infantile de 331 pour 1000 naissances, et la réserve subit une baisse de population. Le dernier Huron qui parlait la langue huronne mourut en 1912 (Helm, 1981 : 173).

UNE ÉCONOMIE FONDÉE SUR LE CAPITALISME INDUSTRIEL

L'importance de l'activité industrielle et la prééminence du capital nous permettent d'utiliser les termes « capitalisme industriel » pour décrire l'économie québécoise du début du XXe siècle. Tandis que les institutions financières et de nombreux secteurs manufacturiers traditionnels demeuraient canadiens, d'importants capitaux américains étaient investis dans les industries du bois, des mines et de la métallurgie. Le rôle joué par ces capitaux étrangers reste difficile à cerner. On évalue qu'entre 1897 et 1914 le capital américain passa de 20 millions de dollars à 74 millions de dollars (Bernier et Boily, 1986 : 142). Mais il est difficile de faire la part entre de nouvelles injections de capitaux américains et le réinvestissement des profits accumulés dans les exploitations canadiennes.

Le développement des ressources hydroélectriques, dans le sud de la province, fut alors le principal facteur de la maturation de l'économie québécoise. Quatre cours d'eau offraient un potentiel énergétique immense : le Saint-Laurent à l'ouest de Montréal, l'Outaouais et son affluent la rivière Gatineau, les rivières Saint-Maurice et Saguenay. Vers 1933, presque la moitié de toute l'énergie hydroélectrique canadienne de 8 millions de chevaux-vapeur était produite au Québec (Amstrong et Nelles, 1986 : tableau 36).

Au cours de la période antérieure à 1960, deux décisions politiques d'importance influencèrent le développement de cette production énergétique au Québec. Contrairement à l'Ontario, le Québec ne nationalisa pas l'hydroélectricité. Autre décision marquante, les entreprises privées furent autorisées à desservir en priorité les clientèles commerciales plutôt que le service résidentiel. Nombre de ces entreprises conclurent des arrangements avec d'importants consommateurs industriels. Dans les années 1930, 75 % de l'électricité produite au Québec était vendue aux industries du bois, des pâtes et papiers, de l'aluminium ou encore était exportée, tandis que les tarifs établis selon une échelle mobile décourageaient la consommation dans les petites industries, les fermes ou les maisons. En 1931, la consommation domestique au Québec ne représentait que 3,5 % de la consommation hydroélectrique totale, en comparaison de 17,4 % en Ontario (Armstrong, 1984 : 224 ; Armstrong et Nelles, 1986 : 299).

FIGURE 6.5
Shawinigan en 1914. L'importance de l'électricité dans le développement industriel québécois du début du XXe siècle paraît évidente sur cette photographie. Tout comme le barrage et l'usine génératrice, on aperçoit l'usine métallurgique (installée en 1901) au sommet de la colline, à gauche du barrage. En raison de la demande créée par la guerre, la production annuelle atteignit 8332 tonnes en 1915. Dans la baie, au pied de l'usine génératrice, on voit la Belgo-Canadian Pulp and Paper Mill qui, en 1902, produisait 82 tonnes de pâte par jour. En 1904, la papetière commença à produire du papier et, dès 1926, on en fabriquait 635 tonnes par jour. Une manufacture de briques et de câbles voisinait la centrale (1902). À l'arrière-plan, on distingue des usines chimiques (Groupe de recherche sur la Mauricie, 1985).

La technique canadienne en matière de construction des centrales électriques et de transport d'énergie fut d'abord développée dans les années 1890, à Niagara Falls, en Ontario. En 1898, la Shawinigan Water and Power Company fut créée pour exploiter les 41 mètres de dénivellation de la rivière Saint-Maurice, à Shawinigan (figure 6.5). Grâce à un apport de capital américain, ce barrage et sa centrale devinrent le deuxième complexe hydroélectrique en importance au monde après Niagara. Vers 1903, des lignes de transmission électrique de 50 000 volts furent installées sur les 134 kilomètres qui séparaient la centrale de Montréal. En 1905, la compagnie afficha un capital de 10 600 000 dollars (Armstrong et Nelles, 1986 : tableau 10). Au cours de la Première Guerre mondiale, la ville de Shawinigan connut un essor en raison d'un bond énorme de la consommation électrique et de la production chimique locale, en particulier celle des carbures.

En plus de l'énergie hydroélectrique peu coûteuse et de la disponibilité des ressources forestières, les industries de villes comme Shawinigan bénéficièrent d'un afflux de main-d'œuvre bon marché. Alors dépendante du travail saisonnier en forêt, la population de la Mauricie était perçue par les investisseurs industriels comme un réservoir de main-d'œuvre satisfaite de son sort, passive et soumise à son clergé :

> Nulle part au monde ne trouvons-nous d'aussi bonnes conditions ouvrières que dans la province de Québec, tout spécialement dans la région de la Shawinigan Water and Power Company. Il serait difficile de trouver un peuple plus heureux et satisfait sur terre. Le sentiment de satisfaction du peuple canadien-français constitue un élément très important pour les employeurs de cette région ; cette valeur humaine étant directement attribuable à la direction sage et avisée de leurs pères confesseurs, les prêtres catholiques. Dans cette région, pendant des siècles, le premier principe de la religion des habitants a voulu que l'on soit heureux de son sort. Les syndicats locaux font des demandes modérées... De plus, la dimension proverbiale de la famille canadienne-française constitue un facteur d'importance dans la disponibilité de la main-d'œuvre. Puisque tous doivent se nourrir, tous doivent travailler et les manufactures disposent ainsi d'une main-d'œuvre féminine et masculine à portée de la main ; et, puisque tous doivent travailler, les salaires demandés sont extrêmement bas (*Prospectus de la Shawinigan Water and Power Company*, 1930).

Au cours de la période 1896-1914, trente nouvelles paroisses furent créées dans le diocèse de Trois-Rivières, en comparaison de sept entre 1870-1896 (Ryan, 1966 : 91). Tandis que les francophones fournissaient une main-d'œuvre bon marché, les travailleurs spécialisés, les cadres d'entreprises et les professionnels étaient recrutés en Angleterre et dans la communauté anglophone. En 1911, 6,5 % de la population de Shawinigan était anglophone, pourcentage bien supérieur aux autres collectivités de la Mauricie. Ces communautés québécoises, développées grâce aux ressources minières, forestières, ou hydroélectriques et à l'industrie papetière, connurent un épanouissement interne inégal basé sur des divisions ethniques et sociales bien prévisibles. Cadres, ingénieurs et chimistes, habituellement anglophones, bénéficièrent d'habitations, d'établissements scolaires et de clubs sportifs subventionnés par l'entreprise.

LA CROISSANCE INDUSTRIELLE

Avec le développement du journalisme de masse, l'industrie des pâtes et papiers prit son essor. Les plus grandes usines s'installèrent dans les Laurentides et les Appalaches, là où un accès direct aux forêts de conifères et à l'énergie hydroélectrique était possible. Les capitaux internationaux et notamment américains jouèrent un rôle de premier plan dans le développement des villes papetières situées le long de l'Outaouais, du Saint-Maurice et du Saguenay. L'expansion industrielle contribua aussi à polluer ces rivières. Comme les autres provinces productrices de bois de pulpe, Québec se préoccupa d'exportation et prit des mesures pour que le papier journal soit fabriqué sur place, en établissant des droits

TABLEAU 6.2

Valeur (en dollars) de la production de l'or, du cuivre et de l'amiante au Québec entre 1910 et 1940

Minerai	1910	1920	1930	1940
Or	3 000	19 000	2 930 000	39 122 000
Cuivre	112 000	154 000	10 426 000	13 530 000
Amiante	2 556 000	14 735 000	8 390 000	15 620 000

(Armstrong, 1984 : 221)

différentiels sur les terres de la Couronne. En 1910, il imita l'Ontario en interdisant l'exportation du bois de pulpe. Au moment de la Première Guerre mondiale, le Canada était le premier pays producteur de papier journal, et 86,4 % de sa production était destinée aux marchés américains. En dépit d'une baisse pendant la crise économique, les pâtes et papiers demeurèrent le secteur d'exportation le plus important au Canada ; et, en 1954, ces produits représentaient toujours 24 % de toutes les exportations du pays.

Au cours de la première moitié du xxe siècle, les activités minières prirent de plus en plus d'importance. Dans les années 1920, le cuivre et l'or du Québec s'étaient appropriés une part importante du marché mondial. On peut comparer, par exemple, au tableau 6.2, la production de l'or et du cuivre de 1920 avec celle de 1930 et 1940, grâce à la mise en exploitation des mines de la région abitibienne, près de Rouyn-Noranda. Vers 1930, la Noranda Mines possédait déjà une fonderie de cuivre et un concentrateur, ainsi qu'une usine de raffinage à Montréal. La montée des prix de l'or, au cours de la crise économique, stimula la production aurifère. Quant aux mines d'amiante, la Johns Mansville Corporation par exemple, elles restèrent sous le contrôle d'entreprises américaines. Dans les Cantons de l'Est, la production de la fibre d'amiante, dont 70 % était exportée aux États-Unis sans aucune transformation, prit rapidement de l'expansion au cours du xxe siècle. Avant la Première Guerre mondiale, on exportait l'amiante comme matériau pour fabriquer des toitures. Mais ses qualités ignifuges et de faible conduction en firent un matériau de guerre important. En 1920, on lui trouva une nouvelle utilité, notamment comme garnitures de freins dans l'industrie automobile.

De même que le cuivre et l'amiante, l'aluminium occupa une place importante dans les industries de l'électricité, du matériel de guerre et de l'automobile. En 1902, l'Aluminium Company of America fonda une filiale canadienne, la compagnie Alcan, qui devint la plus grande productrice d'aluminium au Canada. Dans les années 1920, l'Alcan participa à l'exploitation des immenses ressources hydroélectriques du Saguenay et construisit une usine métallurgique. (Arvida, siège de l'entreprise doit son toponyme au sigle du nom du premier président et principal propriétaire de la compagnie: Arthur Vining Davis.) Dès 1936, la compagnie Alcan devint le deuxième producteur d'aluminium au monde (Massell, 2000).

Le secteur du fer et de l'acier demeura vigoureux. À Trois-Rivières, la Canada Iron Furnace Company construisit le plus grand four métallurgique au Canada. En 1908, ses 800 ouvriers y fabriquaient 40 000 roues de wagon et 20 000 tonnes de tuyauterie et d'outillage pour l'industrie papetière. La production d'équipement de transport progressa elle aussi, surtout à Montréal, où l'on inaugura les ateliers Angus de la compagnie du Canadien Pacifique et où, en 1912, la Vickers Company, de propriété britannique, ouvrit ses chantiers maritimes de Maisonneuve. Dans ce secteur, les contrats reliés à la guerre furent d'une importance capitale, puisqu'ils donnèrent lieu à une expansion des fonderies et des entreprises d'ingénierie québécoises. Au cours de la Première Guerre mondiale, plus de 15 000 personnes travaillèrent aux chantiers de la Vickers, tandis qu'aux chantiers de la Davie Shipbuilding de Lauzon on construisit des sous-marins, de bâtiments anti-sous-marins et des barges en acier.

Entre 1900 et 1919, la valeur de la production manufacturière doubla et le nombre des ouvriers de ce secteur passa de 101 600 en 1901 à 125 400 en 1921 (Roby, 1976: 19). À Valleyfield, par exemple, la Montreal Cotton Company abritait la plus grande concentration au Canada de machines destinées à l'industrie textile et, dès 1907, ce secteur procurait de l'emploi à plus de 5000 ouvriers (Ferland, 1987: 61).

La Première Guerre stimula la croissance industrielle du Québec. À Montréal, deux grandes usines de munitions virent le jour, et à Montréal, Québec et Sorel les chantiers maritimes prirent de l'expansion. Mais il n'y eut pas que les secteurs des transports, du fer et de l'acier qui tirèrent profit de cette période. Au cours de la Première Guerre, la valeur des actions ordinaires de la Woods Manufacturing Company, productrice montréalaise de ficelle, de tentes et de drapeaux, tripla.

Pendant la même période, le transport, qui de tout temps avait été un élément capital de l'économie québécoise, subit trois changements marquants: l'importance grandissante de l'industrie automobile, le développement des régions riches en ressources naturelles et la fusion d'entreprises. Mais si, dans les années 1920, le nombre de propriétaires de véhicules automobiles augmenta grandement au Québec, la production automobile n'en demeura pas moins concentrée en Ontario. Entre 1919 et 1929, la production tripla pour atteindre 188 721 véhicules construits annuellement; et en 1929 l'industrie ontarienne de l'automobile employait 13 000 ouvriers. Deux nouvelles compagnies de chemins de fer transcontinentaux, fondées au début du siècle, eurent de grandes ramifications régionales au Québec. Le National Transcontinental, partie du réseau plus important du Grand-Tronc, reliait Moncton et Winnipeg et traversait le Saint-Laurent à Québec. L'ouverture du pont de Québec, à la fin de la Première Guerre, donna enfin à la ville de Québec un accès ferroviaire direct à la rive sud du Saint-Laurent et à trois ports ouverts à longueur d'année. À l'ouest de la ville de Québec, la ligne de chemin de fer rejoignait La Tuque, longeant le haut de la vallée du Saint-Maurice sur un parcours de 192 kilomètres, et traversait ensuite dans les régions de l'Abitibi et du nord de l'Ontario.

En 1903, les entrepreneurs William Mackenzie et Donald Mann commencèrent à regrouper les chemins de fer québécois dans leur réseau du Canadian Northern Railway : le Lower Laurentian Railway, le Quebec and Lake St. John Railway et le Quebec, New Brunswick and Nova Scotia Railway. Mais en dépit d'un certain succès, comme leur tunnel long de cinq kilomètres sous le mont Royal à Montréal, le consortium Mackenzie-Mann fit faillite au moment de la Première Guerre. La nationalisation des deux nouvelles compagnies de chemins de fer transcontinentaux aboutit à la création de deux grands réseaux ayant leur siège social à Montréal : le Canadien National, propriété de l'État, et le Canadien Pacifique, une entreprise privée. Dès 1923, le réseau du Canadien National, composé des avoirs résiduels de 221 compagnies ferroviaires, disposait de plus de 35 000 kilomètres de rails et comptait 99 169 employés (Stevens, 1973 : 311).

Pendant toute cette période, la transformation des boissons et des aliments, dont la majeure partie avait été orientée rapidement vers la production industrielle, demeura un secteur manufacturier d'importance au Québec. Cette activité représentait 23,6 % de la valeur de la production manufacturière en 1880, 17 % en 1910 et 19,3 % en 1939. La distribution sur les marchés nationaux des produits des usines, des brasseries, des conserveries et des raffineries de sucre fut assurée par un réseau ferroviaire transcontinental de plus en plus étendu.

En 1911, la St. Lawrence Sugar Company, à Montréal, fournissait de 20 % à 25 % de tout le sucre canadien. Ogilvie Mills of Montreal ouvrait sa minoterie en 1801 et, en 1900, l'entreprise avait acquis la réputation d'être la plus imposante minoterie privée au monde. En 1920, l'entreprise exploitait plus de 100 silos à céréales et 7 minoteries d'une capacité de 19 000 barils par jour (Sweeny, 1978 : 199). Mais la production d'aliments et de boissons n'était pas uniquement destinée aux marchés extérieurs. À Montréal, les revenus annuels de la biscuiterie Viau, évalués à 1 million de dollars en 1913, provenaient largement d'un marché local, tandis que des distilleries régionales, comme Melcher de Berthierville, répondaient à la demande de gin, une boisson que les Québécois appréciaient particulièrement. Le secteur donna aussi naissance à d'importantes industries secondaires québécoises pour la fabrication de sacs, de barriques, de bouteilles et de boîtes de conserve.

TABLEAU 6.3

La production des beurreries et fromageries au Québec
entre 1901 et 1941 (en tonnes)

Année	Beurre	Fromage
1901	11 193	36 650
1911	18 922	26 441
1921	22 104	24 655
1931	31 660	11 776
1941	34 666	17 737

(Séguin, 1980: 123)

Si le pourcentage de la main-d'œuvre employée dans l'agriculture chuta de 45,5 % en 1891 à 19,3 % en 1941, l'industrie laitière demeura importante. En 1904, les exportations de fromage vers l'Angleterre atteignirent un sommet, puis déclinèrent face à la concurrence néo-zélandaise, entraînant la diminution de la production du fromage, concentrée dans les Cantons de l'Est. Cependant, la production du beurre tripla, stimulée par de nouvelles techniques industrielles, le transport par wagons réfrigérés et par une demande locale accrue (tableau 6.3).

En dépit des progrès techniques de l'industrie laitière, l'agriculture québécoise ne se modernisa pas au cours de cette période. La colonisation des régions du bouclier canadien était toujours encouragée par un clergé nationaliste qui luttait contre l'émigration vers les États-Unis, bien que le nombre de fermes se soit stabilisé. La croissance de l'industrie papetière soutenait le secteur agroforestier traditionnel. Mais, facteur plus important encore, la dimension de la ferme moyenne au Québec restait stable, une indication d'un manque de concentration dans des unités plus grandes et plus rentables, et la mécanisation des travaux de la ferme restait en retard par rapport aux autres provinces canadiennes. Gérard Bouchard (1996) estime que les fermes du Saguenay évitèrent le contrôle capitaliste, leur permettant ainsi de réussir leur reproduction sociale.

Tandis qu'une autre industrie de consommation, celle du tabac, croissait, celle du cuir déclinait. Les industries du tannage et de la sellerie étaient transférées en Ontario au fur et à mesure que s'épuisait l'écorce de pruche du Québec, utilisée dans les opérations de tannage, et que la production du cuir dépendait de plus en plus des activités des abattoirs ontariens. Entre 1901 et 1911, le nombre de tanneries de la ville de Québec passa de 27 à 21 et le nombre de fabricants de chaussures, de 35 à 26. Ce déclin s'accompagna évidemment d'une baisse de la main-d'œuvre de ce secteur, qui passa de 3828 à 2987 ouvriers de la chaussure. En 1871, Montréal dominait toujours la production canadienne de la sellerie avec ses 23 manufacturiers de selles, la plupart de petite importance. Mais au tournant du siècle, ce qui restait de cette industrie en déclin se trouvait surtout en Ontario (Ferland, 1985 : 147-148).

Le secteur de la fabrication de chaussures demeura cependant diversifié, autant dans son organisation que dans son financement, preuve que ce ne furent pas tous les secteurs de l'économie québécoise qui subirent une concentration ou une centralisation. Celle-ci était notable dans la production des machines d'assemblage où la compagnie américaine United Shoe Machinery Company of Massachusetts détenait un véritable monopole. En 1912, cette compagnie construisit, à Montréal, une filiale destinée à produire des machines d'assemblage pour le marché canadien qu'elle contrôlait à plus de 95 % (Ferland, 1985 : 187). La compagnie loua ses machines et protégea vigoureusement sa marque déposée.

La concentration de ce secteur de production tendit à protéger les petits fabricants de chaussures québécois, puisqu'il leur fallait louer la machinerie plutôt que d'investir dans les installations d'assemblage (Bluteau *et al*, 1980 : 111). Bien que d'importants fabricants, tel Ames-Holden de Montréal, fabriquaient plus de 2 millions de paires de chaussures par an (1921), 29 % de la production canadienne provenait d'ateliers qui manufacturaient moins de 100 000 paires par an.

L'industrie du vêtement se distingua par un faible taux d'investissement, une technique limitée et l'utilisation d'une main-d'œuvre féminine payée à la pièce. À la fin du XIXe siècle, les changements sociaux, l'urbanisation, l'évolution de nouveaux modes de travail et de consommation, en parallèle avec de nouvelles pratiques commerciales (magasins à grande surface et points de vente par catalogue) stimulèrent l'industrie québécoise du prêt-à-porter. Au cours des trois der-nières décennies, l'industrie canadienne du vêtement progressa de 400 %. Mais en 1891, bien que la ville de Québec disposât de plus de 1300 travailleurs dans ce secteur, l'industrie demeura concentrée à Montréal.

D'abord fondée sur des tailles normalisées, la production du vêtement finit par se diversifier. D'une spécialisation dans les vêtements de travail pour homme (chemises de travail, salopettes et manteaux), celle-ci évolua vers la production de chemisiers, de sous-vêtements et de manteaux pour femmes. Contrairement aux génératrices d'une centrale hydroélectrique ou aux fours d'une fonderie, les machines à coudre, les machines à boutonnières et les fers à vapeur coûtaient peu et n'avaient pas à être regroupés dans un même lieu de travail.

À la H. Shorey Company de Montréal, seulement 130 des 1530 employés inscrits sur le livre de paie de 1892 travaillaient sur les lieux mêmes de l'entreprise (Steedman, 1986 : 153). Tandis que la coupe, le repassage et la finition étaient confiés aux tailleurs et ouvriers masculins de la manufacture à Montréal, le travail à la pièce était distribué aux femmes de la ville ou de la campagne environnante. En 1935, un pantalon cousu à la maison rapportait 25 cents à l'ouvrière, tandis que la même paire cousue dans une entreprise syndiquée coûtait 1,50 $ en salaire à l'entreprise (Lavigne et Pinard, 1983 : 129). De faibles frais d'installation laissaient cette industrie ouverte aux petits entrepreneurs et la rendaient moins sujette à la concentration que les autres secteurs qui nécessitaient des investissements d'importance.

LES INSTITUTIONS FINANCIÈRES

Au début du XIXe siècle, une concentration à la fois verticale et horizontale se produisit dans le capitalisme industriel québécois, comme l'ont démontré les études de Gilles Piédalue (1976), Wallace Clément (1975) et Robert Sweeny (1978). Une part importante de cette concentration fut attribuable à l'entrée en force des établissements financiers canadiens dans les projets industriels locaux et étrangers. Par exemple, les besoins en lignes de transmission d'énergie, en voies ferrées et en services téléphoniques firent d'entreprises de services publics, telles que la Montreal Light, Heat and Power Company, la Montreal Street Railway et Bell Téléphone, d'importants emprunteurs industriels.

L'exemple de la Banque de Montréal, le plus grand établissement bancaire, illustre bien cet amalgame de capital industriel et financier. Cette banque finançait les entreprises Canadien Pacifique, Bell Téléphone, Laurentide Paper Company et Dominion Textiles. De plus, en 1890, George Stephen, président de la banque, dirigeait le consortium Canadien Pacifique, et William Macdonald, le plus important fabricant de tabac à Montréal, en était le principal actionnaire. En 1930, la Banque de Montréal partageait les services d'au moins trois de ses administrateurs avec dix autres entreprises, et des intérêts industriels avec la Canada Steamship Lines, Consolidated Mining and Smelting Company, Dominion Rubber, Bell Téléphone et Dominion Textiles. Parmi les établissements financiers, cette banque partageait les services des administrateurs de la Sun Life, mais son alliance avec le Trust Royal était plus importante encore puisqu'en 1930 les deux entreprises comptaient plus de onze administrateurs en commun (Piédalue, 1976 : 378). Cette consolidation à l'échelle du Canada s'accompagna outre-mer d'une expansion rapide de la Banque de Montréal à Terre-Neuve, aux Caraïbes, en Amérique centrale et du Sud ; dès 1926, elle était devenue le plus important établissement financier au Mexique (Sweeny, 1978 : 19).

La fusion des banques constitua un élément important de cette concentration. Le nombre des banques canadiennes chuta de 51 en 1875 à 21 en 1918, puis à 11 en 1925. En 1912, l'Eastern Townships Bank et ses 77 succursales passèrent aux mains de la Canadian Bank of Commerce. Parmi les banques régionales, seules deux banques sous contrôle francophone, la Banque canadienne nationale (résultat d'une fusion effectuée par le gouvernement entre la Banque d'Hochelaga et la Banque nationale en 1924) et la Banque Provinciale, continuèrent leurs activités. Quant à la Banque de Montréal, elle fit l'acquisition de trois anciennes banques de Montréal : la Bank of British North America, la Merchants Bank et la Molson's Bank. Au début de la Dépression, elle déclara un actif de 965 millions de dollars (Rudin 1985 ; Sweeny, 1978).

L'exemple de la Sun Life Assurance Company montre bien l'évolution d'un établissement financier montréalais, à partir d'un capital local, vers des opérations d'envergure internationale. Il illustre aussi la fusion du capital financier et industriel au Québec. Le secteur de l'assurance vie ne démarra au Canada que dans les années 1870, grâce à la présence d'une main-d'œuvre urbaine de cols blancs. Fondée en 1871 par des capitalistes marchands et industriels montréalais, la Sun Life disposa bientôt d'agents partout au Canada et dans le monde entier, surtout dans les pays de l'Empire britannique. En 1877, la Sun Life commença à souscrire de l'assurance dans les Antilles et, vers 1900, elle était devenue une force considérable en Orient, en Grande-Bretagne, aux États-Unis et en Afrique. Grâce aux primes perçues, cette compagnie amassa d'énormes capitaux qu'elle réinvestit d'abord dans les hypothèques, puis de plus en plus dans les valeurs industrielles.

Dès 1900, le secrétaire général de la compagnie, T. B. Macaulay, faisait part à son conseil d'administration de l'importance des entreprises de services publics et d'autres industries basées sur l'énergie hydroélectrique : « Nous ferions bien de nous demander si l'acquisition d'actions dans quelques-unes des entreprises qui dépendent de cette nouvelle énergie (électricité) n'est pas aussi souhaitable que celles d'entreprises dépendant de la vapeur qui a été exploitée à son maximum (Sweeny, 1978 : 241). »

Forte des millions acquis dans les obligations d'entreprises monopolistes de services publics en Ontario et dans le Midwest américain, la Sun Life réinvestit, au cours de la Première Guerre, 50 millions de dollars dans les obligations de l'Empire, et détint, lors de la Deuxième Guerre mondiale, le plus grand nombre de titres d'emprunt de guerre canadiens. Dans les années 1920, la Sun Life prit la suite des affaires de dizaines de compagnies d'assurances canadiennes et étrangères. À la fin de la décennie, son actif totalisait plus de 400 millions de dollars et son personnel de bureau comptait 1500 employés ; de plus, son siège social à Montréal était le plus grand édifice à bureaux de tout l'Empire britannique.

À l'exception de cas particuliers, tels que sir Rodolphe Forget, « le jeune Napoléon de la rue Saint-François », actif dans les transports, l'hydroélectricité et les institutions financières, les francophones se trouvèrent largement exclus du monde financier. Robert Sweeny rejette l'idée d'un déterminisme ethnique, la vision de « l'Écossais hardi » ou de « l'Américain entreprenant » pour expliquer ce phénomène, car les banques francophones adoptaient des politiques similaires à celles des autres banques régionales. Étudiant l'idéologie des hommes d'affaires francophones, Fernande Roy (1988 : 275-276) montre leurs visions libérales de la propriété, du rôle de l'État, du travail, du progrès et du succès. Elle ne voit aucune contradiction entre le libéralisme et un certain nationalisme, ce qu'elle appelle une « prise de conscience collective d'un groupe déterminé à augmenter son emprise sur la société québécoise ». Sweeny va plus loin en insistant sur la relation entre la propriété des établissements financiers francophones et le nationalisme. Car la bourgeoisie régionale joua un rôle important dans la mise à profit du capital local :

> Plus de 90 % des actionnaires de la Strathcona Fire Company étaient membres de la Chambre des notaires. Actifs dans le domaine de l'immobilier, ces hommes se fondaient sur leur expérience pour contribuer à la création d'un cadre institutionnel visant à la conservation de l'épargne des Canadiens français dans l'économie québécoise.

Dans les petites villes et villages des basses terres du Saint-Laurent, cette élite en place fournit le capital nécessaire aux petites industries régionales et à l'agriculture locale. Milieu dont furent issus des nationalistes conservateurs tels que Maurice Duplessis et, une génération plus tard, Rodrigue Biron, chef de l'Union nationale et ministre dans le cabinet du Parti québécois.

En plus des banques régionales, une importante coopérative d'épargne et de prêt, le Mouvement des caisses Desjardins, fut créée. S'inspirant des coopératives européennes et des banques d'épargne et de prêt, Alphonse Desjardins ouvrit la première caisse populaire en 1901, dans sa propre maison de Lévis. À son décès, l'*Action nationale* le qualifia d'un « des plus grands bienfaiteurs de sa race » le mouvement de « la base solide de la fortune nationale canadienne-française ». (*DBC*, XIV : 315).

Les caisses étaient gérées comme des coopératives, chaque membre y possédait un droit de vote. Elles avaient le double mandat nationaliste et social d'encourager les cultivateurs et les travailleurs à amasser l'épargne et le capital nécessaires aux intérêts des francophones. Les caisses servaient à la fois à recueillir les épargnes et à consentir des prêts ; entre 1915 et 1920, le prêt moyen était de 182 $. Le clergé catholique soutint avec ardeur ce mouvement et de nombreuses caisses furent officiellement associées aux églises paroissiales qui favorisèrent leur expansion. Dès 1920, 206 caisses, regroupées en dix fédérations régionales, avaient été établies à l'échelle du Québec et dans les communautés francophones de l'Ontario et de la Nouvelle-Angleterre.

La crise économique des années 1930 mit fin à la suprématie financière de Montréal. Dans les années 1920, 70 % des actions vendues au Canada se négociaient sur le parquet de la Bourse de Montréal mais, dès 1933, la Bourse de Toronto détenait 55 % de l'ensemble du marché (McCann, 1982 : 96). Mis à part la force industrielle et financière grandissante de Toronto en tant que métropole de l'Ontario industrialisé, le déclin du marché boursier de Montréal s'accéléra sous la pression des investisseurs américains qui préférèrent le marché boursier de Toronto où s'effectuait tout le financement du secteur minier en expansion, en particulier celui de l'or.

LE TRAVAIL

Dans ce Québec industriel et capitaliste, la nature du travail se modifia en raison du déclin de l'agriculture, des fluctuations résultant de la guerre et de la crise, et de la connivence entre l'État, l'Église et le patronat en vue de contrer la résistance ouvrière. Celle-ci se faisait forte dans certains secteurs, comme en font foi des études menées par Jacques Ferland (1987) et Jacques Rouillard (1981).

En dépit de l'industrialisation, le travail au Québec demeurait saisonnier pour de nombreux travailleurs, notamment ceux du secteur agroforestier. En racontant l'histoire de sa propre famille, Guy Gaudreau (1999) illustre l'instabilité des travailleurs dans ce secteur. Au tournant du siècle, Joseph Gaudreau quitta la terre paternelle pour coloniser la vallée de la Matapédia et travailler en forêt. Son fils Auguste vivait dans le village voisin, travaillant comme bûcheron l'hiver, faisant la drave au printemps et s'occupant de la chaudière d'une scierie l'été. À la troisième génération, Albert quitta la région pour travailler dans les forêts de l'Abitibi.

Mais ce n'étaient pas seulement les bûcherons qui subissaient l'instabilité et le chômage saisonnier. Les débardeurs, les ouvriers de la construction et les marins ne pouvaient espérer travailler plus de sept à huit mois par année. Les machinistes, les ferronniers, les mécaniciens de la ville de Québec retournaient sur les chantiers maritimes à la fin de février et au début de mars pour la préparation des navires. En octobre, la « tradition » voulait que de nombreux travailleurs prennent le train pour se rendre dans les forêts du Lac-Saint-Jean. Pendant les quatre à six semaines de la morte saison, les manufacturiers de chaussures fermaient boutique. De tous les Italiens employés au Canadien Pacifique à Montréal, entre 1900 et 1930, 50 % travaillaient moins de six mois et 19 %, un mois ou moins. L'analyse des livres de cette compagnie par Bruno Ramirez (1986 : 24) montre l'instabilité de l'emploi pour les ouvriers et le mépris des compétences de la part des entreprises :

> Le mécanicien d'origine italienne, T. D. fut d'abord employé comme mécanicien [...] une semaine plus tard, il était affecté à la boulonnerie, puis mis à pied à la suite d'une réduction de personnel. Au mois de février de l'année suivante, il décrochait un autre emploi spécialisé, cette fois à titre de chaudronnier, mais en moins de deux mois, il était à nouveau mis à pied lors d'une réduction de personnel. Trois jours plus tard, il était employé à tarauder et, un mois plus tard, devenait machiniste. Mais la pente descendante de la mobilité pouvait être à pic et, une année plus tard, T. D. se retrouvait encore une fois au pied de l'échelle comme simple ouvrier... En novembre 1920, il remontait l'échelle et devenait assistant fondeur, puis assistant spécialisé.

FIGURE 6.6
L'effondrement du pont de Québec en 1916. Construit d'après le modèle du pont Firth of Forth d'Édimbourg en Écosse, le pont de Québec s'effondra à deux reprises au cours de sa construction. Le 29 août 1907, 35 des 74 ouvriers tués étaient des travailleurs mohawks de l'acier originaire de Kahnawake. Le 11 septembre 1916, la travée centrale s'effondra au moment de la levée. Dix hommes moururent en tombant dans le fleuve : « La masse se tordit sur elle-même comme si elle souffrait, rapporta un observateur, et plongea au fond dans un grand nuage d'eau pulvérisée... les corps étaient secoués comme des pommes dans un pommier et finissaient par tomber dans un grand jaillissement. Un homme tomba d'une grande hauteur, comme une poupée brisée ou un mannequin. »

Mais son parcours se voyait entravé par une autre réduction de personnel. Il se passerait deux autres années avant que T. D. ne reprenne son emploi de machiniste au CPR. Deux mois plus tard, il redescendait l'échelle et travaillait en tant que riveur.

Au cours de la première moitié du siècle, les améliorations aux conditions de travail n'apparurent que lentement. En 1926, le revenu annuel par habitant était de 363 $ au Québec, 278 $ au Nouveau-Brunswick et de 491 $ en Ontario (Armstrong et Nelles, 1986 : 286). Dès 1909, de nombreux travailleurs spécialisés obtenaient la semaine de 54 heures, mais les femmes et les enfants travaillaient encore 60 heures par semaine. Aux tabacs Macdonald la journée commençait à 7 heures pour se terminer à 18 heures et souvent après 22 heures dans le service d'expédition. Et, bien qu'une loi provinciale votée en 1912 eut réduit la semaine de travail dans l'industrie textile à 55 heures, celle-ci n'était pas appliquée.

Au cours du premier quart de siècle, le travail des enfants garda toute son importance dans le secteur manufacturier, où des amendes et des châtiments corporels permirent de contrôler cette main-d'œuvre juvénile. Bien qu'en matière d'humanisation des conditions de travail le Québec fut un chef de file au Canada, grâce à la législation de 1909 sur les accidents du travail, le gouvernement n'arriva pas à fournir les subsides nécessaires pour appliquer sa propre législation. L'inspection des manufactures était sporadique ; les inspecteurs surchargés de travail

FIGURE 6.7
Une éviction pendant la crise économique à Montréal. Ville de locataires, Montréal se caractérisait aussi par une main-d'œuvre dont un sixième était formé de travailleurs non spécialisés. Cette double vulnérabilité se renforçait par le fait qu'une faible portion des dépenses publiques par habitant était affectée aux services sociaux : 39,60 $ en comparaison de 54,50 $ à Toronto. Cette conjonction de locataires, de services sociaux limités et de chômage entraîna une misère aux proportions gigantesques au cours de la Grande Crise et, dès 1933, 38 % des francophones de la ville dépendaient du Secours direct. Nombre d'entre eux se retrouvèrent à la rue (Copp, 1974).

avaient peu de pouvoirs pour améliorer la ventilation, l'hygiène ou la sécurité. Au cours de la période 1904-1914, il y eut 131 accidents mortels dans le milieu du travail industriel déclarés dans la ville de Québec. La construction était particulièrement hasardeuse (figure 6.6). Pourtant, les gouvernements fédéral et provincial n'hésitèrent pas à légiférer pour imposer l'arbitrage obligatoire lorsque survenaient des conflits ouvriers (Dickinson, 1986).

Au Québec comme ailleurs au Canada, la crise économique eut un effet qui dépassa largement le problème du chômage ; la faillite de nombreux fermiers, la misère sociale et la faim furent monnaie courante. L'effondrement des marchés de l'exportation, comme ceux de la pâte à papier et de l'amiante, plongea des régions entières dans une très grande misère. En dépit du mythe de leur autosuffisance, les fermiers ne furent pas épargnés et, en 1931, on estima que 35 000 d'entre eux étaient en faillite (Lévesque, 1984 : 21). En 1931, à Montréal seulement, 48 % des chefs de famille disposaient d'un revenu annuel de moins de 1000 dollars, seuil en dessous duquel une famille tombait dans l'indigence. Une étude portant sur les chômeurs urbains, effectuée en 1933, montra que seulement 55 % des adultes en chômage s'alimentaient adéquatement (figure 6.7).

TABLEAU 6.4

Main-d'œuvre féminine dans les principaux secteurs d'emploi entre 1911 et 1941

Secteurs	1911	1921	1931	1941
Fabrication	40,1	33,5	23,4	29,6
Travail domestique	32,6	20,2	29,3	26,9
Travail de bureau	—	18,5	18,9	19,9
Services professionnels	9,6	14,2	11,6	10,0
Commerce	13,9	8,8	8,4	10,0
Transport	2,7	3,6	4,4	1,5
Pourcentage total de la main-d'œuvre	21,6	25,2	25,4	27,4

(Lavigne et Pinard, 1983 : 127)

LA MAIN-D'ŒUVRE FÉMININE

Les femmes demeuraient responsables des tâches maternelles et domestiques, tout en devenant de plus en plus nombreuses à occuper un emploi salarié. Malgré la crise économique, l'effectif de main-d'œuvre féminine passa de 98 429 en 1911 à un peu plus de 200 850 en 1931 (tableau 6.4).

En raison d'une pénurie de main-d'œuvre masculine au cours de la Première Guerre mondiale, elles occupèrent de plus en plus des secteurs de travail traditionnellement réservés aux hommes : usines de munitions, aciéries, cimenteries et transport (figure 6.8). Mais le travail des femmes fut aussi synonyme de main-d'œuvre bon marché, leurs salaires équivalant à la moitié de ceux des hommes : 53,6 % du salaire d'un ouvrier en 1921 et 51 % en 1941. Gail Cuthbert Brandt (1981) a montré les inégalités salariales dans l'industrie québécoise du coton : « Il est évident que les opératrices gagnaient moins que leurs contreparties masculines. [...] En 1926, les fileurs du Québec gagnaient à peu près 30,7 cents l'heure en comparaison de 24,3 cents pour une fileuse. » La concurrence des religieuses contribua aussi à garder bas les salaires des enseignantes (tableau 6.5). En 1921, le salaire initial annuel d'une institutrice était de 625 $ comparativement à 900 $ pour un instituteur ; le salaire d'un instituteur marié commençait à 1200 $. Celui des instituteurs protestants était en moyenne de 2000 $. On évalue à un peu plus de la moitié du salaire d'un concierge d'école celui d'une institutrice en région urbaine (Lavigne et Pinard, 1983 : 126 ; Thivierge, 1983 : 176 ; Danylewycz et Prentice, 1986 : 75).

Comme ailleurs au Canada, l'augmentation du nombre de femmes employées en tant qu'institutrices, infirmières, téléphonistes, secrétaires et vendeuses eut pour conséquence de prolétariser, de ségréger le travail féminin. En

FIGURE 6.8
Fabrication du matériel de guerre dans une usine en banlieue de Montréal.

TABLEAU 6.5

Pourcentage d'institutrices et d'instituteurs laïques, de religieuses et de frères dans les écoles catholiques, 1900-1950

Année	Laïques	Laïcs	Religieuses	Frères
1900	55,0	2,3	32,5	10,2
1910	51,4	2,5	33,7	12,4
1920	48,1	3,3	35,4	13,2
1930	45,6	6,1	35,1	13,2
1940	44,2	6,6	35,7	13,5
1950	47,4	8,0	32,7	11,0

(Thivierge, 1983 : 172)

1901, la Banque d'Hochelaga n'avait à son emploi qu'une seule femme, et en 1911, six. Dès 1921, au siège social de la banque, « là où le cloisonnement des tâches était le plus avancé », les femmes ne représentaient que le tiers des 179 employés (Rudin, 1986 : 65). En comparant le travail des hommes et des femmes à la Banque d'Hochelaga, Michèle Dagenais (1989) a conclu que le travail masculin était synonyme de mobilité géographique et d'accès aux emplois de direction, tandis que celui des employées contribuait à les maintenir à des échelons inférieurs, tout particulièrement à celui de la sténographie. Dès les années 1930, la compagnie Sun Life comptait 87 sténographes à son emploi, ce qui constituait déjà un exemple de la dégradation et de la spécialisation du travail féminin dans la compagnie. De l'autre côté du carré Dominion, face à la Sun Life, le consortium Canadien Pacifique regroupait ses 20 sténographes et dactylos dans un même bureau, en 1935 (Lowe, 1987 : 124). À la suite de cette féminisation du travail de bureau et d'une demande accrue pour ce genre de main-d'œuvre, des écoles privées de secrétariat furent créées. Recrutant surtout des femmes, ces écoles mettaient l'accent sur les tâches subalternes du travail de bureau — dactylographie, sténographie et service domestique de l'employeur ou du cadre — tandis que les études de comptabilité et de tenue de livres étaient majoritairement réservées aux hommes. Dans le secteur de la vente au détail, le travail à temps partiel et le paternalisme réussirent à maintenir de bas salaires.

Loin d'être un travail intellectuel susceptible d'offrir aux femmes de bonnes conditions de travail et l'occasion d'un avancement social, l'enseignement au primaire contribua, selon Alison Prentice et Marta Danylewyz (1986 : 61), à la prolétarisation du travail féminin. Soumises à une bureaucratisation et à des inspections accrues, les institutrices travaillaient dans des classes surpeuplées, mal équipées, mal chauffées et mal ventilées. Les institutrices des régions rurales devaient nettoyer elles-mêmes leur classe, pelleter la neige et allumer le poêle. L'isolement, la fatigue, la maladie et la pauvreté dans la vieillesse, conséquences de ce travail, étaient des conditions inhérentes à la classe ouvrière plutôt qu'aux professions libérales.

La prolétarisation du travail d'infirmière et le déclin de celui de sage-femme coïncidèrent avec la « professionnalisation » de la médecine, la formation clinique des médecins et l'emprise grandissante de ces derniers dans l'administration des hôpitaux. La pratique de l'accouchement, traditionnellement réservée aux sages-femmes, revint aux médecins et il fut interdit à celles-ci de pratiquer les nouvelles techniques obstétriques, soit l'utilisation des forceps, l'accouchement chirurgical et l'anesthésie. En 1886, au Montreal Maternity Hospital, important centre d'obstétrique rattaché à l'Université McGill, la sage-femme fut remplacée par un médecin attaché à l'hôpital. Et, en 1917, le Collège des médecins et chirurgiens du Québec rappela aux sages-femmes l'interdiction d'utiliser les forceps.

La profession d'infirmière s'imposa en 1890 avec l'établissement des résidences, des stages d'apprentissage, de la supervision par les médecins et fut sanctionnée par l'obtention d'un diplôme qui se substitua à l'ancien apprentissage par la pratique. La première école d'infirmières du Québec fut ouverte en 1890 par le Montreal General Hospital, et les premiers cours donnés en français le furent

FIGURE 6.9
Irma Levasseur, première femme médecin du Québec. Tandis que l'enseignement primaire et les techniques infirmières étaient de plus en plus associés à des professions féminines, les secteurs du droit et de la médecine ne toléraient même pas une présence féminine symbolique. En 1915, Annie Macdonald poursuivit en vain le Barreau du Québec qui lui refusait le droit de pratiquer. Après ses études au Collège Jésus-Marie et à l'École normale Laval de Québec, Irma Levasseur (1877-1964) devint la première femme médecin du Québec. Mais, comme l'accès à la faculté de médecine était interdit aux femmes, Irma Levasseur partit, en 1900, obtenir son doctorat de médecine au Minnesota. De retour au Québec, en butte à la discrimination, elle dut attendre qu'un projet de loi privé soit voté à l'Assemblée nationale, en 1903, pour avoir le droit de pratiquer dans la province. Au cours de la Première Guerre mondiale, elle fit partie d'un groupe de cinq médecins canadiens qui servirent en Serbie, lors de l'épidémie de typhus de 1915-1917. Elle revient à Québec en 1920 où elle joua un rôle d'importance en créant des cliniques pour les enfants et les handicapés. « Elle connaît cependant une fin moins heureuse. Sans adresse connue, elle décède le 15 janvier 1964 dans l'oubli et le dénuement le plus complet. Elle avait dû, depuis un certain temps déjà, recourir à l'assistance sociale (Michaud, 1985)... »

à l'Hôpital Notre-Dame en 1897. Dès 1909, il y avait 70 écoles d'infirmières au Canada. Le nombre d'infirmières diplômées au pays passa de 280 en 1901 à 5600 en 1911, et jusqu'à 20 462 en 1931 (Urquhart et Buckley, 1965 : 44) (figure 6.9).

LES MOUVEMENTS OUVRIERS

Jusqu'à la fin de la crise économique, l'idéologie catholique définit les droits du travailleur selon la doctrine sociale du pape Léon XIII, dont l'encyclique *Rerum Novarum* (1891) prônait la valeur sociale du travail manuel dans un ordre hiérarchique. S'opposant aux luttes de classe, aux organisations internationales suspectes de neutralité religieuse, les militants catholiques prirent position pour la défense de la langue, de la culture et de la religion du Canada français contre ce que l'on supposait être les menaces du socialisme et du communisme international.

Au cours de la première moitié du XXe siècle, les autorités catholiques participèrent directement au mouvement ouvrier québécois. En 1907, la première organisation catholique fut formée sous le patronage de l'évêque de Chicoutimi et, en 1909, le Conseil des évêques mit la population en garde contre « le faux et dangereux principe de neutralité religieuse dans les organisations syndicales ». Les prêtres intervenaient personnellement dans les grèves industrielles importantes, comme lorsqu'ils arbitrèrent la grève des tramways à Montréal, en 1903, et celle de l'industrie de la chaussure à Québec en 1911. Les organisateurs syndicaux, surtout les organisateurs communistes ou américains, étaient bien au fait du rôle de l'Église. Plutôt qu'une force médiatrice entre les employeurs et le monde ouvrier, elle était l'arme idéologique des premiers. Joshua Gershman, qui organisa une grève générale des 10 000 travailleurs francophones du vêtement, fut en mesure de constater le pouvoir de l'Église dans l'atelier :

> De bons travailleurs ; les filles étaient réellement d'excellentes opératrices et finisseuses. Dans ce temps-là, nous leur avions obtenu une augmentation de 3,50 $ par semaine, ce qui représentait une jolie somme. Tout l'atelier s'en réjouissait. Le lundi, une semaine après avoir terminé la grève, cinq filles de l'atelier, accompagnées de la surveillante, une Canadienne française très bien de sa personne, vinrent rencontrer le comité de l'atelier. Les filles me rapportaient, à moi, non pas au patron, les augmentations qu'elles avaient obtenues lors de la dernière paye en me disant qu'elles avaient été à l'église la veille [...] et que le prêtre leur avait dit que c'était de l'argent mal gagné. Elles me suppliaient de retourner l'argent au patron. Nous avons dû rendre visite aux parents de ces jeunes filles pour les convaincre que c'était correct, qu'il n'y avait aucun mal à appartenir au syndicat [...]. De nombreux parents étaient d'accord avec nous, mais l'Église travaillait réellement contre nous (Abella, 1977 : 200).

En 1911, l'École sociale populaire fut établie dans le but d'exposer et de propager la doctrine sociale de l'Église au moyen de brochures, de groupes d'études et de retraites fermées. Sous la direction d'un jésuite, Joseph Papin-Archambault, l'Église forma les prêtres pour qu'ils puissent mener une action sociale dans leurs paroisses et auprès des syndicats. Après 1915, le mouvement ouvrier catholique grandit rapidement et, en 1921, une confédération de syndicats catholiques fut créée : la Confédération des travailleurs catholiques du Canada (CTCC). Dès 1931, la CTCC disposait de 121 unités syndicales et comptait 25 000 membres.

L'un des buts principaux de la CTCC était d'unir les travailleurs par l'entremise de la religion, plutôt que par la classe, et de protéger les francophones de l'influence internationale. En 1925, le militant catholique Alfred Charpentier, trésorier de la CTCC, créa le Groupe Jeanne-d'Arc des retraitants pompiers. Le but de cette organisation de bienfaisance était, selon les termes de Charpentier,

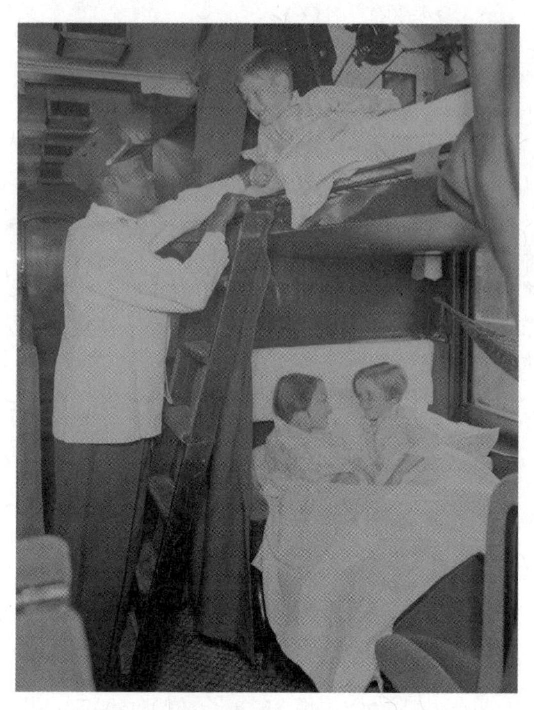

FIGURE 6.10
Un préposé aux voitures-lits. Dans les années 1890, les voitures-lits Pullman entraient en service sur les lignes longue distance du Canadien Pacifique et des autres compagnies ferroviaires. Comme aux États-Unis, le service dans ces voitures était assuré par des préposés d'origine afro-américaine recrutés dans les communautés de Montréal, Toronto, et Halifax ou dans les Antilles. En 1902, le Grand Tronc employait quarante-neuf préposés originaires de Montréal. La discrimination quant au statut des ces employés n'était pas le seul fait des compagnies mais aussi des syndicats qui refusaient d'intégrer des Noirs dans leurs rangs. Ceci obligea les préposés à former l'Order of Sleeping Car Porters en 1917, pour défendre leurs intérêts.

> [...] de relever la libre morale des pompiers [...] d'étudier et d'étendre les enseignements sociaux de l'Église en vue de les [les pompiers] éloigner des mouvements ouvriers internationaux. C'est pourquoi j'ai placé notre groupe sous le patronage de sainte Jeanne-d'Arc qui bouta les Anglais hors de France [...] (Charpentier, 1971 : 71).

Le syndicat catholique ne fut qu'un des éléments de division dans le monde ouvrier québécois. L'ethnie, la religion, le travail en atelier et dans le commerce le perturbèrent également (figure 6.10). En 1902, l'expulsion des Chevaliers du travail du Congrès des métiers et du travail du Canada mit en évidence le pouvoir grandissant des organisations syndicales internationales. Au Québec, les syndicats internationaux se développèrent rapidement dans la période d'avant-guerre et, dès 1914, ils firent état de 30 000 membres à Montréal et de 3000 à Québec (Harvey, 1980: 146). Plusieurs des organisateurs étaient juifs et épousèrent progressivement une idéologie plus radicale qui condamnait en bloc le système capitaliste. Ils tentèrent de créer des syndicats radicaux mais, devant la répression étatique et le harcèlement des employeurs, ils durent réintégrer le mouvement international qui ne leur faisait plus confiance (Dansereau, 2000). La crise économique porta un dur coup aux syndicats internationaux et, dès 1933, le désordre régnait dans des syndicats jadis très puissants, comme la United Mine Workers et l'Amalgamated Clothing Workers, qui furent anéantis.

Du mouvement ouvrier des métiers et des clubs ouvriers de Montréal naquit le Parti ouvrier du Québec, filiale du Canadian Independent Labour Party. Son programme social-démocrate prônait l'éducation gratuite et obligatoire, l'expansion du réseau des bibliothèques publiques, les allocations de vieillesse, l'assurance maladie, l'indemnisation des travailleurs accidentés et l'interdiction d'embaucher une main-d'œuvre juvénile. Au cours de l'élection fédérale de 1906, le parti réussit à faire élire, dans la circonscription de Sainte-Marie, Alphonse Verville, dirigeant du syndicat des plombiers et président du Congrès des métiers et du travail du Canada. Cependant, à long terme, le parti ne réussit pas à s'imposer au Québec.

On a beaucoup exagéré la passivité de la force ouvrière québécoise. Des grèves violentes éclatèrent, surtout dans les secteurs du transport, du textile et du vêtement et, comme le montrent les étudess de Jacques Rouillard, les grèves firent perdre plus de jours de travail aux travailleurs québécois qu'à leurs homologues ontariens. Entre 1900 et 1908, il y eut au moins quarante grèves et fermetures dans l'industrie du coton (Roback, 1985 : 169). Jacques Ferland (1987) a montré la division qui existait entre la main-d'œuvre spécialisée et non spécialisée en analysant 110 conflits ouvriers dans les industries du textile et du cuir entre 1880 et 1910. Tandis que les ouvriers spécialisés se mettaient en grève pour protéger leurs seuls intérêts, les ouvriers non spécialisés impliquaient des ouvriers travaillant dans tous les secteurs de l'usine.

Lors de ces mouvements de protestation ouvrière, les femmes ne furent pas les dernières à se mobiliser. Les secteurs du textile et du vêtement, fortement tributaires de la main-d'œuvre féminine, connurent un grand nombre de grèves. En dépit de l'opposition cléricale, des Canadiennes françaises, ignorant les différences ethniques, rejoignirent leurs consœurs juives lors de grèves dans l'industrie du vêtement. En 1924, les ouvrières se mirent en grève à la compagnie Eddy Match de Hull, refusant de travailler pendant deux mois pour protester contre la tentative des employeurs de baisser les salaires et de remplacer les surveillantes par des hommes. Quant aux institutrices qui devaient affronter un contrôle serré de la part de leurs commissions scolaires, catholiques et protestantes, elles réussirent à travailler ensemble et à s'associer pour améliorer leurs salaires et leurs conditions de travail (Danylewycz et Prentice, 1986 : 76).

Cette résistance se présenta sous diverses formes. Dans les syndicats catholiques, les chefs d'atelier et les militants affrontèrent les prêtres pour le contrôle de leurs syndicats et de leur idéologie. Certains faits confirment aussi que les femmes, isolées et non organisées, se protégèrent par des actions collectives. En 1929, quatre institutrices de Cap-Chat fermèrent leur école parce que le conseil scolaire ne leur avait pas versé leur salaire à la date prévue et, à Alma, quatre ans plus tard, dix des douze institutrices quittèrent leur travail pour la même raison. Marîse

TABLEAU 6.6

Les conflits ouvriers au Québec entre 1901 et 1935

Années	Nombre de grèves	Nombre d'ouvriers en cause	Jours/Personnes
1901-1905	131	30 516	382 275
1906-1910	106	32 311	459 080
1911-1915	75	30 120	492 586
1916-1920	186	63 728	1 475 220
1921-1925	115	30 374	739 499
1926-1930	74	21 446	313 901
1931-1935	105	39 282	289 762

(Bernier et Boily, 1986: 325)

Thivierge (1983: 181) en conclut que ces exemples d'actions collectives « montrent l'émergence d'une attitude combative chez les institutrices qui étaient conscientes d'être exploitées. Néanmoins, ces actions étaient de courte durée et d'une influence difficile à cerner… »

Mais, face à l'alliance du patronat, de la police et des lois ouvrières fédérales et provinciales, les grèves échouèrent souvent. Les gouvernements fédéral et provincial contrèrent celles-ci par l'imposition de l'arbitrage obligatoire. Les chemins de fer favorisèrent l'intervention rapide de briseurs de grève et d'agents de sécurité. L'armée et la police furent mises à contribution. En 1903, une grève menée par 2000 débardeurs de Montréal fut déclarée « guerre civile ». Des troupes appelées de Toronto vinrent aider la police et des compagnies maritimes amenèrent 1000 briseurs de grève d'Angleterre (Roback, 1985: 169).

Ces moyens furent utilisés tout au long de la période. Un organisateur syndical du secteur du vêtement décrit ainsi ses difficultés au début des années 1930:

> C'était l'époque du gouvernement Bennett, la police avait effectué plusieurs descentes au local du syndicat. Sur les lignes de piquetage, les ouvriers étaient terrorisés par la police et les brutes engagées par elle. Les manufacturiers juifs se comportaient très mal (Abella, 1977: 200).

Des 287 grèves qui furent déclenchées à Montréal entre 1901 et 1921, 115 se terminèrent par un rejet total des demandes ouvrières. Seulement 49 de ces grèves réussirent, la plupart dans des secteurs spécialisés (Copp, 1974). Bien que les statistiques du ministère du Travail et celles des syndicats catholiques soient peu fiables en ce qui concerne les grèves de courte durée, le tableau 6.6 offre un aperçu des grèves les plus importantes survenues au Québec.

Lorsque 3000 ouvriers de la chaussure se mirent en grève à Québec en 1925, pour protester contre une réduction de 30 % de leur salaire, ils rejetèrent l'arbitrage de leur aumônier et sa suggestion de retourner au travail en acceptant une réduction de 10 %. Les ouvriers réclamaient justice et défilaient devant les manufactures avec des photographies de leur évêque et des bannières de saint Joseph et de la Vierge Marie. Mais les employeurs engagèrent des Américains pour former 1500 nouveaux ouvriers. Par la même occasion, ils introduisirent de la nouvelle machinerie qui permettait d'éliminer des travailleurs spécialisés. À la suite de cette grève de quatre mois, la montée des éléments progressistes du mouvement catholique ouvrier fut entravée et ce n'est qu'en 1930 qu'un mouvement catholique ouvrier militant refit surface.

LA CULTURE

En dépit de la présence croissante du téléphone, de la radio, du cinéma et d'autres manifestations culturelles, les formes traditionnelles de l'activité culturelle persistaient dans les classes populaires. La famille et l'Église en étaient le cadre. Au cours des veillées, les récits, la pipe (fumée par les hommes), les conversations, les jeux de cartes, les chants et les danses demeuraient les passe-temps favoris. C'était aussi l'occasion de fréquentations entre jeunes gens sous la supervision stricte des parents. À l'extérieur de la maison, la plupart des activités restaient paroissiales : messes, bazars, soupers, chorales, retraites et groupes d'entraide. La plupart des gens de la campagne ne quittaient la maison qu'à l'occasion de réunions familiales importantes (mariage ou funérailles), pour la foire agricole annuelle ou un pèlerinage. Les croyances anciennes restaient vivaces et on demandait toujours l'aide de saint Antoine, par exemple, pour retrouver un objet perdu.

Dans les années 1920, Valcourt comptait 300 âmes et, comme dans bien des villages, il y avait une piste de course et un terrain de baseball ; on y produisait aussi des pièces de théâtre amateur et, après le travail, les hommes se réunissaient dans une salle de billard à l'arrière du restaurant du village. Pour Joseph-Armand Bombardier, jeune et ambitieux mécanicien du village, la meilleure occasion de rencontrer les filles était d'assister aux soirées que donnait sa tante le samedi ; en effet, c'est là qu'il rencontra celle qui deviendra son épouse. Les activités communautaires, les foins, la cueillette des bleuets, les épluchettes de blé d'Inde et le temps des sucres demeuraient d'importantes occasions sociales pour courtiser, faire de la musique et danser. Une jeune fille de Saint-Hyacinthe rapporta dans son journal intime qu'elle « avait passé l'après-midi sous les pins (Lacasse, 1988) ».

Dans les centres urbains, les tavernes étaient des lieux importants de socialisation masculine. Circonscrites aux grandes et petites villes dûment constituées, les tavernes — établissements où l'on vendait de la bière au verre — servaient, à l'origine, d'auberges. Avec l'établissement, en 1921, de la Commission des liqueurs, des tavernes indépendantes obtinrent leur permis. Les tavernes détenaient le monopole de la vente de la bière en fût et, jusqu'en 1979, demeurèrent réservées aux hommes et étaient concentrées dans les quartiers populaires.

Malgré cette persistance des activités traditionnelles, la société capitaliste industrielle vit se développer de nouvelles formes de loisirs pour l'élite et la classe populaire. Avec l'alphabétisation, un marché pour la littérature locale se créa. Les journaux, qui bénéficiaient de nouvelles techniques comme la machine à composer fabriquée par la Linotype Company de Montréal après 1891, étaient produits plus rapidement et à moindre coût. Des quotidiens à grand tirage, comme *La Presse*, fondée en 1884, mettaient l'accent sur les illustrations et une disposition typographique aérée, afin d'attirer une clientèle populaire et d'augmenter les revenus publicitaires. Dans les années 1880, 305 nouveaux journaux et périodiques virent le jour au Québec. En plus de ces quotidiens et bulletins d'information professionnels, il y eut de petits journaux hebdomadaires qui diffusèrent une littérature populaire. De 1886 à 1893, *La Bibliothèque à cinq cents* offrit 24 pages d'extraits de romans français et canadiens, ainsi que des poèmes. La littérature populaire, sous forme de feuilletons, constituait un des attraits de la plupart des journaux et continua d'être publiée jusqu'après la Seconde Guerre mondiale dans des quotidiens comme *Le Soleil*. Le premier journal consacré au lectorat féminin, *Le coin du feu*, fut lancé en 1893 (Lamonde, 2000 : 471).

L'histoire continua d'être le véhicule important de l'affirmation d'une culture québécoise distincte. En plus d'être celle des historiens, tels que le chanoine Lionel Groulx qui inaugura la Chaire d'histoire du Canada à l'Université de Montréal en 1915, cette histoire fut écrite par des notables de la campagne et de la petite bourgeoisie urbaine qui contribuèrent au *Bulletin des recherches historiques* (fondé en 1895). Elle mobilisa les élites pour la commémoration des héros tels Laval, Champlain, Montcalm et Dollard des Ormeaux (Nelles, 1999 ; Groulx, 1998). La création de l'École littéraire de Montréal en 1890, dont le représentant le plus connu fut le poète de génie Émile Nelligan (1879-1941), permit à la littérature québécoise de s'épanouir. Critiquant la poésie épique d'Octave Crémazie (1827-1879) et de Louis Fréchette (1839-1908), fortement inspirée d'auteurs français tels que Victor Hugo, ce groupe s'efforça de faire naître une identité originale pour les Canadiens français.

Les élites cherchaient à instruire le public au moyen de musées scientifiques spécialisés. The Art Association of Montreal qui se réunissait à l'origine chez le photographe William Notman a ouvert sa première galerie permanente en mai 1879. Pendant les années 1880 et 1890, elle compta plus de 20 000 visiteurs chaque année. En 1883, la ville de Montréal acheta le Château Ramezay permettant de concrétiser le vieux rêve de la Numismatic and Antiquarian Society de Montréal de créer un musée historique. La première exposition ouvrit ses portes

FIGURE 6.11
Le parc Sohmer. Cette publicité pour le parc Sohmer insiste sur l'importance du transport public, de la vente de la bière, de la musique et des spectacles de vaudeville qui ont contribué à son succès.

en 1896, sous le patronage du juge Louis-François-Georges Baby, et attira 16 000 visiteurs dans son premier mois (Gagnon, 1994).

Dans les années 1920, deux nouvelles formes d'activités culturelles eurent de profondes influences sur les loisirs. Le cinéma gagna rapidement en popularité et, dès 1933, on comptait 134 salles de cinéma au Québec. En 1922, la radio prit son essor avec l'inauguration de stations montréalaises : CKAC pour l'auditoire francophone et CFCF pour l'auditoire anglophone. Dès 1931, 37 % des foyers urbains possédaient un poste de radio, en comparaison de 8 % seulement en région. Comme le fit remarquer Elzéar Lavoie (1971) :

> À la campagne, s'il y a réception radiophonique, l'écoute est collective et, au lieu d'être un agent de liaison extérieure à la localité et un facteur d'individualisme, la radio est plutôt un agent de cimentation locale et le signe d'une dépendance envers les notables locaux dont le pouvoir se trouve curieusement renforcé par cette nouveauté technologique.

L'expansion du transport en commun permit aux classes populaires de s'adonner à de nouvelles formes de loisirs. Les parcs d'amusement devinrent d'importants sites urbains qui eurent pour effet de commercialiser les besoins de la ville industrielle en divertissement, musique, restauration et consommation de boissons. Le parc du mont Royal, conçu par Frederic Law Olmsted, fut ouvert en 1876 dans le but de promouvoir un environnement naturel et de verdure. Le parc Sohmer (figure 6.11) accueillit jusqu'à 10 000 visiteurs par jour qui s'y divertirent en assistant aux spectacles, en se restaurant et en buvant de la bière. Ouvert en 1889, sous le patronage d'Ernest Lavigne, à l'extrémité est de la ville, il était borné par des quais, des voies ferrées, des cheminées d'usines et la brasserie Molson. On y assistait à des tours de magie, des exhibitions de géants et de nains, des feux d'artifice, des représentations de cirque, de marionnettes, des courses de brouettes et des spectacles de vaudeville ; madame Juez Palmer avait la réputation de soulever 200 livres avec les dents et le héros du parc était l'homme fort Louis Cyr. Mais tout n'y fut pas que simple amusement et le parc joua un rôle important dans l'encadrement, l'éducation et le contrôle des masses par l'entremise d'expositions industrielles, de concerts et des fêtes de la Saint-Jean-Baptiste (Lamonde et Montpetit, 1986).

CONCLUSION

Au début du XXe siècle, l'économie industrielle du Québec dépendit de plus en plus de l'énergie hydroélectrique, du développement des ressources naturelles et de la production manufacturière. C'est au cours de cette période que l'on assista à l'émergence des grandes sociétés, des villes patronales et au cumul de sièges d'administrateurs. De plus, d'importants secteurs de la production industrielle québécoise furent intégrés à l'économie américaine par l'intermédiaire de filiales et des capitaux américains.

En dépit de cette réalité, la majeure partie du pouvoir économique québécois demeura sous le contrôle de capitalistes anglophones de Montréal et de Toronto. Inspirés par des perspectives économiques pancanadiennes et internationales, ceux-ci ne connaissaient à peu près rien du Québec en dehors de Montréal. La bourgeoisie francophone ne contrôla qu'une mince partie de ce capital. Cependant, elle domina l'appareil de l'État et, à un niveau régional, continua d'exercer un contrôle sur le pouvoir industriel, commercial et financier.

Que ce fût au niveau de l'atelier, du banc d'église, de la salle de classe ou du guichet, la plupart des Québécois restèrent soumis à des contrôles très serrés. Pour renforcer son paternalisme, le patronat se servit des immigrants, du travail saisonnier ou temporaire, ainsi que de l'isolement des quartiers bourgeois dans les villes. L'Église demeura une alliée puissante du capitalisme. Bien qu'il existât une lutte de la part des femmes, des mouvements ouvriers et des organisations régionales, l'avancement des classes populaires se trouva entravé par la guerre, la crise économique, l'urbanisation, les problèmes d'hygiène publique, le travail industriel, le développement de la consommation des biens et les divisions ethniques.

BIBLIOGRAPHIE

Le capitalisme industriel

En ce qui concerne les établissements financiers, voir la thèse de Gilles PIÉDALUE, *La Bourgeoisie canadienne et le problème de la réalisation du profit au Canada, 1900-1930*, Université de Montréal, 1976. Tout aussi importante est l'œuvre de Robert SWEENY, *A Guide to the History and Records of Selected Montreal Businesses before 1947*, Centre de recherche en histoire économique du Canada français, 1978. Au sujet du monde bancaire, consulter *Banking en français: The French Banks in Québec, 1835-1925*, University of Toronto Press, de Ronald Rudin. Pour un aperçu de l'industrie forestière, consulter *Forêt et société en Mauricie*, Boréal Express, 1984, de René Hardy et Normand Séguin. Voir Paul-André Linteau, *Maisonneuve: comment des promoteurs fabriquent une ville*, Boréal Express, 1981, pour un aperçu du développement d'une cité ouvrière. Pour l'idéologie du milieu des affaires, voir Fernande Roy, *Progrès, harmonie, liberté: le libéralisme des milieux d'affaires francophones à Montréal au tournant du siècle*, Boréal, 1988. Les caisses Desjardins sont présentées dans Yves Roby, *Alphonse Desjardins et les Caisses populaires, 1854-1920*, Fides, 1964 et par Ronald Rudin, *In Whose Interest? Quebec's Caisses populaires, 1900-1945*, McGill-Queen's, 1990. L'importance sociale, économique et culturelle du tabac est analysée par Jarrett Rudy, *Many Smokes: Tobacco Consumption and the Construction of Identities in Industrial Montreal*, Ph.D. Université McGill, 2001.

Le travail

Le monde du travail au Québec est présenté dans *Le Mouvement ouvrier au Québec*, Boréal Express, 1980, de Fernand Harvey et dans les deux livres de Jacques Rouillard, *Les Syndicats nationaux au Québec de 1900 à 1930*, PUL, 1979 et *Histoire de la CSN, 1921-1981*, Boréal Express, 1981. *Le Virage à gauche interdit: les communistes, les socialistes et leurs ennemis au Québec, 1929-1939*, Boréal, 1989, d'Andrée Lévesque traite utilement de la gauche au Québec ainsi que la thèse de Bernard Dansereau, *Le Mouvement ouvrier montréalais, 1918-1929: structure et conjoncture*, Ph.D., Université de Montréal, 2000. Les travailleurs de l'aluminium sont étudiés dans José Igartua et Marine de Fréminville, « Les origines des travailleurs de l'Alcan au Saguenay, 1925-1939 », *RHAF*, 37, 2, 1983: 291-308. Pour le travail de bureau au féminin, voir Michèle Dagenais, « Itinéraires professionnels masculins et féminins en milieu bancaire: le cas de la Banque de Hochelaga, 1900-1929 », *Labour/Le travail*, 24, 1989: 45-68. Au sujet de la prolétarisation du travail des institutrices, voir « Teacher's Work: Changing Patterns and Perceptions in the Emerging School Systems of Nineteenth and Early Twentieth Century Central Canada », *Labour/Le travail*, 17, 1986: 59-82, de Marta Danylewycz et Alison Prentice. Les études d'économies régionales se multiplient. Parmi les plus intéressantes, citons celles de Gérard Bouchard, *Quelques arpents d'Amérique*, Boréal, 1996; José Igartua, *Arvida au Saguenay. Naissance d'une ville industrielle*, McGill-Queen's, 1996; Guy Gaudreau, *Les Récoltes des forêts publiques au Québec et en Ontario, 1840-1900*, McGill-Queen's, 1999.

Le sujet des grèves est étudié dans « Syndicalisme "parcellaire" et syndicalisme "collectif": une interprétation socio-technique des conflits ouvriers dans deux industries québécoises (1880-1914) », *Labour/Le travail*, 19, 1, 1987: 44-88 de Jacques Ferland. Il est utile de consulter *Les Cordonniers, artisans du cuir*, Boréal Express et Musée national de l'Homme, 1980, de M. A. Bluteau *et al.*, pour un aperçu des conditions de travail dans l'industrie du cuir. Et au sujet de l'organisation ouvrière des institutrices, voir « La syndicalisation des institutrices catholiques, 1900-1959, de Marîse Thivierge, dans N. Fahmy-Eid et M. Dumont, *Maîtresse de maison, maîtresses d'école*, Boréal Express, 1983: 171-189. Quant aux conditions de travail dans l'industrie du vêtement, voir « Portrait of a Jewish Professional Revolutionary: The Recollections of Joshua Gershman », *Labour/Le travail*, 2, 1977: 185-213, de Irving Abella.

Les groupes sociaux

William RYAN étudie l'attitude du clergé au cours de l'industrialisation dans *The Clergy and Economic Growth in Quebec (1896-1914)*, PUL, 1966. La meilleure source d'information sur l'histoire des classes ouvrières urbaines se trouve peut-être dans *The Anatomy of Poverty*, de Terry Copp, McClelland & Stewart, 1974. La culture des élites est décrite par Annemarie ADAMS et Peter GOSSAGE dans « Chez Fadette : Girlhood, Family, Private Space in Late Nineteenth Century Saint-Hyacinthe », *Revue d'histoire urbaine*, 26 (octobre 1998) : 56-68. Pour une histoire des Juifs au Québec, voir *Juifs et réalités juives au Québec*, IQRC, 1984, de Pierre ANCTIL et Gary CALDWELL. Pour une histoire des Italiens, on peut consulter *Les Premiers Italiens de Montréal. L'origine de la Petite Italie du Québec*, Boréal Express, 1984, de Bruno RAMIREZ et Michael DEL BALSO. Le cas du « patronage » est cerné dans « Montreal's King of Italian Labor : A Case Study of Padronism », *Labour/Le travail*, 4, 1979 : 56-84, de Robert F. HARNEY. Au sujet de l'emploi chez les Italiens, voir « Brief Encounters : Italian Immigrant Workers and the CPR, 1900-30 », *Labour/Le travail*, 17, 1986 : 9-24, de Bruno RAMIREZ. Pour la santé publique voir Martin TÉTREAULT, « Les maladies de la misère : aspects de la santé publique à Montréal, 1880-1914 », *RHAF*, 36, 4, 1983 : 507-526. Sur l'importance de la mémoire, voir Caroline-Isabelle CARON, *Se créer des ancêtres : les écrits historiques et généalogiques sur les Forest et de Forest en Amérique du Nord, 19e et 20e siècles*, Ph.D., Université McGill, 2001.

CHAPITRE VII

L'Église, l'État et les femmes dans la société capitaliste industrielle 1886-1930

Au cours de la période 1886-1930, les forces conservatrices gardèrent une solide emprise sur la société. La politique provinciale, pendant la majeure partie de la période, fut dominée par le Parti libéral qui, avec Lomer Gouin et Louis-Alexandre Taschereau, avait établi de bons rapports avec les capitalistes de Montréal, le clergé catholique et le Parti libéral fédéral. Les dirigeants conservateurs du Parti libéral misaient sur l'Église et le nationalisme, tandis que les progressistes étaient divisés sur les questions du régionalisme et des rapports entre classes et les sexes. Ces éléments réformateurs furent aussi grandement entravés par les ecclésiastiques et les nationalistes, tels que Mgrs Édouard-Charles Fabre et Paul Bruchési, le chanoine Lionel Groulx, Jules-Paul Tardivel et Henri Bourassa, qui détenaient le pouvoir idéologique. C'est au cours de cette époque que le pouvoir institutionnel de l'Église en matière d'éducation et de vie sociale atteignit son apogée. Les progressistes urbains, les féministes et les radicaux politiques furent souvent entraînés dans des activités conservatrices, ou confinés dans des groupes politiques marginaux ou des ghettos ethniques.

L'une des conséquences importantes du développement du capitalisme industriel fut de créer un Québec composé de réalités sociales et économiques de plus en plus isolées les unes des autres (figures 7.1, 7.2 et 7.3). Les capitalistes détenteurs d'intérêts à l'échelle du pays et du monde, les communautés d'immigrants de Montréal, les régions minières, comme celle de l'Abitibi, les villages de pêcheurs en Gaspésie et les fermiers traditionnels partageaient la même province, mais vivaient à des années-lumière les uns des autres. Ces disparités de classes, d'ethnies et de régions furent accentuées par les diverses institutions sociales, religieuses et syndicales, et aussi, comme nous le verrons plus loin, par les efforts

FIGURE 7.1
Un fermier dans le comté de Charlevoix.

FIGURE 7.2
Le boulevard Saint-Laurent aux environs de 1914.

FIGURE 7.3
La rue Sainte-Catherine à la hauteur du carré Phillips en 1930. Ces photographies montrent la coexistence de différents Québec à l'orée du XXe siècle. La présence du bœuf, le toit de chaume, la façon d'engranger le foin, le type d'équipement et la grange en bois de cette ferme charlevoisienne (7.1) indiquent que celle-ci faisait encore partie du Québec préindustriel. En 1926, il y avait 5585 tracteurs sur les fermes du Québec comparativement à 12 286 en Ontario et à 50 136 dans les provinces de l'Ouest (Urquhart et Buckley, 1965 : 391).

Le boulevard Saint-Laurent (7.2), ou la « Main », selon l'appellation populaire, a toujours été le kaléidoscope de la diversité ethnique présente à Montréal depuis la fin du XIXe siècle. Un annuaire de 1913 indique la présence d'un quartier du vêtement, d'une manufacture de tabac, d'une brasserie et de divers magasins appartenant à des minorités ethniques, dont la première épicerie Steinberg. En 1884, des tramways tirés par des chevaux faisaient leur apparition dans les rues de la ville et donnaient accès à de nouvelles banlieues ouvrières, dont la paroisse Saint-Jean-Baptiste. En 1892, le système était électrifié, comme on le voit sur la photographie. Le cœur du Montréal anglophone commençait à l'ouest du carré Phillip (7.3). La présence d'automobiles et de tramways montre l'évolution des moyens de transport et la transformation de la richesse de certains clients. À la droite de la photo, se trouve le grand magasin Morgan (La Baie) construit en grès rouge importé d'Écosse, qu'on utilisait comme ballast dans la cale des navires. En arrière-plan, on aperçoit les étages en construction du grand magasin Eaton, bâti sur l'emplacement de l'ancien grand magasin Goodwin racheté par le Torontois Eaton. Les deux magasins sont séparés par la cathédrale anglicane Christ Church. En face de la cathédrale, se trouvait la plus importante bijouterie au Canada à l'époque, celle de Henry Birks.

des dirigeants politiques provinciaux. Ces éléments réunis donnèrent naissance à des forces politiques et sociales contradictoires : populisme, corporatisme, profond conservatisme, démocratie sociale et réformisme urbain.

Au sein de la famille, du milieu de travail, de l'Église et de l'État, la position économique et sociale des femmes du Québec restait assujettie à des lois et à des comportements paternalistes. L'Église catholique maintenait sa forte emprise sur leurs esprits, notamment par l'obligation d'enfanter et par le contrôle du travail domestique et extérieur, et intervenait directement dans leurs efforts pour former des organisations autonomes. Leurs droits politiques et juridiques demeuraient inférieurs à ceux des hommes. Elles obtinrent le droit de vote en 1917 au niveau fédéral, et seulement en 1940 au niveau provincial. Leur présence demeurait marginale au sein du gouvernement, de la fonction publique, des entreprises, des universités et des professions traditionnellement masculines. L'accès à presque toutes les grandes écoles leur était interdit, et lorsqu'elles y furent enfin admises on leur réserva des programmes spécifiques en accord avec leurs rôles traditionnels : économie domestique, techniques infirmières ou formation d'institutrices.

Dans les emplois spécialisés vers lesquels on les dirigeait de plus en plus — infirmières, institutrices, secrétaires et téléphonistes — la formation qu'on leur donnait avait des implications idéologiques plus larges et visait à préparer les jeunes femmes à leur rôle d'épouse et de mère. Une fois mariées, la société s'attendait à ce qu'elles démontrent les qualités d'une bonne mère, d'une bonne épouse et d'une bonne ménagère. En dehors de leur engagement personnel dans les sociétés nationalistes, religieuses et philanthropiques, les femmes n'obtinrent un accès aux postes de direction du monde politique ou institutionnel que de façon exceptionnelle.

Pour de nombreuses catholiques, le rôle particulier des communautés religieuses féminines dans les hôpitaux et les écoles offrit une solution de rechange au mariage. Selon Marta Danylewycz (1987 : 159), les 133 communautés religieuses établies entre 1840 et 1960 au Québec représentent des formes particulières d'activités féminines autonomes et ne peuvent être simplement interprétées comme une preuve de la domination des femmes par les religieux. « Les femmes ne s'enfermèrent pas aveuglément au couvent. » Les communautés religieuses représentaient pour des femmes la possibilité de parvenir à une certaine situation sociale, personnelle et intellectuelle, et permettaient de vivre un état de célibat non condamné socialement.

Le couvent demeurait aussi une source importante de sécurité matérielle pour les femmes célibataires ; le plus grand nombre d'entrées en religion chez les femmes survint en 1930, une des années les plus critiques de la crise économique (Lavigne et Pinard, 1983 : 279-283). L'importance de ces communautés religieuses dans la société québécoise apparaît évidente au tableau 7.1, où l'on voit

TABLEAU 7.1

Les femmes dans les communautés religieuses du Québec, 1851-1921

	Nombre de religieuses	Pourcentage chez les femmes	
		âgées de plus de 20 ans	*célibataires de plus de 20 ans*
1851	650	0,3	1,4
1871	2 320	0,9	4,1
1881	3 783	1,1	4,4
1901	6 629	1,5	6,1
1911	9 964	1,9	8,0
1921	13 579	2,2	9,1

(Danylewycz, 1987 : 17)

TABLEAU 7.2

Investissements des Sulpiciens en obligations, valeurs et titres de plus de 40 000 $, 1882-1909

Investissement	Entreprise	Montant (en dollars)
Richelieu and Ontario Navigation	Expédition	169 000
Sorel, Québec	Municipale	142 000
Champlain and St. Lawrence	Ferroviaire	94 000
Port Arthur, Ontario	Municipale	90 000
Sault Ste Marie, Ontario	Municipale	89 000
Dominion Cotton Mills	Textile	85 000
Hamilton Power Co.	Service	73 000
Iberville, Québec	Municipale	49 000
Lake of the Woods Milling	Meunerie	43 000
Montreal Light, Heat & Power	Service	42 000

(Young, 1986 : 212-213)

qu'en 1921 les 13 579 religieuses représentaient 9,1 % des femmes célibataires âgées de plus de vingt ans.

L'ÉGLISE

Habité par une population qui, en 1941, était catholique à 86 %, le Québec resta profondément assujetti à l'influence du clergé, et ce dans tous les aspects de sa vie du début du XXe siècle. Le tableau 7.2 montre les liens financiers évidents entre l'Église, l'État et le capital industriel.

Le pouvoir de la hiérarchie religieuse sur la vie sociale et intellectuelle se manifestait jusque dans les activités dominicales et les lois relatives au cinéma et au théâtre. Les élites séculières demeuraient sensibles à l'opinion du clergé. En 1893, par exemple, lorsque le navire italien *Etna* accosta à Montréal, le maire Desjardins refusa de rencontrer les officiers, arguant qu'il ne recevrait pas les représentants d'un pays qui opprimait le pape. En plus d'exercer son influence sur le monde du travail, par l'entremise des syndicats catholiques, l'Église l'exerça aussi sur les femmes, les jeunes, le Mouvement des caisses Desjardins, les universités et les autres établissements d'enseignement et les services sociaux.

L'interdiction de toute méthode mécanique de contraception mettait en danger la vie des femmes qui devaient subir des grossesses à répétition. Dans une société qui valorisait l'instinct maternel et liait maternité et devoir patriotique, l'utilisation de la contraception ou le recours à une hystérectomie représentait un véritable cas de conscience et qui engendrait une grande amertume chez plusieurs femmes :

> C'était cruel quand vous alliez à la confesse. C'était pas une petite affaire de dire que vous empêchiez la famille… J'étais bien obligée de le dire… les prêtres nous chicanaient. […] On leur disait : « le docteur m'a dit qu'on devrait pas avoir d'autres enfants. » Ça ne compte pas ; l'enfant vivra si sa mère meurt ; c'est tout ce qu'ils avaient à nous répondre. C'était pas juste ça. (Baillargeon, 1991 :106).

L'Église fut particulièrement habile pour utiliser son influence en éducation, afin de recruter les meilleurs éléments à son profit. Dans l'édition du mois de mars 1986 de l'*Incunable*, Jean-Éthier Blais décrit, de façon fort imagée, l'entrée de François Hertel chez les Jésuites :

> L'événement important (de ses années passées au Séminaire de Trois-Rivières) ce fut la décision de devenir jésuite et donc, prêtre et enseignant. Hertel partit à la dérive des événements, sans trop savoir ce qu'il faisait, comme happé par cette immense machine qui a nom destin. On partait du principe, à cette époque, que quiconque ne s'élevait pas avec force contre la vocation religieuse, était fait pour elle. Hertel entra donc dans l'Ordre des Jésuites, si l'on peut dire, négativement, *volens nolens*, entraîné par l'autorité morale de son directeur de conscience. Tout ceci dans une atmosphère de rectitude morale et, si étrange que cela puisse paraître, de liberté.

La paroisse, pivot de la vie sociale des collectivités québécoises, suivit la poussée démographique, surtout dans les régions urbaines en expansion. Le nombre des paroisses dans le diocèse de Montréal passa de 152 en 1881 à 215 en 1941 (Litalien, 1986 ; 182).

L'exemple de la paroisse de Saint-Alphonse à la Baie des Ha ! Ha !, sur la rivière Saguenay, marque bien l'évolution constante de l'infrastructure institutionnelle de la paroisse rurale. Au début du XXe siècle, ce village était un port important pour l'acheminement de l'aluminium, de la pâte à papier et du fromage. En 1901, les marguilliers achetèrent un nouveau site pour le cimetière, au prix de

FIGURE 7.4
Brochure publiée par les Franciscains. Ce genre de publication avait pour but de mettre la population en garde contre les fléaux de la vie moderne : alcoolisme, manque de discipline en éducation, théâtre, cinéma, divorce et associations non confessionnelles. On y idéalisait aussi la vie dans les petites villes.

800 $. En 1902, une salle d'œuvres paroissiales, comprenant une sacristie et une salle réservée aux filles, y fut construite. En 1908, les marguilliers cédèrent un terrain d'une valeur de 3600 $ pour la construction d'un orphelinat. En 1923, les réparations effectuées à l'église coûtèrent 40 000 $; en 1926, un nouveau presbytère fut érigé au coût de 25 000 $ et, un an plus tard, une école pour garçons fut construite au coût de 77 220 $ (Potvin, 1957).

Au début du XXe siècle, le catholicisme au Québec était plus que symbolique. Son omniprésence se doublait d'une grande rigueur idéologique. Les prêtres encourageaient fortement l'assistance aux offices et, surtout, la confession. À l'hôpital de la Miséricorde, les patients devaient se rendre à la chapelle trois fois par jour. En 1912, les paroissiens de Montréal communiaient en moyenne 22 fois par année, et les paroissiens de la région rurale de Montréal, 28 fois (Hamelin et Gagnon, 1984 : 355). Par des confréries de dévotion et des brochures, l'Église exerçait une forte influence sur la moralité (figure 7.4) ; la chaire servait à prévenir les paroissiens des dangers que représentait la société de consommation urbaine pour les valeurs familiales et traditionnelles. Dans sa lettre pastorale de 1923, le cardinal Bégin mit les gens en garde contre les danses lascives, tels le tango, le fox-trot et la polka.

L'Église exerçait tout autant d'influence sur la vie rurale quotidienne. Dans le village de Saint-Justin, sujet d'une étude de Léon Gérin en 1898, les familles ornaient les murs de leurs chambres à coucher d'images religieuses. Toutes les fêtes du calendrier religieux y étaient observées et, à Pâques, presque tous les habitants assistaient à la messe. Les prières quotidiennes étaient coutume et les bancs d'église se remplissaient pour la messe dominicale. Lorsque la radio fit son apparition à Belle-Anse, en Gaspésie, on écoutait les émissions religieuses et des familles entières se réunirent pour réciter le chapelet quotidien. Ce qui fait dire au sociologue Marcel Rioux (1961 : 44) « que le catholicisme était si intégré à la personnalité des paroissiens de Belle-Anse, à leur système de valeurs, que les principes mêmes sur lesquels celui-ci s'appuyait n'avaient même pas à être discutés ». Dans ces régions périphériques, le curé intervenait dans tous les aspects de la vie : la rotation des cultures, la discipline des enfants, l'hygiène publique et la propreté des maisons. Le curé de Saint-Côme-de-Kennebec, Adalbert Roy, invoquait la fierté nationale pour inciter ces ouailles à repeindre leur maison (Boulanger *et al.*, 1990).

Les syndicats agricoles et les Caisses populaires influencèrent aussi, d'un point de vue religieux, la vie sociale et économique du milieu rural. Lors de la création de l'Union catholique des cultivateurs en 1924, les aumôniers utilisèrent leurs pouvoirs pour s'assurer que l'action de ce mouvement soit orientée vers une réforme morale et sociale plutôt que vers la politique.

Jean Hamelin et Nicole Gagnon (1984) ont montré l'importance de la religion populaire au cours du XXe siècle et la frontière incertaine qui séparait le profane du sacré. Les pèlerinages constituèrent des moyens efficaces pour canaliser les pratiques religieuses populaires et les loisirs dans un ordre admis et supervisé. En 1903, un typographe de la ville de Québec rapporta que sa femme et lui faisaient trois voyages par année en dehors de la ville, deux pour aller voir des parents, et le troisième en pèlerinage. À Saint-Justin, les femmes considéraient le pèlerinage annuel comme leur principale sortie du village. Mais ces pèlerinages étaient faits sous étroite surveillance. L'archevêque de Montréal avait en effet interdit aux femmes de participer à des voyages mixtes, de nuit.

Les trois principaux lieux de pèlerinage au Québec — Sainte-Anne-de-Beaupré, à 35 kilomètres à l'est de Québec, Cap-de-la-Madeleine, près de Trois-Rivières et l'Oratoire Saint-Joseph (figure 7.5), à Montréal — tirent tous leur origine de sanctuaires populaires datant du début de la colonisation française. Sous des Rédemptoristes, la basilique de Sainte-Anne-de-Beaupré vit le nombre de ses visiteurs s'élever de 113 560 en 1895 à 256 610 en 1923. Entre 1898 et 1930, 23 nouveaux sites de pèlerinage ouvrirent au Québec (Hamelin et Gagnon, 1984).

Jusqu'à l'avènement de l'État-providence, les services sociaux dans la société industrielle reposaient sur la philanthropie. Les catholiques étaient soignés dans des établissements dirigés par des communautés religieuses et les bourgeois protestants subventionnèrent des établissements que leurs femmes administrèrent, par

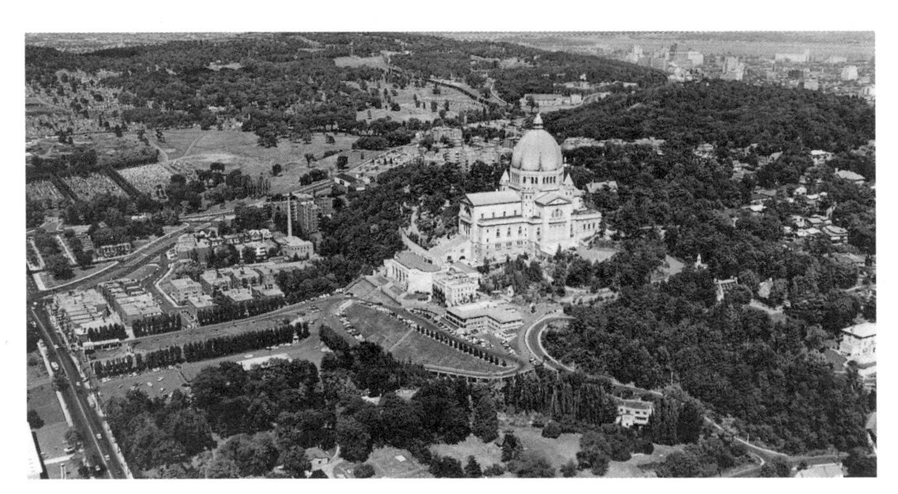

FIGURE 7.5
L'oratoire Saint-Joseph, édifié sur le site d'un sanctuaire déjà connu au XVIIe siècle, devint le plus important centre de pèlerinage en Amérique du Nord. Un concierge illettré du sanctuaire, le frère André, avait acquis la réputation de guérir les malades. En dépit de l'hostilité de certains catholiques à l'égard de cette croyance, un petit sanctuaire fut construit en 1904, et en 1924-1925 la haute direction de l'Église y parraina l'édification d'une basilique. Le frère André fut béatifié en 1982.

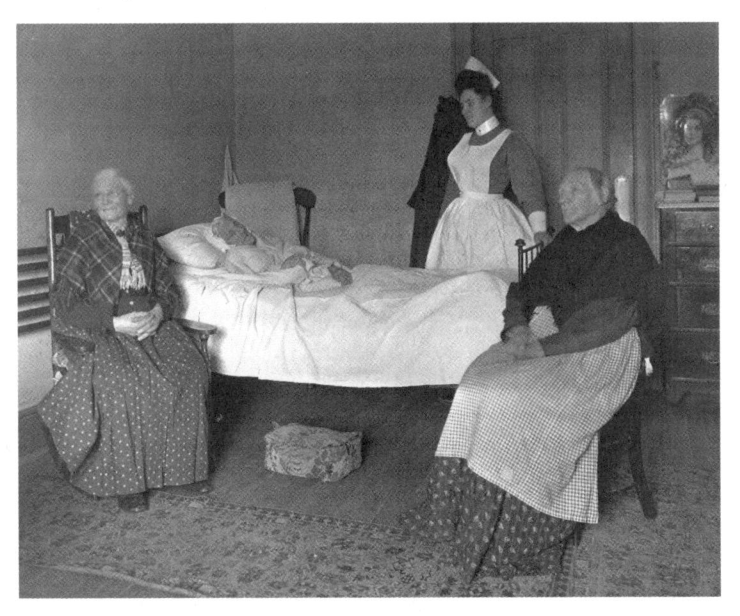

FIGURE 7.6
La Montreal Ladies Benevolent Society, 1909. Quelle que soit l'obédience religieuse, le soin des personnes âgées demeurait la responsabilité des femmes. Cette photographie met en évidence la nouvelle profession d'infirmière.

exemple la Montreal Ladies Benevolent Society (figure 7.6). Mais, au cours de la seconde moitié du XIXe siècle, des groupes ultramontains adoptèrent une attitude rigide et cherchèrent à protéger les fidèles des influences hérétiques. Des membres de communautés non chrétiennes, comme les juifs, furent forcés de fréquenter le réseau protestant des établissements d'enseignement et de soins.

L'IDÉOLOGIE CLÉRICALE

L'enseignement supérieur demeura un domaine d'influence privilégié pour l'Église. En 1907, sous les pressions exercées par la Chambre de commerce, l'École des hautes études commerciales fut fondée. Le premier ministre Lomer Gouin rencontra l'archevêque de Montréal et lui promit que, bien qu'indépendante à ses débuts, l'École serait, à la première occasion, affiliée à l'Université Laval et soumise à son autorité religieuse. L'archevêque obtint le droit de participer au choix des professeurs, dont deux, parmi les premiers nommés, étaient des prêtres.

En 1920, le campus de l'Université Laval à Montréal devint l'Université de Montréal. Mgr Georges Gauthier, évêque auxiliaire de Montréal, en fut le recteur, et un Sulpicien, le premier doyen du département de philosophie qui resta, selon Jean Hamelin et Nicole Gagnon, le fief des Dominicains pendant plus de quarante ans.

Le système des collèges classiques demeura au cœur de l'enseignement secondaire catholique. La direction de ces écoles supérieures, leurs programmes et leur corps eseignant étaient soumis aux contrôles de la hiérarchie ecclésiastique. Comme la paroisse, les collèges reflétèrent les mouvements de population de la province. D'abord établis dans de petites communautés, 18 des 29 collèges ouverts entre 1920 et 1939 le furent à Montréal et à Québec, dont 15 pour les filles (Galarneau, 1978 : 59).

Le chanoine Lionel Groulx, professeur d'histoire à l'Université de Montréal, l'intellectuel le plus influent de sa génération, était profondément conservateur et voué à la défense de la terre, de la famille et de l'Église. Il s'interrogea sur les valeurs de la société capitaliste industrielle, souligna les dangers du déclin du Québec rural et, par le fait même, toucha le nerf idéologique et politique du Québec. Son insistance à faire ressortir les qualités d'un passé préindustriel idyllique et autosuffisant en séduisit plusieurs dans une société qui s'urbanisait, s'industrialisait et où le capital anglophone jouait un rôle de plus en plus important.

> Civilisation matérialiste, quantitative, dédaigneuse de la dignité humaine, ainsi définit-on la civilisation industrielle de nos jours. Fondée sur la recherche de la production et du profit, peut-elle concevoir le facteur humain autrement qu'en vue du profit et de la production ? […] La famille canadienne-française n'est pas moins

> atteinte dans son ancienne et robuste solidarité. Finis la puissante autorité du père, le prestige de l'établissement autonome qui assurait le pain et même l'avenir à la petite communauté. Ces foyers où le père, les enfants, parfois la mère, dépendent tous, au même degré, de leurs salaires, gagnés de son côté, tendent à devenir des habitats de passage. La famille communautaire d'autrefois tend à se rapprocher de la famille individualiste du type [17]89 (Groulx, 1962, II : 376)

Lorsqu'il remit en question la Confédération, au moment même de la crise de la conscription, le chanoine Groulx évoqua un passé idyllique et un avenir messianique fondés sur le martyre chrétien et les vertus perdues lors de la Conquête par la compromission avec les Anglais et la trahison de la bourgeoisie québécoise. Dans les années 1930, son insistance à proclamer l'homogénéité raciale et la pureté morale coïncida avec d'autres attaques de la part d'intellectuels de droite contre les Juifs, les Témoins de Jéhovah, et avec l'attirance de certains Québécois pour le fascisme espagnol, portugais et italien. Le chanoine Groulx propagea ses idées d'un Québec catholique et français fort, au moyen de son enseignement au département d'histoire canadienne de l'Université de Montréal et de l'influent mensuel *L'Action française*.

L'ethnocentrisme et la xénophobie n'étaient pas propres à la communauté francophone à cette époque. Les Chinois étaient une cible d'attaques de journaux comme *The Gazette* qui affirmait qu'un seul immigrant chinois en était un de trop. Les clubs sportifs accueillaient toutes les ethnies sauf les asiatiques qui avaient leurs propres organisations (Morton, 1998 : 178). Un terrain fut vendu au Chinois à l'arrière du cimetière protestant du mont Royal voisin de l'espace réservé aux indigents, et on les découragea d'y célébrer des rites religieux.

En dépit de cette force institutionnelle et idéologique, les prérogatives ecclésiastiques traditionnelles se trouvèrent menacées, au XXe siècle, par la bureaucratisation et la croissance du pouvoir étatique. La crise économique remit aussi en question ce pouvoir ecclésiastique. L'assistance publique prit de l'expansion et de nouveaux programmes sociaux firent leur apparition à l'échelle du Canada. Bernard Vigod (1978 : 180) résume l'attitude de l'Église envers les questions sociales et l'intervention étatique des années 1920 en parlant d'une « attitude d'insécurité ».

LE STATUT MINORITAIRE DU QUÉBEC À L'INTÉRIEUR DU CANADA

Au cours de la période de transition, des hommes en vue de la bourgeoisie politique francophone, tels que La Fontaine et Cartier, ne cessèrent jamais d'agir à titre de courtiers politiques entre les intérêts d'un capitalisme industriel naissant et le Québec traditionnel. Au milieu du XIXe siècle, l'une des conséquences importantes de leur pouvoir fut de structurer de nombreuses institutions politiques et

FIGURE 7.7
La carrière d'Henri Bourassa (1868-1952) illustre les difficultés qu'avaient les Québécois à concilier leur nationalisme et le fédéralisme de Laurier. Entré en politique après l'exécution de Louis Riel, Bourassa siégea aux législatures fédérales (1890-1907, 1925-1935) et provinciale (1908-1912). D'abord élu sous la bannière libérale, il finit par rompre avec Laurier au sujet de la guerre des Boers. Il siégea alors comme indépendant et joua un rôle de premier plan dans la fondation d'un parti nationaliste séparé et d'un journal important : *Le Devoir* (1910). Plus tard, il se présenta sous la bannière conservatrice. Bien que certains historiens voient en Bourassa un précurseur de Pierre Elliott Trudeau, d'autres insistent sur son conservatisme social. Susan Mann, par exemple, souligne sa responsabilité à marginaliser le féminisme qu'il considérait d'inspiration trop étrangère pour le Québec (Trofimenkoff, 1975).

sociales fondamentales à l'intérieur d'une société en voie d'industrialisation, mais toujours catholique et conservatrice. Jusqu'à la fin de la Seconde Guerre mondiale, la reproduction de cette position politique et les tensions générées par celle-ci formèrent le noyau du système politique québécois.

Car cette élite politique se perpétua avec succès, au niveau tant familial que culturel. Lomer Gouin, premier ministre de la province entre 1905 et 1920, était le gendre d'un premier ministre précédent, Honoré Mercier. Le successeur de Lomer Gouin, dans la période de 1920 à 1936, Louis-Alexandre Taschereau, était le fils d'un juge de la Cour suprême et le neveu du premier cardinal canadien. À la même époque, leur adversaire nationaliste, Henri Bourassa (figure 7.7), était le petit-fils de Louis-Joseph Papineau. Cette élite gouverna avec un sentiment de noblesse oblige. Pour eux, la démocratie n'en était qu'à un « stade expérimental » et devait être guidée d'une main sûre : « Ce rôle, disait Louis-Alexandre Taschereau en 1930 à un auditoire étudiant, doit s'appuyer sur une certaine aristocratie. Non pas l'aristocratie du sang, de la lignée ou de l'argent, mais celle de l'étude, de la science et du savoir (Vigod, 1986 : 163). »

La Confédération intégra le Québec dans un État politique de plus en plus puissant. Une série de crises ethniques et linguistiques, à partir de l'exécution de Louis Riel jusqu'à la crise de la conscription au moment de la Première Guerre mondiale, fit ressortir la vulnérabilité du Québec dans cette fédération. L'anéantissement d'une certaine vision de la présence canadienne-française dans l'Ouest

FIGURE 7.8
Le procès de Louis Riel à Regina en 1885. La perception qu'on avait de Riel dépendait de l'ethnie. Tandis que le Canada anglais voyait en lui un traître dangereux, le Canada français le considérait comme un défenseur des revendications légitimes des populations francophones et catholiques. Son exécution accentua l'ambivalence du Québec à l'égard du Canada. Arthur Silver prétend qu'elle renforça le patriotisme québécois et la volonté de protéger l'intégrité du Québec, tout en amenant les Québécois à se préoccuper du sort des minorités francophones hors Québec. Certains allèrent jusqu'à redéfinir le Canada comme pays bilingue à double nationalité.

et l'échec essuyé par les députés québécois pour empêcher l'exécution de Louis Riel furent suivis des crises scolaires des années 1890 au Manitoba et de la manifestation grandissante d'éléments francophobes et anti-catholiques en Ontario et au Nouveau-Brunswick. Chaque incident venait souligner la position minoritaire du Québec dans le système fédéral et la fragilité de la présence francophone à l'extérieur de la province (figure 7.8).

Jusque dans les années 1880, des politiciens conservateurs, tels que Pierre-Joseph-Olivier Chauveau, Charles Boucher de Boucherville et Joseph-Adolphe Chapleau, dominèrent la scène politique au niveau tant fédéral que provincial. Les tensions ethniques, les scandales et l'acceptation d'un libéralisme modéré par l'Église catholique contribuèrent de façon importante à donner le pouvoir à des générations de libéraux. La politique de Wilfrid Laurier, élu premier ministre canadien en 1896, reposait sur « les chemins ensoleillés de la douce raison » et était fondée sur une forte présence canadienne-française à Ottawa, une foi inébranlable dans les institutions britanniques et la coopération de ses alliés anglophones pour

FIGURE 7.9
Le tricentenaire du Québec, 1908. Pour contrer les commémorations nationalistes, le gouvernement fédéral conçut une série d'événements au tournant du siècle, comme la fête autour de la fondation de Québec ou la statue de Cartier à Montréal, pour tenter de créer un semblant d'unité. Malgré les critiques des milieux nationalistes qui accusaient Ottawa de s'être emparé du patrimoine canadien-français et la tiédeur des autorités ecclésiastiques, le 300e anniversaire de la construction de l'habitation de Champlain donna l'occasion de réunir dans un spectacle fastueux la famille royale, les peuples autochtones et des Canadiens protestants et catholiques. À la suite de la création du parc des Champs-de-bataille, l'archiviste du Dominion, Arthur Doughty, proposa la construction d'un musée qui valoriserait « le travail harmonieux d'un peuple divisé par la langue et la religion mais unis dans leurs efforts pour faire du Canada l'une des principales nations du monde. » (Nelles, 1999 : 70)

défendre les intérêts canadiens-français. Le successeur libéral de Wilfrid Laurier, William Lyon Mackenzie King, insista sur l'importance de son lieutenant québécois, Ernest Lapointe, et une partie de la stratégie libérale consistait à entretenir l'image d'un parti conservateur hostile aux francophones.

Malgré cette politique, et la création d'une nation mythique (figure 7.9), les libéraux ne purent atténuer la réalité de la domination de la majorité anglophone au sein du Canada. Lors de chaque crise politique, la guerre des Boers en 1899, les écoles du Nord-Ouest en 1905, le règlement XVII de l'Ontario en 1911 et les crises de la conscription pendant les deux guerres mondiales, les volontés du Québec furent inévitablement subordonnées à celles de la majorité. Dans l'opinion de la majorité anglaise, il devint évident que la Confédération n'avait pas consacré l'existence de « deux nations », mais plutôt celle d'une fédération à l'intérieur de laquelle le Québec n'était qu'une voix parmi de nombreuses autres. Ces conflits occasionnèrent une redéfinition du Canada français comme l'explique Marcel Martel :

> D'abord expression d'une identité nationale, le Canada français devient porteur d'un projet politique formulé pendant les crises scolaires, celui des deux peuples fondateurs ou de la dualité nationale culturelle non territoriale. Si ce projet politique devient un principe interprétatif de la Confédération canadienne, il protège les droits des

représentants de ces peuples et soustrait la minorité ethnique et religieuse canadienne-française à la tyrannie de la règle de la majorité (Martel, 1998 : 10).

Mais il serait trop simple d'évaluer le statut minoritaire du Québec uniquement en fonction de critères linguistiques. Par exemple, la création de la Cour suprême du Canada en 1875 soumit l'interprétation du Code civil du Québec à des juges instruits dans la tradition de la *Common law*. Même les juges nommés par le Québec à la cour fédérale ne défendaient pas la tradition du Code civil. Selon Snell et Vaughan (1985 : 130), « aucun des premiers membres nommés à la Cour suprême ne défendit avec vigueur le Code civil [...] et aucun ne vit de menace particulière à cette tradition en travaillant sous l'étroite influence de la *Common law* ».

Le rôle du Canada dans l'Empire britannique constitua aussi une source constante de difficultés pour les hommes politiques du Québec, surtout après 1890 lorsque la Grande-Bretagne rechercha l'appui du Canada dans les affaires de l'Empire. Aux fêtes du soixantième anniversaire de la reine Victoria en 1897, des hauts fonctionnaires britanniques commencèrent à faire pression sur Laurier pour que le Canada contribue aux frais de la marine britannique. Durant la guerre des Boers (1899-1902), de nombreux Canadiens d'origine britannique insistèrent pour que le Canada soutienne les Britanniques en Afrique du Sud. En dépit de la résistance de nombreux francophones — nombre d'entre eux se voyaient dans la même situation que les Boers — 7000 soldats participèrent à cette guerre.

La Première Guerre mondiale divisa encore plus le Canada. Déjà en 1917, toute unité qui avait pu exister au moment de la déclaration de la guerre s'émietta sous l'effet des innombrables pertes de vie qui menèrent à la crise de la conscription. En 1917, un gouvernement de l'union, dominé par les conservateurs, fut formé pour imposer la conscription. Au Québec, des émeutes, la défection de 40 % des conscrits et l'élection, en 1917, de trois des candidats seulement du gouvernement de l'union (tous de circonscriptions électorales anglophones) soulignèrent la forte opposition canadienne-française à la majorité canadienne-anglaise. En 1921, le Québec donna le pouvoir politique à Mackenzie King en accordant la totalité des 65 sièges à des députés libéraux fédéraux ; plus de 70 % de la population du Québec vota pour le Parti libéral en comparaison de 30 % en Ontario et de 11 % au Manitoba. Les élections de 1917 et de 1921 permirent aux libéraux d'atteindre à une mainmise sur le Québec, que seuls John Diefenbaker, en 1958, et Brian Mulroney, en 1984 et 1988, réussiront à briser. Le vote toujours polarisé du Québec lui assura, en dépit de son statut minoritaire au Canada, une forte représentation au Conseil des ministres. L'importante victoire du Bloc québécois dirigé par Lucien Bouchard brisa cet usage : il ravit 54 sièges, n'en laissant que 29 aux libéraux et 1 aux conservateurs. Il put même former l'opposition officielle à Ottawa.

L'AUTONOMIE PROVINCIALE

Son sentiment d'isolement dans la Confédération, de même que ses institutions et sa langue en butte aux attaques de la majorité poussèrent le Québec à se démarquer du reste du Canada sur les questions d'ordre moral et social. De 1886 à la crise économique, les politiques du Québec se caractérisèrent par une attention accrue envers le statut minoritaire des Canadiens français à l'intérieur du Canada et par de plus en plus d'insistance à promouvoir l'autonomie provinciale. C'est au cours de cette période que le gouvernement provincial s'est érigé en défenseur des traditions religieuses, linguistiques et culturelles du fait français en Amérique. « Les chemins ensoleillés de la douce raison » de Laurier cédèrent de plus en plus la place à des théories plus fermes sur les droits provinciaux. En même temps, le discours des élites francophones devint plus critique des immigrants et du pluralisme ethnique qui caractérisait Montréal (Behiels, 1991 : 5).

Après la Confédération, les héritiers des La Fontaine et Cartier furent des conservateurs tels que Joseph-Adolphe Chapleau et des libéraux, comme Honoré Mercier. Ils étaient tiraillés entre deux forces opposées : les intérêts d'un catholicisme conservateur, plongeant ses racines dans l'Église, la bourgeoisie des petites villes et la paysannerie, et les exigences d'un capitalisme industriel arrivant à maturité. Au cours des décennies qui suivirent la Confédération, la politique provinciale fut marquée par l'instabilité, la forte opposition entre la droite catholique et les centristes, ainsi que par la dette provinciale de plus en plus lourde attribuable aux subsides accordés pour la construction des chemins de fer et les autres activités industrielles. Les industriels réclamèrent diverses formes d'aide gouvernementale, une main-d'œuvre bon marché et une économie stable. L'aide gouvernementale du Québec se modifia, passant de subventions directes à des mesures législatives en matière d'investissements, d'impôts et de main-d'œuvre.

Fernand Dumont et Jean Hamelin (1981) ont montré de quelle façon le statut minoritaire du Québec, son isolement, sa pauvreté face au capital international et sa dépendance économique et politique donnèrent des munitions aux nationalistes. À leur droite, les politiciens durent tenir tête aux porte-parole nationalistes et catholiques comme Jules-Paul Tardivel, Henri Bourassa et Lionel Groulx. Ces derniers reprochaient au gouvernement la saignée démographique conséquente à l'émigration, l'échec de la colonisation, la position minoritaire inévitable du Québec dans l'État fédéral et la désintégration morale qu'ils percevaient dans une société en voie d'urbanisation et d'industrialisation. Déjà, dans les années 1880, les politiciens provinciaux devaient tenir compte des arguments convaincants de nationalistes tels que Jules-Paul Tardivel face au fédéralisme canadien :

> Dieu a planté dans la cour de tout Canadien français patriote, une fleur d'espérance. C'est l'aspiration vers l'établissement, sur les bords du Saint-Laurent, d'une Nouvelle-France dont la mission sera de continuer sur cette terre d'Amérique l'œuvre de civilisation chrétienne que la vieille France a poursuivie avec tant de gloire pendant de si longs siècles. Cette aspiration nationale, cette fleur d'espérance de tout un peuple, il lui faut une atmosphère favorable pour se développer, pour prendre vigueur et produire un fruit (Tardivel, 1975 : xxx).

Les contradictions entre les « chemins ensoleillés de la douce raison » et les droits provinciaux, entre les tribunes fédérale et provinciale, entre les tiers partis et les partis traditionnels apparurent à la lumière des alliances politiques diverses qui parsemèrent la carrière d'Henri Bourassa. Son idéologie s'imprégna de conservatisme, de catholicisme et de nationalisme canadien-français. Mais ses efforts pour intégrer ces principes dans un idéal canadien composé de respect mutuel, de biculturalisme, de nationalisme pancanadien et d'autonomie canadienne furent neutralisés par les crises scolaires et la conscription.

Les nationalistes ne prisèrent guère non plus la connivence entre le gouvernement provincial, les grands empires financiers et les sociétés industrielles. À sa retraite de la vie publique, Lomer Gouin siégea aux conseils d'administration d'entreprises canadiennes-anglaises, la Sun Life et la Banque de Montréal, puis au cabinet de Mackenzie King. Accordant en priorité leur attention aux monopoles de transport et d'électricité, les nationalistes réclamèrent d'abord la nationalisation des centrales électriques, la municipalisation des entreprises de transport et d'énergie électrique à Montréal ou, à tout le moins, l'abolition des subventions publiques aux entreprises privées. Au cours de la crise économique, des nationalistes de renom tels que le chanoine Groulx prêchèrent l'intervention de l'État dans l'économie afin de protéger la culture du Québec. Son discours reflète encore l'idéologie officielle des gouvernements de la province.

> Être français, rester français, c'est même plus que notre droit, c'est notre devoir et notre mission [...]. Pour ces raisons, l'État a l'obligation de se rappeler que le bien national, notre avoir culturel, fait partie intégrante du bien commun dont il a spécialement la responsabilité. Et puisque l'économique et le national ne sont point sans rapports l'un en regard de l'autre, l'État a encore l'obligation de se rappeler que le bien national lui impose des devoirs, même en l'ordre économique (Groulx, 1937 : 66-67).

Ces attaques contre le fédéralisme canadien eurent d'importantes répercussions sur les lois, les politiques et la législation sociale de la province. Par exemple, quand en 1918 Pierre-Basile Migneault, éminent juriste de la province, fut nommé à la Cour suprême du Canada, il rejeta le préjugé favorable à la *Common law* des premiers juges québécois nommés à la cour fédérale. Non seulement attaqua-t-il vigoureusement la préséance de la *Common law* dans des domaines relevant du Code civil du Québec, mais il en donna son interprétation dans le contexte d'une conception très confédérale du pacte de 1867 (1891):

> Les provinces n'ont pas été créées par cette charte de l'Acte de l'Amérique du Nord Britannique. La Confédération n'est que la légalisation d'un accord passé entre les quatre provinces. On peut donc en conclure, a priori, que les provinces ont agi comme des marchands formant une société. Qu'ils ont mis en commun une partie de leurs avoirs, mais ont gardé le reste (cité dans Howes, 1987: 547).

Les hommes politiques du Parti libéral provincial, pourtant bien connus pour leurs bonnes dispositions à l'endroit du gouvernement fédéral, trouvèrent leur intérêt à adopter la rhétorique de l'autonomie provinciale. En 1927, lorsque son gouvernement protesta contre le projet d'allocations de vieillesse d'Ottawa, le premier ministre Louis-Alexandre Taschereau réitéra, devant un auditoire d'étudiants, son appui à la théorie du pacte de la Confédération:

> Chaque Canadien doit comprendre qu'il y a soixante ans nous ne formions pas un pays homogène, mais une Confédération formée de différentes provinces en vue d'atteindre certains buts, en comprenant bien que chacune de ces provinces avait le devoir de retenir certaines choses qu'une nation, tout comme un particulier, n'a pas le droit d'abdiquer (Vigod, 1986: 148).

Cette volonté de distinction imprégna de nombreuses questions politiques et sociales. Bien que des groupements de fermiers du Québec eussent une tradition coopérative, ils ne joignirent pas les rangs du Progressive Party lors des élections de 1920; et l'appui des syndicats industriels, qui aidèrent à faire élire des députés partout ailleurs au Canada, fit défaut à ce parti au Québec. Les mouvements ouvriers plus radicaux comme la One Big Union mobilisèrent les travailleurs de Winnipeg pour une grève générale en 1919. Le syndicalisme conservateur symbolisé par la formation, en 1921, de la Confédération des travailleurs catholiques du Canada domina. Michèle Dagenais décrit le rôle du syndicat des employés municipaux de Montréal:

> Bien que l'Union mutuelle des employés civiques existe depuis 1908, elle joue un rôle relativement marginal. De fait, il faut attendre l'année 1920 avant que les fonctionnaires, du moins une partie d'entre eux, ne se dotent d'une forme d'organisation permanente. Le 7 juin de cette année-là, un groupe de cols blancs fonde le Syndicat catholique et national des fonctionnaires municipaux, à l'instigation de l'abbé Edmour Hébert, directeur des œuvres sociales diocésaines. [...] S'inspirant de la doctrine sociale de l'Église, la nouvelle organisation cherche à favoriser les intérêts de ses membres, mais dans la plus grande collaboration possible entre patrons et employés; elle vise « à l'entente et à la conciliation plutôt qu'à la violence » (Dagenais, 2000: 115).

La lutte pour les droits des femmes faisait également preuve d'une absence de solidarité et d'une division profonde séparant catholiques et protestantes. En dépit du fait qu'en 1922 les femmes de toutes les autres provinces avaient déjà obtenu le droit de vote, les suffragettes, comme Marie Gérin-Lajoie, ne furent pas encouragées à joindre les rangs de leurs consœurs anglophones. La lutte contre le tabagisme était une croisade essentiellement anglophone (Rudy, 2001). Le refus du Québec d'accepter les valeurs sociales protestantes apparut encore plus marqué au moment de la prohibition. En 1898, le Québec fut la seule province à voter non à l'occasion d'un référendum sur la question. Au cours des décennies suivantes, à l'exception d'une courte période d'abstinence à la fin de la Première Guerre mondiale, le Québec continua de résister à la prohibition. En 1919, les boissons alcooliques y étaient de nouveau en vente libre. Par la création d'une Commission des liqueurs du Québec en 1921, l'État établissait un monopole sur l'importation, le transport et la vente de l'alcool.

LES ANNÉES GOUIN ET TASCHEREAU

Les administrations libérales de Lomer Gouin (1905-1920) et de Louis-Alexandre Taschereau (1920-1936) s'employèrent à concilier les intérêts des conservateurs nationalistes et des capitalistes industriels. Au cours des trois décennies pendant lesquelles ils détinrent le pouvoir provincial, les deux premiers ministres encouragèrent fortement le développement industriel par une exploitation rapide des ressources naturelles, un régime fiscal peu exigeant, l'intervention minimale de l'État dans les affaires et une attitude paternaliste envers la main-d'œuvre. Les deux premiers ministres furent particulièrement soucieux d'attirer les capitaux américains qu'ils estimaient, comme l'expliqua Louis-Alexandre Taschereau, essentiels au développement de la province :

> Nous n'avons toujours pas assez de capital américain investi dans nos entreprises. Nous aurions de la difficulté à recueillir 75 $ pour un développement industriel comme celui des Chutes à Caron si nous comptions uniquement sur les Canadiens. Nous devons nous servir de l'or de nos voisins pour nous développer (cité dans Jones, 1972 : 28.29).

Cette alliance entre les gouvernements provinciaux libéraux et les grandes entreprises fut consolidée par de vieilles amitiés, par des sièges d'administrateurs et leurs prébendes, par des ententes contractuelles et des contributions politiques. Les peuples autochtones déjà très marginalisés ressentirent eux-mêmes les conséquences de cette alliance. Les Hurons de la réserve de Lorette, par exemple, virent leur mode de vie traditionnel menacé par l'expropriation d'une partie de leur réserve, pour la construction du chemin de fer reliant Québec à la région du Lac-Saint-Jean.

Au cours de cette période, Lomer Gouin et Louis-Alexandre Taschereau s'efforcèrent de maintenir les bonnes relations qui avaient déjà existé sous George-Étienne Cartier et Louis-Hippolyte La Fontaine entre les autorités politiques et religieuses. Car, par leur engagement envers l'expansion industrielle, la croissance économique régionale et la paix sociale, les élites religieuses et politiques partageaient une idéologie commune que renforçaient des contacts sociaux et une consultation systématique entre elles :

> Vous connaissez les liens amicaux qui me liaient à votre prédécesseur, écrivait l'archevêque Paul Bruchési au premier ministre Louis-Alexandre Taschereau en 1920. En toutes matières, nous nous sommes toujours bien entendus. Et je ne doute pas, Monsieur le Premier ministre, qu'il en sera de même entre nous, surtout en ce qui concerne les affaires de l'Église. Depuis longtemps, je connais vos sentiments. Je me comporterai donc en ami envers vous, tout comme, je l'espère, vous le ferez vous-même.

Quant au premier ministre Taschereau, il assura, lors d'un banquet donné en l'honneur du premier religieux de la province de l'époque, le cardinal Jean-Marie-Rodrigue Villeneuve, que l'Église était une alliée puisqu'elle maintenait l'ordre social par son enseignement qui valorisait « l'obéissance envers l'autorité, le respect pour l'ordre et la propriété, le caractère sacré de la famille, le rôle prépondérant du père sur son petit royaume familial et l'assurance que la mort n'est pas une fin en soi, mais plutôt un commencement (Vigod, 1986 : 201) ».

De fait, l'Église s'avéra une alliée sûre dans le maintien de l'ordre social ; le cardinal Elzéar-Alexandre Taschereau, oncle du premier ministre Taschereau, avait déjà condamné les Chevaliers du travail en 1885 (Ryan, 1966 : 201). En 1907, le cardinal Louis-Nazaire Bégin fonda le journal *L'Action sociale*, organe de soutien indéfectible au développement industriel. Et à Montréal, en 1903, l'archevêque Paul Bruchési répondit à une explosion de grèves par une lettre pastorale dans laquelle il rejetait la théorie de la valeur du travail et exhortait les travailleurs à rester modestes dans leurs revendications salariales. Les grèves, objectait-il, éloignent les capitaux et favorisent l'emploi d'une main-d'œuvre immigrante bon marché pour remplacer les grévistes francophones.

Mais il n'y eut pas que l'épiscopat qui encouragea le développement industriel. En 1913, lorsque des hommes politiques s'enquérirent des besoins de 270 paroisses, 116 prêtres de ces localités exprimèrent le désir de voir des industries s'établir dans leur paroisse (Ryan, 1966 : 198). En dépit des recommandations de la hiérarchie religieuse qui leur interdisait d'appartenir aux conseils d'administration des entreprises industrielles, de nombreux prêtres montrèrent le même esprit d'entreprise que celui qui a été manifesté par le curé F.-X.-A. Labelle à Saint-Jérôme. Pour contrer l'émigration canadienne-française vers les États-Unis, Labelle s'allia à des industriels anglophones comme Hugh Allan pour encourager la création d'industries et de chemins de fer dans les Laurentides. En dépit de son appui au Parti conservateur, il accepta, en 1888, le poste de sous-commissaire au département de l'Agriculture et de la Colonisation dans le gouvernement Mercier. Il était un modèle pour d'autres prêtres. À Lac-Mégantic, par exemple, le curé de la paroisse construisit la première usine génératrice d'électricité de la ville ; une usine dont il fut l'électricien jusqu'à son décès

Les liens entre l'Église et l'État étaient également évidents dans le domaine de l'éducation. La Loi de l'instruction publique de 1875 donnait à chaque évêque de la province un siège au comité catholique du Conseil de l'instruction publique. Louis-Philippe Audet résume ainsi la signification de ce pouvoir clérical dans l'organisation de la bureaucratie provinciale en éducation :

> Cette loi conférait à l'Église catholique une influence et une responsabilité considérables en faisant de chaque évêque un membre de droit du comité catholique, pourvu que son diocèse fût situé en tout ou en partie dans la Province. [...] La plupart des élites catholiques du secteur francophone s'inclinèrent gracieusement devant les pouvoirs combinés de la hiérarchie catholique, du clergé et des communautés religieuses. Consciente du pouvoir qu'elle détenait, l'Église du Québec envisagea son rôle — que des circonstances historiques lui avait confié temporairement — comme une mission de droit (Audet et Gauthier, 1969 : 37).

En dépit d'une certaine centralisation de l'État dans le domaine de l'éducation, quant au financement et à la supervision, l'Église réussit à empêcher la création d'un ministère de l'Éducation. Elle maintint son autorité sur les programmes et les livres scolaires, et résista à l'idée de l'instruction obligatoire. En 1908, le budget provincial pour l'éducation prévoyait moins de 0,50 $ par enfant au primaire (Ryan, 1966 : 216). Les bas salaires accordés aux religieux et aux religieuses, qui représentaient 48,3 % du corps enseignant au primaire, et 85 % de celui des collèges classiques et des écoles secondaires, contribuaient à maintenir les coûts à un aussi bas niveau et empêchaient aussi les hausses de salaire du corps professoral laïque, composé en grande partie de femmes. En dépit de ce faible budget, l'éducation et la fréquentation scolaire se comparaient pourtant à celles des autres provinces.

Cette collaboration entre l'Église et l'État n'alla pas sans heurts. Les autorités politiques durent répondre à de nouvelles exigences en matière de financement, à de nouvelles demandes pour une modification du programme éducatif et à des pressions de la part des électeurs juifs et protestants. Dès 1830, les collèges classiques avaient reçu des subventions et, en 1922, une loi provinciale accorda 10 000 $ à chaque collège. En 1897, l'État assuma le financement de l'éducation primaire pour les garçons, mais le secteur primaire pour les filles demeura la chasse gardée de l'Église. En 1900, les cinquante pensionnats pour filles de la province reçurent l'équivalent de l'aide gouvernementale d'un seul collège

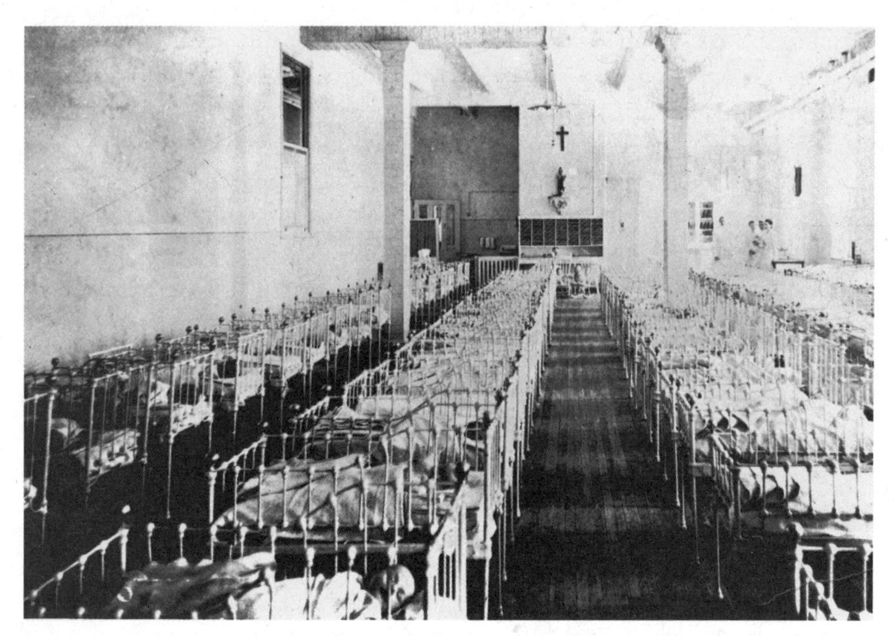

FIGURE 7.10
L'Hôpital de la Miséricorde à Montréal (1990). Établie en 1840, cette maternité appartenait à un réseau encore plus vaste de contrôle social. La majorité des accouchées, âgées de 18 à 25 ans, étaient des domestiques. Les mères, forcées d'abandonner leur nouveau-né, envoyaient souvent de l'argent, demandaient une photographie et faisaient part de leurs recommandations : « Il faut qu'elle prenne l'air. J'espère qu'elle est en bonne santé. » Mais la plupart des enfants étaient placés en adoption ou dans un orphelinat des Sœurs grises. En 1933, en raison du surpeuplement de l'institution, on n'accepta que les femmes de la localité enceintes d'au moins sept mois (Lévesque, 1984 : 179).

classique. En 1908, la Congrégation de Notre-Dame obtint l'autorisation d'ouvrir la première école supérieure d'éducation pour les filles, mais celle-ci ne reçut le statut de collège classique qu'en 1926, sous l'appellation de collège Marguerite-Bourgeoys (Dumont et Fahmy-Eid, 1986 : 21 ; Heap, 1987).

La participation de l'État fut aussi très réelle dans le secteur social. Bien qu'elle ne remettait pas en question le rôle des établissements religieux, la Loi de l'assistance publique de 1921 reconnut les établissements de services publics et institua un régime de subventions. Mais là aussi une tension apparut : le contrôle clérical et l'idéologie catholique se buttèrent fréquemment aux impératifs de la société urbaine. Les études d'Andrée Lévesque (1984a, 1989, 1994) soulignent l'accroissement de comportements sexuels jugés déviants. Le taux des naissances illégitimes au Québec varia de 2,9 % à 3,4 % par naissance vivante, un peu en deçà de la moyenne canadienne. Vingt pour cent de tous les enfants illégitimes déclarés naquirent à l'Hôpital de la Miséricorde (figure 7.10).

TABLEAU 7.3

Nombre d'enfants dans les centres de jour des Sœurs grises, 1858-1922

Établissement	Période	Nombre d'enfants	Fréquentation moyenne par jour
Saint-Joseph	1858-1899	9 793	242
Nazareth	1861-1914	14 925	—
Bethléem	1868-1903	12 853	350
Saint-Henri	1885-1920	16 700	450
Sainte-Cunégonde	1889-1922	6 000	—

(Dumont, 1980: 40)

L'évolution des modes de vie familiaux et ouvriers de la société capitaliste industrielle modifia la vocation de nombreux établissements catholiques. Au milieu du XIXe siècle, les « salles d'asile », sortes de garderies pour les enfants d'âge préscolaire, répondaient de plus en plus aux besoins des familles ouvrières (tableau 7.3). Au tournant du siècle, le nombre d'enfants placés dans les centres de jour des Sœurs grises atteignit un sommet, puis déclina, parce que, selon Micheline Dumont (1980), ces centres furent peu à peu convertis en orphelinats pour les enfants pauvres. Sylvie Côté, quant à elle, fait valoir que, même s'il existait un contrôle social sur les programmes et l'organisation de l'orphelinat Sacré-Cœur, celui-ci était utilisé comme lieu de refuge pour les familles ouvrières de Sherbrooke: en butte au chômage, aux séparations provoquées par la guerre, à l'emprisonnement, à la maladie ou à l'alcoolisme du chef de famille, les parents placèrent leurs enfants à l'orphelinat. Pourtant, dans 63 % des cas, les deux parents des enfants placés étaient vivants.

La participation financière de l'État dans le domaine des affaires sociales le fit intervenir d'une façon qui touchait les susceptibilités religieuses et nationalistes. En 1924, à la suite des problèmes d'engorgement des orphelinats, le gouvernement Taschereau fit voter la Loi sur l'adoption qui permettait de trouver des foyers adoptifs pour les enfants illégitimes et de donner des garanties juridiques aux parents adoptifs. Les religieux, appuyés par Henri Bourassa et par d'autres conservateurs, protestèrent avec force contre cette loi, en particulier contre la clause stipulant que des enfants catholiques pouvaient désormais être placés dans des foyers non catholiques. Agitant le spectre très utilisé de la Révolution et du laïcisme en France, les prêcheurs décrièrent la loi comme faisant partie d'une campagne anticléricale destinée à « la dislocation systématique et à l'élimination fructueuse des influences protectrices de l'Église (Vigod, 1986: 118) ».

LE POPULISME À MONTRÉAL

La prolétarisation de Montréal ouvrit la voie au populisme urbain. Dans les années 1880, des quartiers ouvriers, comme ceux d'Hochelaga (1893) et de Saint-Jean-Baptiste (1885) à l'est de Montréal, furent annexés à la ville, ce qui eut pour résultat d'accroître le poids démographique des francophones dans le prolétariat montréalais. Ces classes populaires francophones constituaient un élément politique important dans une ville aux prises avec une industrialisation rapide, desservie par des monopoles privés d'entreprises municipales de services publics, comme l'électricité et les tramways, entravée par des grèves persistantes dans le domaine du transport et menacée par des conditions hygiéniques désastreuses.

L'épidémie de variole de 1885, qui fit 2500 victimes, provoqua des émeutes. En 1913, une brèche de soixante pieds dans une conduite priva la ville d'eau pendant quatre jours. La province de Québec fut, au Canada, la plus durement touchée par l'épidémie de grippe de 1918 : 530 000 personnes en furent atteintes, dont 14 000 qui en moururent (McGinnis, 1977 : 128). Les effets de cette grippe, le lait contaminé, la tuberculose et les diarrhées permirent à la ville d'obtenir le triste record du plus haut taux de mortalité infantile en Amérique du Nord.

Mais le désastre qui frappa le plus l'imagination populaire fut l'incendie du Laurier Palace, le 9 janvier 1927. Cette salle de cinéma de 1000 places était située dans un quartier populaire à l'extrémité est de Montréal. Au cours d'une séance pour les enfants, un dimanche après-midi, un incendie se déclara. Soixante-dix-huit enfants moururent, presque tous d'asphyxie, dans les escaliers menant aux quatre sorties de secours. Une enquête révéla que la salle de cinéma était exploitée sans permis, que l'inspection était relâchée, que les sorties étaient bloquées par la neige et des cordons de sécurité et que les règles de sécurité n'avaient pas été respectées. Selon la loi, les parents devaient accompagner les enfants de moins de dix-sept ans ; aucune des victimes n'avait plus de seize ans.

Jusqu'en 1914, la tradition montréalaise d'alternance entre un maire anglophone et un maire francophone perdura. Des réformistes anglophones tels que le manufacturier de chaussures Herbert Ames, qui publia *The City Below the Hill*, et Hugh Graham propriétaire du *Montreal Star*, se servant des journaux à sensations exposaient les conditions de vie des classes populaires de la ville. Mais, en raison de leurs origines sociales et ethniques, ces appels à l'abolition du patronage municipal et à son remplacement par des réformes dans la tradition de la « cité jardin », c'est-à-dire une ville au bon fonctionnement et équitable pour tous, n'eurent aucun écho dans les classes populaires. De même, les candidats du Parti ouvrier, proposant un discours de lutte de classes, furent largement ignorés.

À partir de 1914, des meneurs charismatiques, forts de l'appui des ouvriers, allaient dominer la scène politique locale. Des populistes tels que Médéric Martin et Camillien Houde obtinrent l'appui soutenu du public en utilisant avec efficacité le patronage et en attaquant les grandes entreprises et le leadership de type patricien traditionnel.

Médéric Martin affronta le candidat de l'establishment George Washington Stephens. Celui-ci était diplômé de l'Université McGill et principal actionnaire de la Canadian Rubber Company. Il vivait en permanence au Ritz Carlton. Bien qu'il était appuyé par presque tous les journaux de Montréal et le Conseil des métiers et du travail dans sa campagne pour une « cité jardin », pour le vote des femmes, pour un réseau de bibliothèques et pour un système d'égouts, Stephens fut défait par Médéric Martin, fabricant de cigares issu du milieu populaire de Sainte-Marie, dont la campagne soulignait le contraste entre son origine ouvrière et « les millionnaires et les riches qui prétendent travailler dans l'intérêt public ».

Médéric Martin n'oublia jamais ses origines. Il promit du pavage, du patronage et des travaux publics dans les quartiers populaires. Cette politique, en plus de son talent d'orateur et de son image de « cow-boy de l'Est » qui côtoyait les rois et les princes, contribua à le garder en poste pendant 13 ans. En 1927, l'incendie du Laurier Palace, une épidémie de typhoïde causée par les procédés déficients de pasteurisation des producteurs de lait locaux et sa publicité en faveur de « la bière à Martin » le menèrent à une défaite au profit de Camillien Houde. Comme Médéric Martin, Houde était un enfant de la classe ouvrière, commis de magasin devenu employé, puis inspecteur de banque.

Camillien Houde exploita les peurs et les instincts conservateurs du prolétariat montréalais avec ce message éculé voulant que les intérêts monopolistiques des grandes banques, des entreprises de transport par tramways et d'électricité soient liés au paganisme : « D'un point de vue moral autant que matérialiste, je crois que l'entreprise à responsabilité limitée est la plus grande erreur de notre siècle. Cela nous mène tout droit au paganisme qui, si cela continue, provoquera la disparition de notre civilisation occidentale. » Camillien Houde insista aussi sur les conséquences d'ordre moral et social de la participation des femmes à la force ouvrière. « L'homme à la maison en robe de chambre et la femme à l'usine en salopettes. Le mari prend soin des enfants pendant que sa femme est à l'extérieur et se bat pour leur pain quotidien et peut-être pour son honneur, c'est le monde à l'envers. »

LES DROITS DES FEMMES DANS LE QUÉBEC CAPITALISTE ET INDUSTRIEL

Au sein de l'Église, même s'ils demeuraient des symboles de subordination féminine, les couvents assurèrent une certaine autonomie aux femmes, et une solution légitime et économiquement viable à la vie domestique et à la maternité. Et si les établissements religieux servirent à exercer un contrôle social, nous avons aussi observé l'adaptation des centres de jour et des hospices aux stratégies familiales des classes populaires.

La participation des femmes au monde du travail salarié, leur participation à l'organisation ouvrière et leur résistance au capitalisme industriel n'allégèrent pas pour autant leurs tâches domestiques et maternelles. Les précédents exemples de centres de jour, de cliniques de maternité, de pensionnats pour les enfants abandonnés et les conséquences économiques du veuvage illustrent bien les difficultés particulières vécues par les femmes à l'intérieur d'une société industrielle.

Les femmes de la bourgeoisie étaient dépourvues du droit de vote et exclues de la politique, des professions libérales et des entreprises. En 1911, il n'y avait aucune femme architecte ou ingénieure au Québec et moins de 1 % des 17 787 fonctionnaires étaient des femmes. Des 2000 médecins du Québec, 21 étaient des femmes, mais aucune d'entre elles n'avait fait ses études au Québec (Danylewycz, 1988). Les femmes ne purent pratiquer le droit qu'en 1941, et le notariat en 1956. Cette situation les handicapait dans les efforts qu'elles faisaient pour participer à l'action politique et sociale.

Ces restrictions à l'accès à une éducation supérieure et aux professions libérales furent accompagnées de fortes pressions idéologiques en regard du symbolisme de la femme et de sa fonction au sein de la société québécoise (figure 7.11). Le culte marial, avec ses valeurs de pureté, d'humilité, de vertu et de soumission aux mâles dans la vie privée et publique, prévalut contre les demandes d'égalité pour les femmes dans les milieux de la politique, de la loi, du travail et de la famille. C'est Henri Bourassa qui prit la tête du mouvement d'opposition aux demandes des suffragettes pour le droit de vote et l'égalité juridique, ce qui a fait dire à Susan Mann Trofimenkoff (1986 : 305) qu'il était « amer, inflexible, dépourvu d'humour et pharisien ». Le vice-recteur de l'Université Laval, établissement qui permit finalement aux femmes d'assister aux cours de littérature en 1904, expliqua cette discrimination de l'université en regard d'un contexte social où les femmes devaient être éduquées en vue de devenir des « compagnes dévouées plutôt que des rivales pour les hommes (Danylewycz, 1988) ».

Mais les intellectuels catholiques n'avaient pas l'apanage de ces valeurs relatives à l'éducation des femmes, centrées sur leur rôle maternel et domestique plutôt que sur une formation professionnelle rigoureuse. Au Montreal General Hospital, par exemple, en 1896 les étudiantes infirmières se firent rappeler par le médecin superviseur qu'elles devaient obéissance en tout temps aux médecins.

> Auprès du médecin traitant, votre devoir en tant qu'infirmière est d'exécuter calmement et efficacement les directives qu'il vous transmet, d'être une aide efficace et fiable pour lui dans les soins à prodiguer, et d'éviter de vous ériger en critique ou en censeur en aucun cas. (Kenneally, 1983 : 93).

FIGURE 7.11
Le jardin du couvent des Ursulines à Québec. Les jeunes filles de l'élite recevaient une formation générale classique, une éducation sévère et s'exerçaient aux travaux d'aiguille et à la direction du personnel domestique.

À la fin du XIXe siècle, les femmes du Québec s'occupèrent de diverses organisations féminines : le Montreal Local Council of Women, la Young Women's Christian Association, la Montreal Suffrage Association et la Women's Christian Temperance Union. Dirigées par des femmes et fortement influencées par les anglophones, ces organisations réclamaient avec fermeté des réformes sociales et juridiques, ainsi que l'égalité en milieu de travail. Elles furent vite dépassées en importance par la Fédération nationale Saint-Jean-Baptiste. Avec l'approbation de l'archevêque, cette fédération, section féminine de la Société Saint-Jean-Baptiste, dont les vues nationalistes et catholiques prévalaient sur l'avancement des femmes, fut créée en 1907 par Marie Gérin-Lajoie et Caroline Béique. Cette section et des journaux comme *La Bonne Parole* réclamaient des droits civils accrus pour les femmes, l'accès à une éducation supérieure, le droit de vote et la protection des femmes en milieu de travail. L'une de leurs plus importantes campagnes fut celle en faveur de la réforme du Code civil de 1866 qui était discriminatoire envers les femmes. Par exemple, suivant les dispositions du Code civil, un homme pouvait obtenir la séparation lorsque sa femme commettait l'adultère, mais la femme ne pouvait l'obtenir que si son mari venait vivre dans la maison familiale avec sa concubine. En 1902, Marie Gérin-Lajoie publia le *Traité de droit usuel*, manuel destiné spécialement aux femmes, dans lequel les termes de la loi étaient vulgarisés.

En dépit de la portée de ces revendications réformatrices, la Fédération fut pressée de concentrer ses efforts sur des domaines traditionnellement féminins : hôpitaux pour enfants, logements pour travailleuses, tribunaux de la famille et sociétés de tempérance. De temps à autre, la rhétorique conservatrice refaisait surface, comme dans cette brochure de la Fédération Saint-Jean-Baptiste destinée aux infirmières, dans laquelle on insistait sur le fait que l'enseignement des techniques infirmières :

> [...] prépare admirablement la femme à ses devoirs dans la famille et dans la société [...]. Après trois années de travail et de lutte, quand l'étudiante a complété ses connaissances professionnelles, quand surtout elle a appris comment, sous la grande loi du devoir, la femme peut subjuguer toutes les répugnances de sa nature, tous les élans de sa volonté et tous les désirs de son cœur », quand elle est mère pour le monde qui souffre, on l'appelle une diplômée (Collectif Clio, 1982 : 287).

La plupart des religieuses et des femmes de la campagne travaillèrent à l'intérieur du cadre conservateur des attitudes catholiques traditionnelles. Dans les journaux de province, et plus tard à la radio, Françoise Gaudet-Smet encouragea les femmes à conserver leurs habiletés artisanales face à la consommation industrielle et au travail salarié. Mais, dans tous les cas, l'Église avait déjà perçu le lien entre l'économie domestique et la paix sociale. Dès 1880, les religieuses des régions rurales enseignaient les arts ménagers aux filles destinées à devenir fermières. En 1905, l'école ménagère agricole de Saint-Pascal de Kamouraska fut fondée par la Congrégation de Notre-Dame et, un an plus tard, une autre école ouvrit ses portes à Montréal.

Au cours de la Première Guerre mondiale, l'importance accordée à l'enseignement de l'économie familiale passa de la campagne à la ville. En 1917, plus de 10 000 Montréalaises assistèrent à des cours de couture, de cuisine et d'arts ménagers sous le patronage de la Fédération nationale Saint-Jean-Baptiste et du clergé paroissial. Des cours du jour et du soir furent offerts aux femmes qui travaillaient à l'extérieur et, entre 1909 et 1922, plus de 40 000 travailleuses assistèrent aux cours d'arts ménagers offerts dans les écoles de la province.

Mais les femmes n'étaient pas nécessairement dupes de leur situation. Les contraintes imposées à leurs activités sociales, religieuses, sexuelles et de travail étaient durement ressenties (Baillargeon, 1991). Les entreprises anglophones préféraient, pour leur part, engager des filles anglophones intégrées dans leur milieu. Dans une lettre de recommandation, un cadre de la Banque de la Nouvelle-Écosse décrivait ainsi une candidate :

> Fille d'un coiffeur bien connu et respecté qui habite le quartier depuis 15 ou 20 ans. La famille est membre de la paroisse de Saint-Augustine, l'une des plus importantes paroisses anglophones de la ville, sise à proximité de cette succursale. Il serait avantageux d'engager une personne de cette paroisse (Boyer, 1998 : 164).

Le genre jouait un rôle important même dans les petites villes. La téléphoniste Juliette Richard, par exemple, comprit très bien la nature de son travail et le sexisme dont il était empreint. Pour un salaire de 15 $ par mois, elle travaillait dans un bureau aménagé dans la maison de son employeur. Elle devait habiter chez ses parents. En 1921, voici comment elle décrivait son emploi au bureau de téléphone de la compagnie Bell à Kamouraska :

> Si ce sont les hommes qui ont inventé le mécanisme du téléphone, une fois les dispositifs installés, on faisait appel aux femmes pour faire fonctionner ces appareils [...]. Je crois bien, de prime abord, qu'à cause des salaires offerts, les hommes n'étaient pas intéressés ; ce n'était souvent qu'un appoint au revenu familial que la femme apportait tout en s'occupant de sa famille. Un autre facteur déterminant de l'utilisation des femmes comme téléphonistes, c'est qu'elles sont plus patientes, plus intuitives, qu'elles ont la voix plus douce que les hommes (Collectif Clio, 1982 : 310).

La hiérarchie cléricale et l'État, tout comme la commission Dorion en 1929, s'opposèrent aux campagnes des femmes pour la réforme des droits civils. Cette commission provinciale d'enquête rejeta les demandes voulant que les femmes mariées puissent utiliser librement leurs revenus salariaux, qu'il y ait égalité entre le mari et la femme sur le contrôle d'un avoir commun et qu'aux membres féminins d'une famille soient accordés des pouvoirs accrus de tutelle. Les conclusions de la commission partaient du principe que les droits d'une femme mariée restaient subordonnés à la « loi supérieure » de la famille.

> L'état du mariage, créé pour la femme — et aussi pour l'homme — a ses obligations [...]. Tout un chacun est libre de créer une famille ou de garder sa pleine liberté ; quand quelqu'un a fait un choix, il n'a plus le droit d'exiger des droits individuels que la loi supérieure de la famille a convertis en devoirs (cité dans Casgrain, 1971 ; 89).

Le droit de suffrage lors d'élections fédérales fut accordé définitivement aux femmes en 1919, mais elles ne l'obtinrent au niveau provincial, sous le gouvernement d'Adélard Godbout, qu'en 1940. En 1921, le mouvement pour le vote des femmes du Québec fut ranimé par la formation du Comité provincial pour le suffrage féminin. Ce comité trouva politiquement avantageux d'avancer que le but du vote des femmes n'était pas tant de changer le rôle de celles-ci dans la vie, mais d'élever et d'inspirer la vie sociale en général.

En raison d'une rupture à l'intérieur du mouvement, Thérèse Casgrain devint la présidente de la Ligue des droits de la femme et, pendant 14 ans, elle mena la lutte pour l'égalité des droits civils et politiques. En cette matière, le Québec tirait de l'arrière en comparaison des autres communautés d'Amérique du Nord. La province maintint, selon Jennifer Stoddart (1981 : 325), « l'exclusion presque complète des femmes de l'exercice des droits publics et limita gravement les compétences juridiques des femmes mariées ».

La campagne en faveur du vote des femmes dut affronter l'hostilité de l'élite religieuse et politique. En 1922, les autorités épiscopales demandèrent au premier ministre de s'opposer au suffrage des femmes, lequel représenterait « un attentat contre les traditions fondamentales de notre race et de notre foi (Hamelin et Gagnon, 1984 : 327) ». Dix-huit ans plus tard, la plus haute autorité religieuse de la province, le cardinal Villeneuve, réitéra son opposition au vote des femmes en alléguant qu'il compromettait l'unité de la famille et la hiérarchie, qu'il livrerait les femmes aux passions et aux aventures des politiques électorales, que la plupart des femmes ne souhaitaient pas voter et que l'ensemble de leurs demandes d'ordre social pouvait être comblé par les groupes de pression féminins œuvrant à l'extérieur du système parlementaire.

Pour sa part, le premier ministre Taschereau supplia la femme du Québec de « rester fidèle aux traditions ancestrales, à son titre de reine du foyer, à ses œuvres de philanthropie et de charité, à ses labeurs d'amour et d'abnégation (Hamelin et Gagnon, 1984 : 327) ».

CONCLUSION

Cette période de capitalisme industriel fut avant tout marquée par le libéralisme économique et le conservatisme social. L'Église et l'État restèrent dominés par des forces déterminées à maintenir le *statu quo* et à renforcer les valeurs traditionnelles tout en accordant des incitations aux investisseurs étrangers. La voix des mouvements progressistes ouvriers, des réformateurs politiques, des féministes et des catholiques modérés fut étouffée par le pouvoir des conservateurs qui contrôlaient les appareils de l'État et de l'Église. Quant aux réformatrices, elles durent lutter, tout au long de cette période, pour l'accès aux études, le droit de vote au niveau provincial et l'égalité devant les tribunaux. Le capital s'accommodait des divisions ethniques et religieuses et s'en servait pour affaiblir les classes populaires.

BIBLIOGRAPHIE

La loi et la politique

Pour la carrière de Wilfrid Laurier, voir Real BÉLANGER, *Wilfrid Laurier. Quand la politique devient passion*, PUL, 1986. Les politiques libérales ont été étudiées par Bernard VIGOD dans *Quebec before Duplessis : The Political Career of Louis-Alexandre Taschereau*, McGill-Queen's, 1986. On traite du sujet des nationalistes dans la brochure *Henri Bourassa : critique catholique*, Société historique du Canada, 1976, de Joseph LEVITT ; et dans *Visions nationales. Une histoire du Québec*, Éditions du Trécarré, 1986, de Susan MANN TROFIMENKOFF. Voir aussi David HOWES, « From Polyjurality to Monojurality : The Transformation of Quebec Law, 1875-1929 », *McGill Law Journal/Revue de droit de McGill*, 32, 3, 1987 : 523-558. Pour les changements dans la pensée nationaliste entre Bourassa et Groulx, voir Robert LAHAISE, *La Fin d'un Québec traditionnel, 1914-1939*, Hexagone, 1994. La politique municipale est analysée par Michèle DAGENAIS, *Des pouvoirs et des hommes : l'administration municipale de Montréal, 1900-1950*, McGill-Queen's, 2000.

L'Église

Les meilleurs ouvrages traitant du catholicisme au XXe siècle sont ceux de Jean HAMELIN et Nicole GAGNON, *Histoire du catholicisme québécois*, Boréal, 1984, et celui de Nive VOISINE, *Histoire de l'Église catholique au Québec, 1608-1970*, Fides, 1971. Il existe de nombreuses études sociologiques concernant les premières années du XXe siècle. Pour l'Église et l'enseignement, voir Ruby HEAP, *L'Église, l'État et l'enseignement primaire public catholique au Québec, 1897-1920*, Ph. D., Université de Montréal, 1987 ; et Chad GAFFIELD, *Language, Schooling and Cultural Conflict : The Origins of the French-Language Controversy in Ontario*, McGill-Queen's, 1987. En plus de celles d'Everett C. HUGHES, *French Canada in Transition*, University of Chicago Press, 1943 et Horace MINER, *St Denis : A French Canadian Parish*, University of Chicago Press, 1939 ; voir *Belle-Anse*, Musée national du Canada, 1961, de Marcel RIOUX ; et *Léon Gérin et l'habitant de Saint-Justin*, PUM, 1968, de Jean-Charles FALARDEAU.

Les femmes

Au sujet des femmes, les meilleures sources d'information sont : *Histoire des femmes*, Le Jour, 1992, du Collectif Clio et *Profession : religieuse. Un choix pour les Québécoises*, Boréal, 1988, de Marta DANYLEWYCZ et *Résistance et transgression : études en histoire des femmes au Québec*, Éditions remue-ménage, 1995. Les témoignages de femmes sont exploités avec habileté par Denyse BAILLARGEON, *Ménagères au temps de la crise*, Éditions du remue-ménage, 1991. Quant aux attitudes masculines, elles sont étudiées dans « Les Femmes dans l'œuvre de Groulx », *RHAF*, 32, 3, 1978 : 385-398 de Susan MANN TROFIMENKOFF. Au sujet de l'éducation des femmes, consulter *Les Couventines : l'éducation des filles au Québec dans les congrégations religieuses enseignantes, 1840-1960*, Boréal, 1986, de Micheline DUMONT et Nadia FAHMY-EID. Pour les femmes qui vivaient en milieu rural, voir Yolande COHEN, *Femmes de parole. L'histoire des cercles de fermières au Québec*, Le Jour, 1990. Sur le féminisme, voir « Quebec's Legal Elite Looks at Women's Rights : The Dorion Commission 1929-31 », dans David FLAHERTY, *Essays in the History of Canadian Law*, University of Toronto Press, 1981, vol. 1 : 323-357, de Jennifer STODDART ; et « The Fédération Nationale Saint-Jean-Baptiste and the Women's Movement in Québec », dans Linda KEALY, *A not Unreasonable Claim : Women and Reform in Canada 1880s-1920s*, Women's Press, 1979, de Marie LAVIGNE, Yolande PINARD et Jennifer STODDART. Au sujet des femmes célibataires dans les classes populaires, voir « Deviant Anonymous : Single Mothers at the Hôpital de la Miséricorde in Montreal, 1929-39 », *Communications historiques*, 1984 : 168-184, d'Andrée LÉVESQUE.

CINQUIÈME PARTIE

Le Québec en route vers la modernité

CHAPITRE VIII

De la Dépression à la Révolution tranquille 1930-1960

LA PÉRIODE COMPRISE ENTRE LA CRISE DES ANNÉES 1930 et la Révolution tranquille des années 1960 est souvent qualifiée de « Grande Noirceur », celle d'une époque marquée par le renforcement de l'idéologie conservatrice et du pouvoir clérical. Des politiciens, comme Maurice Duplessis, voulaient donner des Québécois l'image d'une population soumise à ses chefs et source d'une main-d'œuvre docile sur laquelle on pouvait compter. Ce discours politique cachait cependant une autre réalité : démographiquement, économiquement et socialement, le Québec continuait d'avancer dans la voie de la modernisation. Le nationalisme connut un regain de popularité engendré par l'arrivée massive d'immigrants après la guerre et les tensions ethniques et linguistiques qui s'ensuivirent à Montréal. Les travailleurs s'émancipèrent de l'influence du clergé et apprirent à s'organiser. La participation accrue des femmes au travail salarié pendant la guerre légitima leur entrée sur le marché du travail. Les féministes élevèrent de plus en plus la voix pour obtenir des droits politiques et des services sociaux plus nombreux. L'expansion plus soutenue de l'activité manufacturière stimula la croissance industrielle dans les secteurs des mines, des transports et des produits chimiques. Le nombre d'industries continua d'augmenter, particulièrement dans le domaine de l'exploitation des ressources naturelles avec le développement des régions de l'Abitibi et de la Côte-Nord. Les multinationales et les capitaux américains jouèrent un rôle de plus en plus considérable dans l'économie québécoise et favorisèrent l'intégration graduelle du Québec aux marchés nord-américains. Cette intégration se manifesta également dans la consommation avec la généralisation de l'automobile et la télévision. À cette époque, Montréal vit son statut de métropole du Canada de plus en plus menacé par Toronto. Malgré ces transformations, l'Église demeura une force importante dans la société québécoise encadrant la vie sociale et institutionnelle.

FIGURES 8.1 ET 8.2

Famille Onésime Lamontagne; Famille Armand Rancourt. La persistance de familles nombreuses et la tradition d'encourager les vocations religieuses dans les régions rurales sont illustrées par ces photos de deux familles beauceronnes et les différencient des générations subséquentes. Malgré une forte natalité, la population des régions stagna en raison de l'exode rural. Des 85 personnes nées à Saint-Côme en 1940, 14 sont décédées (surtout avant l'âge adulte), 54 avaient quitté la région et seulement 17 (douze hommes et cinq femmes) y résidaient encore en 1984.

CHANGEMENTS DÉMOGRAPHIQUES, 1930-1960

Après une chute spectaculaire durant la Dépression, le taux de natalité au Québec augmenta pendant la Seconde Guerre mondiale et se maintint à un niveau élevé lors du *baby boom* de l'après-guerre durant lequel le taux de natalité s'éleva au-dessus de 30 naissances pour 1000 habitants (figures 8.1 et 8.2). Il en fut ainsi jusqu'au début des années 1960, période au cours de laquelle les moyens contraceptifs devinrent facilement accessibles. À la fin des années 1950, le taux de natalité des Québécois était redescendu au niveau de la moyenne canadienne, marquant l'arrêt définitif de la « revanche des berceaux » ; par suite de l'effet combiné de la croissance naturelle et de l'immigration, la proportion des Québécois au sein de la population canadienne se maintint à 29 %.

L'augmentation du taux de natalité s'explique en partie par une tendance des conjoints à contracter mariage à un âge plus précoce, surtout après la Seconde Guerre. La prospérité économique de cette époque rendait les couples moins hésitants, les hommes se mariant en moyenne à 25 ans et leurs partenaires à 23. Parallèlement, le taux de mortalité poursuivait sa descente amorcée au siècle précédent. Grâce notamment à la pasteurisation, la mortalité infantile, encore parmi les plus élevées au Canada, chuta d'un peu plus de 130 décès pour 1000 naissances dans les années 1930 à moins de 50 pour 1000 dans les années 1950.

Certains démographes perçoivent l'après-guerre comme l'« âge d'or » de la famille nucléaire au Québec : la majorité des couples se mariaient jeunes et avaient de nombreux enfants ; les parents partageaient le même toit et vivaient assez longtemps pour assister au mariage de leurs enfants et à leur départ de la maison ; les épouses, généralement, ne travaillaient pas à l'extérieur ; les séparations et les divorces étaient exceptionnels ; enfin, peu de mariages étaient interrompus par la mort prématurée d'un des conjoints (Perron, Lapierre-Adamcyk et Morissette, 1987a).

La Crise modifia par ailleurs le cours des mouvements migratoires. Les francophones cessèrent d'émigrer vers les centres industriels des États-Unis et cette soupape traditionnelle à un trop-plein de population amena une recrudescence de la colonisation de l'Abitibi. Ouverte initialement au peuplement par la construction du Canadian Northern Railway en 1910, cette région avait jusque-là attiré peu de colons. L'idéologie catholique conservatrice et des initiatives gouvernementales, telles que le plan Vautrin de 1935 qui subventionnait la colonisation, encouragèrent l'implantation de nouvelles communautés. De 23 692 âmes qu'elle était en 1931, la population de l'Abitibi avait grimpé à 64 000 en 1941. Deux catégories d'occupants se partageaient cette région argileuse : d'un côté des fermiers, habitant un espace agricole restreint et, de l'autre, une population minière en expansion, travaillant dans les centres d'extraction du cuivre et de l'or comme celui de Rouyn-Noranda (Gourd, 1975).

TABLEAU 8.1

Origine ethnique de la population du Québec, 1941-1961

	1931	1941	1951	1961
Française	2 270 059	2 695 032	3 327 128	4 241 354
Britannique	432 696	452 887	491 818	567 057
Allemande	10 616	8 880	12 249	39 457
Grecque	—	2 728	3 388	19 390
Italienne	24 845	28 051	34 165	108 552
Juive	60 087	66 277	73 019	74 677
Polonaise	—	10 036	16 998	30 790
Asiatique	2 793	7 119	7 714	14 801
Amérindienne et inuite	13 471	13 641	16 620	21 343

La prospérité qui suivit la Crise ne signifia pas le retour aux modèles migratoires antérieurs. L'exode des familles rurales profita aux villes de Québec, de Sherbrooke, aux nouveaux noyaux urbains de la Côte-Nord et aux centres industriels de la plaine de Montréal. L'Ontario, plutôt que la Nouvelle-Angleterre, devint la destination principale des émigrants québécois. Durant la période 1956-1961, environ 75 % des quelque 74 000 personnes qui quittèrent la province de Québec s'installèrent en Ontario.

L'immigration étrangère avait décliné pendant la Dépression et la guerre, mais elle reprit de plus belle après 1945. L'arrivée au Québec de plus de 420 000 immigrants entre les années 1945 et 1961 eut un effet significatif sur la composition de la population non francophone de la province (tableau 8.1). La proportion des communautés italienne, polonaise, grecque et allemande augmenta de façon impressionnante par rapport à la communauté d'origine britannique. Le pourcentage d'Italiens chez les non-francophones passa de 4,6 en 1931, à 12,4 en 1961. Comme ils étaient libres de choisir la langue d'enseignement, deux immigrants sur trois inscrivaient leurs enfants à l'école anglaise. L'anglais était synonyme de prestige et de meilleurs emplois. Pour les immigrants, le Québec ne constituait plus qu'une porte d'entrée permettant l'accès à la grande société nord-américaine, essentiellement anglophone.

Ce phénomène ne fit qu'accroître la concentration des anglophones du Québec dans la région de Montréal : d'un peu moins de deux tiers qu'elle était en 1941, la proportion des anglophones québécois vivant dans l'île de Montréal avait atteint plus de 70 % en 1961. Cette concentration affaiblit politiquement la communauté anglophone. En 1867, il y avait des députés anglophones en Estrie, dans l'Outaouais, à Québec, en Gaspésie et à Montréal ; dans les années 1960, les députés anglophones représentaient seulement la région de Montréal (Rudin, 1985a : 278). Cette concentration de non-francophones dans la métropole contribua à créer des tensions linguistiques et à faire plus tard de Montréal le point de départ du mouvement en faveur de la préservation du français.

Dans les années 1940, la population autochtone retrouva son niveau d'avant la période des premiers contacts avec les Européens au XVIe siècle. L'avènement de programmes universels, tels que l'aide sociale, les allocations familiales et l'assurance maladie, s'avéra particulièrement déterminant pour cette population pauvre et démunie. L'exploitation croissante des matières premières dans des régions éloignées comme la Côte-Nord contribua à la disparition des modes de subsistance ancestraux. Les compagnies de chemin de fer et les industries forestière et minière, en grugeant une partie de leurs territoires de chasse, avaient rendu les Montagnais de plus en plus dépendants des allocations du gouvernement. Leur sédentarisation forcée à l'intérieur de leurs réserves eut toutefois un effet positif: assurée d'un suivi médical et de meilleurs soins de santé, la population fit un bond de plus de 50 % entre les années 1941 et 1961.

L'AGRICULTURE

Après avoir été perçue comme l'un des remèdes à la Crise, l'agriculture subit une transformation radicale après la Seconde Guerre mondiale. La population rurale de même que l'importance de l'agriculture dans l'économie québécoise décrûrent abruptement après 1951 (figure 8.3). La mécanisation des industries forestières réduisit le nombre des emplois saisonniers sur lesquels les fermiers avaient toujours compté dans le contexte de l'économie agro-forestière traditionnelle. En conséquence, plusieurs agriculteurs, dans des régions périphériques comme l'Abitibi, les Laurentides et les Cantons de l'Est, abandonnèrent leurs terres. Au Saguenay, il n'y avait plus de terres disponibles et les familles durent modifier leurs stratégies de reproduction sociale imposant une plus grande mobilité (Bouchard, 1996). Dans la plaine de Montréal et dans les environs de Québec, l'étalement urbain se fit aux dépens de riches terres agricoles.

L'agriculture québécoise se modernisa rapidement dans les années 1940 et 1950, les animaux de trait faisant place aux tracteurs. En 1931, moins de 2 % des fermiers possédaient des tracteurs ; trente ans plus tard, plus de 63 % en détenaient au moins un. Mais des disparités régionales subsistaient encore : 85 % des fermes de la plaine de Montréal pouvaient compter sur l'énergie mécanique, alors que dans Charlevoix la moitié des fermes devaient se contenter de la traction animale. L'électrification des campagnes par le gouvernement Duplessis, entre 1945 et 1960, rendit possible la réfrigération et l'utilisation de techniques, comme les trayeuses mécaniques, qui nécessitaient moins de main-d'œuvre (tableau 8.2).

Au cours de la décennie 1930-1940, la production agricole spécialisée se rencontrait dans la plaine de Montréal, les Cantons de l'Est (particulièrement des

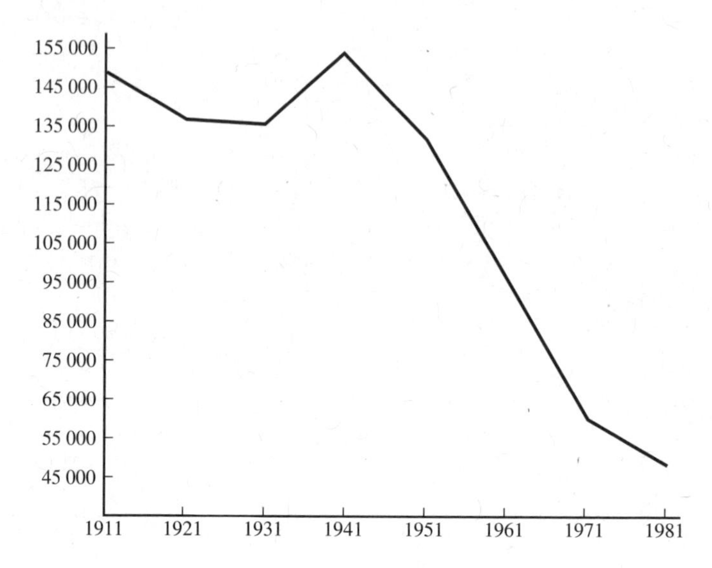

FIGURE 8.3
Nombre d'exploitations agricoles au Québec, 1911-1981. Le nombre d'exploitations agricoles commença à décliner après 1911, mais cette tendance fut renversée à la suite des politiques de colonisation élaborées pendant la Crise. Après la Seconde Guerre mondiale, la chute devint vertigineuse.

TABLEAU 8.2

Mécanisation des fermes québécoises, 1931-1961

	1931	**1941**	**1951**	**1961**
Tracteurs	2 417	5 869	31 971	70 697
Moissonneuses-batteuses	0	55	420	3 046
Trayeuses	827	—	17 632	34 724
Électrification (%)	14,0	—	67,1	97,3

fermes laitières), dans une petite partie de la rive sud du Lac-Saint-Jean et dans quelques fermes maraîchères situées à proximité des villes. Selon le recensement de 1941, 40 % des fermes pratiquaient toujours une agriculture de subsistance. Cette forme d'agriculture était d'ailleurs dominante dans les régions éloignées comme l'Abitibi, les Laurentides et l'Outaouais. En 1961 cependant, presque 90 % des fermiers s'étaient spécialisés, la majorité dans l'industrie laitière et les autres dans la production de la volaille et du porc (figure 8.4). L'élevage du dindon, par exemple, était une activité mineure en 1931 : seulement 150 000 oiseaux étaient produits, alors qu'en 1961 les fermiers québécois en élevaient plus de 730 000.

FIGURE 8.4
Une usine de lait en poudre vers 1950.

À la fin de la guerre, les fermes étaient encore de petites unités de production relativement indépendantes. En 1960, elles étaient devenues de petites entreprises capitalistes, dépendantes des tracteurs, de l'électricité, des fertilisants, de l'approvisionnement extérieur en grains et des grandes entreprises pour l'écoulement de leur production. Des commissions de mise en marché et des programmes d'éducation, patronnés par le gouvernement, furent mis en place dans les années 1950. Les coopératives agricoles prospérèrent mais, en devenant de grandes entreprises, elles se retrouvèrent souvent tiraillées entre les préoccupations et les principes sociodémocratiques qui les avaient fait naître et les exigences de l'administration moderne et de la saine gestion de capitaux importants.

L'ÉCONOMIE QUÉBÉCOISE : DE LA CRISE À L'EXPANSION

La Crise, la Seconde Guerre mondiale et l'avènement de la société de consommation de l'après-guerre amenèrent d'importantes fluctuations sur le marché de

TABLEAU 8.3

Main-d'œuvre masculine
par secteur d'activité, 1931-1951

	1931	1941	1951
Agriculture	223 164	251 539	187 846
Mines	6 127	9 977	12 273
Industrie	111 325	173 288	235 580
Construction	62 822	69 961	98 389
Services	73 674	89 967	133 516
Travail journalier	133 282	81 038	100 242

Main-d'œuvre féminine
par secteur d'activité, 1931-1951

	1931	1941	1951
Industrie	45 367	68 227	88 032
Services	104 475	126 846	124 474
Travail de bureau	27 887	37 373	75 638

(*Annuaire statistique*, 1960 : 77)

l'emploi dans les décennies 1930-1960. De 1941 à 1951, le travail en usine remplaça l'agriculture en tant que principale occupation masculine, le pourcentage des travailleurs du secteur agricole passant de 44,7 % en 1901, à 27 % en 1941 et à 17 % en 1951 (tableau 8.3). Les femmes représentaient 21,3 % des salariés au Québec en 1931 (le pourcentage le plus élevé au Canada) et 24,5 % en 1951. La même année, le secteur des services employait le plus de travailleuses, mais le travail de bureau connaissait l'expansion la plus rapide ; l'industrie détenait 25,8 % des emplois féminins.

La Dépression affecta profondément la situation des travailleurs (figure 8.5). Dans certains quartiers de Montréal, 40 % de la population ouvrière se retrouva sans travail et, lorsque les usines de pâtes et papiers fermèrent leurs portes à Chicoutimi, le taux de chômage dans cette région atteignit 60 %. Dans certaines industries, la Dépression amena également la direction des entreprises à resserrer son emprise sur l'organisation du travail. À l'usine d'aluminium d'Alcan à Arvida, la compagnie créa le poste de directeur technique en 1934, de directeur du personnel en 1937, et doubla le nombre d'ingénieurs entre 1935 et 1940 (Igartua et Fréminville, 1983).

FIGURE 8.5
Les sans-emploi font la queue à Montréal. Même si des milliers de Montréalais faisaient la queue pour avoir du travail et du pain, plusieurs réussirent à survivre grâce à des emplois mal rémunérés.

Armand Rodrigue raconte sa vie :

J'étais d'une famille bien pauvre. Mon père était comme journalier. On était sept enfants vivants, ma mère en a eu onze. Il n'était pas question de chômage dans ce temps-là.

J'ai été à l'école pas vieux. Dans ce temps-là à dix ans, onze ans ça travaillait pour aider aux parents comme de raison, pour manger mieux ; une, deux, trois piastres de plus par semaine, ça aidait.

Dans les années de la dépression, j'avais une belle job, mais je l'ai perdue. Je travaillais à la Stelco depuis trois ou quatre ans ; [...] je gagnais dix-sept piastres par semaine. Je suis passé à deux piastres quatre-vingts sur le « Secours direct » !

On vivait, mais pas effrayant ! Mon loyer, je payais huit piastres par mois. C'est pas gros, mais ça fait rien, si je gagne trois piastres par semaine et si j'en ôte deux pour mon loyer, il m'en reste une ! (Rouillard, 1981 : 105-106)

À travers le Québec, des primes gouvernementales attirèrent près de 12 000 personnes dans des projets de défrichement et de colonisation en Abitibi et en Gaspésie. Ces régions réservèrent un accueil enthousiaste au Mouvement des caisses Desjardins et lui permirent de s'implanter à l'extérieur de ses châteaux forts de la rive-sud du Saint-Laurent, de la Mauricie et des Cantons de l'Est. Dans les zones de colonisation, en effet, les banques à charte étaient rares et la petite bourgeoisie locale — la colonne vertébrale des caisses populaires — détenait une grand pouvoir économique et social. Entre 1934 et 1945, quelque 800 caisses virent le jour dont plusieurs dans les régions périphériques. En 1945, l'actif des caisses se montait déjà à 90 millions de dollars. Le gouvernement Duplessis, en utilisant le capital accumulé par les caisses pour financer les activités de l'Office du crédit agricole, encouragea leur expansion (Rudin, 1990 : 30, 137).

La guerre stimula la production et créa des emplois dans toute la province. En raison de la demande d'aluminium pour les industries de guerre, Arvida vit sa population doubler entre 1941 et 1951, et le nombre de travailleurs dans l'industrie chimique passa de 5823 en 1939, à 46 553 en 1943 (Dumas, 1975 : 20). Les mines de nickel à Noranda et les chantiers maritimes à Sorel connurent un essor spectaculaire et les travailleurs agricoles s'activèrent à combler la demande des troupes en bœuf, lait en poudre et autres produits alimentaires. L'effort de guerre profita également à la région de Montréal, particulièrement dans le domaine de la fabrication des armes et des avions. Les usines de munitions Cherrier, à Saint-Paul-l'Ermite, comptaient plus de 450 bâtiments (Comité d'éducation de la CSN et de la CEQ, 1987 : 110). L'Ontario recevait une plus grande part des contrats de guerre, mais Montréal possédait le plus grand nombre de travailleurs employés dans les industries gouvernementales ; de plus, Québec se classait en troisième place, derrière Toronto (*Atlas historique*, vol. III, pl. 48).

Historiquement, Montréal avait toujours été la métropole du Canada (figure 8.6) ; elle détenait la bourse la plus active, le plus grand nombre de sièges sociaux d'importance et était le centre des communications et des transports. Cependant, dans les années 1920, Toronto émergea comme rivale, surtout dans le secteur du commerce de gros et de détail et dans le secteur bancaire. Eaton et Simpson, deux chaînes torontoises de magasins, dominaient le marché des ventes par catalogue, même au Québec malgré la présence de Dupuis frères. Dans les années 1930, Montréal perdit son rang de première place financière au profit de Toronto (dont la bourse, en 1933, devint la plus active) et, en 1960, elle traînait loin derrière. De 1941 à 1961, en plus de l'American Prudential et de la New York Life, une demi-douzaine de petites compagnies d'assurances et une quinzaine d'autres de taille moyenne déménagèrent leurs sièges sociaux de Montréal à Toronto. Le capital américain se concentra entre-temps dans la région torontoise ; en 1961, 666 compagnies américaines étaient établies à Toronto comparativement à 99 à

FIGURE 8.6
L'Hôtel Ritz Carlton. Dans les années 1950, Montréal pouvait toujours prétendre au statut de métropole économique du Canada avec des infrastructures de luxe. En 1957, l'hôtel le plus luxueux de la ville fut agrandi le long de la rue Sherbrooke avec 67 nouvelles chambres et une suite royale.

Montréal. La ville continuait d'accueillir les sièges sociaux de plusieurs entreprises industrielles, mais les plus grandes firmes de publicité, d'avocats et, dans une moindre mesure, de comptables étaient situées à Toronto (*Atlas historique*, vol. III, pl. 52 et 55).

L'avènement de la société de consommation au Canada, la reconstruction de l'après-guerre en Europe et la demande américaine d'acier pendant la guerre de Corée créèrent d'excellents débouchés pour certaines ressources du Québec : minerai de fer, aluminium et amiante. La valeur nette de la production minière passa de 59 millions de dollars en 1945 à plus de 246 millions en 1960. La Côte-Nord se développa rapidement, tout comme d'autres régions éloignées telles que l'Abitibi qui avait beaucoup souffert de la Crise. Des villes du Nord québécois comme Schefferville et Gagnon, qui devaient leur existence aux compagnies minières, prirent de l'expansion et furent reliées à Sept-Îles par le chemin de fer de l'Iron Ore Company ; le port de Sept-Îles devint d'ailleurs un des plus achalandés du Québec après l'achèvement de la voie maritime du Saint-Laurent, qui permettait un meilleur accès aux marchés situés plus à l'ouest.

TABLEAU 8.4

Nombre de véhicules immatriculés au Québec, 1940-1960

Année	Total des véhicules immatriculés	Voitures familiales
1940	225 152	174 761
1960	1 096 053	820 152

Montréal jouissait d'une position dominante dans les transports aériens à la suite de la décision du gouvernement fédéral de faire de Dorval le point de départ des vols transocéaniques. En 1957, la compagnie nationale Trans Canada Airlines (devenue depuis Air Canada) centralisa ses ateliers d'entretien à Dorval, l'aéroport le plus fréquenté du pays. Le Québec était moins favorisé en ce qui concerne le transport routier et la tendance de délaisser le rail pour le camionnage a contribué à son déclin.

La prospérité d'après-guerre maintint le taux de chômage à un bas niveau jusqu'à la récession de la fin des années 1950. Après s'être maintenu autour de 4 % à 5 % (avec un minimum record de 2,9 % en 1951), le taux de chômage grimpa à 8,8 % en 1957 et atteignit un sommet de 10 % en 1960, avant de redescendre.

À la fin de la Seconde Guerre, les phases de l'industrialisation du Québec étaient encore clairement visibles dans sa structure industrielle. Les plus anciens et toujours importants secteurs de l'économie — vêtement, textile, cuir, bois et tabac — continuaient de dépendre d'une main-d'œuvre immigrante et rurale à bon marché. Ces industries employaient 54,2 % des ouvriers québécois et comptaient pour 48,6 % de la valeur totale de la production industrielle en 1950 (Bernier et Boily, 1986).

Les industries nées au début du siècle, lors de la phase hydroélectrique de l'industrialisation du Québec, maintenaient leur rôle prédominant, les secteurs des pâtes et papiers et des produits chimiques étant les moteurs de la croissance industrielle de l'après-guerre. Une expansion rapide se produisit également dans les industries liées aux demandes grandissantes des consommateurs, comme celles du pétrole et de l'électronique. Le Québec, toutefois, ne bénéficia pas des retombées de l'industrie automobile, car Ford, Chrysler et General Motors construisirent leurs filiales canadiennes dans le sud de l'Ontario

L'importance de plus en plus grande du secteur tertiaire, qui représentait 38,4 % du produit intérieur du Québec en 1941 et 51,1 % en 1961, constitua l'élément clé du développement économique d'après-guerre. La société de consommation favorisa la multiplication des points de vente, des institutions de crédit et d'assurances, l'augmentation de la publicité et des spectacles, du tourisme et des loisirs. Le nombre de véhicules automobiles en circulation donne une bonne idée de l'importance des dépenses reliées à la consommation (tableau 8.4).

LES FEMMES

Comme le souligne Andrée Lévesque (1995 :52), les élites prônaient toujours un Québec « catholique et nataliste ». Le travail féminin rémunéré continuait d'être un réservoir dans lequel on puisait en cas de pénurie de main-d'œuvre, mais qu'on mettait de côté lorsqu'il y avait surplus. Les femmes étaient payées environ moitié moins que les hommes et elles demeuraient prisonnières de l'image de la mère et de la femme au foyer ; le combat acharné qu'elles durent mener pour obtenir le droit de vote est symptomatique de la force de l'idéologie dans toute la société québécoise. Le travail en temps de guerre fit la preuve qu'il était possible de concilier travail salarié et tâches domestiques et prépara l'accès pour les femmes mariées au marché du travail. Toutefois la place des femmes demeura ambiguë pendant ces années, comme en témoignent la persistance de dévotions populaires, de pèlerinages, de prières adressées à saint Jude pour trouver un mari. En même temps, les femmes étaient à l'avant-garde des mouvements de contestation : sept des quinze signataires avec Paul-Émile Borduas du *Refus global* (1948) furent des femmes (Smart, 1988). Les féministes du Québec luttèrent pendant trois décennies avant d'obtenir le droit de vote en 1940 et d'accéder à la sphère publique. Dans la période qui suivit cette victoire, l'influence des femmes se fit sentir dans la nature de certains programmes universels et dans les changements apportés à la Loi de l'enseignement (Jean, 1988). Au sein des mouvements syndicaux, agricoles et coopératifs, les femmes n'accédèrent que lentement au pouvoir, les hommes persistant dans leur attitude paternaliste.

Les Québécoises, en période de crise économique caractérisée par la perte dramatique d'emplois, se faisaient rapidement rappeler leur statut de main-d'œuvre de réserve. Des représentants de l'autorité, comme le cardinal J.-M. Rodrigue Villeneuve et Henri Bourassa, disaient aux femmes que leur place était d'abord à la maison et leur rappelaient combien il était important de laisser le travail en usine à des pères de famille. Le manque de main-d'œuvre en temps de guerre n'arrivait d'ailleurs pas à infléchir l'opinion des conservateurs. Inquiet de voir les femmes mariées envahir le secteur de l'industrie pendant la guerre, Hervé Brunelle déclara à la Chambre des communes que « l'infiltration des femmes » dans les professions réservées aux hommes allait « créer un problème insurmontable après la guerre ». De son côté, la profession médicale faisait la promotion du rôle de soutien des femmes : « La maternité est l'ultime destinée des femmes et marque le plein épanouissement de son [*sic*] existence », écrivait le Dr Ernest Couture dans *La Mère canadienne et son enfant* (cité par Lévesque, 1984 : 28).

La Seconde Guerre mondiale transforma radicalement le marché du travail : dans la seule ville de Montréal, il y eut une pénurie de 19 000 ouvriers en 1943 (Pierson, 1986 : 31). Faisant appel au patriotisme, le gouvernement fédéral procéda

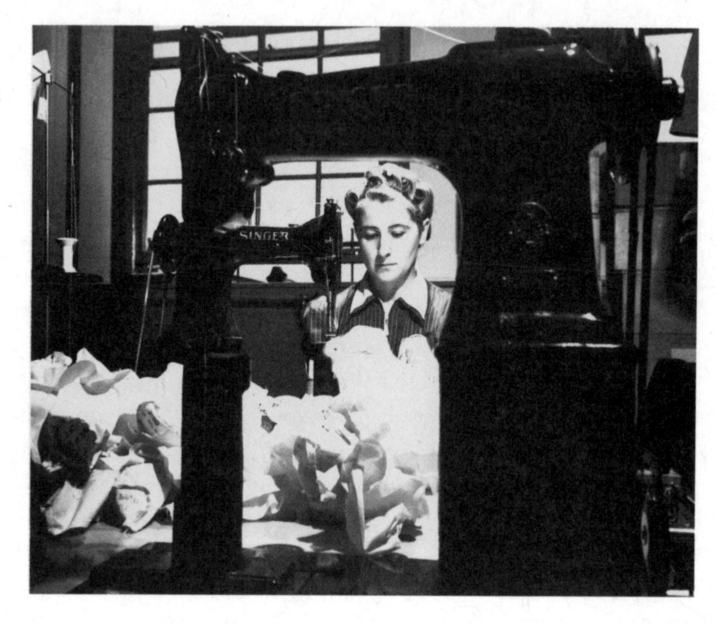

FIGURE 8.7
Une travailleuse de l'usine Cherrier.

au recrutement de femmes mariées pour les usines de guerre. On offrit des services de garderie à quelques mères vivant près des usines de munitions Cherrier à Maisonneuve et on amenda la Loi de l'impôt sur le revenu (1943) de façon à ce que les maris puissent réclamer leur exemption d'hommes mariés indépendamment du salaire de leur épouse (figure 8.7). Le nombre de femmes mariées qui gagnaient un salaire doubla pendant la guerre : en 1945, 20 % des travailleuses québécoises étaient mariées. Après le conflit, on s'attendait à ce que les femmes cèdent leur emploi aux soldats qui revenaient et aux pères de famille ; ce qu'elles firent. Ce n'est qu'au milieu des années 1960 que la participation des femmes au marché du travail rémunéré reviendra à son niveau du temps de la guerre.

La région, l'appartenance ethnique et la classe sociale, en plus du sexe, étaient les facteurs déterminants en ce qui concerne l'éducation et l'expérience de travail des Québécoises. Avant 1954, année de la création du réseau des écoles secondaires publiques, les jeunes filles fréquentaient des pensionnats privés dirigés par des communautés religieuses. Au cours du XIXe siècle, les institutions d'éducation pour garçons s'étaient multipliées — collèges classiques, écoles commerciales, universités — mais le premier collège classique pour filles n'ouvrit ses portes qu'en 1908. Fondés par des communautés prestigieuses — les Ursulines à Trois-Rivières et à Québec, la Congrégation de Notre-Dame à Montréal et les Sœurs grises à Hull — ces collèges classiques recrutaient 80 % de leur clientèle parmi les filles de l'élite. Leurs diplômées avaient des choix de carrière limités : la plupart se mariaient, mettant gratuitement leur savoir au service de la famille et des œuvres de bienfaisance. Quelques-unes se dirigeaient vers des écoles de

FIGURE 8.8
Huguette Tremblay, une institutrice. En 1936, la Charlevoisienne Laure Gaudreault fonda la première association d'institutrices rurales ; l'année suivante, la Fédération catholique des institutrices rurales voyait le jour. À cette époque, seules les jeunes filles issues de familles rurales prospères, capables de payer leurs frais de pension, fréquentaient les écoles normales. Huguette Tremblay, fille unique d'un fromager, obtint son diplôme de l'École normale de Baie-Saint-Paul en 1938, à l'âge de 17 ans. L'École était tenue par les Sœurs de la Congrégation de Notre-Dame (à l'avant-plan, photo du haut), une des plus anciennes communautés féminines vouées à l'enseignement. On peut apercevoir madame Tremblay dans la deuxième rangée, derrière l'aumônier. Comme la plupart des diplômées de sa promotion, Huguette Tremblay exerça son métier dans une école de rang située dans sa paroisse natale de Saint-Philippe-de-Clermont près de La Malbaie. En juillet 1941, elle traversa le fleuve pour assister à la cinquième assemblée annuelle de la Fédération des institutrices rurales à Sainte-Anne-de-la-Pocatière. Voyageant pour la première fois sans ses parents et sans chaperon, Huguette, deuxième sur le traversier à partir de la gauche (photo du bas), profita au maximum de son séjour : « Beaucoup de congressistes et beaucoup de plaisir — Il est 2 heures et pas encore couchée », écrivait-elle à sa famille. Son mariage, un mois plus tard, mit fin à sa carrière, car les femmes mariées n'étaient pas autorisées à enseigner.

TABLEAU 8.5

Année d'obtention du droit de vote par les femmes

Nouvelle-Zélande	1883
URSS	1917
Canada (fédéral)	1919
États-Unis	1920
Grande-Bretagne	1928
Espagne	1931
Québec	1940
France	1945
Italie	1946
Belgique	1948
Suisse	1971

secrétariat, de soins infirmiers ou de musique ; d'autres optaient pour les ordres religieux sous la bannière desquels elles pouvaient exercer un réel pouvoir dans les domaines de l'enseignement, des services sociaux et des hôpitaux (figure 8.8).

Il fallut des générations avant que les femmes ne retrouvent leur droit de vote, perdu au milieu du XIXe siècle. Au cours des années 1920 et 1930, des chefs de file comme Thérèse Casgrain et Idola Saint-Jean luttèrent pour l'obtention du droit de vote au niveau provincial, en utilisant la presse, les politiques, les comités parlementaires et les organisations en faveur du suffrage féminin, telles que l'Alliance canadienne pour le vote des femmes au Québec. Les opposants au suffrage basaient leurs arguments sur le concept voulant que l'univers féminin relève du privé et soit circonscrit à la famille et au foyer ; dans cette perspective, permettre aux femmes de faire partie d'un jury ou de se mêler à la vie politique aurait été les soumettre à des passions contraires à leur nature. Entre 1919 et 1940, aucun des treize projets de loi sur le suffrage présentés à l'Assemblée législative, dominée par Taschereau et Duplessis, n'alla plus loin qu'une deuxième lecture. Le droit de voter et d'occuper une fonction publique ne fut donné aux femmes qu'en 1940 par le gouvernement Godbout (tableau 8.5).

Le droit de vote ne fut pas pour autant synonyme d'égalité politique et juridique. Il fallut attendre plus de vingt ans, soit en 1961, avant que Claire Kirkland-Casgrain ne soit élue à l'Assemblée législative du Québec. De plus, le Code civil québécois ne reconnut officiellement l'égalité juridique des femmes avec les hommes qu'en 1964.

À l'époque de la Crise et de la Seconde Guerre mondiale, les secteurs de la santé et des services sociaux avaient connu une expansion rapide avec l'arrivée de nouvelles professions ouvertes aux femmes comme la physiothérapie, la nutrition et le travail social. L'Université de Montréal avait mis sur pied son programme de

FIGURE 8.9
Madeleine Parent. La lutte pour l'obtention du droit de vote ne fut que l'épisode le plus spectaculaire du combat des femmes pour accéder à la sphère publique. Étudiante à l'Université McGill dans les années 1930, cofondatrice d'un syndicat de travailleurs du textile dans les années 1950 et membre fondateur du Comité d'action sur le statut de a femme, la féministe Madeleine Parent a œuvré durant 41 ans au sein du mouvement syndical : « Au début, je donnais des cours du soir, en collaboration avec l'Association de l'éducation ouvrière, aux syndiquées de l'industrie du vêtement. Nous voulions pour travail égal, salaire égal et nous avons obtenu gain de cause dans les manufactures de coton du Québec sur cette question à la suite de notre grève de 1946 [...]. Même si ce n'était pas écrit dans la loi ou le contrat, en pratique nous avons souvent obtenu des congés de maternité pour les femmes. Pas des congés de maternité payés, mais des congés de maternité tout de même, obtenus grâce à l'action concertée des femmes (*Studies in Political Economy*, 1989 : 13-36). »

santé publique (École d'hygiène sociale appliquée) en 1925 et son École de travail social en 1940. De 1940 à 1960, le nombre de femmes inscrites dans des programmes professionnels à l'Université de Montréal passa de 90 à 2000. Mais, encore une fois, les professionnels masculins de la santé, de concert avec le pouvoir institutionnel des communautés religieuses, étendirent leur autorité sur les professions féminines montantes (figure 8.9).

Les syndicats et les mouvements coopératifs ne cédèrent pas non plus facilement une place aux femmes au niveau de leurs directions. Les syndicats camouflaient souvent le nombre réel de leurs membres féminins et se faisaient porte-parole de l'idéologie dominante, en affirmant que le rôle des femmes dans le milieu du travail venait après celui qu'elles occupaient au foyer. En 1942, le congrès de la Confédération des travailleurs catholiques du Canada (CTCC) en était encore à encourager l'embauche des hommes de préférence à celle des femmes. En général, la discrimination était plus subtile. En 1952, par exemple, la CTCC forma un comité composé exclusivement de femmes pour examiner les problèmes particuliers des travailleuses en fonction de leur « condition particulière féminine (Rouillard, 1981 : 235) ». En dépit de leur nombre, soit un tiers de l'effectif des syndicats catholiques, les femmes ne comptèrent jamais plus que pour 10 % des délégués aux congrès annuels.

LA CROISSANCE DU SYNDICALISME

Le monde du travail nuance une fois de plus l'image d'une société québécoise homogène et conservatrice. Quatre phénomènes ont marqué le mouvement ouvrier. Le premier fut la croissance régulière de l'effectif syndical qui, entre 1932 et 1952, septupla, alors que le nombre de syndicats avait triplé, passant de 484 à 1435 (*Annuaire statistique*, 1960 : 566). Le deuxième fut la remise en cause de la domination des syndicats de métiers — qui regroupaient les deux tiers des ouvriers syndiqués — par les syndicats industriels. Soucieux de regrouper tous les travailleurs sur un même chantier, qu'ils soient journaliers ou ouvriers spécialisés, ces syndicats, dont la plupart s'affilièrent au Congress of Industrial Organizations (CIO), connurent un franc succès dans les secteurs de production de masse comme les mines et l'acier.

Troisièmement, il faut souligner la persistance de l'influence des syndicats catholiques, avec leur mélange de principes sociaux, de nationalisme et de corporatisme. Les syndicats confessionnels, en recrutant leurs membres dans des domaines en pleine expansion comme celui du secteur public et en se montrant plus flexibles dans leur approche du syndicalisme industriel, augmentèrent significativement leurs effectifs. Le nombre de syndicats catholiques grimpa de 121 en 1931, à 338 en 1946 et à 442 en 1960. Même accroissement pour le nombre de membres : en 1931, ils en comptaient 15 587 ; 62 990 en 1946 ; et, en 1960, 94 114. En 1931, 21,6 % des travailleurs syndiqués appartenaient à des syndicats catholiques ; en 1940, ce taux monta à 33,1 % pour se stabiliser aux alentours de 30 % dans les années 1950 (Rouillard, 1981 : 113, 167, 218). Les syndicats catholiques, surtout après 1943, devinrent de plus en plus militants et assumèrent un rôle de premier plan lors des grèves.

Une plus grande conscience sociale et un militantisme croissant constituent le dernier des phénomènes qui caractérisent le milieu du travail de cette période. Fondée en 1937, la Fédération provinciale du travail fit pression à la fois sur le fédéral et le provincial pour obtenir une législation sociale et des programmes d'éducation. Le nombre de grèves, qui avait diminué lors de la Crise, prit de l'ampleur pour culminer en 1942. Après la guerre, les grèves au Québec, celles d'Asbestos (1949), Louiseville (1952) et Murdochville (1957) par exemple, furent plus longues et laissèrent des divisions plus profondes que partout ailleurs au Canada. En 1957, les 40 grèves qui eurent lieu au Québec représentaient 16,1 % du total national et englobaient 15,4 % des grévistes canadiens ; mais les 725 401 journées de travail perdues équivalaient à 44,4 % des journées perdues au Canada

FIGURE 8.10
Des policiers montés à cheval dispersent les grévistes lors de la grève de Radio-Canada de 1959.

TABLEAU 8.6

Grèves et lock-out au Québec, 1937-1957

	Grèves et lock-out	Ouvriers impliqués	Jours de travail perdus
1937	46	24 419	359 024
1942	135	41 260	155 284
1947	51	20 070	236 733
1952	40	17 524	853 936
1957	40	14 047	725 401

(*Annuaire statistique*, 1960 : 567)

(tableau 8.6) (*Annuaire statistique*, 1960 : 567). La grève des réalisateurs de Radio-Canada en 1959 (figure 8.10) constitua un excellent indice de la période qui allait suivre : elle avait des implications culturelles, mettant en scène un groupe de Québécois et une société d'État fédérale ; elle laissait présager l'émergence de revendications de la part des cols blancs et elle révéla l'importance nouvelle et l'influence croissante d'intellectuels tels que René Lévesque.

FIGURE 8.11
L'antisémitisme au Québec. Pendant la Crise, les nationalistes québécois abandonnèrent une perspective pancanadienne pour se concentrer sur les problèmes particuliers du Québec. Ils menèrent des campagnes de boycottage des entreprises anglophones (notamment des commerces juifs). Cette attitude s'intensifia au cours des années 1920 et 1930 avec les campagnes d'« achats chez nous » et le mouvement fasciste d'Adrien Arcand qui recruta 700 membres. Si quelques auteurs comme Mordecai Richler ont insisté sur l'intensité de l'antisémitisme chez les francophones, les conflits entre la communauté juive et la Commission des écoles protestantes de Montréal ainsi que les politiques restreignant l'admission des Juifs à l'Université McGill soulignent le fait que l'antisémitisme avait beaucoup d'adeptes chez les anglophones. On lira à ce sujet les témoignages de membres de la communauté juive dans *Les Pierres qui parlent* (Rome, Langlais, Hillel : 1992).

LE NOUVEAU RÔLE DE L'ÉTAT

Le Québec des années 1930-1960, marqué par le règne autoritaire et nationaliste (figure 8.11) de Maurice Duplessis brandissant la Loi du cadenas comme une menace, est souvent qualifié de rural et de réactionnaire. Un examen plus attentif révèle toutefois un accroissement des tensions sociales et l'émergence d'un sentiment démocratique et un appel aux droits universels au sein des syndicats, des groupes de femmes et des organisations agricoles. Des signes de l'affaiblissement de l'idéologie conservatrice et du déclin du pouvoir réel du clergé sont clairement perceptibles au cours de cette période. Les jeunes, les coopératives agricoles, les syndicats et les ecclésiastiques progressistes commencèrent à remettre en question l'autorité de l'Église.

Cette époque fut également témoin de l'élaboration de deux approches sociales distinctes de la part des deux niveaux de gouvernement. Ottawa, d'un côté, se montra de plus en plus interventionniste, établissant les piliers de l'État-providence. De l'autre, le gouvernement provincial, sous Duplessis, demeura farouchement opposé à l'intervention de l'État dans le domaine social. Dans son discours du budget de 1959, le ministre des Finances du Québec, John Bourque, déclara que :

> La sécurité sociale a tendance à remplacer l'épargne populaire [...] à décourager l'initiative privée, l'effort personnel, l'esprit de travail, au détriment de la liberté et du progrès économique de la nation (Vaillancourt, 1988 : 129).

Dans les années 1930, l'État — le gouvernement fédéral et les municipalités en particulier — était intervenu auprès des victimes de la Crise en leur offrant des services sociaux. La création d'organismes fédéraux comme la Société canadienne d'hypothèques et de logement (1946), l'imposition de mesures de guerre telles que le rationnement et le recrutement de la main-d'œuvre féminine, l'adhésion à des ententes internationales comme le GATT (1947), le projet de la voie maritime du Saint-Laurent, les ententes relatives à la défense, et l'institution de programmes universels de sécurité sociale, comme les allocations familiales et les régimes gouvernementaux de retraite contribuèrent à l'expansion rapide de l'État technocratique et centralisé.

Le développement de l'administration fédérale explique en partie le nouveau rôle joué par l'État : de 1931 à 1959, en effet, le nombre de fonctionnaires fédéraux passa de 45 581 à 147 909 (Urquart et Buckley, 1965 : 621). Le gouvernement central, fort des recommandations de la commission Rowell-Sirois (1940) et se réclamant de la raison et de l'économie, étendit le pouvoir de l'État fédéral sur la famille, le travail et peu à peu sur l'éducation. Le rapport recommandait plus spécifiquement l'établissement d'un plan pancanadien d'assurance chômage et la prise en charge par le gouvernement central de tous les coûts reliés aux régimes de retraite. L'instauration des allocations familiales, en 1944, concrétisa la volonté d'intervention d'Ottawa dans les affaires sociales.

Durant toute la période d'après-guerre, les conflits entre le fédéral et le provincial sur leurs champs de compétence respectifs alimentèrent les débats politiques. La multiplication de programmes fédéraux à frais partagés, comme ceux des transports et des universités, révélait les ambitions d'Ottawa en matière de vie sociale, d'expansion régionale et d'éducation, domaines traditionnellement et constitutionnellement réservés aux autorités provinciales. Le pouvoir fédéral s'ingéra de plus en plus dans le secteur de la culture. En 1929, une commission royale d'enquête sur la radiodiffusion proposa l'instauration d'un réseau de diffusion nationale capable d'« entretenir un sentiment national et de faire la promotion de la réalité canadienne ». En 1936, la Société Radio-Canada était créée. D'autres initiatives telles que la création de l'Office national du film renforcèrent l'impression qu'Ottawa cherchait à étendre ses pouvoirs. En 1951, le gouvernement fédéral irrita davantage la sensibilité des nationalistes en s'immisçant dans les domaines de la culture et de l'éducation par des subventions de plus de sept millions de dollars aux universités québécoises (Behiels, 1989 : 335). À la suite des rapports de la Commission royale sur le développement national des arts, des lettres et des sciences (commission Massey) en 1957, Ottawa créa le Conseil des arts avec le mandat de développer l'étude et l'appréciation des arts et des sciences humaines et augmenta le budget du Conseil de recherche en sciences naturelles (créé en 1916). Ainsi, le gouvernement fédéral devint un joueur incontournable dans la recherche universitaire, au grand dam des nationalistes québécois.

Les structures mêmes des finances gouvernementales rendaient difficile la non-intervention du fédéral. En 1933, 47,7 % des taxes payées par les Québécois étaient perçues par le gouvernement fédéral, 10 % par le gouvernement provincial et 42,3 % par les municipalités. La Seconde Guerre mondiale ne fit qu'accentuer cette tendance : en 1945, Ottawa recueillait 82,8 % des taxes au Québec tandis que la province n'en amassait plus que 7,3 % et les municipalités 9,9 % (Linteau *et al.*, 1986 : 152).

Le gouvernement Duplessis, malgré sa répugnance face aux mesures de sécurité sociale, ne se montrait pas hostile par contre au développement d'une bureaucratie favorisant le « patronage ». Pour répondre en particulier à la demande croissante dans les secteurs de la santé et de l'éducation, Duplessis développa la fonction publique québécoise : en 1933, elle comptait 8072 fonctionnaires (2,51 pour 1000 habitants) ; en 1960, 36 766 employés étaient rémunérés par l'État, soit 7,13 pour 1000 (Bernier et Boily, 1986 : 373).

L'ÈRE DUPLESSISTE

En 1933, des activistes, en provenance de l'École sociale populaire, de l'Union catholique des cultivateurs (UCC) et des syndicats ouvriers catholiques, formèrent une coalition et publièrent un projet de réforme intitulé *Programme de restauration sociale.* Forts de leur expérience au sein des coopératives, ils s'étaient mis d'accord pour réclamer une intervention plus directe de l'État par l'élaboration de programmes d'aide, la dissolution du monopole des compagnies d'électricité et la mise sur pied de réformes ayant trait aux élections, au monde ouvrier et agricole. Le projet attira des libéraux progressistes comme Paul Gouin, fils de l'ex-premier ministre, et des nationalistes tels que Philippe Hamel et René Chalout qui fondèrent, en 1934, un nouveau parti politique: l'Action libérale nationale (ALN).

Durant la même période, le Parti conservateur, dans l'opposition depuis 1897, bénéficia d'un second souffle lorsque Maurice Duplessis fut élu à sa tête en 1933. Fils d'un politicien conservateur, l'avocat de Trois-Rivières était doué d'un flair incroyable pour détecter les besoins des petites communautés. Il connaissait le fonctionnement des élites locales, savait comment utiliser efficacement le favoritisme et son discours reflétait à merveille l'idéologie conservatrice basée sur l'agriculture, le catholicisme et les valeurs traditionnelles. Gouin et les progressistes, quoique sceptiques face aux prétentions réformatrices de Duplessis, acceptèrent en 1935, la fusion de l'Action libérale nationale et du Parti conservateur sous la bannière de l'Union nationale.

Le gouvernement Taschereau, affaibli par des accusations de corruption (le scandale de Beauharnois), par une direction désabusée et par ses liens avec des trusts d'électricité tels que la Montreal Light, Heat and Power Consolidated, commença à se désagréger aux élections de novembre 1935. Dix-huit conservateurs et vingt-six membres de l'ALN faisaient désormais face aux quarante-huit libéraux élus. Duplessis ne tarda pas à dominer la scène parlementaire: devenu chef incontesté de l'Union nationale après avoir rompu son alliance avec Gouin en 1936, il força le déclenchement d'élections en août. Le politicien, pour assurer sa victoire, comptait sur le découpage de la carte électorale de la province, qui permettait aux régions rurales d'élire 63 % des députés, alors que la population des campagnes ne représentait plus que 37 % de la population totale. Faisant campagne en faveur du démantèlement des trusts et pour l'électrification rurale, Duplessis écrasa les libéraux et forma le gouvernement.

L'Union nationale afficha rapidement ses couleurs conservatrices. Se désolidarisant des progressistes qui voulaient nationaliser les grandes compagnies d'électricité, Duplessis consolida son pouvoir politique dans les régions rurales par l'octroi de nouveaux crédits agricoles, la création d'écoles d'agriculture, l'électrification des campagnes et l'amélioration du réseau routier. Il s'opposa à la syndicalisation, fit voter des lois allant à l'encontre des droits des travailleurs et appuya les patrons lors des grèves du textile en 1937. Duplessis privilégiait le paternalisme et le corporatisme dans les relations industrielles, comme en témoigne ce mémo de 1938:

> Les patrons doivent diriger leur industrie avec justice, intégrité, bonté, mais à la tête. Les ouvriers, à leur place, sachant obéir aux ordres, accomplissant leur tâche de leur

FIGURE 8.12
Adélard Godbout (à droite) serrant la main à Maurice Duplessis. Père d'Hydro-Québec et instigateur de réformes dans l'éducation et le code du travail, Godbout accorda le droit de vote aux femmes en 1940. Malgré un mandat de cinq ans en pleine guerre (1939-1944), il demeure un premier ministre méconnu, mais son gouvernement annonçait déjà la Révolution tranquille.

> mieux. Eux aussi doivent être justes, honnêtes et bons. Les unions à leur place, doivent protéger leurs membres, mais pas en les persuadant que le patron est un ennemi, et n'intimidant pas ceux qui ne veulent pas être unionistes (Rouillard, 1981 : 401).

Son opposition farouche au communisme lui valut l'appui des conservateurs et du clergé. Les militants pour les libertés civiles trouvèrent particulièrement répugnante sa loi sur la propagande communiste de 1937. Mieux connue sous le nom de Loi du cadenas, cette mesure permettait à la police de mettre sous clé tout édifice utilisé pour des activités « bolcheviques ou communistes ». Abusant de cette très large définition, les autorités politiques et policières s'en servirent contre les syndicats, les groupes politiques et les minorités religieuses tels les Témoins de Jéhovah. Malgré les protestations des défenseurs des droits et libertés comme Frank Scott, avocat, poète et doyen de la faculté de droit de McGill, la Cour suprême du Canada ne déclara cette loi inconstitutionnelle qu'en 1959 (Sarra-Bournet, 1986).

À la déclaration de la guerre en 1939, Duplessis déclencha les élections sur la question d'une éventuelle conscription. Jouissant de l'appui des libéraux fédéraux qui menaçaient de démissionner si Duplessis était réélu, Adélard Godbout et ses libéraux remportèrent l'élection (figure 8.12). Devant la crise provoquée par la guerre, Godbout laissa au gouvernement fédéral le soin de planifier l'économie et, quand Ottawa créa le programme d'allocations familiales en 1944, il ne chercha pas à contester cette intrusion dans la compétence exclusive de la province en matière de services sociaux.

Godbout est à l'origine de quelques réformes importantes d'ordre social et économique. En 1940, les Québécoises obtinrent enfin le droit de vote provincial. Une nouvelle loi réglementa les relations de travail en reconnaissant aux

FIGURE 8.13
Une affiche électorale de l'Union nationale.

travailleurs le droit de joindre un syndicat accrédité et de négocier des conventions collectives. En 1943, l'école devint obligatoire pour les enfants âgés de six à quatorze ans. Et, à la suite de la nationalisation de la Montreal Light, Heat and Power, la société Hydro-Québec fut créée.

Toutefois, son gouvernement fut défait par Duplessis aux élections de 1944, même s'il récolta 40 % du vote contre 36 % pour l'Union nationale. L'association de Godbout avec les libéraux fédéraux fut une des causes de sa défaite. Bien que la participation francophone à la Seconde Guerre ait été plus importante qu'à la Première, plusieurs francophones s'étaient sentis trahis par la position ambiguë de King sur la conscription et adhéraient à la rumeur publique selon laquelle les officiers anglais avaient utilisé les régiments francophones comme chair à canon. Duplessis tira avantage de ce ressentiment en se présentant comme le défenseur de l'autonomie provinciale, de la langue et des traditions (figure 8.13).

LES ORIGINES DE LA RÉVOLUTION TRANQUILLE

Les quatre volumes du rapport Tremblay (la Commission royale d'enquête sur les problèmes constitutionnels, 1956) apportèrent une caution idéologique et statistique aux tenants de l'autonomie provinciale et du rôle du gouvernement québécois en tant que premier défenseur d'une culture menacée. Sous la direction intellectuelle de nationalistes conservateurs tels qu'Esdras Minville et le père jésuite Richard Arès, le rapport préconisait la théorie du pacte qui veut que la Confédération soit le résultat d'une entente entre deux peuples fondateurs.

> [...] la constitution de 1867 fait donc de la province de Québec qui, par l'histoire en était déjà le foyer national, le centre politique par excellence du Canada français, la gardienne attitrée de sa civilisation. Et cela directement pour autant qu'il s'agit de sa propre population ; et indirectement pour autant qu'elle constitue le foyer de culture des minorités françaises des autres provinces et que son influence s'exerce sur l'ensemble de la politique canadienne. Aucune autre province canadienne n'est, comme unité politique, investie d'une aussi haute et difficile mission (*Rapport Tremblay*, vol. 2 : 62).

La commission maintenait que les provinces avaient le droit d'imposer une taxe directe pour financer les programmes relevant de leur compétence exclusive. Le gouvernement du Québec invoqua les conclusions préliminaires du rapport pour justifier l'établissement d'un impôt sur le revenu en 1954.

La vie intellectuelle et culturelle québécoise était de plus en plus riche et pluraliste. De vieux nationalistes tels qu'Édouard Montpetit (1881-1954) continuaient à faire la promotion des valeurs traditionnelles comme la frugalité, la résistance à la société de consommation, le mode de vie rural et la coexistence à l'intérieur de la Confédération (Faucher, 1970 : 80-89). Mais, d'un autre côté, le Bloc populaire, mouvement essentiellement urbain né de l'opposition à la conscription et aux visées centralisatrices du fédéral, faisait pression en faveur de la nationalisation dans des domaines traditionnellement dominés par l'Église, pour le développement du mouvement coopératif et pour des programmes de crédit à long terme (Behiels, 1982 ; Comeau, 1982). Par l'intermédiaire d'émissions de radio, d'un hebdomadaire et de réunions publiques, le Bloc populaire cherchait un compromis entre le socialisme et le capitalisme en prônant l'État-providence et en s'attaquant à la monarchie, aux vieux partis et au duplessisme. Il fit élire quatre députés lors de l'élection provinciale de 1944 (15 % des bulletins de vote) et envoya deux députés à la Chambre des communes en 1945 (12,8 % des voix exprimées au Québec) (Comeau, 1982 : 335, 337).

À la fin de la guerre, les intellectuels se trouvaient profondément divisés entre la gauche et la droite, entre les catholicismes libéral et conservateur, entre les catholiques et les humanistes, entre ceux qui privilégiaient les droits collectifs et ceux qui donnaient la primauté aux droits individuels. Des intellectuels tels que Jean-Charles Falardeau, Léon Dion, Fernand Dumont et Georges-Henri Lévesque, tous attachés à la Faculté des sciences sociales de l'Université Laval (qui était alors le centre du catholicisme social et du libéralisme), tenaient à ce que leur travail soit, selon les mots du père Lévesque, « mis à la disposition de la population et, qu'à chaque fois que c'est possible, les chercheurs mettent leurs connaissances scientifiques au service de l'action sociale, en s'impliquant [*sic*] dans des conflits au nom de la vérité et de la justice» (Behiels, 1989: 333).

À Montréal, Gérard Pelletier, Pierre Elliott Trudeau et les intellectuels de *Cité libre* s'attaquaient au cléricalisme, au conservatisme et à l'isolement de la société québécoise (Behiels, 1985: 92). Selon Pelletier (1983: 62), la lutte contre Duplessis dura une génération:

> Le règne de Maurice Duplessis a coïncidé avec notre jeunesse. Nous sortions de l'adolescence quand il arriva au pouvoir; nous touchions la quarantaine quand il l'a quitté. Or, pendant ces vingt années, ce ne sont pas seulement des désaccords occasionnels qui nous opposèrent à lui mais un refus obligé, profond et constant de ses positions les plus fondamentales. [...] Notre génération avait compris que la collectivité québécoise retardait sur son temps, qu'il fallait à tout prix nous remettre à jour sans délai, accélérer le processus que la période de guerre avait amorcé. Mais Duplessis et ses comparses appuyaient de tout leur poids considérable sur tous les freins disponibles.

Il ne s'agissait pas cependant d'une simple bataille entre intellectuels. William D. Coleman a démontré que les classes urbaines populaires se détournèrent aussi de plus en plus de la culture et des institutions traditionnelles (Coleman, 1984: 26). Parlant de sa jeunesse, Fernand Dumont (1971: 13) se rappelle comment l'esprit de résistance passive était transmis de génération en génération:

> Si je fais appel à mes souvenirs d'une enfance vécue à l'écart des livres et de la ville, je crois me rappeler un drame [...]. J'ai entendu des procès similaires des vieilles coutumes, des curés, des politiciens. Nos pères ont rouspété pendant des siècles; ils n'étaient pas ces moutons dociles que l'on nous a souvent décrits [...]. Ils ont légué à leurs enfants un scepticisme neuf, des critiques radicales, une fureur qui ne sont pas sans correspondances avec les écrivains de leur époque. Là encore, le vieux fond des rancunes et des idées accumulées depuis des siècles perçait comme un abcès enfin mûr. Le langage d'un peuple sans écriture commençait à cerner des silences accumulés par les générations.

Cette frustration latente est la preuve que les changements dramatiques des années 1960 trouvaient leurs racines dans les décennies qui les avaient précédés. Selon Guy Rocher:

> C'est précisément parce que la Révolution tranquille a été préparée par une lente et laborieuse remise en question d'idées, d'idéologies, d'attitudes et de mentalités qu'elle a été d'abord et surtout une mutation culturelle [...]. Elle a provoqué des changements d'esprit, mais peu de transformations structurelles (Coleman, 1984: 84).

FIGURE 8.14
Lionel Groulx s'adressant aux professeurs et aux étudiants du département d'histoire de l'Université de Montréal. En tant que clerc, historien et activiste sociopolitique, la chanoine Lionel-Adolphe Groulx (1878-1967) exerça une profonde influence sur la vie intellectuelle québécoise pendant la première moitié du XXe siècle. Sa passion pour l'histoire s'était développée à l'époque où il enseignait au collège classique de Valleyfield, lorsqu'il s'était aperçu que ses étudiants ignoraient presque tout de leur patrimoine culturel. Nommé, en 1915, à la nouvelle chaire d'histoire canadienne de l'Université de Montréal, il devint rapidement l'historien « national » du Canada français, se faisant le chantre d'un nationalisme conservateur fondé sur l'héritage français et catholique de la population. Il créa d'abord l'Association catholique de la jeunesse canadienne-française (1903-1904), puis les revues *L'Action française* en 1920 et *L'Action nationale* en 1929. Cette dernière, qui rendait l'industrialisation et le capitalisme américain responsables de la Crise, incitait à la xénophobie. Au début, le nationalisme de Groulx s'apparentait à celui d'Henri Bourassa, qui cherchait à intégrer le Canada français dans une confédération canadienne plus large débarrassée de ses symboles impériaux. L'influence de la droite française et sa propre conception de la religion et de l'ethnicité l'amenèrent à centrer de plus en plus son action sur le Québec : « Notre État français, nous l'aurons ; nous l'aurons jeune, fort rayonnant et beau, foyer spirituel, pôle dynamique pour toute l'Amérique française. » Souvent considéré comme le père spirituel du nationalisme québécois moderne, le chanoine faisait remonter à la Conquête l'origine de l'oppression du Canada français. En 1947, il fondait la *Revue d'histoire de l'Amérique française.*

LA CULTURE

C'est dans le champ de la culture que le conflit entre conservatisme et modernisme est peut-être le plus évident. Le pouvoir, l'influence et l'importance numérique de l'Église catholique atteignirent leur apogée dans les années 1950. Le clergé, avec ses 8000 prêtres et les quelque 50 000 membres des communautés religieuses, était omniprésent dans le quotidien des Québécois, aussi bien par sa présence dans les institutions de santé et la vie paroissiale que par son contrôle de l'éducation. Grâce au travail de clercs militants comme le chanoine Groulx (figure 8.14) et à celui des membres de l'École sociale populaire, l'idéologie catholique continuait d'influencer fortement les mouvements nationalistes et sociaux.

Mais, en dépit de cette position de force apparente, l'Église était vulnérable. Elle n'avait en fait jamais formé un bloc homogène et la remise en cause de sa doctrine sociale et de ses valeurs traditionnelles, par un nombre impressionnant d'ecclésiastiques dans les années 1930 (dont le frère Marie-Victorin) (figure 8.15) en est une indication. Les Dominicains, connus pour leurs idées libérales, créèrent pendant cette période deux institutions qui privilégiaient une approche scientifique plutôt que religieuse de la connaissance : l'Institut d'études médiévales de l'Université de Montréal en 1942 et l'École des sciences sociales (1938) de l'Université Laval qui devint la Faculté des sciences sociales en 1943 sous la direction du père Georges-Henri Lévesque. La période de l'après-guerre vit ainsi l'établissement de nouveaux départements universitaires échappant au contrôle des facultés de théologie. Même la hiérarchie au sein de l'Église subit les nouvelles influences : en 1938, Mgr Philippe Desranleau, de Sherbrooke, fut le premier prêtre ouvrier à être nommé évêque. Plus tard, à Montréal, Mgr Joseph Charbonneau (qui fut à la tête de l'évêché en 1940) fit campagne pour que l'Église se penche sur les besoins de la population catholique des villes.

La dépendance traditionnelle des éditeurs et des libraires québécois (Beauchemin, Granger, Garneau) envers le clergé pour l'achat de manuels et la vente de larges quantités de livres ajoutaient au pouvoir de censure de l'Église. En 1933, la publication par l'éditeur Albert Pelletier d'*Un homme et son péché* a marqué le début de l'édition indépendante au Québec. La fondation de la Société des écrivains canadiens-français en 1935 devint le symbole d'une liberté et d'une autonomie littéraire croissante. Mais il ne faut pas trop exagérer cette liberté ; en 1934, le cardinal Jean-Marie-Rodrigue Villeneuve mit *Les Demis-civilisées* de Jean-Charles Harvey à l'index puisqu'il était trop critique des pouvoirs en place.

Jusqu'à la Seconde Guerre mondiale, la censure ecclésiastique avait empêché les éditeurs d'imprimer des livres mis à l'index. À la suite de l'occupation de la France en 1940, ils commencèrent à publier des ouvrages français et le clergé perdit son contrôle. De toute façon, la littérature québécoise ne faisait déjà plus

FIGURE 8.15
Le frère Marie-Victorin, quelques mois avant sa mort. En plus d'avoir été l'un des scientifiques québécois les plus importants de l'entre-deux-guerres, le frère Marie-Victorin, fondateur du Jardin botanique de Montréal et auteur de la *Flore laurentienne*, était également un libre penseur tiraillé entre ses vœux, sa sexualité, d'importantes questions sociales comme le contrôle des naissances et la position officielle de l'Église. Écrivant à une jeune compagne de travail, il lui exprime son anxiété : « Au milieu des conventions et des hypocrisies, au milieu même des tâtonnements et des contradictions théologiques ([…] le *birth control*, etc.) j'ai voulu, en tenant compte de ce que la biologie nous a appris, me faire pour moi-même un système moral […]. Dieu, du haut de son ciel, juge les âmes plus d'après leurs intentions […] que d'après leur conformisme externe (*L'Actualité*, 1er mars 1990). »

écho à l'idéologie conservatrice dominante. Entre 1933 et 1945, le roman québécois à saveur rurale avait atteint des sommets avec la publication d'*Un homme et son péché* (1933) de Claude-Henri Grignon, de *Menaud maître-draveur* (1938) de Félix-Antoine Savard, de *Trente arpents* (1938) de Ringuet (Philippe Panneton) et du *Survenant* (1945) de Germaine Guèvremont. Cependant, ces romans n'avaient plus pour objectif d'idéaliser la vie de campagne. Savard, le plus conservateur de ces écrivains, utilisa le cadre rural pour mettre en scène un nationalisme ardent :

> Alors, Menaud brandit le poing. De son vieux fond de révolte, sortait sa rancœur contre l'avachissement des siens. Ils en étaient rendus là […] à se laisser dépouiller comme des vaincus, à consentir, dans leur propre domaine, à toutes les besognes de servitude, à vendre même l'héritage contre le droit des enfants et les contrats du passé.

Ringuet a, quant à lui, illustré de manière frappante les tensions entre les valeurs rurales et urbaines, de même que le conflit entre les générations.

Les femmes ont participé à la nouvelle orientation de la littérature québécoise. *La Chair décevante* (1931) de Jovette Bernier et *Chaque heure a son visage* (1934) de Medjé Vézina témoignent des défis posés au nationalisme, au sens du devoir et au patriarcat traditionnels. Les femmes écrivains des années 1930 ont introduit dans la littérature des thèmes bourgeois et laïques qui ont été repris par des auteurs de l'après-guerre comme Gabrielle Roy, André Langevin, Roger Lemelin, Gérard Bessette et Anne Hébert (Robert, 1989 : 198).

L'opposition à la répression intellectuelle s'est exprimée avec force en 1948 dans la publication du *Refus global* de Paul-Émile Borduas ; ce manifeste accusait les différents régimes coloniaux — ceux de Paris, Londres et Rome — d'avoir causé l'aliénation des Québécois. Le roman satirique de Gérard Bessette, *Le Libraire* (1960), s'attaquait également à la censure de l'Église. Justifiant la vente de l'*Essai sur les mœurs* de Voltaire à un collégien, le héros de Bessette explique : « [...] sans la réputation monstrueusement surfaite dont jouissait Arouet, réputation due en grande partie à la violence avec laquelle ses adversaires le dénigrent et le prohibent, il ne serait peut-être jamais venu à l'esprit d'un collégien de le lire. » Le ressentiment face au patriarcat, à l'autoritarisme, et au climat religieux de la société québécoise explose dans les romans autobiographiques de Claire Martin racontant son enfance. Les portraits amers qu'elle dresse de ses parents résument bien son opinion sur l'idéalisation de la vie familiale traditionnelle des Québécois :

> Je les connais bien, les femmes de cette génération. Il semble que ce fut chez elles que la timidité, la crainte, l'incapacité de vivre, la peur du siècle et de l'au-delà atteignirent leur culminance [...]. Ma pauvre mère et ses contemporaines ont vraiment vécu l'étape la plus étouffante de l'aventure féminine.
>
> Il ne m'est pas difficile d'imaginer toute l'époque qui précéda ma naissance. L'invariabilité est le propre de ces situations [...]. Après dix mois de mariage, elle avait déjà été battue et mon père essayait déjà de l'empêcher le plus possible de voir grand-papa et grand-maman.

L'attaque la plus virulente qui infligea le plus de dommages à l'ordre établi est venue de Jean-Paul Desbiens qui publia, sous un pseudonyme, ses fameuses *Insolences du frère Untel*. Paru en 1960, son ouvrage dénonçait le contrôle de l'Église sur l'éducation et, en particulier, l'aliénation des jeunes, victimes d'un programme d'études anachronique et qui, pour l'apprentissage de leur langue, se voyaient imposer des auteurs catholiques ultra-conservateurs. Vendu à plus de 100 000 exemplaires en quatre mois, le livre a largement contribué à l'agitation intellectuelle des années 1960.

Il existait un lien entre les préoccupations et les revendications de l'élite et celles de la population du Québec dans son ensemble. En 1936, une aile québécoise de l'Institut canadien de l'éducation des adultes avait été fondée; après la guerre, elle se détacha de la maison mère. En 1952, sous le nom de la Société canadienne de l'éducation des adultes, elle était devenue un groupe de réforme pluraliste. Elle entretenait des liens étroits avec le département de l'éducation permanente de la Faculté des sciences sociales de l'Université Laval et avec Radio-Canada, qui produisait à cette époque des émissions de radio, et plus tard de télévision, telles que *Les Idées en marche*.

Parallèlement à la «culture», la culture populaire s'est développée dans plusieurs directions. Durant la guerre, les maisons d'édition québécoises avaient prospéré: des kiosques de vente poussaient un peu partout dans les gares, les gares d'autobus et les pharmacies. L'après-guerre fut un moment difficile pour les éditeurs du Québec; le retour des magazines français et l'arrivée des bandes dessinées et des livres de poche américains amenèrent 23 des 27 éditeurs québécois à fermer leurs portes après 1945 (Robert, 1989: 136).

L'élévation du niveau de vie, l'arrivée de la civilisation de l'automobile et des médias contribuèrent à homogénéiser la culture québécoise et à réduire les variantes régionales. Fondée en 1936, la Société Radio-Canada était la source du divertissement populaire, d'abord à la radio, puis à la télévision après 1952. La programmation, avec sa saveur et son accent typiquement montréalais, tendait à inculquer aux francophones un système de valeurs urbaines. La radio et la télévision cherchaient aussi à élargir les horizons des Québécois avec des émissions comme *Point de mire*, animée par René Lévesque, qui abordait des événements internationaux, telle la guerre d'indépendance algérienne, dans une perspective québécoise.

BIBLIOGRAPHIE

Sur l'idéologie, voir Fernand DUMONT et Jean HAMELIN, *Les Idéologies au Canada français, 1939-1974*, PUL, 1981 et Léon DION, *Québec, 1945-2000*, vol. 2, *Les Intellectuels et le temps de Duplessis*, PUL, 1987. Claude COUTURE étudie le concept de modernisation dans *Le Mythe de la modernisation du Québec des années 1930 à la Révolution tranquille*, Méridien, 1991. Le régime Taschereau a été traité par Bernard VIGOD dans *Quebec before Duplessis. The Political Career of Louis-Alexandre Taschereau*, McGill-Queen's, 1986, en ce qui concerne ses relations avec les trusts, l'étude de T. D. REGEHR, *The Beauharnois Scandal. A Story of Canadian Entrepreneurship and Politics*, University of Toronto Press, 1990, est à consulter. L'ère duplessiste a été abordée par Herbert F. QUINN, *The Union Nationale. A Study in Quebec Nationalism*, University of Toronto Press, 1963, et par Gérard BOISMENU, *Le Duplessisme: politique économique et rapports de force, 1944-1960*, PUM, 1981. *Prelude to Quebec's Quiet Revolution: Liberalism versus Neo-Nationalism, 1945-1960*, McGill-Queen's, 1985, de Michael BEHIELS contient une excellente analyse de la période tandis que *Quebec since 1945: Selected Readings*, Copp Clark Pitman, 1987, du même auteur, présente différents points de vue. Sur le premier ministre méconnu, voir Jean-Guy GENEST, *Godbout*, Septentrion, 1996.

Le Rapport Tremblay (Commission royale d'enquête sur les problèmes constitutionnels, 1953) et le *Rapport Rowell-Sirois* (Commission royale d'enquête sur les relations entre le Dominion et les provinces, 1940) constituent une excellente documentation pour le débat fédéral-provincial. Également intéressant pour l'accent porté sur la théorie de la dépendance, *The Independance Movement in Quebec, 1945-1980*, de William D. COLEMAN, University of Toronto Press. Comme Coleman et Behiels, Jean-Louis ROY, dans *La Marche des Québécois : le temps des ruptures (1945-1960)*, Leméac, 1976, insiste sur les éléments progressistes déjà présents à la période duplessiste. Pour les années 1950, voir aussi Gérard PELLETIER, *Les Années d'impatience. 1950-1960*, Stanké, 1983. Le développement des programmes sociaux et les relations fédérales-provinciales sont examinés dans *L'Évolution des politiques sociales au Québec, 1940-1960*, PUM, 1988, de Yves VAILLANCOURT.

Jacques ROUILLARD, *Histoire du syndicalisme québécois*, Boréal Express, 1989 étudie les syndicats tandis qu'Andrée LÉVESQUE décrit les éléments plus radicaux dans *Virage à gauche interdit : les communistes, les socialistes et leurs ennemis au Québec, 1929-1939*, Boréal Express, 1984. Sur les femmes contestataires, voir Patricia SMART, *Les Femmes du Refus global*, Boréal, 1998.

Les rapports entre la famille et l'État sont décrits dans Dominique MARSHALL, *Aux origines sociales de l'État-providence*, PUM, 1998. Pour les droits politiques des femmes, *Les Québécoises et la conquête du pouvoir politique*, Saint-Martin, 1990, de Chantal MAILLÉ est à consulter. La coopération agricole est analysée dans Claude BEAUCHAMP, *Agropur*, Boréal, 1988. *L'Institution du littéraire au Québec*, PUL, 1989, de Lucie ROBERT procède à une intéressante analyse de la culture en insistant sur l'importance de la période de 1920-1960. Sur la question des médias électroniques, voir « Le début des affaires publiques à la télévision québécoise », *RHAF*, 36, 2, 1982 : 213-237, de Gérard LAURENCE ; et *Elements for a Social History of Television : Radio-Canada and Québec Society, 1952-1960*, mémoire de maîtrise, Université McGill, 1989, d'André COUTURE. Pour l'environnement, voir Chad GAFFIELD et Pam GAFFIELD, *Consuming Canada : Readings in Environmental History*, Copp Clark, 1995.

CHAPITRE IX

La Révolution tranquille

La mort de Maurice Duplessis à Schefferville en septembre 1959 suivie de l'élection des libéraux de Jean Lesage au printemps suivant marquent traditionnellement la fin de la « Grande Noirceur » — qui avait englouti le Québec. Bien que l'on ne doive pas exagérer l'importance de la mort d'une personne, les années 1960 et 1970 furent une période de changements rapides et dramatiques au Québec, alors que les institutions et les mentalités traditionnelles s'écroulèrent devant les transformations radicales touchant l'État, l'économie, la famille et la société.

Au cours des décennies 1960 et 1970, les intellectuels francophones — ceux de « la nouvelle classe moyenne bureaucratique » que décrit McRoberts (1988 : 90) — accédèrent au pouvoir politique, aussi bien à Ottawa qu'à Québec. Issus des collèges classiques, ces médecins, enseignants, journalistes, ingénieurs et administrateurs du secteur public rejetèrent les valeurs catholiques traditionnelles au profit de l'étatisme et de la laïcisation. Ils modernisèrent la bureaucratie et augmentèrent l'influence de l'État en créant des structures répondant aux exigences de l'éducation de masse et de l'État-providence. Désormais, l'État s'immisce davantage dans la vie privée ; des mesures telles que l'assurance maladie, le divorce, l'avortement, le contrôle des loyers, l'assurance automobile d'État, la protection du consommateur et l'aide apportée aux productions culturelles soulevèrent des questions de société fondamentales dans le domaine du droit civil.

L'élément central de ce processus de plus grande intervention de l'État au nom des intérêts de la collectivité fut certainement la question linguistique. La défense de la langue française devint la pièce maîtresse du nationalisme, remplaçant l'église et les institutions juridiques dans le rôle de garant traditionnel de la société francophone. La Charte de la langue française — loi 101 — votée par l'Assemblée nationale du Québec en 1977, fut au centre d'un débat acharné sur la question linguistique, qui a marqué ces décennies.

À des degrés divers, ces réformes ont toutes fait partie de la « question nationale ». Le concept du Québec en tant que peuple fut revivifié, et l'idée de la nation fut de plus en plus synonyme du territoire de la province. Ces impératifs eurent plusieurs effets : ils affaiblirent le concept traditionnel plus vaste d'un Canada français historique qui dépassait largement les frontières provinciales. Ils provoquèrent l'inquiétude des anglophones et des autres non-francophones car ils sous-entendaient leur assimilation au peuple québécois. Enfin, ils tendaient à isoler le gouvernement fédéral en le considérant comme un élément étranger, voire hostile, aux aspirations des Québécois.

À Ottawa avec Pierre Elliott Trudeau, et à Québec avec René Lévesque, s'éleva un débat fondamental sur l'avenir politique du Canada. De la Commission royale sur le bilinguisme et le biculturalisme de la fin des années 1960, au référendum sur la souveraineté de 1980 et le rapatriement de la Constitution en 1982, incluant la Charte des droits et libertés, les choix du Québec, allant du *statu quo* constitutionnel à un statut particulier, de la souveraineté-association à l'indépendance pure et simple, furent scrutés en profondeur. Mais l'échec du référendum de 1980, l'exclusion du Québec de la Constitution canadienne un an plus tard, la démission de Trudeau en 1984 et la défaite du Parti québécois en 1985 laissaient présager un changement d'orientation politique radical.

Durant ces années, les syndicats agricoles et ouvriers, les réformateurs municipaux, les femmes et les groupes d'action sociale allèrent bien au-delà de la question nationale pour aborder celle des problèmes sociaux : le logement, la violence, l'éducation et l'avortement. Dans son manifeste de 1972, la Centrale des enseignants du Québec (devenue en 1974, la Centrale de l'enseignement du Québec, la CEQ) décrivait ainsi le système scolaire : « L'école est à l'image même de la société capitaliste, qui ne pourrait se maintenir sans l'exploitation du travail de la majorité par une minorité qui s'approprie les moyens de production et contrôle ainsi le pouvoir politique. » Les groupes réformateurs en vinrent progressivement à considérer l'indépendance comme une condition essentielle pour atteindre leurs objectifs.

Au fur et à mesure que Montréal perdait de son importance au sein du Canada au profit de Toronto, la classe d'entrepreneurs francophones et l'État provincial se concentraient de plus en plus sur l'économie régionale du Québec qu'ils cherchaient à maîtriser. Le taux de contrôle des francophones sur les industries du Québec passa de 47 % en 1961 à 60 % en 1987 (Langlois *et al.*, 1990 : 411). Pourtant, même si les performances d'entreprises telles que Bombardier laissaient croire que le Québec s'orientait assidûment vers le marché international plutôt que vers le marché canadien, ce marché international était en réalité de plus en plus américain. Le pourcentage des exportations québécoises vers les États-Unis — en grande partie des produits semi-finis — s'est élevé de

66 % en 1968 à 77 % en 1987. Ces faits nous aident à comprendre pourquoi, en 1988, le Québec fut la province canadienne la plus favorable au Traité de libre-échange avec les États-Unis.

DÉMOGRAPHIE

L'évolution démographique du Québec durant la Révolution tranquille fut marquée par quatre facteurs : la chute du taux de natalité, le vieillissement de la population, le déclin de la structure familiale traditionnelle et l'immigration. Bien que ces phénomènes aient été communs à tous les pays occidentaux, les changements intervenus au Québec demeurent impressionnants.

Le taux de natalité du Québec, qui fut l'un des plus élevés du monde occidental, chuta au point de devenir l'un des plus bas dans les années 1980. Les effets de l'effondrement de l'influence de l'Église et de l'arrivée de la pilule contraceptive se firent ressentir durant la deuxième moitié des années 1960, quand l'indice de fécondité tomba de 3,4 enfants par femme en 1960 à 2,0 en 1970. Alors que 30 % seulement des Québécoises utilisaient la contraception avant 1960, plus de 90 % contrôlaient leur fertilité vers 1970. Cette tendance se poursuivit durant la décennie suivante, bien qu'à un rythme plus lent, l'indice atteignant son plus bas niveau, de 1,37, en 1986 (Perron, Lapierre-Adamcyk, et Morissette, 1987b). Au cours des années 1970, de nouvelles méthodes contraceptives sont apparues (vasectomie et ligature des trompes) remplaçant la pilule dans une certaine mesure. Bien que le taux de natalité ait décliné dans toutes les régions du Canada durant la même période, cette chute de la natalité, contemporaine d'une baisse de l'immigration au Québec, eut des conséquences plus graves, puisque la part de sa population dans l'ensemble du pays passa de 29 % dans les années 1940 et 1950, à moins de 26 % en 1981.

Le déclin du taux de natalité en deçà du seuil de renouvellement des générations — 2,1 enfants par femme en âge de procréer — vint renforcer la crainte d'une possible disparition de la population francophone, et contribua aux tensions linguistiques et aux pressions pour forcer l'intégration des immigrants à la majorité francophone.

L'accès à l'avortement thérapeutique, une revendication importante du mouvement féministe, affecta également le taux de natalité (figure 9.1). D'abord pratiqués seulement dans des établissements privés de renom tels que la clinique Henry Morgentaler, les avortements furent de plus en plus offerts dans les hôpitaux et les centres locaux de services communautaires (CLSC). En 1971, il n'y avait que 1,4 avortement thérapeutique pour cent naissances ; vers 1986, il y en avait 18,9. Et les avortements ne se limitaient pas aux seules adolescentes ; la plupart étaient pratiqués sur des femmes âgées d'entre 20 et 29 ans, indiquant la

FIGURE 9.1
Une manifestation en faveur de la légalisation de l'avortement en 1970. Si la langue divise souvent les Québécois, le mouvement féministe trouva des appuis aussi bien chez les anglophones que chez les francophones. Le Québec se situe à l'avant-garde des pays occidentaux en ce qui concerne l'accès à l'avortement, mais son système fut contesté tout au long des années 1970 par des forces conservatrices. Au cours des années 1980, les services de garderie, l'égalité économique, la pornographie et d'autres manifestations de la violence faite aux femmes remplacèrent l'avortement comme principales préoccupations du mouvement féministe.

détermination des Québécoises à ne pas donner naissance à des enfants non désirés.

Malgré un déclin prononcé de la mortalité infantile, de 31,5 pour mille à environ 7 pour mille depuis 1960, la baisse de la natalité et la stabilité du taux de mortalité des adultes contribuèrent au vieillissement de la population. L'espérance de vie des hommes augmenta, passant d'environ 60 ans au début de la Deuxième Guerre mondiale à 72,2 ans au milieu des années 1980 ; durant la même période, la moyenne pour les femmes augmenta de 63 à 79,7 ans. L'augmentation de la longévité signifie souvent une dépendance accrue, puisque handicaps et perte

FIGURE 9.2
Une partie de quilles. L'amélioration des soins de santé a permis aux personnes âgées de demeurer actives. Si le vieillissement a un effet négatif sur la demande de produits manufacturés, le secteur des services — notamment des loisirs — en profite.

d'autonomie se produisent en général après soixante ans (Fournier et Lapierre-Adamcyk, 1992). Les chiffres des taux de mortalité révèlent un phénomène de classe important et persistant : en 1987, l'espérance de vie des Montréalais aisés dépassait de dix ans l'espérance de vie de leurs concitoyens pauvres. La plus grande présence des femmes sur le marché du travail rémunéré diminua leurs possibilités d'accorder des soins aux personnes âgées. Le gouvernement du Québec dut créer un réseau de résidences pour les aînés et, aujourd'hui, le pourcentage de ces personnes vivant en institution est plus élevé que partout ailleurs en Amérique du Nord.

Ce profil des âges a eu d'importantes conséquences. Tandis que la population d'âge scolaire diminuait de façon constante depuis 1960 et que l'arrivée des jeunes sur le marché du travail ralentissait après 1980, les demandes en soins de santé et en allocations de vieillesse augmentaient. Les Québécois de moins de quatorze ans représentaient plus d'un tiers de la population en 1961, mais seulement un cinquième en 1987. Durant la même période, la population des plus de soixante-cinq ans passa de 5,8 % à 10 % de la population totale du Québec (figure 9.2). Bien qu'un niveau de vie plus élevé ait compensé les effets négatifs du vieillissement sur la demande de logements et de biens de consommation, le marché intérieur du Québec rétrécit.

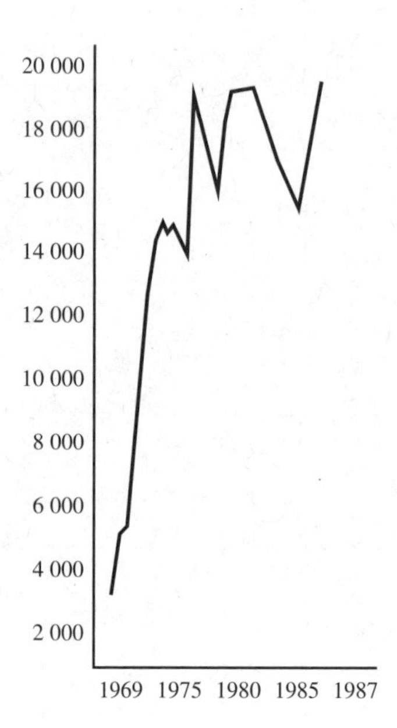

FIGURE 9.3
Les divorces au Québec, 1969-1987.

Le bouleversement des structures familiales est l'un des traits frappants de la démographie québécoise durant la Révolution tranquille. En raison du brusque déclin de la pratique religieuse depuis 1960 et de l'évolution des valeurs morales, le mariage n'est plus la norme pour de nombreux Québécois, particulièrement pour les francophones instruits. Ce phénomène s'est accéléré après 1980 ; en 1984, 27 % des femmes âgées de vingt à vingt-quatre ans et 42 % de celles entre vint-cinq et vingt-neuf ans vivaient en union libre. En 1986 au Québec, 487 000 couples déclaraient vivre sous ce régime.

Autre trait démographique, la tendance à vivre seul ou en famille monoparentale (figure 9.3). En 1961, 4,9 % des gens vivaient seuls ; vers 1989, cette population avait augmenté jusqu'à 24,5 %. En 1961, seulement 8 % des ménages avec enfants étaient dirigés par une personne seule — la plupart du temps une veuve — tandis qu'en 1986 ce pourcentage avait bondi jusqu'à près de 26 % ; il s'agissait généralement de femmes seules ou divorcées. C'était le double de la moyenne canadienne. Le divorce est aussi devenu une réalité importante depuis que la loi de 1969 l'a rendu plus accessible. En 1982, le nombre de mariages se terminant par la mort de l'un des conjoints ou par le divorce dépassait le nombre des nouveaux mariages (Langlois *et al.*, 1990). La structure familiale se modifia également pour les couples mariés. En 1961, la taille moyenne d'un ménage

FIGURE 9.4
Montréal, ville pluriethnique. Les nombreux commerces de la rue Saint-Laurent constituent des lieux de rencontre de toutes les communautés culturelles.

québécois était de 4,53 personnes ; en 1989, elle avait chuté à 2,59. Parmi les ménages acquéreurs d'une maison en 1986, 42 % n'avaient pas d'enfants.

Les migrations contribuèrent à modifier le profil déjà changeant de la population (figure 9.4). L'immigration massive de l'après-guerre céda le pas, à partir des années 1960, à une nette émigration vers l'extérieur de la province. Cette émigration culmina après la Crise d'octobre de 1970 et l'élection du Parti québécois en 1976 : entre 1977 et 1979, les émigrants dépassèrent de plus de 80 000 les immigrants. Au total, entre 1971 et 1986, 198 274 anglophones quittèrent le Québec. Au même moment, leur concentration dans la région de Montréal s'accrut. La proportion des anglophones québécois vivant dans l'île de Montréal passa de 70 % à plus de 75 % entre 1961 et 1986.

L'immigration au Canada déclina après 1974, et la part du Québec dans cette immigration diminua d'autant. La grande majorité des immigrants au Québec s'installaient dans la région de Montréal ; en 1981, 87,3 % des Québécois parlant une autre langue que le français ou l'anglais vivaient à Montréal. L'origine ethnique des immigrants s'est également considérablement modifiée. Durant les

TABLEAU 9.1

L'origine ethnique de la population du Québec, 1961-1986

	1961	1986
Français	4 241 354	5 240 250
Britanniques et Irlandais	567 057	465 750
Allemands	39 457	28 425
Grecs	19 390	47 450
Italiens	108 552	163 880
Juifs	74 677	81 190
Polonais	30 790	18 835
Asiatiques	14 801	72 435
Antillais	—	12 980
Amérindiens et Inuits	21 343	49 710

années 1950 et 1960, 95 % des immigrants venaient d'Europe ou des États-Unis ; en 1986, 70 % venaient d'Asie, d'Afrique du nord, du Moyen-Orient ou d'Amérique latine (tableau 9.1). La concentration d'immigrants dans des quartiers montréalais comme celui de Côte-des-Neiges suscita des tensions ethniques, des heurts avec la police et des problèmes dans les écoles.

La population des autochtones du Québec s'est accrue à un rythme beaucoup plus accéléré que celui de l'ensemble de la population. De plus, les données des recensements sous-estiment probablement leur nombre total, en raison de la Loi sur les Indiens de 1876 : les Indiennes qui épousaient des Blancs perdaient leur statut d'autochtones et leurs descendants métis ne pouvaient obtenir ce statut.

LES FRANCOPHONES À LA CONQUÊTE DE L'ÉCONOMIE DU QUÉBEC

Durant la Révolution tranquille, l'économie du Québec fut soumise à des changements fondamentaux. L'expansion de l'après-guerre se prolongea fermement dans toutes les économies capitalistes occidentales jusqu'au premier choc pétrolier de 1973, permettant aux Québécois de bénéficier d'une prospérité inégalée. La croissance fut ensuite plus lente, et accompagnée d'un fort taux de chômage, d'augmentations d'impôts, de plus grandes disparités régionales et de l'émergence d'une économie postindustrielle.

Bien que l'élection du Parti québécois en 1976 soit souvent associée au déclin de Montréal, comme nous l'avons vu au chapitre 8, la ville était déjà, vers 1960, descendue du niveau de métropole canadienne à celui de centre régional (Kerr and Holdsworth, 1990 : fig. 55). L'ouverture de la voie maritime du Saint-Laurent a porté préjudice à son trafic portuaire et ferroviaire et, de plus, la décision de détourner les vols internationaux vers l'aéroport de Mirabel et de conserver Dorval pour les vols nord-américains a mis un terme à son rôle de pivot du trafic aérien canadien. Le phénomène des délocalisations de sociétés était déjà bien entamé au début des années 1960, alors que l'économie ontarienne se développait plus vite. Après 1960, ce sont des facteurs culturels qui doivent être pris en compte : l'émergence du nationalisme, incluant le terrorisme du FLQ, et les débats sur l'accès aux écoles anglaises. Ces facteurs se firent plus importants après 1976, minant la position de métropole financière de la ville.

Les historiens néo-nationalistes des années 1950 et 1960 décriaient l'infériorité économique du Québec. Sous le slogan « Maîtres chez nous », le gouvernement du Québec entra dans le jeu économique dans les années 1960, contribuant au progrès des francophones sur ce plan. Son geste le plus spectaculaire fut la nationalisation des compagnies d'électricité en 1963. De gigantesques projets hydroélectriques le long de la Côte-Nord dans les années 1960 et dans le bassin de drainage de la baie James durant les années 1970 créèrent des milliers d'emplois et une capacité énergétique qui permit au Québec d'exporter de l'électricité vers la Nouvelle-Angleterre. De pair avec la réussite d'Hydro-Québec, le gouvernement ne créa pas moins de treize sociétés publiques dans les années 1960. Les plus importantes parmi celles-ci étaient la Caisse de dépôt et placement du Québec et la Société générale de financement. La création d'un État-providence au niveau provincial aussi bien que fédéral, le développement rapide de structures d'éducation et d'hospitalisation indépendantes de tout contrôle religieux, ainsi qu'une fonction publique pour administrer les nouveaux programmes créèrent de nouvelles possibilités pour les francophones. En 1960, il y avait 7,13 fonctionnaires provinciaux pour mille personnes au Québec ; en 1985, le taux était de 22,8 pour mille pour un total de 150 333 personnes employées par le gouvernement et les organismes gouvernementaux (Bernier et Boily, 1986 : 373). Cette expansion contribua à faire de la ville de Québec le centre urbain ayant la croissance la plus rapide dans la province.

La croissance du Québec durant l'après-guerre était due en grande partie au développement des industries d'extraction des ressources naturelles. Après 1975, ce secteur fut durement éprouvé. Les récessions récurrentes du marché américain, les délocalisations des entreprises internationales vers le marché du travail à bas prix des pays du Tiers-Monde, et les risques pour la santé associés à l'amiante provoquèrent la fermeture de mines de fer, de cuivre et d'amiante. Durant les années 1950 et 1960, la croissance de la Côte-Nord était alimentée par les projets hydroélectriques et par les mines de fer. Cette vague de prospérité ralentit en 1978 avec l'achèvement des centrales hydroélectriques du complexe Manic-Outardes, le long des rivières Manicouagan et des Outardes. L'effondrement du marché du minerai de fer après 1985 condamna les villes minières de Schefferville et de Gagnon, et restreignit l'activité maritime de Sept-Îles. La population de cette

FIGURE 9.5
Le travail dans une manufacture montréalaise en 1987. Malgré les améliorations apportées à beaucoup de lieux de travail, l'industrie du textile conserve souvent des ateliers qui n'ont guère changé depuis le début du siècle. En raison de la concurrence, notamment celle des pays asiatiques, ce travail demeure mal rémunéré et attire souvent une main-d'œuvre composée d'immigrantes.

dernière chuta de plus de 30 000 personnes à 25 000 entre 1976 et 1986, et n'a pas retrouvé son niveau initial.

La base industrielle du Québec déclina, mais son profil resta identique. L'alimentation, le vêtement, le textile, le cuir, le bois et le tabac restèrent importants, en reposant lourdement, comme par le passé, sur le travail des immigrants et des femmes (figure 9.5). Ce secteur représentait 43,1 % du travail industriel, et 35,7 % du produit industriel en 1983 (Bernier et Boily, 1986). Une prise de conscience des risques pour la santé associés au tabac, et la compétition avec les producteurs asiatiques de textile menacèrent ces secteurs et conduisirent à un brusque déclin de l'emploi à Montréal et à Québec.

Le moteur de l'expansion économique de l'après-guerre en Amérique du Nord était l'industrie automobile. Malgré les efforts entrepris pour créer de nouvelles usines dans le but d'attirer des compagnies étrangères telles que Peugeot et Renault dans les années 1960 ou Hyundai dans les années 1980, seule l'usine de General Motors à Sainte-Thérèse réussit à franchir ces décennies, tandis que l'Ontario assurait sa domination sur l'assemblage et les pièces détachées.

TABLEAU 9.2

Importance des secteurs de l'économie québécoise, 1961-1986
(en pourcentage du produit intérieur brut de la province)

	Primaire	**Secondaire**	**Tertiaire**
1961	12,4	35,9	51,7
1966	8,3	34,9	56,8
1971	6,4	31,7	61,9
1976	5,0	29,9	65,1
1981	4,6	26,3	69,1
1986	4,4	24,6	71,0

Les raffineries de la région de Montréal s'approvisionnaient en pétrole importé plutôt qu'en pétrole brut canadien, aussi furent-elles durement affectées par les chocs pétroliers de 1973 et de 1979, et plusieurs d'entre elles durent fermer. En revanche, la crise pétrolière profita à l'industrie de l'aluminium, l'industrie automobile s'étant mise à recourir aux métaux légers pour favoriser les économies de carburant. Les ressources hydroélectriques du Québec contribuèrent à faire de la province le leader mondial de la production d'aluminium. On développa aussi les technologies ferroviaires et aéronautiques, domaines dans lesquels la compagnie Bombardier jouait un rôle important sur les marchés internationaux. Mais, malgré le succès de quelques-uns de ses projets — tels que l'avion-citerne *Canadair* et le jet d'affaires *Challenger* —, l'industrie aéronautique de Montréal ne put regagner sa prééminence de l'époque de la guerre.

L'industrie de la construction constitue le baromètre habituel de la santé économique du Québec. Après quinze ans de croissance continue dans le logement, le commerce et le secteur des bureaux avant 1966, cette industrie connut un ralentissement. De grands projets subventionnés par les gouvernements, comme Expo 67 (1965-1967), les développements hydroélectriques de la Côte-Nord et du bassin hydrographique de la baie James (1971-1980), le site olympique (1974-1976), l'aéroport de Mirabel (1974-1977), ainsi que les programmes d'habitations subventionnées (par exemple, « corvée habitation » de Québec ou « l'Opération 100 000 logements » de Montréal) ont largement soutenu cette industrie depuis le milieu des années 1960.

De même que dans les autres pays occidentaux, le secteur tertiaire prit de l'essor au détriment de l'industrie et de l'extraction des ressources (tableau 9.2). Cela influença grandement le développement régional et la nature de l'emploi. Ainsi que nous l'avons vu, le nouvel État et les services bureaucratiques dans les domaines de la santé et de l'éducation, après 1960, augmentèrent le poids du service public.

Avec l'accroissement de la prospérité et de la consommation — le revenu d'une famille moyenne s'éleva de 22 120 $ (en dollars de 1986) en 1961 à 37 282 $ en 1986 — la plupart des nouveaux emplois furent créés dans les secteurs du commerce et des services. Le secteur de l'épicerie se dirigea vers une concentration croissante. Situés à l'intérieur de centres commerciaux, avec de nombreux services et de grands stationnements, les supermarchés finirent par dominer le secteur. Des chaînes de supermarchés — Provigo et Métro en tête — avec leurs propres conserveries, boulangeries, réseaux de transport et chaînes de dépanneurs affiliées menèrent une guerre des prix pour éliminer la plupart des petits épiciers indépendants. Une protection gouvernementale accordée sous la forme d'un monopole sur la vente de la bière, de certains vins et de billets de loterie permit la survie des dépanneurs. Quand les grandes chaînes furent autorisées à vendre de la bière et du vin, les dépanneurs se réfugièrent en vendant les cigarettes que l'on ne trouvait plus dans les pharmacies.

Malgré d'importantes différences régionales — les régions urbaines connurent en général un meilleur sort que les régions périphériques telles que la Gaspésie, la Côte-Nord, l'Abitibi et celle de l'amiante —, le chômage demeura un phénomène constant à l'échelle de la province. Bien que ce chômage ait décru jusqu'à son niveau le plus bas de 4,1 % en 1966, il augmenta lorsque les *baby-boomers* et les femmes arrivèrent sur le marché du travail. Le taux de participation des femmes à l'économie doubla durant cette période. Les personnes nées après 1955 durent affronter des taux de chômage de plus de 10 %. L'économie du Québec souffrit durement durant la récession de 1982, avec un taux de chômage culminant à 13,9 % en 1983. Le chômage resta important, même après 1986, quand les *baby-boomers* et les femmes eurent été absorbés dans l'économie.

Le travail à temps partiel se développa dans une double optique, celle du sexe et de l'âge. Les femmes représentaient 70 % de la main-d'œuvre de cette catégorie. Le travail à temps partiel concernait les deux extrémités de l'échelle des âges, mais différemment. La généralisation des régimes de retraite dans les entreprises privées, et les incitations du gouvernement à investir dans des fonds de retraite permirent à beaucoup d'hommes de plus de 55 ans de quitter progressivement le marché du travail, en travaillant à temps partiel (Langlois *et al.*, 1990 : 173). Le tiers des moins de vingt-cinq ans, aux prises avec l'absence de travail à temps complet, étaient contraints de travailler à mi-temps dans le secteur tertiaire. La flexibilité procurée par le travail à temps partiel pouvait convenir à certains jeunes, mais celle-ci compensait rarement le manque de sécurité et de progression de carrière. Le recours au travail contractuel permit à quelques petites et moyennes entreprises de survivre, mais il facilita aussi les restructurations des grandes compagnies. Le plus souvent, c'est aux employeurs que profitait le travail à temps partiel, en leur procurant flexibilité et coûts réduits, tout en affaiblissant les syndicats.

L'un des buts principaux de la Révolution tranquille était d'assurer la réussite économique des francophones. Après avoir brisé l'étau de l'Église catholique et démocratisé l'éducation, le Québec commença à produire des professionnels qualifiés qui pouvaient rivaliser avec les anglophones sur un pied d'égalité. Le changement de statut de Montréal ainsi que la politique gouvernementale de promotion du français sur les lieux de travail permirent l'émergence d'une bourgeoisie d'affaires francophone dynamique. Paul Desmarais de Power Corporation et Pierre Péladeau de Quebecor en sont des exemples. Vers la fin des années 1980, près des deux tiers des emplois provenaient des entreprises dirigées par des francophones. Toujours fortement représentés dans les petites entreprises, les francophones ont atteint un rang éminent dans de grandes compagnies, telles que la banque (Banque Nationale), l'ingénierie (SNC), le transport (Bombardier) et l'industrie de la transformation alimentaire (Culinar).

Bien que la part des capitaux étrangers soit restée importante dans les économies du Canada et du Québec durant toute la période de l'après-guerre, les politiques gouvernementales et les capitaux locaux ont réduit la proportion des capitaux étrangers dans l'économie, d'un maximum de 38 % en 1968 à 26 % en 1982. L'influence de la Caisse de dépôt et placement, qui gérait les contributions au régime de retraite du Québec depuis 1965, ne doit pas être sous-estimée, mais la volonté de ne pas dépendre des investissements étrangers doit aussi être mise au crédit d'autres facteurs. Vers 1986, le Mouvement des caisses Desjardins, coopérative constituée de 1500 caisses populaires au Québec, avait un actif de plus de 30 milliards de dollars. Ce capital prit une importance croissante dans le financement d'entreprises au Québec. Dans les années 1980, les titres du Régime d'épargne-actions du Québec furent également un canal essentiel pour injecter de nouveaux capitaux dans les entreprises québécoises. Établi en 1979, ce plan accordait des réductions d'impôts aux contribuables qui investissaient dans des entreprises ayant leur siège social au Québec.

En dépit de la visibilité des grandes entreprises, les petites et moyennes entreprises, de moins de cinquante employés, grandirent en importance. En 1988, ces compagnies employaient 44,6 % de la main-d'œuvre, comparativement à 33,4 % en 1978.

L'AGRICULTURE

L'agriculture québécoise a maintenu un taux croissant de productivité, et un taux décroissant d'emplois. Commencé avant la Première Guerre mondiale, le déclin du nombre de fermes s'est accéléré après 1960 : le nombre d'exploitations agricoles passa de 95 777 en 1961 à 41 448 en 1986. L'abandon de l'agriculture dans les régions périphériques et l'étalement urbain autour de Montréal et de la ville de Québec incitèrent le gouvernement du Parti québécois à voter une « loi verte » en 1978, dans le but d'empêcher l'utilisation des terres rurales à d'autres fins que celles de l'agriculture. À la même époque, les fermes familiales se consolidaient en unités plus vastes ; la taille moyenne d'une exploitation agricole passa de 60 hectares en 1961 à 87,8 hectares en 1986. De plus grandes surfaces signifiaient aussi des revenus plus élevés ; en 1981, seulement 8,6 % des fermes affichaient des revenus de plus de 100 000 $, tandis qu'en 1986 plus de 22 % des fermes dépassaient ce chiffre.

Le processus de modernisation commença après la Seconde Guerre mondiale mais les bénéfices obtenus par l'utilisation croissante des engrais chimiques, de la sélection animale et de la spécialisation étaient néanmoins contrebalancés par le maintien de nombreuses petites unités peu productives. La productivité générale stagna entre 1950 et 1965 avant de montrer des gains appréciables. Pendant la période allant de 1971 à 1987, la valeur de la production agricole passa de 305 millions de dollars à 3 milliards.

La modernisation eut d'importantes conséquences sur le financement de l'agriculture. En 1961, une ferme québécoise moyenne représentait un investissement de 18 606 $ en terres, équipement et bétail. Cette moyenne s'éleva à 35 390 dollars en 1971 et à 197 594 dollars en 1981. Comme les besoins en capitaux augmentaient, de grandes entreprises investirent dans ce secteur, et un nombre croissant de fermiers furent amenés à louer à bail toutes leurs terres ou une partie de celles-ci. En 1941, seulement 6,8 % des agriculteurs louaient leurs terres contre 21,8 % en 1981. Ces besoins plus importants en capitaux causèrent également une hausse de l'endettement, rendant les agriculteurs plus vulnérables aux fluctuations des prix et des taux d'intérêt. Néanmoins, les exploitations agricoles familiales du Québec résistèrent mieux au contrôle des grandes entreprises que celles de l'Ontario et des États-Unis.

Dans ces conditions, la comptabilité et la mise en marché prirent de plus en plus d'importance. Au même moment, nombre d'agriculteurs se groupèrent en coopératives pour essayer de reprendre le contrôle sur la production, le marché et les prix. Les coopératives prospérèrent mais, en devenant de grandes entreprises, leurs principes démocratiques d'origine furent souvent sacrifiés aux principes de gestion des écoles de commerce. Comme ses contreparties ouvrières, le syndicalisme agricole se radicalisa lorsque l'Union catholique des cultivateurs (UCC), fondée en 1924, se transforma en Union des producteurs agricoles (UPA) en 1972. L'UPA constitua un lobby efficace pour influencer les politiques gouvernementales concernant la mise en marché, les subventions et les quotas. Les fermes laitières, qui généraient plus d'un tiers des revenus agricoles du Québec en 1986, en bénéficièrent de manière substantielle, obtenant 47 % des quotas de lait canadiens.

LA MODERNISATION DE L'ÉTAT

La défaite du gouvernement de l'Union nationale en 1960 par le Parti libéral de Jean Lesage est généralement considérée comme le point de départ de la Révolution tranquille, mouvement qui transforma radicalement la société et la politique au Québec. Mais ce changement n'a peut-être pas été aussi soudain ; comme nous l'a rappelé François Ricard, il n'y eut pas de « putsch » (Ricard, 1992 : 103). En effet, l'influence du clergé déclinait déjà à l'époque de la Seconde Guerre mondiale, et depuis les années 1930 les syndicats affrontaient les patrons et l'État. Les dépenses gouvernementales s'élevèrent abruptement durant la période d'après-guerre, et encore davantage dans les années 1960. Déjà, le gouvernement d'Adélard Godbout, par l'amélioration du service public, par le droit de vote accordé aux femmes, et par la création d'Hydro-Québec, laissait augurer nombre de réformes ultérieures. Influencées par la radio, le cinéma, les magazines, la télévision, l'automobile, et d'autres attractions de la société de consommation, les classes populaires avaient depuis longtemps subi le processus d'intégration des valeurs américaines à leur propre culture.

Des collègues de cabinet aussi avisés que Paul Guérin-Lajoie voyaient en Jean Lesage, à la tête du Parti libéral en 1958, un politicien pragmatique :

> [...] avec la volonté manifeste de moderniser et de rationaliser l'appareil gouvernemental québécois, et de mettre en place les instruments utiles au développement collectif du Québec. Formé aux structures et au mode de fonctionnement de l'administration fédérale de type anglo-saxon (ce qui n'est pas péjoratif), et animé par les théories keynésiennes en honneur dans les années 1940 et 1950, il entreprit et poursuivit sa tâche de chef de gouvernement de manière très pragmatique, analysant et adoptant les projets de réforme un à un au fur et à mesure des circonstances (Comeau, 1989 : 17).

Symbolisée par le slogan « Maîtres chez nous », l'administration Lesage utilisa l'État pour mettre en œuvre le changement. Selon Lesage, « les Québécois n'ont qu'une seule institution efficace : leur gouvernement. Ils souhaitent maintenant l'utiliser pour bâtir un nouvel avenir auquel ils ne pouvaient pas aspirer auparavant (Gagnon, 1984 : 46) ».

La création d'un ministère de l'Éducation fut cruciale. Il soustrayait les programmes scolaires à l'influence de l'Église et confiait la socialisation des enfants aux intellectuels laïques engagés dans le nationalisme et le modernisme. Le gouvernement Lesage intervint activement dans l'économie, en nationalisant les dernières compagnies d'électricité privées en 1963. Hydro-Québec, avec la mise en œuvre du projet Manic-Outardes, devint le symbole de la capacité des francophones à contrôler de grands projets technologiques et financiers (figure 9.6).

FIGURE 9.6
Le barrage Daniel-Johnson. Symbole du savoir-faire québécois et de l'efficacité de l'intervention active de l'État.

Les économistes et les hauts fonctionnaires québécois, formés à Harvard ou à la London School of Economics, comprenaient l'importance du capital et ils utilisèrent la Caisse de dépôt et placement du Québec, créée en 1965, pour investir les fonds provenant du Régime de rentes du Québec et de quinze autres agences publiques telles que le fonds de la Société d'assurance automobile. Un large fonds commun de capitaux et le double mandat de la Caisse, « de parvenir à un retour maximal sur l'investissement » et de contribuer d'une manière « durable et soutenue à l'économie du Québec », firent d'elle un moteur essentiel de l'économie canadienne et québécoise dans des secteurs tels que l'énergie, les transports et l'industrie. Avec des investissements majoritaires dans des compagnies de l'importance de Noranda, du Gaz métropolitain, de Domtar et des usines de papier Cascades, la Caisse avait un actif de plus de 20 milliards de dollars en 1985, ce qui faisait d'elle le plus grand investisseur du marché financier canadien.

L'un des actes les plus significatifs du gouvernement Lesage fut d'entreprendre la spectaculaire expansion du service public. En une seule session parlementaire, il créa les ministères des Relations fédérales-provinciales, des Affaires culturelles, des Affaires sociales et des Ressources naturelles. Le nombre des travailleurs du service public fit plus que doubler entre 1960 et 1985 ; au cours de la même période, les revenus provinciaux s'élevèrent, passant de 3 183 150 dollars à 18 290 207 dollars, en dollars de 1981 (Langlois *et al.*, 1990 : 327).

Pendant les années 1960, des révolutionnaires issus des classes populaires déniaient au processus démocratique la capacité de parvenir à la justice sociale et à l'indépendance. Certains militants, aigris par le chômage, le contrôle étranger sur l'économie québécoise et les conflits à propos de la langue d'enseignement, se tournèrent vers les idéologies marxistes d'intellectuels tels que Herbert Marcuse ou vers les modèles de libération nationale du tiers-monde promus par des leaders tels que Che Guevarra. En 1968, les cégeps du Québec furent paralysés par une grève et, en janvier 1969, des étudiants manifestant contre le racisme à l'Université Sir George Williams (aujourd'hui Concordia) causèrent pour des millions de dollars de dommages à l'établissement.

Pierre Vallières fut l'une des figures marxistes dominantes des années 1960. Issu d'une famille ouvrière de Montréal, il essaya de politiser les Québécois en les comparant, dans son ouvrage *Nègres blancs d'Amérique*, à d'autres peuples colonisés. En 1963, cette idéologie se concrétisa par la formation du Front de libération du Québec (FLQ). Voué à la révolution pour détruire le « catholicisme moyenâgeux et l'oppression capitaliste », le FLQ visait tout particulièrement le gouvernement fédéral et la bourgeoisie anglophone, menaçant de détruire :

a) tous les symboles et institutions coloniales, en particulier la Gendarmerie royale et les forces armées ;
b) tous les médias d'information rédigés de langue coloniale qui méprisaient les Québécois ;
c) toutes les entreprises et tous les établissements commerciaux qui pratiquaient la discrimination envers les Québécois et n'utilisaient pas le français ;
d) toutes les manufactures et usines qui usaient de discrimination envers les ouvriers francophones.

En 1966, le gouvernement Lesage fut vaincu par une Union nationale renouvelée, qui proposa de concilier la poursuite des réformes, le nationalisme et la peur de l'étatisme. Sous le slogan « Égalité ou indépendance », le parti de Daniel Johnson sut reconnaître le désir grandissant des Québécois d'un contrôle exclusif de la province dans d'importants champs d'action. À la même époque, un autre groupe d'intellectuels opta pour une vision fédéraliste qui prendrait davantage compte des aspirations des francophones. En 1965, Pierre Elliott Trudeau, le syndicaliste Jean Marchand et le journaliste Gérard Pelletier joignirent le Parti

FIGURE 9.7
René Lévesque (1922-1987). Né en Gaspésie, Réné Lévesque a étudié le droit avant de devenir correspondant de guerre et ensuite journaliste à la télévision. Il s'engagea dans la politique aux côtés de Jean Lesage en 1960. Son humilité et ses talents d'orateur permirent de communiquer efficacement son message nationaliste. Le 5 juillet 1963, il déclara au *Devoir:* « Toute notre action dans l'immédiat doit tenir compte de deux données fondamentales. La première : le Canada français est une nation véritable, il renferme les éléments essentiels à la vie nationale et possède une unité, des ressources humaines et matérielles, un équipement et des cadres comparables ou supérieurs à ceux d'un grand nombre de peuples du monde. La deuxième, c'est que nous ne sommes pas un peuple souverain, politiquement (Provencher, 1973 : 204). »

libéral fédéral. Trois ans plus tard, Trudeau remplaça Lester Pearson en tant que premier ministre du Canada.

Au même moment, le Parti libéral provincial volait en éclats. De nombreux nationalistes considéraient que le gouvernement Lesage avait nié les implications logiques de sa propre politique de « Maîtres chez nous » en restant subordonné aux capitaux étrangers et en refusant d'envisager l'indépendance. René Lévesque quitta le parti en 1968, emmenant avec lui l'aile nationaliste (figure 9.7).

Durant les années 1960, l'affaiblissement politique et culturel des francophones hors Québec, les intrusions fédérales persistantes dans des champs de compétence provinciaux et l'émergence, à l'intérieur du Québec, d'une bourgeoisie francophone ambitieuse contribuèrent conjointement à renforcer le mouvement indépendantiste. Les premiers partis indépendantistes, le Ralliement national (RN) et le Rassemblement pour l'indépendance nationale (RIN), obtinrent 8 % des votes, mais aucun siège, aux élections de 1966.

En 1968, Lévesque créa le mouvement Souveraineté-Association, et fut rejoint par des membres du RN et du RIN. Ensemble, ils créèrent le Parti québécois en 1969. Se présentant aux élections générales de 1970 sous la bannière unificatrice de l'indépendance du Québec, le Parti québécois obtint 23,1 % des votes et sept sièges à l'Assemblée nationale du Québec.

L'activité révolutionnaire culmina lors de la crise d'Octobre de 1970. L'enlèvement de l'officier consulaire britannique James Cross fut suivi de celui du ministre du Travail du Québec, Pierre Laporte. Le gouvernement fédéral de Pierre Elliott Trudeau réagit fermement. Il subordonna rapidement le gouvernement du Québec et suspendit les libertés civiles en instituant la Loi sur les mesures de guerre. Il dépêcha l'armée, espérant ainsi écraser le mouvement indépendantiste. Des centaines d'intellectuels, de militants politiques et syndicaux furent emprisonnés arbitrairement. Cinq jours après l'adoption de la Loi sur les mesures de guerre, les chefs syndicaux réclamèrent sa suppression. Au début, la population du Québec était divisée. Beaucoup sympathisaient avec le manifeste du FLQ qui attaquait violemment l'Église, les entreprises colonialistes et le racisme anglophone ; mais le meurtre de Pierre Laporte discrédita le mouvement révolutionnaire pour l'indépendance (Bédard, 1998).

La question linguistique fut le moteur du mouvement indépendantiste. L'infériorité économique des francophones, au Canada et même au Québec, ressortait clairement dans les résultats des enquêtes de la Commission royale sur le bilinguisme et le biculturalisme à la fin des années 1960, et de la commission Gendron en 1972. La première révéla qu'un anglophone unilingue gagnait un salaire annuel moyen de 6 049 $. C'était plus que les anglophones bilingues (5 929 $) et beaucoup plus que les francophones bilingues (4 523 $) ou unilingues (3 107 $). Les conclusions de la commission Gendron étaient claires : l'anglais prédominait comme langue de travail — surtout à Montréal — et était indispensable pour l'avancement des cadres. L'expansion rapide de la fonction publique procura de l'emploi aux professionnels francophones. À Hydro-Québec, en 1963, 190 des 243 ingénieurs étaient des francophones, comme 85 % des scientifiques employés par le gouvernement provincial et les municipalités. Mais il restait encore un écart considérable entre les secteurs public et privé ; 14 % seulement des scientifiques employés dans les activités minières ou manufacturières étaient francophones (Gagnon, 1984 : 173). Cette différence entre les pratiques des entreprises du secteur privé et celles du secteur public n'échappa pas à l'attention des nationalistes. Au cours des années 1960, ils réclamèrent, avec de plus en plus d'insistance, une loi pour garantir l'usage du français sur le lieu de travail ; les syndicats se battirent pour obtenir des conventions collectives rédigés en français et créèrent des mouvements boycottage des magasins et des universités anglophones (figure 9.8).

Les conflits sur la question linguistique se cristallisèrent dans le domaine de l'éducation. Alors que le taux de natalité déclinait et que les statistiques montraient l'assimilation croissante des francophones, les nationalistes se préoccupèrent du statut de la langue française. En 1968, la province créa un ministère de l'Immigration et une infrastructure chargée de répartir les immigrants dans la

FIGURE 9.8
McGill français, 28 mars 1969. Les institutions anglophones furent la cible des nationalistes. Ces grandes manifestations avaient aussi l'appui de plusieurs étudiants anglophones et ont contribué à obliger l'administration de tenir compte de la réalité québécoise et de mieux s'y intégrer.

société québécoise. L'importance économique de l'immigration était incontestable et l'égalité de tous les individus fut officiellement reconnue dans la Charte des droits et libertés du Québec (1975) :

> Article 10. Toute personne a droit à la reconnaissance, et à l'exercice, en pleine égalité, des droits et libertés de la personne, sans distinction, exclusion ou préférence fondée sur la race, la couleur, le sexe, la grossesse, l'orientation sexuelle, l'état civil, l'âge, sauf dans la mesure prévue par la loi, la religion, les convictions politiques, la langue, l'origine ethnique ou nationale, la condition sociale, le handicap ou l'utilisation d'un moyen pour pallier ce handicap.

Mais, derrière cette grande déclaration de tolérance, les immigrants posaient un problème politique aigu, en particulier en raison du déclin du taux de natalité des Canadiens français. Près de 75 % des enfants d'immigrants étaient inscrits dans des écoles de langue anglaise et choisissaient de s'intégrer au milieu anglophone de Montréal ; ce phénomène fut encore accentué par l'adoption officielle du bilinguisme par le gouvernement fédéral (1969), puis du multiculturalisme (1971) (Behiels, 1991 : 15). Saint-Léonard, banlieue du nord-est de Montréal, est un microcosme exemplaire de cette crise linguistique et scolaire des années 1960. En raison de l'immigration italienne massive, la présence des francophones passa de 90 % à environ 60 % en sept ans. En 1968, la commission scolaire mit le feu aux poudres dans les communautés allophones et anglophones en proposant de remplacer les classes bilingues par une instruction donnée exclusivement en français au primaire. Cette proposition fut attaquée en justice, des cours d'anglais privés furent créés, et la violence éclata entre francophones et Italo-canadiens. En réaction, le gouvernement de l'Union nationale de Jean-Jacques Bertrand vota la loi 63 en 1969. Bien que l'intention officielle de cette loi fut de « promouvoir la langue française au Québec », elle garantissait la liberté de choix. Après l'adoption de cette loi, seulement 13,7 % (1972) des immigrants choisirent les écoles francophones, ce qui éveilla chez les nationalistes les pires appréhensions démographiques (Ploudre, 1988 : 11, 15).

Le gouvernement libéral de Robert Bourassa fit du français la langue officielle du Québec, et s'efforça de promouvoir son utilisation en milieu de travail en votant la loi 22 (1974) ; mais la concession faite au libre choix dans la langue d'enseignement fut vigoureusement attaquée par les nationalistes. Le Parti québécois s'était distancié des radicaux, et avait fondé son programme sur l'indépendance et des principes sociaux-démocrates. Tirant bénéfice d'un climat social empoisonné par des grèves violentes et des tensions linguistiques, le Parti québécois prit le pouvoir en 1976. Son élection mit fin à l'ambiguïté entre le français langue officielle, et le libre choix linguistique. La Charte de la langue française de 1977 (loi 101) fit valoir que la langue française « permet au peuple québécois d'exprimer son identité ». Le français devint ainsi la langue officielle de l'État et la « langue normale et usuelle du travail, de l'enseignement, des communications, du commerce et des affaires ». La loi restreignait l'enseignement en anglais aux enfants dont les parents avaient été instruits en anglais au Québec, prohibait l'affichage bilingue et restreignait l'usage de l'anglais dans les affaires et au sein de l'appareil étatique (tableau 9.3 ; figure 9.9). Nombre d'anglophones considérèrent cette loi, ainsi que l'Office de la langue française chargé de son application, comme une atteinte grave à leurs libertés. En revanche, des nationalistes tels que Guy Boutillier, du Mouvement du Québec français, la défendirent comme la *Grande Charte* d'un pays francophone dans « une Amérique anglo-saxonne » :

FIGURE 9.9
Visages des communautés culturelles au Québec. Les amendements, apportés à la loi 101 par le gouvernement Bourassa, permettent l'affichage dans des langues autres que le français dans certaines circonstances et ont contribué au visage cosmopolite de Montréal.

TABLEAU 9.3

Inscription dans les écoles publiques en fonction de la langue d'éducation (en pourcentages)

	Langue maternelle			
Langue d'instruction	*Français*	*Anglais*	*Autre*	*Total*
1971-1972				
Français	98,1	9,7	15,0	84,5
Anglais	1,9	90,3	85,0	15,5
1978-1979				
Français	98,1	10,7	27,2	84,4
Anglais	1,9	89,3	72,8	15,6
1987-1988				
Français	99,0	15,3	66,5	90,0
Anglais	1,0	84,7	33,5	10,8

(Langlois, 1990: 305)

> La Loi 101 serait ainsi plus qu'une loi linguistique. Témoin de la peur surmontée, charte de notre ambition, ciment de l'union, elle serait le rite de passage d'un peuple en marche vers son indépendance (Boutillier, 1994 : 93).

Cependant, la question nationale recouvrait bien plus qu'une simple querelle entre francophones et anglophones ; à l'intérieur du Québec, les divisions ethniques voilaient d'importants problèmes de classes. Durant les années 1970, quelques francophones protestèrent contre le fait que le Parti québécois accaparait la question linguistique et le nationalisme :

> Si la nouvelle élite péquiste arrive au pouvoir, la langue québécoise se verra violenté [sic] par une élite aussi vieille que l'ancienne qui clamera que nous parlons français, que le Québec doit être français, que la langue québécoise est l'excrément oral de l'ignorance et qu'il faut parler le « français » de Jacques-Yvan Morin, tout comme cette vieille élite nous dira qu'il faut développer le capitalisme québécois pour que notre peuple vienne au monde (Léandre Bergeron, mars 1975, Chroniques 3).

Cette loi sur la langue a reçu l'appui constant d'une grande majorité de Québécois ; son influence sur la langue d'enseignement et du travail a été considérable, en particulier en ce qui concerne les immigrants (voir colonne « autres », tableau 9.3). Néanmoins, une partie de la minorité allophone et anglophone a obstinément contesté cette loi devant les tribunaux, dans les milieux politiques, au moyen de groupes de pression tels qu'Alliance Québec, par des actes de désobéissance civile, particulièrement en inscrivant illégalement des enfants allophones dans des écoles anglaises, et en maintenant l'usage des panneaux d'affichage bilingues ou unilingues anglais.

Bien que la primauté de la langue française ait été renforcée au Québec, les minorités francophones du reste du Canada étaient en voie d'assimilation. Au début du XXe siècle, des nationalistes tels que Henri Bourassa s'efforcèrent de protéger ces minorités, mais vers 1960 le sentiment du « hors du Québec, point de salut » s'imposait. En 1962, les États généraux du Canada français, une assemblée bipartite incluant les représentants des minorités francophones d'autres provinces, se donnèrent pour but de définir le statut de la langue française au Canada. Malheureusement, les recensements établirent le triste constat de l'assimilation croissante des francophones à la société anglo-canadienne. À l'extérieur du Québec, au milieu des années 1980, la proportion des Canadiens parlant le français à la maison était inférieure à 4 % dans toutes les provinces, excepté au Nouveau-Brunswick (McRoberts, 1991 : 20). Malgré les efforts du gouvernement fédéral pour fournir des services dans les deux langues officielles après 1969, le bilinguisme officiel resta faiblement pratiqué dans la plus grande partie du Canada. Des recours en justice, tel le procès intenté en 1981 par Roger Bilodeau contre le code de la route unilingue du Manitoba, firent ressortir l'écart existant

FIGURE 9.10
L'Acte du Canada, 1982. Pierre Elliott Trudeau et la reine Élisabeth II signant la nouvelle Constitution canadienne. Trudeau (1920-2000) s'était opposé au régime de Duplessis et faisait confiance au fédéralisme pour protéger les droits des minorités. Déterminé à réformer la Constitution, il réussit à isoler René Lévesque. Son coup de force permit de rapatrier la Constitution, mais sans l'accord du Québec et au prix d'une aliénation grandissante de la population québécoise.

entre le souhait officiel du bilinguisme et la réalité linguistique des minorités francophones.

La question linguistique, la popularité de la politique sociale-démocrate menée par le gouvernement, ainsi que la personnalité de Lévesque forment la toile de fond du référendum de 1980 demandant aux Québécois de donner au gouvernement le mandat de négocier la souveraineté-association. Selon le libellé de la question référendaire, « cet accord permettrait au Québec d'acquérir le pouvoir exclusif de faire ses lois, de lever des impôts et d'établir des relations avec des pays étrangers — en d'autres mots, la souveraineté — et en même temps de maintenir des liens économiques avec le Canada, y compris une monnaie commune ».

Le premier ministre Trudeau (figure 9.10) fut l'une des figures dominantes de la campagne. Il avait mis en œuvre une stratégie cohérente pour contenir le nationalisme québécois, en officialisant le bilinguisme au moyen de la Loi sur les langues officielles (1969), en augmentant la proportion des francophones dans la fonction publique fédérale et en faisant diffuser les émissions en français de Radio-Canada à travers tout le pays. Pour lui, le Canada devait inclure « une nation canadienne-française s'étendant depuis Maillardville en Colombie-Britannique jusqu'à la communauté acadienne sur la côte atlantique... Le Québec ne pourrait pas prétendre parler seul au nom des Canadiens français ».

Trudeau mena une campagne active en faveur du non, en faisant valoir la présence économique importante du gouvernement fédéral au Québec, et en promettant de revitaliser le fédéralisme canadien si le oui était battu. Bien qu'une majorité de francophones aient voté oui, le non l'emporta avec 59,6 % des voix grâce à l'appui massif des non-francophones.

L'élément final de la stratégie de Trudeau était le rapatriement de la Constitution en y incluant la Charte des droits et libertés. Les négociations entourant la Constitution se déroulèrent dans une atmosphère paradoxale : le gouvernement Lévesque se trouvait placé dans l'obligation de renégocier le renouveau du fédéralisme, alors que sa raison d'être était l'indépendance. En avril 1981, le Québec sacrifia son droit de veto à la faveur d'une formule d'amendement requérant l'assentiment de sept provinces représentant 50 % de la population, et se rallia à sept provinces demandant le rapatriement de la Constitution. Trudeau bricola une nouvelle proposition au cours de la « nuit des longs couteaux », ralliant les autres provinces et isolant le Québec. La Constitution fut rapatriée sans l'accord du gouvernement du Québec. Pour vaincre l'inquiétude des autochtones, Trudeau accepta à contrecœur de leur reconnaître des droits importants (Vaugeois, 1995). Il refusa de faire de même pour les Québécois. Le rapatriement demeure toujours un sujet de litige. L'éminent politicologue Léon Dion exprima son point de vue :

> L'échec référendaire de même que l'incapacité de susciter une opposition parvenant à empêcher le rapatriement de la Constitution sans l'accord du Québec ont, pour le moment du moins, réduit à une quasi-impuissance ceux qui contestent la légitimité de l'État canadien... Le Québec doit enfin obtenir un droit de veto absolu sur tout amendement à la Constitution canadienne... Le Canada anglais accorde une très grande importance à la Charte des droits que la révision promulgue. Elle lui convient... Nous avons notre propre Charte des droits depuis des années. Elle nous convient... (Balthazar *et al.*, 1991 : 150).

La Charte renforça les notions de droits individuels, ce qu'Alan Cairns considère une mesure populiste, tout en renforçant la conviction qu'une grande diversité de groupes — des handicapés, des personnes de même origine ethnique ou d'une même culture, par exemple — avaient des droits collectifs (Balthazar *et al.*, 1991 : 151). Cette double vision d'un Canada composé d'individus et de groupes d'appartenance reconnus par les droits définis dans la Charte avait clairement pour intention d'affaiblir les fidélités régionales et provinciales (McRoberts, 1991 :

24). L'accueil de la Charte au Québec fut mitigé. Les Québécois étaient aussi favorables que les autres Canadiens aux droits individuels, mais ils redoutaient la possibilité que les interprétations de la Cour suprême ne parviennent à rogner leurs droits collectifs, particulièrement dans le domaine de la langue.

UN MONDE SYNDICAL EN EFFERVESCENCE

Les débuts de la Révolution tranquille furent marqués par la déconfessionnalisation des syndicats québécois ; en 1960, les syndicats catholiques devenaient laïques sous l'appellation de Confédération des syndicats nationaux (CSN). Les syndicats internationaux ont été progressivement supplantés par des syndicats nationaux et du secteur public. En 1962, 55,2 % des travailleurs syndiqués étaient affiliés à des syndicats internationaux, 39,1 % à des syndicats nationaux, et 5,7 % à ceux du secteur public ; en 1987, 25,9 % des travailleurs syndiqués appartenaient à des syndicats internationaux, 64,7 % à des syndicats nationaux, et 9,4 % à syndicats du secteur public. En 1987, les femmes représentaient 37,6 % des travailleurs syndiqués (Langlois *et al.*, 1990 : 344-345).

Le Québec n'avait pas seulement un niveau élevé de syndicalisme : ses mouvements ouvriers se caractérisaient par leur fort militantisme. Le nombre, l'ampleur et la durée des grèves culminèrent au milieu des années 1970. Les luttes syndicales en 1976, année de l'élection du Parti québécois, furent particulièrement acrimonieuses : il y eut 293 arrêts de travail et 376 123 travailleurs perdirent 6 333 114 journées de travail. En comparaison, le nombre des grévistes et le temps perdu en 1989 représentaient environ 10 % des taux de 1976 (tableau 9.5).

L'adoption d'un nouveau code du travail, en 1964, accorda de nouvelles garanties aux syndicats, assura leur indépendance financière, et, plus important encore, donna le droit de grève aux employés du secteur public. Les syndicats affiliés aux syndicats internationaux se firent plus nationalistes et obtinrent davantage d'indépendance. Louis Laberge, président de la Fédération des travailleurs du Québec (FTQ) de 1964 à 1992, devint un éminent porte-parole du mouvement syndical et milita activement en faveur du Parti québécois et du Nouveau Parti démocratique.

La CSN fut la principale bénéficiaire de la syndicalisation accrue du secteur public. Des chefs syndicaux, tels que Marcel Pépin, utilisèrent le pouvoir syndical pour lutter en faveur de changements sociaux et économiques. Au contraire de la FTQ, qui soutenait l'action politique traditionnelle et les partis politiques en place, la CSN adhérait à l'idéologie marxiste de la lutte des classes, intégrant le mouvement syndical dans une lutte sociale et nationaliste élargie pour le contrôle des entreprises multinationales. Adoptant le manifeste *Ne comptons que sur nos propres* moyens, le programme de la CSN de 1971 fit appel au sentiment

TABLEAU 9.5

Arrêts de travail au Québec, 1960-1989

	Arrêts de travail	Nombre de travailleurs touchés	Jours de travail perdus
1960	38	9 861	207 240
1965	98	38 826	606 820
1970	126	73 189	1 417 560
1975	362	135 765	3 204 930
1976	293	376 123	6 333 114
1980	344	157 272	4 008 659
1985	270	41 536	1 083 665
1989	202	36 499	662 317

(Langlois *et al.*, 1990 : 268)

nationaliste, décrivant les travailleurs comme partie intégrante d'une collectivité québécoise élargie aspirant à s'emparer du pouvoir : « La seule et unique solution à long terme pour le peuple québécois : cesser de compter sur les autres pour assurer son développement et ne faire confiance qu'à ses propres forces. » Dans ce passage du conservatisme au nationalisme pour en faire le moteur d'une réforme sociale, la CSN fut ardemment appuyée par le syndicat des enseignants, la Centrale des enseignants du Québec (CEQ).

Les syndicats constituaient l'avant-garde de l'opposition politique au début des années 1970. Les Fronts communs de 1972 et 1975-1976 regroupèrent tous les syndiqués du secteur public. La dure grève du Front commun de 1972 se termina par des injonctions gouvernementales, par une loi spéciale et par l'emprisonnement des leaders syndicaux : Marcel Pépin, Louis Laberge et Yvon Charbonneau.

Tous les travailleurs n'étaient pas séduits par la gauche et, en 1972, une nouvelle organisation, la Centrale des syndicats démocratiques, s'éleva contre les politiques de plus en plus radicales de la CSN. Le saccage du chantier LG-2 à la Baie-James, au cours duquel des ouvriers foncèrent dans les bâtiments avec des béliers mécaniques avant d'y mettre le feu (figure 9.11), ainsi que l'interruption des services essentiels dans le domaine de la santé aliénèrent l'opinion publique et ternirent l'image du mouvement ouvrier.

L'élection du Parti québécois en 1976 apporta un répit aux violentes confrontations syndicales des années Bourassa. Au début, du moins, le Parti québécois, qui comptait dans ses rangs des esprits progressistes tels que Robert Burns, Claude Charron, Jacques Couture et Pierre Marois, épousa certains idéaux sociaux-démocrates. Le code du travail de 1977 est assez unique en son genre, puisqu'il interdit l'embauche de briseurs de grève. Ce code institua également la

FIGURE 9.11
Le barrage de LG-2. En mars 1974, des organisateurs syndicaux saccagèrent le chantier qui abritait des milliers de travailleurs et de travailleuses. Cet événement qui suivait des conflits de travail violents — comme la grève des pompiers de Montréal au cours de laquelle des dizaines d'édifices furent la proie des flammes, ou celle de *La Presse* en 1971, où il y eut un mort et des centaines de blessés — contribua à amoindrir le soutien que l'opinion publique apportait jusque-là aux syndicats.

formule Rand qui oblige la déduction des cotisations syndicales à la source. De plus, une loi votée en 1979 réglementa les conditions de travail dans les secteurs non syndiqués, autorisant les travailleurs à refuser les tâches qui mettaient en danger leur santé ; elle fixait également le salaire minimum, les congés de maternité et les vacances annuelles. En 1984, 1 132 000 personnes au Québec étaient syndiquées, ce qui représentait 43 % de la main-d'œuvre salariée (Lipsig-Mummé et Roy, 1989 : 125).

Déchiré entre les tendances conservatrices et sociales-démocrates qui avaient toujours coexisté à l'intérieur du parti, le PQ opta pour la droite lors de la récession de 1981. L'alliance entre les travailleurs et le PQ prit fin un an plus tard, lorsque le gouvernement imposa des réductions de salaires aux employés du service public. Des lois interdisant la grève et obligeant le retour au travail déstabilisèrent le syndicalisme.

LES FEMMES : DES ASPIRATIONS POUR L'ÉGALITÉ

Que ce soit au niveau public ou privée, les rapports entre les sexes ont évolué d'une façon spectaculaire depuis 1960. La place des femmes dans le monde du travail, définitivement acquise après la Seconde Guerre mondiale, continua à gagner du terrain. Malgré la persistance de l'inégalité des salaires, l'autonomie économique obtenue par les femmes augmenta leurs choix (et souvent les responsabilités financières) face au mariage et au rôle de parents. Leur rôle public n'étant plus restreint au couvent ou aux activités philanthropiques, les femmes acquirent un certain pouvoir dans les affaires, les syndicats, les professions et la politique.

Les revendications féministes ne furent que graduellement adoptées par les groupes masculins. Dans le programme du Parti libéral de 1960 – véritable manifeste de la Révolution tranquille — il ne fut question des droits des femmes que dans une courte section concernant le statut légal de la femme mariée. Pour le Parti québécois de la première heure, les droits des femmes n'étaient pas non plus une priorité. Et le manifeste du FLQ en 1970, qui mettait en relief l'exploitation des peuples autochtones, ne mentionnait pas spécifiquement les droits des femmes. Par ailleurs, le manifeste de la CEQ de 1972 fit du statut de la femme une question politique de première importance, en stigmatisant la représentation des modèles féminins dans les manuels et en signalant le fait que deux fois plus de filles que de garçons abandonnaient l'école à la fin du secondaire. Une section du manifeste intitulée « L'infériorité des femmes », s'en prenait au parti pris éducatif qui orientait les filles vers les carrières non rémunérées d'épouses et de mères au foyer (Latouche et Poliquin-Bourassa, 1979, 3 : 161-166).

La Commission royale sur le statut des femmes, commission fédérale qui siégea de 1967 à 1970, a sans nul doute été la force politique à l'origine du changement. Présidée par la journaliste ontarienne Florence Bird, avec la sociologue Monique Bégin pour secrétaire générale, la commission entendit un large éventail d'associations féminines du Québec, allant du Cercle de fermières à la Voix des femmes de Montréal en passant par la Fédération des Femmes des services communautaires de l'Alliance juive de Montréal. Insistant sur le double but de l'égalité des sexes et de l'équité en matière d'emploi, la Commission détermina le calendrier du mouvement féministe pour les décennies suivantes (Collectif Clio : 460-463). Malgré la création au Québec du Conseil du statut de la femme en 1974, les femmes n'obtinrent une voix au gouvernement que lorsque Lise Payette, personnalité télévisuelle (figure 9.12), fut nommée ministre d'État à la Condition féminine en 1979. Elle exprima ainsi le point de vue des féministes québécoises qui considéraient le pouvoir politique comme l'outil essentiel pour la reconnaissance de leurs droits au niveau tant public que privé :

FIGURE 9.12
Lise Payette était vedette à la télévision avant de briguer les suffrages en 1976. Elle joua un rôle important dans le premier Conseil des ministres du gouvernement Lévesque, défendant les intérêts des femmes et des consommateurs et faisant adopter la Loi sur l'assurance automobile.

> Il y avait longtemps, en 1976, que j'avais constaté qu'en dehors de la crise profonde des mentalités, la solution à nombre de problèmes identifiés par les femmes quant à leur statut inférieur se trouvait dans les parlements. Égalité juridique, égalité des chances au travail comme dans l'éducation, contrôle de la santé et accès aux services qui favorisent l'autonomie des femmes comme les garderies et les congés de maternité, les solutions étaient souvent à Québec (Payette, 1982 : 60).

En 1989, vingt-trois femmes détenaient 18 % des sièges à l'Assemblée nationale du Québec : il s'agissait du pourcentage le plus élevé de participation féminine parmi les dix législatures provinciales. Treize des soixante-quinze sièges de la province à la Chambre des communes étaient détenus par des femmes (Maillé, 1990 : 56).

La situation des femmes de Québec, comparativement à celle de leurs paires en Ontario ou en France, est difficile à estimer. Simon Langlois (1990) affirme que les femmes du Québec sont parvenues au pouvoir exécutif plus rapidement dans le secteur privé que dans le secteur public. En 1989, elles détenaient 7,6 % des postes de direction de la fonction publique au Québec, 5,7 % des fonctions de magistrat, 14,7 % des sièges aux conseils d'administration dans les entreprises publiques, et 20 % des postes de ministre (Langlois *et al.*, 1990 : 121). Tandis que les femmes détenaient, à cette époque, un quart des postes de direction dans les caisses populaires et 35 % des postes de direction à la Banque nationale.

Tableau 9.6

Le statut légal des femmes au Québec

1964	Les femmes mariées obtiennent le droit d'administrer leurs biens propres et d'en disposer
1969	Légalisation du divorce au Québec
1975	La Charte des droits et des libertés du Québec reconnaît l'égalité des époux dans le mariage
1977	Le Code civil est amendé pour remplacer la notion « d'autorité paternelle » par celle « d'autorité parentale »
1989	Le Code civil est amendé en faveur d'un partage égal du patrimoine familial lorsqu'une union est dissoute à la suite d'un décès, d'un divorce ou d'une séparation

Les réseaux d'organismes féminins jouèrent un rôle important dans cette conquête partielle du pouvoir. En 1966, la création de la Fédération des femmes du Québec (FFQ), groupe fédérateur non confessionnel et multi-ethnique, fut la clé de ce réseau. Vers 1982, cette fédération comptait plus de 100 000 membres d'associations aussi diverses que le B'nai Brith Women's Council, le Club Wilfrid Laurier des femmes libérales, l'Association des familles monoparentales du Bas-Saguenay et l'Association des femmes diplômées des universités (Collectif Clio, 1982 : 456). Bien qu'elles étaient souvent divisées sur des sujets tels que le divorce ou l'avortement, les associations féminines jouèrent un rôle décisif dans les luttes pour les congés de maternité, les garderies, les foyers pour femmes battues et les changements dans le régime matrimonial.

Le premier pas important dans l'affirmation des droits des femmes fut la loi 16 (1964) qui garantissait l'égalité des femmes et des hommes dans le mariage. Elle permettait à l'épouse de quitter le foyer familial lorsqu'elle était physiquement menacée par son mari ou d'exercer une profession différente de celle qu'il exerçait. La Charte des droits et libertés du Québec garantissait, en tant que droits fondamentaux, l'égalité des sexes et des salaires, ainsi que l'égalité des partenaires dans le mariage : « Dans le mariage, le mari et l'épouse ont les mêmes droits, obligations et responsabilités. Ensemble, ils assurent la direction morale, le support matériel de la famille l'éducation des enfants » (article 47).

Bien que le Canada ait signé la Charte des droits de l'homme des Nations unies en 1948, les Québécoises ont obtenu difficilement l'égalité de traitement et de salaire au travail. Les femmes représentaient un pourcentage toujours croissant de la main-d'œuvre salariée. En 1971, 45 % seulement des femmes âgées entre 24 et 44 ans étaient actives, comparativement à 73,1 % en 1986 (Maillé, 1990 : 70). Malgré une certaine diversification et une plus grande présence à des postes de direction, elles restaient souvent cantonnées à un nombre limité d'occupations traditionnelles (tableau 9.7). La discrimination salariale demeurait endémique au Québec. En 1971, le salaire d'un employé à plein temps était presque le double de celui d'une employée, et, même si l'écart s'est amenuisé en 1981, il restait

TABLEAU 9.7

Répartition des femmes actives de plus de quinze ans, 1975-1985
(en pourcentage de l'ensemble du travail féminin)

Secteur	**1975**	**1980**	**1985**
Direction	3,2	4,0	7,4
Sciences naturelles et sociales	2,0	2,7	3,4
Enseignement	8,4	7,1	6,8
Santé	9,2	9,4	9,9
Arts et loisirs	1,0	1,4	1,8
Travail de bureau	36,8	35,5	33,2
Commerce	8,0	9,0	8,4
Services	14,6	16,7	17,2
Travail manuel	14,4	12,0	9,7
Agriculture	2,1	1,7	1,8
Autres	0,3	0,5	0,4
Total	100	100	100

(Langlois *et al.*, 1990 : 150)

TABLEAU 9.8

Écarts de salaires entre hommes et femmes (en dollars) 1971 et 1981

	1971		**1981**	
Profession	*Hommes*	*Femmes*	*Hommes*	*Femmes*
Administration	14 802	8 184	29 068	18 599
Enseignement	10 888	6 816	26 887	20 016
Travail manuel				
cols blancs	7 249	4 259	17 720	11 860
cols bleus	6 631	3 609	17 504	10 188
Agriculture	4 207	2 787	12 643	7 714
Armée, police, pompiers	8 345	5 953	23 227	16 083
Moyenne du Québec	7 759	4 711	20 561	13 935

(Brunelle et Drouilly, 1986 : 282)

substantiel (tableau 9.8). Étant donné l'importance du travail à temps partiel pour les femmes, cet écart salarial est encore plus grand dans l'ensemble de la main-d'œuvre.

LA CULTURE QUÉBÉCOISE S'AFFIRME

L'affirmation et la modernisation de la culture québécoise furent des thèmes dominants de la Révolution tranquille. La domination religieuse sur les arts et la

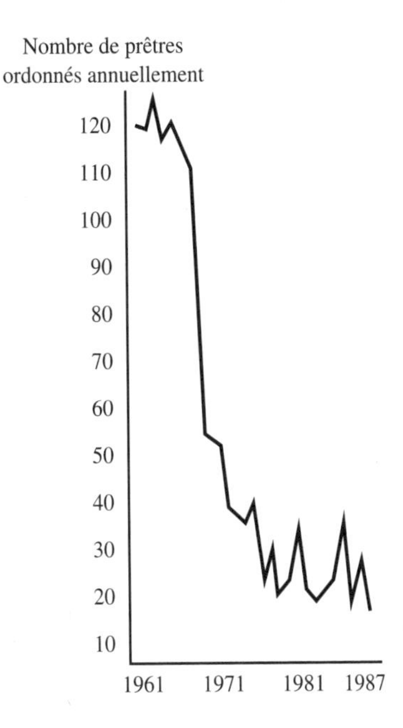

FIGURE 9.13
Ordinations de prêtres catholiques au Québec entre 1961-1987. Lié au déclin des ordinations, l'âge moyen du clergé s'est modifié dramatiquement. Les prêtres plus âgés assurent le ministère à moins de paroissiens, mais ils sont débordés. En 1989, dans sa paroisse de La Nativité de la Sainte Vierge à l'est de Montréal, l'abbé Jean-Guy Cadotte avait une fréquentation moyenne de 500 paroissiens aux messes du dimanche : « Lorsque je suis arrivé ici en 1969, entre 2000 et 2500 personnes assistaient à la messe chaque dimanche. Dans ce temps-là, plus de sept prêtres m'assistaient. Maintenant, il n'y en a plus qu'un et il est malade [...]. Voilà ce qu'a fait la civilisation matérialiste des loisirs (*The Gazette*, 25 mars 1989). »

culture dépérit durant les années 1960, tandis que les Québécois considéraient de plus en plus l'État comme le garant de leur vie nationale et culturelle.

L'Église catholique fut transformée de l'intérieur par le concile de Vatican II, réforme qui mit en avant l'œcuménisme, la liberté religieuse, l'adaptation de l'Église au monde moderne et le rôle des laïcs. Cependant, les changements imposés par Rome ne furent pas toujours acceptés ; pour certains ils n'allaient pas assez loin, et pour d'autres, attachés aux valeurs traditionnelles, ils bouleversaient tout. Des transformations radicales survinrent dans la pratique religieuse : la Toussaint ou l'Immaculée-Conception n'étaient plus des jours fériés ; la confession et l'observation du « jour maigre » du vendredi déclinèrent brutalement ; le rosaire et l'Adoration des saints furent dorénavant inconnus des jeunes ; le nombre des catholiques allant à la messe au moins deux fois par mois chuta de 88 % en 1965 à 46 % en 1975, puis à 38 % en 1985 (Langlois *et al.*, 1990 : 352). Les jeunes, touchés par les valeurs séculières, désertèrent en masse l'église au point que seuls 12 % à 15 % d'entre eux pratiquaient encore leur religion. La lutte entre progressistes et conservateurs au sujet de la liturgie, du célibat des prêtres et du rôle social de l'Église à la suite de Vatican II incita de nombreux religieux à quitter l'Église. Les ordinations diminuèrent brutalement et le nombre de prêtres au Québec chuta de 8 758 en 1966 à 6 428 en 1988 (figure 9.13) tandis que le nombre de religieuses passa de 34 571 en 1966 à 22 525 en 1988.

FIGURE 9.14
Le campus de l'Université du Québec à Montréal. La démolition d'une église et d'un couvent pour faire place aux pavillons universitaires reflète bien le déclin de l'influence de l'Église. Le clocher de l'église fut intégré au nouvel édifice.

La prise en charge de l'éducation et de la santé par l'État coïncida avec cette chute dramatique de la pratique religieuse (figure 9.14). L'adoption de la nouvelle charte de l'Université de Montréal en 1967 illustre ce processus de sécularisation. Depuis l'incorporation de la charte en 1920, l'archevêque catholique de Montréal était nommé d'office chancelier de l'université. Il présidait à toutes les réunions des organes universitaires et possédait un droit de vote prépondérant. La nouvelle charte accordait désormais un rôle prioritaire au recteur, reléguant le chancelier à un rôle purement honorifique.

Le déclin de l'influence religieuse et l'expansion du consumérisme américain ajoutèrent une nouvelle dimension à la difficulté de préserver une identité francophone en Amérique du Nord. Au fur et à mesure que les certitudes liées au catholicisme et à l'idéalisation des valeurs rurales s'érodaient, les francophones durent acquérir de nouveaux points d'ancrage culturels. Et, depuis les États généraux du Canada français, cette culture était uniquement québécoise.

Depuis les années 1930, la communauté artistique du Québec avait été à l'avant-garde des revendications appelant au changement. Durant les années 1960, les artistes se muèrent en porte-parole du nationalisme québécois. Des romanciers (Hubert Aquin), des poètes (Gaston Miron), des auteurs dramatiques (Michel Tremblay), des essayistes (Pierre Vallières) et des chansonniers (Gilles Vigneault) avivèrent un intense sentiment national en affirmant la fierté d'être Québécois.

Même si certains interprètes — Robert Charlebois et Diane Dufresne entre autres – donnèrent un accent français au rock, l'influence la plus forte provint des chansonniers. Félix Leclerc et Gilles Vigneault sont exemplaires par leurs chansons, faisant ressortir le caractère unique de l'identité québécoise. Le caractère distinct du Québec influença aussi la littérature et le théâtre, et alimenta un débat sur le joual comme moyen viable d'expression. Bien que le joual n'ait pas eu d'effet durable sur la littérature, de nombreux dramaturges, Michel Tremblay en tête, considéraient que seul le joual exprimait la véritable nature du Québec.

Après 1960, la question du joual soulignait le thème dominant de la conscience culturelle québécoise : la primauté de la langue française. Les grandes entreprises anglophones utilisaient comme langue de travail l'anglais, qui était également répandu dans l'affichage commercial. Pierre Vallières (1969 : 163) exprima ainsi la frustration ressentie par de nombreux jeunes nationalistes :

> Printemps 1951. J'allais bientôt quitter l'école primaire définitivement. Pour aller où ? Dans les longues salles humides des conserveries Raymond, pour y « équeuter » des fraises à journée longue ? Dans les rues de la ville, comme porteur d'eau... ou chômeur ? Au collège de Longueuil, pour y apprendre à devenir un commis de bureau... « bilingue » si possible ?

Le nationalisme n'était pas le thème unique de la production artistique québécoise. Le réalisme social imprégnait de nombreuses œuvres littéraires, comme les livres de Marie-Claire Blais, *Une saison dans la vie d'Emmanuelle*, et les *Manuscrits de Pauline Archange* ; celui aussi de Réjean Ducharme qui, dans *L'Avalé des avalés*, traçait le portrait psychologique d'adolescents qui remettaient en question l'univers des adultes en attaquant son institution fondamentale, la famille. Le développement d'une industrie cinématographique locale — qui évolua rapidement d'une forme d'érotisme à des productions de qualité — popularisa davantage encore d'importantes œuvres littéraires telles que *Kamouraska* d'Anne Hébert. La littérature des années 1970 reflétait également la voix montante des féministes dans la société québécoise sous la plume de Nicole Brossard, par exemple.

Tout au long des décennies 1960 et 1970, la culture québécoise fut extraordinairement dynamique tant en littérature, qu'en théâtre et en musique. À la fin des années 1960, lorsque les textes d'auteurs québécois remplacèrent les anthologies de tradition catholique au secondaire et au collégial, une nouvelle fierté pour la littérature québécoise apparut. Du premier cycle jusqu'au doctorat, les universités firent de la littérature québécoise un champ d'études.

La renaissance culturelle du Québec fut encouragée par l'expansion d'infrastructures culturelles qui avaient jusque-là cruellement fait défaut. En 1960, seulement 45 % de la population avait accès à l'une des 71 bibliothèques municipales. La construction de grandes salles de concert et d'auditoriums financés par le gouvernement, tels la Place des arts à Montréal (1967) et le Grand Théâtre de Québec (1971), allant de pair avec la fondation de plus modestes centres culturels régionaux, lors des célébrations du centenaire de la Confédération en 1967, offrirent peu à peu des concerts de musique classique, des opéras et du théâtre à un public élargi. La construction en région d'écoles secondaires et des Collèges d'enseignement général et professionnel (cégeps) donnèrent également accès à de nouvelles infrastructures culturelles. De nouveaux lieux d'expositions, tels que le Musée d'art contemporain (1965) et le Centre Saidye Bronfman (1967), ainsi que l'agrandissement du Musée des beaux-arts de Montréal, conférèrent une nouvelle vigueur aux arts visuels. Parallèlement aux musées d'histoire privés, tels que le Musée d'histoire canadienne McCord, le musée David M. Stewart, le Château Ramezay et les douzaines de musées animés par des sociétés d'histoire locale, le gouvernement du Québec et le gouvernement fédéral rivali-sèrent pour présenter chacun son interprétation de l'histoire. Le gouvernement provincial créa le Musée de la civilisation et le gouvernement fédéral ouvrit les centres d'interprétation de Parcs Canada et le Musée canadien des civilisations.

En dépit de ces progrès, de nombreuses activités culturelles demeuraient la chasse gardée d'une élite restreinte. Un sondage de 1979 montrait que 77 % des Québécois n'étaient jamais allés dans une bibliothèque publique ; 50 % n'étaient jamais entrés dans une librairie, et 44 % n'avaient lu aucun livre ou magazine au cours de l'année précédente. En 1979-1980, le ministre des Affaires culturelles amorça le développement des bibliothèques, des musées et des salles de concert. En l'espace de cinq ans, plus d'une centaine de Maisons de la culture furent ouvertes et, en l'espace d'une décennie, les surfaces d'expositions avaient triplé. Cette politique eut des effets immédiats et les Québécois sont devenus de grands consommateurs de biens culturels.

LES PEUPLES AUTOCHTONES

Les années 1960 marquent le début d'une nouvelle conscience autochtone à travers toute l'Amérique du Nord. Au Canada, ce fut le Livre blanc de Jean Chrétien en 1969 qui provoqua l'éveil amérindien. Ce projet de loi proposait l'abolition de la Loi des Indiens de 1876, de mettre fin à tous les services particuliers, et d'intégrer effectivement les Amérindiens dans l'ensemble de la société canadienne.

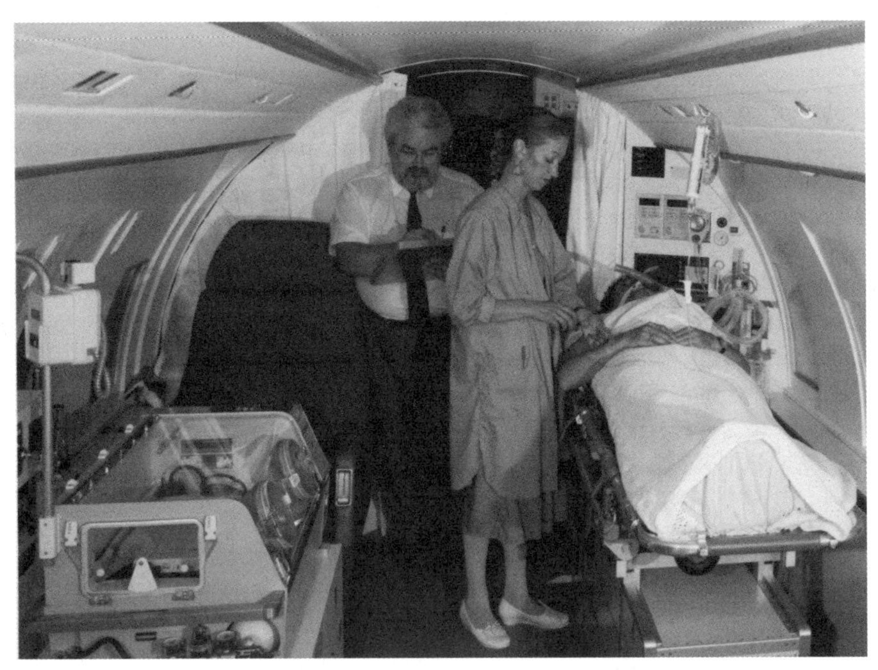

FIGURE 9.15
Une ambulance aérienne desservant les communautés cries de la Baie-James. Les soins de santé furent facilités par le service d'ambulance fourni par le gouvernement du Québec. En 1987, 662 patients dont 88 bébés furent transportés vers des hôpitaux spécialisés dans le sud de la province.

En revanche, il ne faisait aucune place à la reconnaissance des droits des autochtones ni à leurs revendications territoriales de longue date. La Fraternité indienne nationale, créée un an auparavant, vit dans le Livre blanc une intention de « génocide culturel » et s'y opposa vigoureusement. Lorsque cette proposition fut rétractée, en 1971, un mouvement amérindien unifié et plus virulent était né. Cette restructuration de la force politique autochtone alla jusqu'à son terme, en 1982, avec la création de l'Assemblée des Premières Nations, incarnant la voix des Amérindiens à travers tout le Canada (Dickason, 1992).

Placés sous la tutelle du gouvernement fédéral, les Amérindiens du Québec n'avaient eu qu'un rôle marginal dans le tumulte économique et social de la Révolution tranquille. La généralisation des soins de santé (figure 9.15) permit à leur population d'augmenter rapidement, mais cela accentua encore les problèmes de développement économique, de logement et de services sociaux sur les réserves.

Au Québec, la langue est l'indicateur usuel de la vitalité culturelle. Parmi les autochtones du Québec, seuls les Hurons ont totalement perdu leur langue. Cependant, selon le commissaire aux langues officielles, la langue abénakie est en voie d'extinction, et les langues algonquiennes, micmaque, montagnaise-naskapi et mohawk sont très fragilisées. Seules les langues crie et inuktitut semblent avoir de bonnes chances de survie. De plus en plus, les communautés amérindiennes incitèrent leurs jeunes à apprendre leur langue ancestrale. Ainsi, sur la réserve de Kahnawake, près de Montréal, les Mohawks ont créé la Kahnawake Survival School en 1977. Cette école est dirigée par les autochtones eux-mêmes, et indépendante des commissions scolaires non autochtones ; son programme s'inspire de la tradition et porte sur la langue, l'histoire et la culture mohawk. En même temps, le programme prépare les jeunes autochtones au marché du travail contemporain en leur offrant des cours d'informatique et de sciences.

Dans le Québec méridional, nombre d'autochtones tels que les Mohawks de Kahnawake (près de Montréal) et les Hurons de Wendake (près de Québec) partageaient la même expérience de travail que leurs voisins blancs. Les Mohawks se sont spécialisés dans le montage des structures d'acier dans l'industrie de la construction ; 75 % des hommes de Kahnawake travaillaient dans ce secteur dans les années 1960. Leur habileté les a amenés à travailler sur les grands chantiers dans toute l'Amérique du Nord. Le déclin de cette industrie dans les années 1970 et au début des années 1980 affecta durement l'emploi chez les Mohwks.

Au Nord, la chasse et le piégeage restaient les principales activités des Algonquins, des Montagnais, des Cris et des Inuits, jusque dans les années 1960-1970. Mais le développement des ressources naturelles, surtout celui des complexes hydroélectriques de la Baie-James, vint, en les inondant, sensiblement modifier leurs territoires de chasse et de pêche. Leur vie traditionnelle fut aussi bouleversée par les campagnes internationales contre les vêtements de fourrure. De même que dans les communautés autochtones du Sud, les réserves éprouvèrent des difficultés à créer des emplois de remplacement pour leur population en expansion.

Les peuples autochtones avaient peu de contrôle économique sur leurs territoires traditionnels. À cet égard, la convention de la Baie-James, signée en 1975, fit époque. Par cet accord, les Cris reçurent 137 millions de dollars en compensation de l'exploitation du potentiel énergétique du bassin hydrographique de la Baie-James par Hydro-Québec. Par le passé, c'était le ministère des Affaires indiennes qui administrait le produit de tels traités, mais ici les capitaux générés furent administrés par une société de gestion, la Cree Regional Economic Enterprises (CREECO), placée sous le contrôle du conseil de bande cri. Mais, malgré l'optimisme initial, les problèmes sociaux et la dépression économique chronique dans le Nord ne prirent pas fin pour autant.

Malgré des accords tels que celui de la Baie-James, les autochtones du Québec souffraient toujours de la discrimination et du chômage ; 60 % d'entre eux vivaient de l'assurance chômage ou du bien-être social. En 1981, le revenu annuel moyen du citoyen canadien non autochtone était de 13 100 $ comparativement à 8600 $ pour un autochtone. Le Québec, comme d'autres provinces canadiennes, ne parvenait pas à résoudre la pauvreté grandissante des Amérindiens, accompagnée, de plus, par une désagrégation de la santé publique. Le taux de mortalité infantile était trois fois supérieur à la moyenne canadienne; le taux de suicide des moins de vingt ans était six fois plus élevé, l'espérance de vie était plus basse de près de dix ans, et l'alcoolisme et la narcomanie se répandaient.

BIBLIOGRAPHIE

Pour une chronologie précise du Québec contemporain, voir *Québec: beyond the Quiet Revolution*, Nelson, 1990, d'Alain-G. GAGNON et Mary Beth MONTCALM. *La Société québécoise en tendances 1960-1990*, IQRC, 1990, de Simon LANGLOIS, Jean-Paul BAILLARGEON, Gary CALDWELL, Guy FRÉCHET, Madeleine GAUTHIER et Jean-Pierre SIMARD offre des données statistiques et des analyses démographiques sur le travail, les relations sociales, les femmes et l'éducation. Pour l'économie au Québec, voir *L'Entreprise québécoise: développement historique et dynamique contemporaine* d'Yves BÉLANGER et Pierre FOURNIER. La Caisse de dépôt et placement est décrite par Mario PELLETIER dans *La Machine à milliards. L'histoire de la Caisse de dépôt et placement du Québec.* Un numéro spécial du *Bulletin d'histoire politique,* 3, 1 (automne 1994) rassemble des articles d'Yvan LAMONDE, Daniel LATOUCHE, Hubert GUINDON, Alain GAGNON et Michel SARRA-BOURNET, présentant un large panorama des politiciens et des intellectuels de cette période.

Travail

Pour les syndicats, voir les travaux de Jacques ROUILLARD ainsi que « La population syndiquée au Québec » de Carla LIPSIG-MUMMÉ et Rita ROY. Au sujet du monde du travail face au conservatisme et au nationalisme durant les années 1990, voir Carla LIPSIG-MUMMÉ, « Future Conditional: Wars of Position in the Quebec Labour Movement ». Le *Bulletin du Regroupement des chercheurs en histoire des travailleurs québécois* (UQAM) regroupe l'essentiel des travaux les plus récents dans l'histoire du travail au Québec. Pour un aperçu de la participation des syndicats dans la crise de 1970, voir *La Crise d'Octobre 1970 et le mouvement syndical québécois* de Jean-François CARDIN. Au sujet des manifestes et des constitutions, consulter *Le Manuel de la Parole* de Daniel LATOUCHE et Diane POLIQUIN-BOURASSA, Boréal Express, 1979.

Femmes

Au sujet des changements survenus dans la condition des femmes, et des déclarations des femmes du Québec en particulier, voir Chantal MAILLÉ, *Les Québécoises et la conquête du pouvoir politique*, Saint-Martin, 1990. *Le Pouvoir? Connais pas!* de Lise PAYETTE (Québec/Amérique, 1982) constitue un témoignage important, tandis que le *Rapport de la Commission royale sur le statut des femmes* (voir Canada, 1970) est essentiel pour évaluer précisément la part des femmes dans la société canadienne. Diane LAMOUREUX, dans « Le mouvement des femmes: entre l'intégration et l'autonomie », livre une intéressante analyse de la vie publique des femmes. Micheline DUMONT et Nadia FAHNY-EID, dans « La pointe de l'iceberg:

l'histoire de l'éducation et l'histoire de l'éducation des filles au Québec» présente un intéressant survol de ce sujet, incluant une excellente bibliographie. Pour le féminisme, voir Heather Jon MARONEY, «Contemporary Quebec Feminism: The Interrelation of Political and Ideological Development in Women's Organization, Trade Unions, Political Parties and State Policy, 1960-1980» de pair avec sa critique des démographes et des natalistes dans «Who Has the Baby? Nationalism, Pronatalism and the Construction of a "Demographic Crisis" in Quebec 1960-1988».

Littérature

Pour une appréhension des auteures québécoises vues du côté anglophone, voir Karen GOULD, *Writing in the Feminine: Feminism and Experimental Writing in Quebec*. La meilleure anthologie de la littérature contemporaine au Québec est celle de Lise GAUVIN et Gaston MIRON, *Écrivains contemporains du Québec depuis 1950*. Le *Dictionnaire des œuvres littéraires du Québec* de Maurice LEMIRE (volumes 4 et 5) est indispensable à la connaissance de la production littéraire. Pour une vision personnelle de la génération des *baby-boomers* de la Révolution tranquille, voir François RICARD, *La Génération lyrique. Essai sur la vie et l'œuvre des premiers-nés du baby-boom*.

La Révolution tranquille, le fédéralisme et l'indépendance.

Pour un aperçu de la période Jean LESAGE, voir *Jean Lesage and the Quiet Revolution* (MacMillan, 1984) de Dale C. THOMPSON, auteur qui traite également de la visite de de Gaulle dans *Vive le Québec libre*. TRUDEAU livre sa vision du Canada dans *Federalism and the French Canadians*. Pour une comparaison entre les visions d'Ottawa et de Québec sur le fédéralisme, voir le *Rapport de la Commission royale d'enquête sur le bilinguisme et le biculturalisme* (1966) ainsi que le *Rapport de la Commission royale d'enquête sur les problèmes constitutionnels* (1956). Les débuts du mouvement indépendantiste ne peuvent être compris sans la lecture de *Nègres blancs d'Amérique* de Pierre VALLIÈRES (Parti pris, 1969); sont également utiles pour ce sujet: *Option Québec* de René LÉVESQUE (Éditions du Jour, 1968); *Moi, je m'en souviens* de Pierre BOURGAULT (Stanké, 1989); et *Community in Crisis. French Canadian Nationalism in Perspective*, de Richard JONES. Pour leur analyse des classes et du nationalisme durant la période de la Révolution tranquille, *The Independence Movement in Quebec 1945-1980* de William D. COLEMAN et *Quebec: Social Change and Political Crisis* de Kenneth McRoberts sont particulièrement utiles. Ce dernier propose une analyse d'ensemble dans *English Canada and Quebec: Avoiding the Issue*. Fernand DUMONT propose une intéressante compilation de commentaires sur l'évolution des trente dernières années dans *La Société québécoise après 30 ans de changement*. Le rôle de l'Église catholique durant la Révolution tranquille est décrit par Jean HAMELIN, *Histoire du catholicisme québécois: le XXe siècle* (tome 2, *De 1940 à nos jours*). George MATHEWS dans *Quiet Revolution: Quebec's Challenge to Canada* traite de la période récente tandis que Robert M. CAMPBELL et Leslie A. PAL présentent les accords du lac Meech et des sujets tels que l'avortement et le libre-échange sous un angle plus provocateur dans *The Real Worlds of Canadian Politics: Cases in Process and Policy*. La charte et les relations provinciales-fédérales sont examinées dans les articles de Louis BALTHAZAR *et al.*, dans *Le Québec et la restructuration du Canada, 1980-1992*.

Languages in Conflict de Richard Joy est encore utile pour aborder la question linguistique, ainsi que *La Politique linguistique du Québec 1977-1987* de Michel Plourde ; le point de vue du Québec sur la question linguistique est exprimé dans le rapport Gendron. Pour les francophones hors Québec, voir le *Rapport annuel du Commissaire aux langues officielles* (Ottawa) et l'émouvant manifeste de la Fédération des francophones hors Québec, *The Heirs of Lord Durham : Manifesto of a Vanishing People.* Marc Levine traite de la question linguistique à Montréal dans *The Reconquest of Montreal : Language Policy and Social Change in a Bilingual City.* Dans *L'Invention d'une minorité. Les Anglo-Québécois,* Josée Legault critique fortement la position de la minorité anglophone. Éric Bédard traite de la crise d'Octobre dans *Chronique d'une insurrection appréhendée* et du mouvement français dans *McGill français.* Enfin, *À armes égales* de Guy Boutillier expose un point de vue nationaliste sur la loi 101.

SIXIÈME PARTIE

Le Québec contemporain

CHAPITRE X

Le Québec contemporain: une société distincte

L'EFFERVESCENCE DE LA RÉVOLUTION TRANQUILLE a cédé le pas à de nouvelles réalités dans les décennies 1980 et 1990. Les politiques conservatrices de Margaret Thatcher en Grande-Bretagne et de Ronald Reagan aux États-Unis ont eu une profonde influence sur le monde occidental, tandis que l'écroulement de l'Union soviétique après 1989 a paru confirmer le triomphe de l'idéologie capitaliste. Le Canada a imité ces modèles jusqu'à un certain point, surtout après l'élection de Brian Mulroney en 1985. Contraintes fiscales et privatisations étaient devenues les mots d'ordre pour réduire la dette et le service public et, bien que le Québec ait été moins radical que l'Ontario en ce domaine, le virage à droite fut sensible, le pouvoir passa des intellectuels aux hommes d'affaires et les investissements du gouvernement pour la promotion des francophones déclinèrent. Les services hospitaliers, les universités et les écoles ont subi de fortes pressions. Pour le Québec, intégré dans l'économie nord-américaine, un nouveau capitalisme a émergé du libre-échange. À ces changements socio-économiques, il faut ajouter la transformation des réalités constitutionnelles par l'adoption de la Constitution de 1982 incluant la Charte des droits.

Durant cette période, le Québec a affronté les mêmes incertitudes en ce qui concerne son identité. La réforme fiscale a rejeté la question nationale à l'arrière-plan pendant le second mandat de Robert Bourassa, mais elle est revenue sur le devant de la scène avec le nationalisme agressif de Jacques Parizeau, après l'élection et l'accession du Parti québécois au gouvernement en 1993, et elle a culminé lors du référendum de 1995. Malgré une nouvelle victoire, de justesse, du « Non », les tensions ethniques ne s'affaiblirent pas. Inquiets, certains anglophones commencèrent à réclamer la partition de certaines régions si l'indépendance du Québec devenait une réalité.

Pour apaiser l'opinion dans le reste du Canada et pour tenter de contrer le mouvement indépendantiste au Québec, le gouvernement fédéral a adopté la loi sur la clarté en 2000 qui exigeait que la question référendaire sur la sécession d'une province soit claire. En même temps, des investigations ont souligné le rôle d'Ottawa dans la campagne référendaire, ce qui a engendré le scandale des commandites, grand responsable de la défaite des libéraux de Paul Martin en 2005. En réaction à la mauvaise presse occasionnée par des remarques ethnocentriques pendant la soirée du référendum de 1995, le Parti québécois a reformulé son message nationaliste pour être plus inclusif. Sous l'influence d'une aile intellectuelle, il définissait un nationalisme civique plutôt qu'ethnique mais ce virage lui a fait perdre une partie de son électorat qui s'est réfugiée chez l'Action démocratique de Mario Dumont lors des élections de 2007. Le retour à un nationalisme plus ethnique a engendré une mise en question des rapports avec l'autre qui s'est traduit par la création de la commission d'enquête Bouchard-Taylor sur les accommodements raisonnables.

LA DÉMOGRAPHIE

Depuis le début des années 1980, le Québec est entré dans ce que les démographes nomment « la seconde transition démographique » : les femmes ont acquis le contrôle total de leur fécondité et n'ont que les enfants qu'elles désirent. La famille patriarcale traditionnelle est en lambeaux. La mortalité infantile a quasiment disparu et l'espérance de vie continue à augmenter, mais à un rythme plus lent. Puisque le renouvellement naturel ne permet plus à la population de se maintenir, l'immigration est plus que jamais essentielle à la croissance, et celle-ci modifie lentement la composition ethnique du Québec, notamment à Montréal.

Le Québec contemporain a toujours l'un des taux de natalité les plus bas du monde, mais l'indice de fécondité a légèrement augmenté, après avoir atteint son plus bas niveau historique de 1,37 enfant par femme en 1987. Entre 1988 et 1999, le gouvernement du Québec, influencé en cela par des démographes tels que Jacques Henripin, a mené une politique nataliste en offrant des primes en plus des allocations familiales, incluant une somme de 7 000 $ pour le troisième enfant (Maroney, 1992 : 26). Bien que l'indice de fécondité soit remonté jusqu'à 1,6 enfant par femme au début des années 1990, d'autres facteurs doivent être considérés, comme la prise en compte de l'horloge biologique des femmes de la génération du baby-boom. Devant l'absence de résultats significatifs, ce programme fut abandonné par le gouvernement Bouchard en 1998. Depuis, l'indice est demeuré assez stable entre 1,45 et 1,6.

Les politiques gouvernementales peuvent affecter les décisions concernant la fécondité. En 1986 et 1987, lorsque les vasectomies n'étaient plus couvertes par

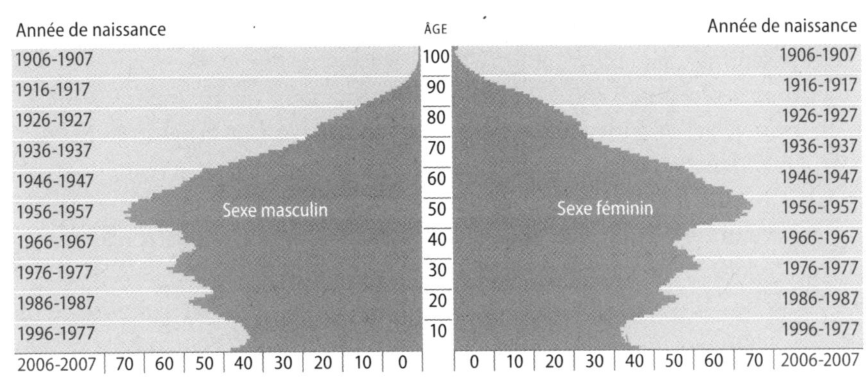

FIGURE 10.1
La pyramide des âges du Québec en 2008. Malgré une légère reprise depuis cinq ans, le déclin des naissances depuis la Révolution tranquille est saisissant et contraste fortement avec le boom d'après-guerre.

le programme d'assurance maladie, leur nombre chuta brusquement. Après que la couverture sociale fut remise en vigueur, les vasectomies sont devenues un moyen de stérilisation plus répandu que la ligature des trompes. Les informations sur la contraception et la limitation des naissances sont toujours largement accessibles dans les écoles et l'on peut obtenir la « pilule du lendemain » dans les CLSC (figure 10.1). Néanmoins, le nombre d'avortements a augmenté de manière significative, passant de 18,1 pour 100 naissances en 1986 à 38,1 en 2000, ce qui place dorénavant le Québec parmi les nations recourant le plus souvent à ce procédé. Cependant, si le régime d'assurance maladie remboursait la pilule contraceptive, le nombre des avortements pourrait diminuer.

Le recensement de 1991 révéla que la population âgée d'entre 15 et 24 ans à Montréal avait diminué de près de 11 % depuis 1986, et qu'elle était moindre que la population âgée d'entre 40 et 49 ans. L'espérance de vie a continué à augmenter, particulièrement celle des hommes, qui dépasse 77 ans, tandis que les femmes peuvent espérer vivre jusqu'à 83 ans. L'âge moyen des Québécois est passé de 36,8 à 39,9 ans entre 1996 et 2006. Selon les tendances démographiques actuelles, la population du Québec continuera à vieillir, les plus de 65 ans devenant plus nombreux que les moins de 15 ans vers 2010, tandis que plus de la moitié de la population sera constituée de gens entre 40 et 64 ans (Fournier et Lapierre-Adamcyk, 1992). À partir de cette date, le vieillissement s'accentuera. Si certaines retombées de cette évolution sont prévisibles — contraction du marché intérieur et augmentation des coûts des soins de santé — les effets négatifs pourraient être compensés par la participation élargie à un marché américain et par le plus haut niveau d'instruction de cette population vieillissante qui restera productive plus longtemps.

Avant la décennie 1960, le mariage au Québec avait quatre caractéristiques : il était universel et irrévocable, c'était un contrat légal et la seule institution acceptable dans laquelle éduquer des enfants. Dorénavant ce type de mariage coexiste avec de nouveaux types d'unions informelles sans bases légales et faciles à rompre, qui sont de plus en plus les arrangements au sein desquels naissent les enfants (Lapierre-Adamcyk, Lebourdais, Marcil-Graton, 1999). En fait, en 2005, 59 % des naissances provenaient d'unions libres sans l'aval de la religion ou de l'État. Un taux de nuptialité de 3,1 pour mille en 1998 et 1999 (comparé à près de 9 pour mille avant 1960) démontre que le mariage est devenu exceptionnel parmi les moins de 40 ans. Au cours de la même période, les divorces ont augmenté. Au milieu des années 1980, environ 40 % des mariages se terminaient par un divorce, et cette proportion atteignait 50 % au cours de la décennie 1990. Depuis 2000, ce pourcentage augmente légèrement à nouveau. Il s'ensuit une augmentation du nombre des familles recomposées et des familles monoparentales. Pour l'avenir, on prévoit qu'un tiers des hommes et 37 % des femmes se marieront au cours de leur vie, ce qui contraste de manière flagrante avec les 85 % à 90 % qui étaient la norme aussi récemment qu'en 1970. Avoir des enfants est une question de choix personnel dans ce nouvel environnement démographique : des projections estiment que 30 % des Québécoises actuellement âgées de 20 ans n'auront jamais d'enfants.

Bien qu'elle ait été dépénalisée en 1969, et que les Chartes des droits du Québec et du Canada affirment la liberté de l'orientation sexuelle, l'homosexualité restait plutôt confidentielle avant que l'épidémie de sida n'amène au grand jour les préoccupations des gays et des lesbiennes. Durant les années 1980, le Québec s'est fait plus tolérant. Bien que des centaines de ses membres soient décédés de cette maladie, la communauté homosexuelle a continué à croître, surtout autour du village gay branché du centre-est de Montréal. Depuis 1990, le succès de la « gay pride » a confirmé dans le monde entier que Montréal était l'une des villes les plus ouvertes envers les homosexuels. Au cours des années 1990, leur demande essentielle était la reconnaissance des couples de même sexe, revendication qui a été satisfaite en 2002. Deux ans plus tard, les couples de même sexe pouvaient s'unir légalement et, en 2005, 452 mariages gais eurent lieu (dont les deux tiers étaient des hommes) tandis que seulement 60 optèrent pour l'union civile.

Les tendances démographiques récentes ont modifié la composition ethnique du Québec. Depuis 1986, le déclin de la population anglophone se poursuit alors que Toronto et d'autres pôles de l'économie nord-américaine continuent à drainer les jeunes anglophones instruits. Après 1986, le solde migratoire du Québec fut

FIGURE 10.2
Tout en conservant des éléments de leur culture d'origine, les membres des communautés culturelles s'intègrent aux activités culturelles québécoises.

positif, mais le référendum de 1995 a provoqué l'inversion de cette tendance. Les politiques gouvernementales ont découragé l'immigration des anglophones au Québec et le pourcentage des immigrants dont la langue maternelle est l'anglais a chuté de 9,8 % à 2,4 % entre 1985 et 2000. Cette tendance s'accentuera probablement encore, en raison des propositions pour élever jusqu'à 50 % la proportion des immigrants de langue française admis au Québec.

Le multiculturalisme, si visible dans d'autres villes canadiennes d'importance, est moins évident au Québec. La plupart des immigrants s'installent à Montréal, mais les minorités visibles n'y comptent que pour 12 % de la population, contrairement aux 30 % de Toronto et de Vancouver (figure 10.2). Les pays d'origine des immigrants sont variés. Durant la période 2004-2008, l'Algérie est le pays d'origine du plus grand nombre d'immigrants (18 452) suivi de près par la France (17 503), le Maroc (16 406) et la Chine (15 309). L'immigration d'autres pays est sensible aux événements politiques locaux. Le Liban, par exemple, contribuait beaucoup au début des années 1990 mais le nombre diminua fortement avec le retour de la paix civile. La recrudescence des affrontements dans ce pays a fait augmenter le nombre d'immigrants.

Les nationalistes québécois décrivent le Québec comme une société ouverte, accueillant volontiers les immigrants. Bien que cela soit vrai, le Québec reçoit cependant beaucoup moins d'immigrants que l'Ontario et l'Ouest, et leur influence ne se fait sentir que dans la région de Montréal où 87 % s'établissent. En 1979, l'accord Cullen-Couture avait donné au Québec le contrôle de son immigration. La connaissance du français y devenait un critère important, sans constituer une raison pour l'exclusion. Cependant, le fait de devoir se frayer un chemin à travers une double bureaucratie, les coûts supplémentaires et la faiblesse économique relative du Québec sont des facteurs qui ont maintenu l'immigration à moins de 20 % du total du Canada. Bien que les gouvernements du Parti québécois ont été traditionnellement plus frileux à envisager l'augmentation de l'immigration, celui de Bernard Landry souhaitait porter le nombre des immigrants à environ 40 000 par an pour compenser la baisse du taux de natalité. Cet objectif fut réalisé et maintenu par son successeur libéral, Jean Charest, et le nombre moyen d'immigrants pendant la période 2004-2008 est de plus de 44 500. Cette augmentation de l'immigration a permis au Québec de maintenir sa part dans la population canadienne autour de 24 %. Toutefois, l'augmentation de la population immigrante a ravivé les tensions identitaires comme en font foi les audiences de la commission Bouchard-Taylor.

L'AMÉRICANISATION DE L'ÉCONOMIE

Succédant à la récession du début des années 1990, la forte croissance économique des États-Unis, la baisse du dollar canadien et la signature des accords de libre-échange en 1989 et 1994 ont alimenté l'expansion économique du Québec durant le reste de la décennie. L'économie québécoise s'est transformée, notamment par la croissance des secteurs des télécommunications, de l'aéronautique et de la haute technologie, tandis que certains secteurs industriels traditionnels déclinaient. Des entreprises de toute taille se sont spécialisées dans ces secteurs porteurs, pour pallier la contraction du marché canadien. En dépit de cette croissance forte et continue, l'économie du Québec ne progresse pas aussi vite que celle du Canada et des États-Unis ; le chômage demeure un problème incontournable et les disparités entre riches et pauvres s'accroissent. La crise du capitalisme financier intervenu en 2008 risque fortement d'accroître ces disparités.

Le rôle de l'État dans l'économie est de plus en plus remis en question au fur et à mesure que les mérites d'un modèle spécifiquement québécois, impliquant une forte intervention de l'État, n'apparaissent plus si évidents. Les politiques fiscales néolibérales — dynamiques à Ottawa, plus timides au Québec — indiquent que les gouvernements entendent jouer un moindre rôle dans la direction de l'économie et la redistribution des richesses. La réforme fédérale de l'assurance chômage et les restrictions provinciales sur le bien-être social accroissent la détresse des plus pauvres, qui dépendent de plus en plus de l'assistance sociale.

Bien que les économistes se livrent à un vif débat sur la question de savoir si les économies du Québec et de l'Ontario sont convergentes, les schémas bruts montrent que, depuis la récession du début des années 1980, le Québec a été uniformément sous-performant : le produit provincial brut, les exportations, les créations d'emplois et les salaires ont augmenté de manière substantielle au

Québec, mais pas aussi rapidement que dans le reste du Canada. D'un autre côté, le taux de chômage y est resté plus élevé, et les faillites y sont plus nombreuses. L'économiste Marcel Boyer (2007) soutient que ce résultat relativement faible compromet l'État-providence québécois et a un effet négatif sur l'environnement et sur les productions culturelles.

Le libre-échange et la récession ont assené un coup sérieux au secteur industriel qui a perdu un cinquième de ses emplois, et à certaines entreprises du secteur tertiaire, telles qu'Eaton, qui profitait depuis toujours d'un marché intérieur protégé. Les industries du cuir et du textile, déjà en déclin, sont sérieusement affectées. L'industrie automobile au Québec est revenue de son optimisme de la fin des années 1980, quand une usine d'assemblage Hyundai s'était implantée à Bromont. L'échec de celle-ci ainsi que la fermeture de l'usine General Motors à Sainte-Thérèse en 2002 ont sonné le glas de cette industrie dans la province. Ces disparitions ont atténué, cependant, l'impact de l'effondrement de l'industrie nord-américaine de l'automobile pour le Québec en 2009.

Mais, d'un autre côté, le libre-échange a généré des bénéfices dans d'autres secteurs, notamment ceux qui exportent vers les États-Unis. Les exportations ont bondi jusqu'à plus de 60 milliards de dollars en 2000. L'industrie du bois et les fabricants de meubles ont profité de l'expansion économique soutenue des États-Unis, avant que les politiques protectionnistes de George W. Bush ne viennent ralentir cet élan. L'agriculture et le secteur agro-alimentaire ont misé sur l'accès au marché américain, ce qui a entraîné la croissance d'une industrie porcine dommageable pour l'environnement. Ces nouveaux développements ont été fermement soutenus par l'Union des producteurs agricoles, mais les objectifs de cette dernière sont remis en question par les autochtones, désireux de gérer les forêts des territoires qu'ils revendiquent, ainsi que par l'Union paysanne, qui vise au maintien de la ferme familiale et à la protection de l'environnement.

Durant la Révolution tranquille, Hydro-Québec avait été le symbole exemplaire de l'action de l'État québécois et du savoir-faire francophone. Cette entreprise fut le moteur essentiel du développement économique, et le public était favorable à son expansion. Mais, récemment, la lune de miel du Québec avec son entreprise d'État a pris fin. Lors du quarantième anniversaire d'Hydro-Québec, l'ère des mégaprojets s'acheva avec la mise en service de La Grande-4 en 1984, sans que la pertinence d'autres développements ne soit mise en cause. Le gouvernement Bourassa espérait poursuivre le développement énergétique dans le bassin de la rivière Grande Baleine, mais les protestations des autochtones à New York et la menace des sociétés publiques des États-Unis d'annuler leurs contrats provoquèrent un temps d'arrêt. De gigantesques pannes de courant en 1988 et 1989, la catastrophique tempête de verglas de 1998 et la baisse des niveaux d'eau eurent pour effet de saper la confiance du public dans la capacité d'Hydro-Québec à

FIGURE 10.3
En 1998, Hydro-Québec commença à promouvoir les éoliennes pour compléter le pouvoir hydroélectrique. Construit en 2005, ce parc de la Gaspésie génère 1,8MW. On espère que les éoliennes génèreront 4 000MW en 2015 mais les parcs soulèvent des réticences en raison de la pollution environnementale et visuelle. (Source : TechnoCentre éolien).

fournir de l'électricité aux consommateurs tant au Québec qu'à l'extérieur des frontières. Cependant, pour le gouvernement, Hydro-Québec est toujours considéré comme un moteur de développement, même si, pour produire davantage d'électricité, l'entreprise doit se résoudre à utiliser des formes d'énergie nuisibles pour l'environnement, telles que le gaz naturel (figure 10.3). Toutefois, la ratification d'un accord avec les Cris en 2002 a ouvert la porte au développement futur des bassins des rivières Rupert et Eastmain.

Au Québec, la création d'emplois repose traditionnellement sur les petites et moyennes entreprises. À titre d'exemple, celles-ci ont fourni 90 % des nouveaux emplois en 1999. Cependant, ces emplois sont souvent précaires, car un cinquième, voire un quart, de ces très petites entreprises (moins de cinq employés) font faillite en l'espace d'un an. Ceci explique pourquoi le Québec, qui crée plus d'emplois que l'Ontario, en perd aussi davantage : en chiffres nets, les créations d'emplois sont moins nombreuses au Québec. Les grandes entreprises comptent pour plus de la moitié dans le total des emplois et elles produisent 70 % des biens et des services. Mais elles sont souvent perçues comme étrangères, bien que la proportion des francophones dans les conseils d'administration ait considérablement et constamment augmenté.

En dépit de la croissance économique de la période 1983-1990, le chômage est resté élevé, ne descendant que lentement à 9,3 % en 1989. En février 1993, il remonta encore à 13,2 %, à cause de la récession de 1990-1992. La région de Montréal, en particulier, fut rudement touchée. Les causes du chômage sont liées de manière persistante à l'âge, au sexe et à l'ethnie qui influencent toujours les probabilités de se retrouver sans emploi. Tandis que, dans une grande proportion, les adultes plus âgés parviennent à conserver leur emploi, près de 20 % des jeunes d'entre 15 et 24 ans ne peuvent trouver de travail. Les incitations offertes aux plus de 55 ans à prendre une retraite anticipée ont fait perdre beaucoup de savoir-faire, surtout dans les secteurs de la santé et de l'éducation, sans bénéfices appréciables pour l'emploi. Contrairement aux périodes antérieures, les femmes, qui ont généralement acquis un niveau d'instruction plus élevé, ont moins souffert du chômage que les hommes. Par contre, la communauté noire de Montréal souffre toujours de discrimination et son taux de chômage est deux fois et demie plus élevé que celui des Blancs. Comme les anglophones, les Noirs de formation universitaire continuent à délaisser la province pour aller chercher du travail ailleurs, au Canada ou aux États-Unis. Après 1993, malgré la croissance économique le taux de chômage a mis du temps à descendre atteignant 6,9 % en 2007 avant de remonter à plus de 9 % en 2009.

Le chômage, le travail à temps partiel et les politiques fiscales conservatrices de l'époque Mulroney ont creusé l'écart entre les riches et les pauvres. Dans l'ensemble, les ménages québécois sont à présent plus aisés, mais la raison de cette hausse du niveau de vie réside dans l'addition des salaires des deux partenaires du ménage. Le gouvernement s'approprie la plus grande part du revenu supplémentaire par des impôts plus élevés. Avec près de 20 % des ménages vivant en dessous du seuil de pauvreté, la proportion des ménages à faibles revenus au Québec est plus élevée que la moyenne nationale et les personnes seules ont trois fois plus de risques d'entrer dans cette catégorie. La situation économique des femmes seules et des familles monoparentales menées par des femmes s'est détériorée davantage que celle de n'importe quel autre groupe (*Canada Year Book, 1990* ; Langlois et al., 1990). Les Noirs de Montréal, dans l'ensemble, restent pauvres : le revenu moyen d'un homme noir est inférieur à celui des femmes, et de 45 % inférieur à la moyenne de celui des hommes en général. Le nombre des personnes vivant du bien-être social a suivi le même schéma que le chômage, revenant, vers 1990, au niveau du début des années 1980, avant de remonter vers un nouveau sommet en 1996, moment où 12,6 % de la population de moins de 65 ans recevait des allocations.

Si, durant les années 1970, les Québécois considéraient l'État comme le moteur incontournable du progrès économique, les années 1980 virent l'avènement d'une philosophie conservatrice qui accordait davantage d'importance à l'entreprise privée. Des chefs d'entreprises tels que Pierre Péladeau devinrent les nouveaux symboles de la réussite économique.

Avec Quebecor, Péladeau contrôlait la grande distribution de journaux et de magazines dans la province, aussi bien que les usines de pâte à papier qui fournissaient la matière première pour les produire. Dans son expansion outre-mer, il devint l'un des plus importants fournisseurs d'imprimés au monde. Mais, malgré cette ambition internationale, il restait profondément attaché au Québec et à la promotion des entrepreneurs francophones. Depuis sa mort, en 1999, son fils, Pierre Karl Péladeau, s'est orienté vers les acquisitions internationales et s'intéresse moins au Québec et à la politique canadienne. D'autres grandes compagnies, telles que Bombardier, ont, comme Quebecor, une dimension internationale. Le monde est le théâtre de leurs opérations. Cependant, la plupart des entreprises québécoises ont limité leur champ d'action à l'Amérique du Nord, surtout depuis l'Accord nord-américain de libre-échange (ALENA).

La communauté des gens d'affaires du Québec, circonspects par tradition, s'est davantage engagée dans les affaires publiques au cours des années 1980. Un nombre croissant de ses membres se sont prononcés en faveur de la souveraineté à la suite des échecs des accords constitutionnels du lac Meech et de Charlottetown. La politique économique du gouvernement fédéral — qui maintenait des taux d'intérêt élevés en faveur du sud de l'Ontario et au détriment du Québec, et qui abandonnait les programmes de développement régionaux — a encore accru leur désenchantement vis-à-vis du fédéralisme. Au fur et à mesure que Montréal perdait de son importance dans l'ensemble canadien, la conquête de nouveaux marchés devenait un objectif essentiel. Les incessantes querelles avec le reste du Canada au sujet de l'avenir du Québec encouragèrent de nombreux entrepreneurs à se tourner vers les États-Unis, qu'ils considéraient à la fois comme un symbole du capitalisme et comme un moyen de libérer le Québec de la tutelle canadienne. Cependant, la plupart d'entre eux ont suivi le président du Conseil du patronat, Ghislain Dufour, et sont restés fédéralistes, accusant « les incertitudes politiques » de nuire aux investissements.

Le souci des gens d'affaires de conserver un environnement économique stable a provoqué la remise en question du modèle québécois de développement économique. À la suite de sa victoire électorale de 1985, Robert Bourassa avait créé trois groupes de travail — sur la privatisation des entreprises d'État, sur la dette publique et sur l'allégement des règlements bureaucratiques — pour redéfinir le rôle du gouvernement. Bourassa avait timidement tenté de suivre quelques-unes de leurs recommandations : des compagnies en perte de vitesse telles que Québecair et la raffinerie de sucre gérée par la province furent privatisées, et les réglementations sur les heures de fermeture des commerces furent assouplies. Mais c'est le gouvernement Bouchard qui a agi le plus énergiquement pour se débarrasser d'entreprises déficitaires comme Sidbec en 1995 et pour sabrer les dépenses du gouvernement afin de réduire la dette. En 1998, quand la Caisse de dépôt et placement laissa Loblaws acheter Provigo sans intervenir, certains ont pensé que le modèle québécois, fondé sur la forte intervention de l'État dans l'économie, touchait à sa fin, en dépit des dénégations de Bouchard et de son ministre des Finances, Bernard Landry. En 1999, Claude Castonguay, le fondateur du régime d'assurance maladie, a plaidé pour l'abandon de ce modèle et pour l'initiative individuelle, afin de permettre au Québec de rattraper l'Ontario. Lors des funérailles du chef syndical Louis Laberge, le premier ministre Bernard Landry vanta le travail des syndicalistes qui avaient fait du Québec la société la plus syndiquée d'Amérique (*Le Devoir*, 25 juillet 2002). Malgré ce discours, son successeur, Jean Charest agira pour couper les dépenses et afficha le premier surplus budgétaire depuis des décennies en 2007.

La politique fiscale conservatrice mise en place pour contenir le gonflement de la dette publique a eu des conséquences dramatiques sur les services que le gouvernement assurait aux citoyens. Par exemple, la réforme du programme de l'assurance chômage en 1995 visait à décourager les travailleurs qui utilisaient le système pour compléter les revenus de leurs emplois saisonniers ou à temps partiel, espérant les contraindre ainsi à se trouver un emploi permanent. Mais une telle politique a eu des effets désastreux sur des régions comme la Gaspésie, qui dépendent des emplois saisonniers de la pêche ou de la foresterie. Les compressions budgétaires dans les services de santé ont provoqué l'allongement des délais d'attente pour les patients, une surcharge de travail pour le personnel et ont incité nombre de praticiens qualifiés à quitter la province.

La crise financière d'août 2008 et la récession qui s'ensuivit ont contribué à remettre en question aussi bien l'intervention étatique que le libéralisme non-règlementé. La Caisse de dépôt et de placements, par exemple, responsable des fonds de pension les plus importants au Québec a perdu 40 milliards de dollars en 2008-2009. Des questions quant à la compétence des dirigeants, l'absence de transparence et les nominations politiques s'unissent à des interrogations sur l'opportunité de confier la gestion des infrastructures publiques au domaine public ou privé.

La récession fut particulièrement ressentie dans les régions qui dépendaient de l'exportation des ressources naturelles. L'effondrement des quotidiens nord-américains à la suite de la diffusion des nouvelles sur Internet a particulièrement frappé tout le secteur des pâtes et papiers, l'un des fleurons de l'économie québécoise depuis un siècle. Montréal s'enlise dans la morosité et perd même le Grand Prix de Formule 1 tandis que Québec tente de s'en tirer par des commémorations, comme la fondation de la ville par Champlain, en 2008. L'action gouvernementale, par exemple l'annonce d'une subvention de 110 millions de dollars pour la construction d'une nouvelle salle de concert à Place des Arts en mai 2009, n'est perçue que comme un cataplasme.

L'AGRICULTURE

Le phénomène de la concentration dans l'agriculture se poursuit et le nombre des fermes est tombé à 28 355 seulement en 1998 avant de remonter à 29 786 en 2007. Cette tendance est perçue dans toute l'Amérique du Nord, mais elle est plus prononcée au Québec. Les unités générant plus de 250 000 $ augmentèrent en nombre même si près du tiers restaient de petites exploitations procurant moins de 50 000 $ de revenu. Ce sont surtout les fermiers moyens qui disparaissent : les exploitations de moins de 70 acres (28 ha) ont augmenté de 11 % entre 2001 et 2006 tandis que celles de plus de 400 acres (160 ha) l'ont fait à près de 5 % pendant la même période.

Le libre-échange a donné le signal d'un changement marqué dans l'agriculture. Les fermes laitières traditionnelles, s'appuyant sur les quotas laitiers pour protéger leur marché canadien, demeurent les plus nombreuses mais leur position est menacée par l'opposition internationale au protectionnisme agricole canadien. Elles ont aussi perdu leur titre de secteur agricole le plus dynamique depuis que la production porcine est devenue le nouveau moteur des exportations agricoles vers les États-Unis et le Japon. Grâce à la croissance de cette dernière, le déficit dans la balance des paiements du secteur agricole et agro-alimentaire a diminué après 1996 et s'est presque éteint en 1998. De nouvelles spécialisations — par exemple la création d'élevages de bison, de caribou, de cerf et d'autruches —, autant que le nombre grandissant de vignobles au sud de Montréal, introduisent de la variété dans le paysage ; mais ces deux phénomènes demeurent marginaux sur le plan économique. En dépit des performances de l'agriculture québécoise et du succès des éleveurs de porcs dans le domaine des exportations, l'agriculture reste dépendante de la protection et des subsides gouvernementaux. En fait, les subsides du gouvernement représentaient 12 % des revenus agricoles en 2005.

Puisque la modernisation a élevé l'agriculture québécoise au niveau des grandes entreprises, les coopératives et l'Union des producteurs agricoles, seul groupement d'agriculteurs reconnu par le gouvernement, se sont fait les promoteurs d'une plus grande productivité et de l'économie d'entreprise. Mais la sélection à outrance des vaches laitières, réduites à une seule espèce avec un nombre limité de taureaux, l'injection d'hormones pour augmenter la masse musculaire des bêtes de boucherie et l'utilisation de farines industrielles dans l'alimentation du bétail ont provoqué l'inquiétude des consommateurs et de quelques scientifiques. La création en 2001 de l'Union paysanne du Québec indique que tous les fermiers ne désirent pas se conformer au mot d'ordre des multinationales. Il s'agit d'une organisation indépendante visant la protection des fermes familiales respectueuses de l'environnement, mouvement inspiré de la Confédération paysanne du français José Bové et de la National Farmers Union canadienne. Au Québec, les inquiétudes relatives aux organismes génétiquement modifiés sont peut-être moins vives que dans les grandes régions céréalières, mais la résistance grandissante à ces procédés à l'extérieur de l'Amérique du Nord pourrait se révéler potentiellement préjudiciable aux exportations agricoles.

LA POLITIQUE : TOUJOURS À LA RECHERCHE D'UN PAYS

L'échec référendaire de 1980, l'exclusion du Québec dans le rapatriement de la constitution en 1982, le retrait de Pierre-Eliott Trudeau en 1984 et la défaite du Parti québécois en 1985 signalèrent un revirement politique majeur. Pendant une décennie, la politique fut plus conservatrice et les gens d'affaires remplacèrent les intellectuels pour fixer l'agenda. Les gouvernements s'investissèrent moins dans la promotion des francophones. Ces faits expliquent, en partie, l'enthousiasme des Québécois pour l'accord de libre-échange avec les États-Unis.

L'option souverainiste semblait sur le déclin après l'élection de Robert Bourassa en 1985. Celui-ci prôna l'idée d'un fédéralisme renouvelé qui, assorti de cinq conditions, assurerait l'adhésion du Québec à la Constitution canadienne de 1982 :

1. la reconnaissance de la spécificité du Québec ;
2. l'obtention de pouvoirs accrus en immigration ;
3. la limitation du pouvoir de dépenser du gouvernement fédéral ;
4. un droit de veto ou de retrait avec compensation financière sur les modifications constitutionnelles ;
5. une participation à la nomination des juges de la Cour suprême.

Au lac Meech, en avril 1987, le premier ministre du Canada et les dix premiers ministres provinciaux s'accordèrent à l'unanimité sur un texte incluant les conditions du Québec. Mais l'Accord du lac Meech devait être ratifié par le gouvernement fédéral et par chacune des provinces, en l'espace de trois ans, selon les termes de la Constitution de 1982.

En décembre 1988, la décision de la Cour suprême qui invalidait certaines dispositions de la Charte de la langue française du Québec, entre autres celle imposant l'affichage uniquement en français, souleva les passions. Les anglophones y voyaient la confirmation de la primauté des droits individuels tandis que les francophones craignaient pour leurs droits collectifs. Ils perçurent ce jugement comme une menace à leur survie nationale. Devant les manifestations de milliers de personnes, Bourassa invoqua la clause de dérogation (nonobstant) de la Charte qui permet aux provinces de se soustraire à la loi. Cela eut pour effet de cristalliser les oppositions à l'Accord du lac Meech. La clause de la société distincte réveilla une francophobie latente autant que la peur, récurrente en ce qui concerne les questions constitutionnelles, que le Québec ait davantage de pouvoir que les autres provinces. Les sociaux-démocrates exprimèrent la crainte que l'Accord n'affaiblisse la capacité du gouvernement central à mettre en œuvre les programmes sociaux pancanadiens. À droite, une faction grandissante, centrée en Alberta, fit valoir que l'Accord empêcherait la réforme du Sénat.

L'opposition était menée par l'ancien premier ministre Trudeau et par le premier ministre de Terre-Neuve, Clyde Wells, mais l'Accord reçut le coup de grâce d'un intervenant inattendu. Largement exclus du processus constitutionnel entourant cette entente, les peuples autochtones eurent le dernier mot. Le député manitobain Elijah Harper usa des moyens que lui offrait la procédure parlementaire pour bloquer la ratification. L'échec de la ratification de l'Accord du lac Meech mena à de nouvelles manifestations nationalistes lors de la Saint-Jean-Baptiste du 24 juin 1990 et à la formation du Bloc québécois au niveau fédéral. En septembre 1990, répondant aux pressions nationalistes, l'Assemblée nationale du Québec instaura la commission Bélanger-Campeau, chargée d'analyser le statut politique et la Constitution du Québec, puis de formuler des recommandations. En cinq mois, la commission reçut 607 mémoires avant de livrer son rapport.

Le Parti libéral du Québec réagit lui aussi à l'échec de l'Accord. Son comité constitutionnel rédigea le rapport Allaire, qui appelait à un référendum sur une redéfinition des rapports Québec-Canada qui reconnaîtrait l'autorité exclusive du Québec et limiterait l'ingérence du gouvernement fédéral dans les domaines provinciaux tels que la santé et l'éducation. Dans cette optique, la politique étrangère, la justice, l'immigration et les institutions financières seraient partagées, et les pouvoirs fédéraux se limiteraient à la défense, aux douanes et aux finances (Parti libéral du Québec, 1991).

Le gouvernement Mulroney répondit par les rapports Spicer et Beaudoin-Dobbie, mais il fut incapable de formuler une proposition acceptable pour les diverses composantes de la population, particulièrement pour les Québécois, les autochtones, les féministes et les gens de l'Ouest. Un nouvel accord pour le renouvellement constitutionnel fut bricolé à la hâte à la table des négociations, derrière des portes closes, à Charlottetown en août 1992. Cet accord donnait moins de pouvoirs au Québec que l'Accord du lac Meech mais reconnaissait le Québec en tant que « société distincte à l'intérieur du Canada », distinction basée sur sa langue, sa culture, et ses traditions en matière de droit civil (Canada, *Our Future Together : An Agreement for Constitutional Renewal*, 1992 : 2). Il fut ensuite soumis à un référendum dans l'ensemble du Canada, le 26 octobre 1992. Se sentant trahis, les Québécois votèrent non à 56,6 % et le reste du Canada, l'Ouest en tête, rejeta également cette entente.

TABLEAU 10.1

Chronologie constitutionnelle

1968	Création du Parti québécois
1969	Loi sur les Langues officielles du Canada
1970	Crise d'Octobre
1971	Le Québec impose son veto à la Charte de Victoria
1974	Adoption de la loi 22
1976	Élection du Parti québécois : René Lévesque devient premier ministre du Québec
1977	Charte de la langue française (loi 101)
1980	Référendum sur la souveraineté-association
1982	Rapatriement de la Constitution, grâce à la Loi sur le Canada, et enchâssement dans la Constitution de la Charte canadienne des droits et libertés
1987	Entente provisoire sur l'Accord du lac Meech
1988	La Cour suprême invalide la section de la Charte de la langue française du Québec stipulant l'affichage exclusif en français
	Loi 178 votée au Québec
1990	Échec de l'Accord du lac Meech
	Création du Bloc québécois
1991	Rapport Allaire
	Rapport Bélanger-Campeau
1992	Rapport Beaudoin-Dobbie
	Les Québécois et les Canadiens disent non, par référendum, à l'Accord de Charlottetown
1995	Référendum sur l'indépendance
1998	Jugement de la Cour suprême sur la sécession du Québec
2000	Loi sur la clarté
2006	Reconnaissance par le Parlement canadien de la nation québécoise

Depuis le lac Meech en 1987 jusqu'à l'échec de l'Accord de Charlottetown en 1992, les crises constitutionnelles ont ravivé le nationalisme québécois (tableau 10.1). En 1992, Jean Allaire démissionna du Parti libéral du Québec pour créer un an plus tard l'Action démocratique du Québec (ADQ) avec Mario Dumont, leader des jeunes libéraux qui en avait été exclu pour s'être prononcé en faveur du « Non » lors du référendum de Charlottetown. Plus spectaculaire encore fut le revirement de Lucien Bouchard, dont la carrière a été soumise comme une girouette aux courants du nationalisme québécois. Nationaliste convaincu depuis toujours, il fut libéral à l'époque de la trudeaumanie de la fin des années 1960. Après avoir soutenu Lévesque et les partisans de la souveraineté à la fin des années 1970, il se rallia aux conservateurs de Brian Mulroney, acceptant un poste de ministre. La débâcle du lac Meech poussa un Bouchard aigri à quitter le gouvernement pour fonder le Bloc québécois en 1990, parti fédéral dont la souveraineté était l'objectif principal. Sa lutte contre une nécrose qui lui coûta une jambe ne fit qu'accroître sa popularité ; en octobre 1993, le Bloc fit élire 54 députés, devenant ainsi l'opposition officielle.

FIGURE 10.4
Lucien Bouchard, premier ministre du Québec, 1996-2001.

Après avoir mené le Québec sur les chemins tortueux des crises constitutionnelles depuis 1985, Robert Bourassa, gravement malade, démissionna en 1994. Son successeur, Daniel Johnson, fut incapable d'endiguer le sentiment nationaliste et le Parti québécois, dirigé par Jacques Parizeau qui menait campagne sur la promesse d'un référendum sur la souveraineté en 1995, obtint 77 sièges, en laissant 47 aux libéraux.

En juin 1995, le Parti québécois de Jacques Parizeau, le Bloc québécois de Lucien Bouchard (figure 10.4) et l'Action démocratique de Mario Dumont signèrent un accord pour unir leurs forces dans la campagne référendaire en faveur du « Oui ». Le préambule lyrique du Projet de loi sur l'avenir du Québec évoquait un passé mythique au moyen d'une imagerie bucolique : « Voici venu le temps de la moisson dans les champs de l'histoire. Il est enfin venu le temps de récolter ce que semaient pour nous quatre cents ans de femmes et d'hommes de courage, enracinés au sol et dedans retournés. » C'était un document rédigé avec art, qui alliait intelligemment la vision d'une société inclusive et pluraliste avec une vision plus étroitement ethnocentrique :

> À l'aube du XVIIe siècle, les pionniers de ce qui allait devenir une nation, puis un peuple, se sont implantés en terre québécoise. Venus d'une grande civilisation, enrichis par celle des Premières Nations, ils ont tissé les solidarités nouvelles et maintenu l'héritage français... La communauté anglaise qui s'est établie à leurs côtés, les immi-

> grants qui se sont joints à eux ont contribué à former ce peuple qui, en 1867, est devenu l'un des deux fondateurs de la fédération canadienne...
>
> Parce que cette terre bat en français et que cette pulsation signifie autant que les saisons qui la régissent, que les vents qui la plient, que les gens qui la façonnent...
>
> L'hiver nous est connu. Nous savons ses frimas, ses solitudes, sa fausse éternité et ses morts apparentes. Nous avons bien connu ses morsures.
>
> Notre langue scande nos amours, nos croyances et nos rêves pour cette terre et pour ce pays... nous proclamons notre volonté de vivre dans une société de langue française. Notre culture nous chante, nous écrit et nous nomme à la face du monde.

Le projet de loi sur l'avenir du Québec déclarait que rester à l'intérieur du Canada signifierait « s'étioler et dénaturer notre identité même », que le Québec avait été trompé lors du rapatriement de la Constitution et qu'Ottawa avait rabaissé le principe des deux peuples fondateurs en consacrant « le principe d'une égalité factice entre les provinces ». En même temps, il garantissait le maintien des droits traditionnels de la communauté anglophone et des Premières Nations (Québec, Projet de loi sur l'avenir du Québec, 1995).

La participation massive au vote référendaire (95,3 %) est révélatrice de l'intérêt du public, et ses résultats ne pouvaient guère être plus serrés : 49,4 % pour le « Oui » et 50,6 pour le « Non ». Au soir des élections, Jacques Parizeau déclara que la défaite du oui était due à l'argent et au vote ethnique, ce qui confirma les pires soupçons des anglophones quant aux buts réels des souverainistes et raviva le vieux débat sur les liens entre l'ethnicité et le nationalisme. La démission immédiate de Parizeau, remplacé par Lucien Bouchard en tant que premier ministre, fit pencher la balance du côté d'un nationalisme civique. Bouchard fut cependant incapable d'évincer les nationalistes ethniques du Parti québécois et, en 2001, les déclarations ethnocentriques d'Yves Michaud finirent par être la cause de sa démission.

Le reste du Canada fut profondément ébranlé par les résultats serrés du référendum (figure 10.5). Le gouvernement libéral de Jean Chrétien agit de manière à juguler les débats sécessionnistes à l'avenir. Se fondant sur une décision de la Cour suprême de 1998, statuant qu'une sécession unilatérale serait contraire à la fois aux lois constitutionnelles canadiennes et aux lois internationales, le gouvernement Chrétien déposa une loi sur la clarté en décembre 1999, loi qui soumet à l'avenir tout référendum provincial à un contrôle fédéral afin de s'assurer que la question soit claire et les résultats probants. Dans le même temps, une décision de la Cour suprême obligeait Ottawa et les provinces à négocier avec le Québec au cas où ses citoyens se prononceraient en faveur de l'indépendance.

Les résultats serrés du référendum ont eu également des conséquences politiques au Québec. Pour contrer la popularité de Bouchard, le Parti libéral choisit

FIGURE 10.5
Manifestation pour le Canada, en octobre 1995. Devant la probabilité d'une victoire du «oui» au référendum, les fédéralistes ont réagi en faisant venir des milliers de personnes pour une manifestation au carré Dominion. L'effet de cette démarche sur les résultats du référendum est discutable, mais beaucoup de Québécois la percevaient comme une ingérence dans les affaires du Québec.

Jean Charest, ancien leader conservateur fédéral, pour remplacer Johnson à la tête du parti. Lors des élections de 1998, alors que Bouchard a facilement conservé la majorité à l'Assemblée nationale, gagnant 76 sièges comparativement à 48 pour les libéraux, le vote populaire a désavoué son parti et son option souverainiste, avantageant les libéraux. En conséquence, Bouchard a refusé de s'engager à tenir un nouveau référendum, se contentant de se réfugier derrière la formule des conditions gagnantes.

Les réactions des anglophones fluctuèrent tout au long des années 1980 et 1990. Quelques-uns choisirent de quitter le Québec, d'autres créèrent le Parti égalité ou proposèrent une partition du Québec dans laquelle Montréal et d'autres communautés anglophones et autochtones resteraient canadiennes au cas où le Québec ferait sécession. La plupart continuèrent à vivre au Québec, acceptant le français comme langue officielle et s'identifiant fièrement à Montréal ou à d'autres régions.

Cependant, la Loi sur les fusions municipales, en 2000, a mis en lumière les inquiétudes bien réelles et persistantes des anglophones en ce qui concerne de possibles empiètements sur l'autonomie de leur communauté ou sur les droits acquis des municipalités bilingues. Sans consulter la population, le gouvernement

FIGURE 10.6
Les habitants des villes de banlieue se sont opposés aux fusions municipales imposées par Québec devant la justice et par leur vote aux élections municipales de 2001 sous le slogan «Ne touchez pas à ma ville».

abolit de nombreuses municipalités bilingues pour créer une grande ville (figure 10.6). Les résultats des élections municipales de novembre 2001 à Montréal ont clairement démontré les divisions entre la vieille ville et les municipalités autonomes, entre Est et Ouest, entre pauvres et riches, entre francophones et anglophones. Pour la première fois depuis des décennies, ces résultats ont donné aux anglophones un mot à dire sur la politique municipale de Montréal.

De leur côté, les francophones restent divisés sur l'attitude à adopter vis-à-vis de la souveraineté et de la cohabitation avec la communauté anglophone (tableau 10.2). L'engagement indépendantiste a reflué après la défaite de 1995, mais il est resté considérable. La majorité de la population ne partage pas l'enthousiasme du Parti québécois pour un nouveau référendum, mais elle soutient l'objectif de la reconnaissance du caractère distinct du Québec et la question de la compétence exclusive, en particulier en ce qui concerne la langue et la culture. En même temps, les francophones sont conscients que, dans la nouvelle économie qui lie le Québec aux marchés nord-américains, les affaires se font en anglais. En 2000, les francophones comptaient pour près de 25 % des inscriptions à l'Université McGill et un nombre croissant de francophones ont déménagé vers les enclaves traditionnellement anglophones de Westmount ou de Beaconsfield.

TABLEAU 10.2

Soutien à la souveraineté au tournant du millénaire

	Oui %	Non %
Francophones	48,0	45,4
Anglophones	14,0	80,6
Autres	19,7	73,3
Hommes	45,4	49,7
Femmes	39,2	52,8
Études primaires	33,2	57,7
Études secondaires	43,9	48,9
Études collégiales	43,5	50,5
Diplôme universitaire	40,1	55,2

Traditionnellement au Québec, il n'y a que deux partis qui se disputent le pouvoir mais, aux élections de 2007, trois partis se partagèrent également les suffrages. Premier ministre depuis 2003, Jean Charest subit les contrecoups des crises en éducation, dans les programmes de bien-être social et surtout dans les services de santé. Il n'a pas su prendre en compte la montée du sentiment national ce qui lui nuit dans les régions francophones et il sortit donc minoritaire aux élections de 2007. L'ADQ, jouant la carte du vieux nationalisme duplessiste, est devenu l'opposition officielle (figure 10.7). Le Parti québécois, qui avait viré la vieille garde en faveur d'André Boisclair, un leader ouvertement gai et « dans le vent », insistant sur un nationalisme civique détaché des origines ethniques, finit dernier.

Après l'élection, le PQ fit le ménage : Pauline Marois remplaça Boisclair comme chef et le parti reprit l'étole nationaliste du « Nous » sous l'influence d'intellectuels comme Jean-François Lisée. En proposant des lois astreignant les immigrants à intégrer totalement la culture québécoise, il reconquit les nationalistes traditionnels et regagna le statut d'opposition officielle lors des élections de 2008. La remise en question de l'identité nationale et l'arrivée de plus en plus nombreuse d'immigrants musulmans provoqua la mise sur pied de la commission d'enquête Bouchard-Taylor sur les accommodements raisonnables.

Les élections fédérales à l'automne 2008 se déroulèrent sur fond de crise économique et de récession. Profitant de la faiblesse de Stéphane Dion comme chef libéral et de la demande des provinces pour une équité fiscale, Stephen Harper insista sur les questions sécuritaires et consolida sa base conservatrice mais sans pouvoir remporter une majorité de sièges. Les coupures dans les domaines de la culture et des arts et la répression de la criminalité juvénile lui coûtèrent des sièges au Québec et une majorité parlementaire.

L'arrivée de Michael Ignatieff comme chef du Parti libéral du Canada en mai 2009 redonna espoir à cette formation. D'autant plus que le Parti conservateur,

FIGURE 10.7
Jouant sur l'attitude ambiguë des Québécois sur la question nationale en faisant appel au « Nous » ethnique tout en minimisant l'indépendance et en valorisant les valeurs familiales traditionnelles, Mario Dumont, chef de l'Action démocratique du Québec, est devenu le chef éphémère de l'opposition (2007-2008). L'absence d'une politique globale et le retour du Parti québécois à un nationalisme plus traditionnel ont réduit sa popularité. Avec seulement sept sièges aux élections de 2008, il démissionna comme chef (source – bureau de Mario Dumont, ADQ).

par définition néo-libéral, ne trouva aucune solution à la crise du capitalisme occidental et s'aliéna ainsi de plus en plus d'électeurs.

L'ÉDUCATION : LES DÉFIS D'UNE SCOLARISATION DE MASSE

L'enseignement public au Québec avait toujours été divisé en fonction des orientations confessionnelles. À la suite du rapport Proulx (1999), une réforme en profondeur abolit le statut confessionnel des commissions scolaires en faveur de commissions linguistiques sans affiliation religieuse. Pour accompagner ce changement institutionnel, le ministère de l'Éducation a prôné l'instauration de réformes des programmes pour remplacer ceux qui étaient en vigueur depuis la fin des années 1970 et le début des années 1980. Certaines ont été bien reçues : d'autres suscitent toujours des réserves comme le programme d'histoire nationale ou celui de l'enseignement des religions.

Les groupes de travail sur les programmes ont dû faire face au délicat problème de protéger un groupe culturel fragile — celui de la majorité francophone du Québec — tout en assurant la promotion d'une société ouverte. En 1996, la commission Lacoursière sur l'enseignement de l'histoire a critiqué les connaissances historiques des jeunes Québécois, mettant en cause le point de vue ethnocentrique de l'histoire du Québec telle qu'elle était enseignée dans les écoles. Incitant le gouvernement à abandonner le culte des héros, elle préconisait un programme obligatoire pour tous les niveaux qui mettrait davantage en relief

FIGURE 10.8
Une école à vendre à Saint-Ignace-de-Stanbridge, 2001. Construite en 1955 avec huit salles de classe et un logement pour les religieuses, cette école primaire desservait une communauté rurale. La consolidation des exploitations et la chute de la fécondité ont contribué à réduire le nombre d'enfants. En 2000, la population n'autorisait pas une telle infrastructure et les quarante enfants du village durent prendre l'autobus scolaire pour étudier à l'école de Bedford. Le presbytère en face de l'école fut transformé en bureaux pour la municipalité et l'église est désormais desservie par un curé itinérant.

l'histoire des autochtones, des sociétés non occidentales et le pluralisme du Québec (*Apprendre du passé* : *Rapport du groupe de travail sur l'enseignement de l'histoire*, Québec, ministère de l'Éducation, 1996). Le programme qui s'inspira de ces orientations se buta à l'opposition de nationalistes traditionnels qui dénonçaient l'abandon des événements significatifs et des héros (Dagenais et Laville, 2007). Le groupe Inchauspé, chargé du projet de réforme des programmes, en 1997, s'est trouvé aux prises avec l'épineuse question linguistique et les déficiences d'apprentissage autant en anglais qu'en français. Son rapport prônait, en plus d'un approfondissement de l'enseignement du français, surtout au secondaire, la nécessité d'introduire plus tôt (en troisième année du primaire) l'apprentissage de l'anglais (*Réaffirmer la mission de nos écoles* : *Rapport du groupe de travail sur la réforme des programmes*, Québec, ministère de l'Éducation, 1997).

La question de l'instruction civique avait contraint le Québec à définir sa position vis-à-vis d'une société pluraliste, car il se trouvait aux prises avec la politique du multiculturalisme instaurée dans tout le Canada par le gouvernement Trudeau dans les années 1970. Le Conseil supérieur de l'éducation, désireux de prendre ses distances avec une définition à connotation ethnique de la citoyenneté, a plaidé en faveur d'un nationalisme civique : toute la difficulté réside dans la définition de ce qui constitue « l'héritage culturel nécessaire au maintien de la

TABLEAU 10.3

Inscriptions à plein temps par département et par sexe, automne 2006, Université de Montréal

Département	Premier cycle		Maîtrise		Doctorat	
	Hommes	Femmes	Hommes	Femmes	Hommes	Femmes
Arts et sciences	3 673	6 010	874	1 225	555	551
Médecine dentaire	147	206	15	11	—	—
Sciences de l'éducation	316	1 570	152	599	86	113
Études supérieures	—	—	104	177	39	64
Droit	345	641	83	92	21	21
Médecine	342	1 198	517	850	162	177
Musique	228	210	53	68	24	16
Sciences infirmières	117	968	15	150	5	17
Optométrie	41	120	3	13	—	—
Pharmacie	131	358	41	102	16	11
Kinésiologie	153	200	20	20	23	8
Aménagement	367	466	95	74	22	16
Théologie	130	308	38	26	25	7
Médecine vétérinaire	65	238	33	54	10	6
Total	6 055	12 493	2 043	3 461	988	1017

cohésion sociale dans une société pluraliste et ouverte » (*Éduquer à la citoyenneté*, Québec, ministère de l'Éducation, 1998 : 37).

Tandis que l'on débat de ces questions idéologiques et pédagogiques, le gouvernement devait également régler des problèmes pratiques. L'éducation s'est démocratisée de façon spectaculaire depuis la Révolution tranquille avec la création des écoles secondaires polyvalentes, des cégeps et des nouvelles universités, en particulier le réseau de l'Université du Québec. Alors qu'en 1971, plus de 40 % de la population de plus de 15 ans n'avait pas été au-delà de l'école primaire, ils étaient 42,5 % à détenir des diplômes d'études postsecondaires en 1996. Le taux d'échec scolaire a baissé de manière significative, passant de 23,7 % des jeunes de 18 ans en 1984 à 15 % en 2000, se rapprochant de la moyenne de l'Ontario (*L'Actualité*, 15 septembre 2001). Les garçons ont davantage tendance que les filles à abandonner l'école. Mais, parallèlement à ces progrès, nombre d'écoles ont dû fermer, en particulier les écoles anglophones, en raison du déclin du taux de natalité, de l'émigration des anglophones et du plein effet de l'intégration des immigrants dans les écoles francophones (figure 10.8). Des effectifs plus faibles (ainsi que les frais encourus pour l'échec aux cours depuis 1997) signifient moins d'inscriptions dans les cégeps ; cette baisse affecte davantage les programmes préuniversitaires que les 116 filières techniques qui ont connu une légère croissance.

Au cours des années 1960 et 1970, l'enseignement universitaire visait à rattraper le retard du Québec par rapport à la moyenne nationale. Depuis la récession du début des années 1980, les universités ont dû affronter des années de compressions budgétaires massives, suivies de courtes périodes d'amélioration, ce qui compromettait gravement la compétitivité des études supérieures des institutions québécoises, tout en rendant difficile le maintien d'infrastructures telles que les bibliothèques, les laboratoires et les services informatiques. Les institutions québécoises dépendent davantage de l'État que les autres institutions nord-américaines. Les frais de scolarité ont été gelés de la fin des années 1960 jusqu'en 1990. Le gouvernement libéral les laissa passer du simple au triple entre 1990 et 1995 (d'environ 650 $ par an pour un étudiant à temps plein jusqu'à 1850 $). Le gouvernement Parizeau, désireux de rallier les jeunes à la veille du référendum, a de nouveau gelé les frais de scolarité après l'élection de 1995, sans augmenter la subvention de l'État. La dégradation des subventions publiques et de soutien à la recherche continuent de plomber le développement des universités québécoises dans le contexte nord-américain. Les grèves à l'Université de Montréal (2005 et 2006), à l'Université Laval (2008) et à l'Université du Québec à Montréal (2009) soulignent le malaise persistant dans le milieu universitaire.

Après des décennies d'expansion, les inscriptions universitaires se sont mises à stagner à partir de 1992. Le changement le plus notable dans l'enseignement universitaire est sans nul doute la féminisation des programmes. La plus grande université du Québec, l'Université de Montréal, est un bon indicateur de ce phénomène. En 1999, les femmes étaient majoritaires dans toutes les facultés, excepté en musique (tableau 10.3), les femmes représentaient 77,8 % des étudiants en médecine. Les effectifs aux études supérieures ont continué à augmenter depuis la fin des années 1990 ; le nombre des maîtrises a augmenté de plus de 30 % depuis 1985 tandis que celui des doctorats a plus que doublé. Bien que les hommes soient encore plus nombreux dans la plupart de ces programmes, l'écart entre les sexes s'est réduit de manière significative. Afin d'encourager les étudiants à obtenir des diplômes, le gouvernement du Québec a exempté les bourses d'études de l'impôt provincial en 2000.

LE FÉMINISME À LA RECHERCHE D'UNE NOUVELLE VOIE

Si, depuis ses débuts, le mouvement féministe luttait pour le droit des femmes de contrôler leur corps et leur accès au pouvoir dans les sphères tant publiques que privées, certaines considèrent que le mouvement a perdu le cap dans les années 1990 (Dumont, 2001 : 12-14) alors que des dirigeantes féministes épousèrent des préoccupations sociales de très grande ampleur : la pauvreté, la violence, l'environnement, la mondialisation (figure 10.9). Cette dispersion des

FIGURE 10.9
Françoise David, présidente de la Fédération des femmes du Québec, de 1994 à 2001. Elle a contribué à élargir la palette des revendications féministes notamment pour combattre la pauvreté et l'exclusion sous toutes leurs formes. Elle est à l'origine de la Marche du pain et des roses de 1995 et de la Marche mondiale des femmes qui est devenue un événement annuel dans plusieurs villes du monde depuis son inauguration en 2000. Elle fut l'une des principales fondatrices de Québec solidaire, un parti de gauche, féministe et souverainiste qui fit élire un premier député, Amir Khadir, dans Mercier en 2008.

objectifs est peut-être consécutive aux victoires remportées dans des domaines tels que le divorce, l'avortement, les garderies, l'accès à l'éducation et au pouvoir politique. Mais, chez les féministes de la base, les exigences bureaucratiques des programmes confiés aux associations de femmes ont laissé moins de temps pour l'action militante. En même temps, quelques féministes québécoises ont fait part de leur malaise en ce qui concerne l'alliance entre féminisme et nationalisme. Le partenariat entre l'État québécois et le mouvement féministe pour briser l'emprise des institutions traditionnelles et pour développer l'État-Providence porta ses fruits, mais, plus récemment, Diane Lamoureux considérait que, lors des nombreux sommets sectoriels, les femmes avaient été « catégorisées » et « canalisées », par des représentants gouvernementaux qui manifestaient peu d'intérêt pour des transformations sociales fondamentales (Lamoureux, 1998 : 172). De son côté, Chantal Maillé estime que beaucoup de femmes en politique n'ont aucun rapport avec le mouvement féministe (Maillé, 2000).

La violence faite aux femmes est un problème historique de longue date au Québec (Harvey, 1991). Les historiennes féministes attribuent cette violence au fait que les hommes se sentent menacés par la concurrence des femmes sur le marché du travail et le refus des femmes du patriarcat traditionnel au foyer. Le massacre de l'École polytechnique en 1989 (figure 10.10) a éveillé la conscience publique en ce qui concerne la violence faite aux femmes. Les féministes ont créé des foyers pour femmes battues tandis que la police et la justice se sont attaquées plus concrètement à la violence domestique, de manière efficace, puisque son taux a baissé tout au long de cette période. Entre 1982 et 1986, seulement 18 % des hommes accusés d'avoir

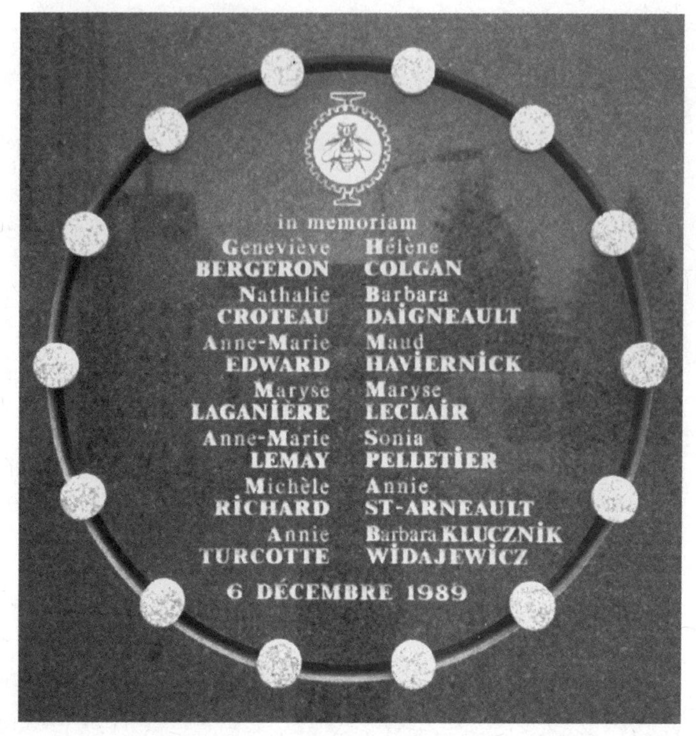

FIGURE 10.10
Plaque commémorative à la mémoire des victimes du massacre de l'École polytechnique. L'assassinat de 14 femmes, en décembre 1989, provoqua un examen de conscience collectif sur la violence dans la société québécoise, surtout celle que les femmes subissent.

tué leur conjointe ou leurs enfants furent accusés d'homicide volontaire ; 66 % étaient accusés du crime moins grave de meurtre sans préméditation. En 1990, 65 % d'entre eux étaient condamnés pour homicide volontaire, et 29 % pour meurtre sans préméditation. Parmi les victimes de ces agressions, 80 % avaient déjà quitté ou étaient sur le point de quitter le domicile conjugal.

Devoir concilier maternité et travail salarié amène de nombreuses femmes à subir des situations épuisantes nerveusement et physiquement. Beaucoup d'employeurs manifestent assez peu de sympathie pour l'employée enceinte ou pour la mère d'enfants malades. Contrairement aux générations précédentes, davantage d'hommes participent aux responsabilités domestiques, mais il n'en demeure pas moins que la plus grande part du fardeau des corvées et de l'éducation des enfants repose sur les femmes, et que cela a d'importantes conséquences sur leur participation au monde du travail et sur leur avancement de carrière. Après avoir augmenté continuellement depuis la Seconde Guerre mondiale, la participation des femmes de plus de quinze ans au monde du travail s'est mise à stagner, depuis

1990, autour de 55 %, comparativement à plus de 70 % pour les hommes. Et malgré l'adoption, en 1997, d'une loi sur l'équité salariale, les inégalités salariales demeurent endémiques : les femmes employées à temps plein gagnent environ 75 % de ce que gagnent les hommes.

La conquête des divers champs professionnels par les femmes a été très inégale et, malgré des décennies d'efforts, certaines professions demeurent des chasses gardées masculines : en 2001, 90 % des ingénieurs et 77 % des géomètres étaient des hommes. Les changements seront progressifs. À l'École polytechnique de l'Université de Montréal, qui forme un tiers des ingénieurs québécois, les femmes représentaient seulement 20 % de l'effectif du premier cycle en 1998. D'un autre côté, le travail social, la dentisterie et les soins infirmiers demeurent des secteurs féminins. D'autres professions médicales se dirigent vers davantage de mixité : les femmes représentent 32 % des dentistes et des médecins au Québec (Rapport annuel, Office des professions du Québec, janvier 2000). Annmarie Adams et Peta Tancred soutiennent que les femmes ont intégré la profession d'architecte dans une plus grande proportion au Québec qu'ailleurs au Canada. Les architectes québécoises « sont remarquables pour leurs projets de grande envergure et pour leurs travaux non résidentiels, loin des domaines considérés comme étant spécifiquement féminins, le logement, la décoration intérieure ou la conservation historique » (Adams et Peta : 113).

De même que le féminisme, le syndicalisme a perdu de sa combativité au cours de cette période. Le nombre de membres des syndicats a baissé, passant de 46,9 % en 1990 à 35,9 % de la main-d'œuvre active en 1999. Ce phénomène s'est accompagné d'une chute impressionnante du nombre de grèves et de jours de travail perdus et ceci, bien que les salaires réels aient décliné durant la période 1986-2000. Les privatisations, la mondialisation, les prises de contrôle internationales et le climat de libéralisme ont affaibli les syndicats.

LA CULTURE : PRÉSERVER LA DIFFÉRENCE

L'effervescence culturelle québécoise s'est prolongée tout au long de cette période avec l'arrivée de nouvelles générations d'artistes et le défi d'intégrer de nouvelles technologies malgré les limites qu'imposent un petit marché et les contraintes de la mondialisation. Les créateurs et interprètes comme Michel Tremblay, Leonard Cohen, Robert Lepage, Céline Dion et Richard Desjardins continuent de rejoindre des publics sur la scène internationale. La France demeure un marché privilégié et certains artistes comme Linda Lemay connaissent plus de succès en France qu'au Québec.

La production littéraire a explosé. Victor Lévy-Beaulieu en a estimé la croissance au cours de sa vie : quatre romans publiés en 1948, une quarantaine en

FIGURE 10.11
Établi à Baie-Saint-Paul en 1984 avec l'appui du gouvernement du Québec, le Cirque du Soleil est devenu une multinationale des loisirs avec 3 500 employés dans 40 pays (2007). (Source : Postes Canada, BAC, R169-5, n° 0881).

1978, environ 400 en 1998, et 540 en 2000. Cette « démocratisation de la littérature », dans laquelle « chacun se croit obligé de publier un livre » signifie qu'il ne pouvait plus lire tous les romans écrits au Québec depuis 1986. L'industrie québécoise du livre repose pour une grande part sur les subventions fédérales et Lévy-Beaulieu accuse le Québec de n'avoir jamais réellement « défini de politique culturelle » (*Le Devoir*, 10 novembre 2001). Les bibliothèques, construites à la fin des années 1970 et au début des années 1980, contribuèrent à accroître le nombre des lecteurs, mais, dans les régions isolées, les budgets inadéquats, le désintérêt vis-à-vis des auteurs locaux et le recours au bénévolat ont compromis leur influence potentielle.

Le monde muséal continue de connaître un développement intéressant. Le Centre canadien d'architecture, fondé par la philanthropiste Phyllis Lambert en 1979, a permis à Montréal de devenir un centre majeur à l'échelle internationale pour les archives et la recherche sur l'architecture. Intégrant l'ancien et le nouveau dans un ensemble architectural novateur avec un jardin qui intègre la sculpture dans l'espace urbain, il a contribué à remodeler l'environnement visuel de la ville. Le Musée de la civilisation de Québec, ouvert en 1988, attire des milliers de visiteurs chaque année au bâtiment principal, à la place Royale, et sur son site informatique. Tout près, le spectacle conçu par Robert Lepage dans le cadre du

400e anniversaire de Québec, *Le Moulin à images*, qui projetait des images retraçant l'histoire du Québec sur les silos du bassin Louise a attiré des milliers de spectateurs.

À l'instar des autres cultures, le Québec a subi la domination croissante du modèle culturel américain. À travers tout le continent sont consommés les mêmes produits culturels, sur Internet, dans les cinémas multiplex, à la télévision par câble et à la radio. La concentration des salles de cinéma entre les mains de géants américains a restreint le choix de films mais, lorsqu'elles sont projetées, les productions internationales, et, plus important, les films québécois obtiennent une audience proportionnelle à celle des studios hollywoodiens, voire plus élevée. La production cinématographique québécoise a refait surface dans les années 1990, avec d'énormes succès populaires comme *Les Boys* et *Elvis Gratton 2* ou d'excellentes productions artistiques comme *Ange de goudron* et *Un crabe dans la tête* ou encore comme c'était le cas de *La grande séduction* (2003) de Jean-François Pouliot et *Les invasions barbares* (2003) de Denys Arcand. La télévision démontre que la spécificité québécoise perdure : des séries comme *La Petite Vie* ou *Les Bougon – c'est aussi ça la vie!* ont atteint des taux d'écoute que peuvent envier les séries américaines les plus populaires. Toutefois, les coupures du gouvernement Harper dans les budgets culturels et notamment à Radio-Canada menacent l'avenir de la production locale. L'avènement d'Internet fut perçu au début comme une menace contre la langue française puisque l'anglais y était prédominant, mais les Québécois sont parvenus à redresser la situation. Environ la moitié de la population y a accès, puisqu'un tiers des foyers possèdent un ordinateur.

Dans le domaine de la culture populaire, les sports professionnels ont subi des transformations substantielles. La multiplication des chaînes spécialisées et l'inflation du prix des billets pour payer de nouveaux stades et arénas ont provoqué une crise dans un petit marché comme celui du Québec. Dans le passé, les Québécois s'identifiaient à leurs équipes, le Canadien, les Nordiques et les Expos, et à leurs héros, tels que Maurice « Rocket » Richard (figure 10.12), à la manière décrite par Roch Carrier dans son roman, *Le Chandail*. Cette relation s'est affaiblie lorsque les plus grandes vedettes québécoises, à l'instar de Mario Lemieux, ont signé avec des équipes hors de la province : l'intégration au marché américain et la perte de l'avantage territorial ont mis fin au monopole de Montréal sur les talents francophones. La ferveur du public s'est encore davantage amenuisée avec le transfert des Nordiques de Québec au Colorado en 1994, la vente du Canadien à des intérêts américains et les coupures dans le service des sports à Radio-Canada ainsi que la lente agonie des Expos, disparus en 2004. L'essor du « soccer » avec l'Impact de Montréal qui joue au stade Saputo pallie à peine ces pertes.

La pratique religieuse a continué à décliner au cours de cette période. Les orientations conservatrices de Benoît XVI sur les préservatifs et les femmes, peu

FIGURE 10.12
Maurice Richard (1921-2000). Le numéro 9 du Canadien de Montréal est sans conteste le plus grand héros sportif québécois du xxe siècle. Même s'il ne jouait plus depuis 1960, des personnalités des mondes politique, artistique, des affaires et sportif étaient présents pour lui rendre hommage lors de ses obsèques.

en phase avec la société québécoise, n'ont pas amélioré la situation. Bien qu'une majorité de Québécois affirment croire en Dieu, la plupart rejettent les contraintes qui accompagnent la pratique religieuse. Les Québécois sont beaucoup moins disposés que les autres Nord-Américains à permettre à la religion d'interférer dans leur vie quotidienne ou de la laisser guider leurs choix politiques.

LE RÉVEIL DES PEUPLES AUTOCHTONES

La loi constitutionnelle de 1982 garantissant leurs droits ancestraux et la reconnaissance de la détresse des nations autochtones par la communauté internationale contribuèrent à la politisation des autochtones du Québec. Les problèmes de santé publique, de chômage et de désespoir ne sont pas particuliers aux autochtones québécois, non plus qu'ils n'y sont plus prégnants qu'ailleurs au Canada, mais ils différencient de manière frappante les Amérindiens des autres Québécois. Selon les recensements, la population autochtone a augmenté, passant de 46 855 en 1981 à 76 035 en 2006, mais leur nombre réel est probablement du double. Dans le même temps, l'assise territoriale des réserves n'a pas été augmentée. Au nord, l'accord de la Baie-James en 1975 avait donné aux Cris des droits exclusifs sur certaines terres, mais n'avait pas résolu le problème économique fondamental de la région. Au sud, l'accroissement de la population dans les réserves créa de nouvelles tensions dans les communautés et fut une cause importante de la crise à Kanesatake en 1990.

En 1988, Hydro-Québec annonça le plus ambitieux projet énergétique de l'Amérique du Nord — et, affirmaient ses critiques, le plus destructeur pour l'environnement — à Grande-Baleine. L'opposition des Cris qui voulaient protéger leurs territoires de chasse et de pêche fut fortement soutenue par les écologistes, qui manœuvrèrent avec succès pour bloquer les ventes d'électricité sur les marchés américains. La résistance des Cris et des Inuits fut alimentée par l'absence de croissance économique dans la région. Avec leur chef Matthew Coon Come, les Cris se firent plus agressifs, déplaçant leur centre d'intérêt vers la question nationale. Lors d'un référendum en 1995, les Cris se prononcèrent massivement en faveur d'une sécession d'avec le Québec si ce dernier déclarait son indépendance.

Après le référendum de 1995, les Cris se sont servis des tribunaux pour harceler le gouvernement mais sans faire avancer leur cause. Avec l'élection de Coon Come à la présidence de l'Assemblée des Premières Nations en 2000 et son remplacement par Ted Moses, les Cris ont adopté une approche plus pragmatique et un accord fut finalement ratifié au printemps 2002. En échange de l'abandon de tous les procès en cours et de l'autorisation du développement hydro-électrique sur les rivières Rupert et Eastmain, ils ont obtenu le contrôle du développement de la région, un droit de regard sur la gestion forestière et, 3,5 milliards de dollars.

Les Inuits ont cherché à obtenir un gouvernement autonome pour leur territoire. La commission du Nunavik, coprésidée par Jules Dufour et Marc-Adélard Tremblay, a travaillé sur cette question entre décembre 1999 et avril 2001. Les négociations pour établir les paramètres d'une nouvelle entente ont débuté en 2003 et une entente de principe pour la création du gouvernement régional du Nunavik fut signée en décembre 2007. L'entente définitive est prévue pour 2010 et la première élection du gouvernement régional en 2013.

Si les revendications des autochtones pour obtenir davantage de pouvoir au niveau local peuvent aboutir, dans les régions nordiques de la province, à la population plus clairsemée, la présence des communautés autochtones près des centres urbains du sud pose d'autres problèmes. Dans les années 1980, une loi américaine permettant la vente aux Amérindiens de tabacs domestiques et étrangers libres de taxes (tandis qu'au Canada ces produits étaient soumis à des droits élevés), ainsi que la réglementation sévère des jeux et des paris dans les communautés blanches procurèrent des avantages économiques aux réserves. Les Mohawks d'Akwesasne (communauté qui chevauche la frontière Canada-États-Unis) et de Kahnawake tentèrent de revitaliser l'économie locale par la présence de salles de bingo et la vente de cigarettes hors taxes. Ces activités, considérées comme illégales par les autorités canadiennes et québécoises, ont conduit à un conflit persistant, parfois armé, entre les forces de police et la Société des Warriors.

FIGURE 10.13
La crise d'Oka et les médias. La violence au début de la crise provoqua la mort d'un agent de la Sûreté du Québec. Par la suite les confrontations comme celle-ci était au bénéfice des médias et ont permis aux autochtones de faire entendre leurs revendications.

Ces crises, dans le Québec méridional, avaient pour point d'origine le fait que les autochtones n'avaient jamais cédé leur territoire par traité. À cela s'ajoutaient l'étalement urbain, l'incompréhension de leur histoire, des politiques fédérales mal adaptées et la discrimination — le tout provoquant une situation qui a explosé lors de la crise d'Oka en 1990.

L'événement déclencheur de la crise d'Oka fut un projet d'extension d'un club de golf sur des terres considérées comme sacrées par les Mohawks. Établis à Kanesatake (Oka) depuis 1721, les Mohawks revendiquèrent des droits auprès des autorités — d'abord sulpiciennes ensuite canadiennes — à maintes reprises.

En juillet, le maire d'Oka demanda l'intervention de la police provinciale pour enlever les barricades qui empêchaient l'extension du club de golf. La résistance mohawk culmina avec la mort d'un officier de la Sûreté du Québec. La crise prit de l'ampleur, avec le barrage du pont Mercier, l'intervention de l'armée canadienne et un siège qui dura tout l'été (figure 10.13). Tout au long de ce conflit, la société mohawk était divisée : quelques-uns soutenaient la violence des Warriors, tandis que les autres plaidaient pour la négociation. Les valeurs traditionnelles des Mohawks donnent primauté au consensus, mais il était difficile d'y parvenir, et des désaccords prolongèrent la crise.

Au début de la crise, les Mohawks reçurent l'appui de nombreux Québécois, mais la tolérance diminua à mesure que la confrontation se prolongeait. Les populations incommodées par les barricades et le vandalisme finirent par en être excédées. Comme au temps de Riel, la plupart des Québécois ne comprenaient pas les griefs légitimes des autochtones. Les nationalistes interprétèrent ces événements comme un complot fomenté pour rabaisser encore davantage le Québec après l'humiliation du lac Meech. Le gouvernement canadien usa de tactiques semblables à celles qui avaient été utilisées contre le FLQ en 1970 : le déploiement des forces armées et l'arme psychologique consistant à désigner les Warriors comme des criminels de droit commun.

La crise d'Oka mit les affaires amérindiennes sous les feux des projecteurs pendant un moment. Mais, avec le départ des équipes de télévision, le harcèlement des Mohawks par les autorités gouvernementales reprit, isolant encore davantage la communauté amérindienne de la société québécoise. Le maintien de l'ordre dans les réserves par des policiers autochtones, les projets d'Hydro-Québec et le respect des traditions autochtones par le système judiciaire continuèrent à poser problème. L'amertume et la méfiance qu'ont générées la crise d'Oka et ses suites ont mis en relief la difficulté de définir la place des autochtones au sein de la société québécoise.

En dehors du Québec, le traité Nisgaa, qui a conféré aux autochtones le contrôle de la plus grande part de l'administration de la vallée Naas, en Colombie-Britannique, ainsi que la création, en 2000, du Nunavut, nouveau territoire dominé par les Inuits, montrent que la tendance est à accorder davantage d'autonomie aux autochtones. Au Québec, depuis 1998, les négociations ont pris deux formes distinctes : soit des accords généraux, promettant respect et compréhension mutuels pour bâtir des relations harmonieuses et durables, soit des discussions sur des sujets précis comme le développement économique, les droits de chasse et de pêche et la gestion forestière. Plusieurs accords concernant le maintien de l'ordre ont permis à la plupart des communautés autochtones de régler les problèmes à l'interne.

Les sources de conflit ne sont pas disparues pour autant. La reconnaissance par la Cour suprême des droits de chasse, de pêche et d'exploitation forestière des Micmacs au Québec et au Nouveau-Brunswick a été à l'origine d'un conflit interminable entre autochtones et non-autochtones depuis 1998. La réaction des populations non autochtones à ces décisions souligne les difficultés à tenter de garantir aux premiers habitants du territoire le droit d'exploitation des ressources qui leur ont été enlevées lors de la colonisation européenne. Ces crises, en particulier au Nouveau-Brunswick, déjà durement touché par le déclin de la pêche morutière, vont se confronter aux questions environnementales et aux problèmes autochtones.

Les problèmes sociaux, y compris le chômage et un fort taux de suicide, continuent à sévir dans les réserves. Le niveau d'instruction des autochtones du Québec s'est amélioré, mais, en 1996, 40 % de la population de plus de 15 ans n'avait pas terminé la neuvième année et seulement 3,6 % possédait un diplôme universitaire, contre 18,6 % des non-autochtones.

CONCLUSION

Pendant la Révolution tranquille et les années 1970, la modernisation de l'État québécois et l'utilisation d'entreprises publiques, telles qu'Hydro-Québec et la Caisse de dépôt et placement, pour conférer aux francophones une autonomie significative et la maîtrise de leur destin, firent l'objet d'une fierté légitime. Aujourd'hui, ce sont des entreprises du secteur privé telles que Bombardier et Quebecor, des acteurs importants de niveau mondial dans les domaines du transport et des communications, qui stimulent cette fierté.

Ces tensions générationnelles et idéologiques entre ceux qui ont mis en place la Révolution tranquille et ceux qui ont grandi depuis que le gouvernement du Parti québécois de René Lévesque est arrivé au pouvoir en 1976 sont sans doute normales. Plusieurs des piliers de la Révolution tranquille — l'État-providence, la démocratisation de l'enseignement, l'intervention de l'État dans l'économie — subissent des remises en question qui trouvent leur origine, pour une bonne part, dans l'intégration à l'économie et à l'idéologie américaines. L'Université du Québec était un symbole des transformations sociales et du militantisme des années 1960 et 1970, mais, comme dans d'autres universités, les déficits budgétaires nuisent à une éducation de qualité. Des investissements immobiliers mal conçus ont projeté l'institution dans une crise profonde qui sera difficile de résorber. Toutes les universités sont désormais assujetties à un plus grand contrôle du gouvernement. Les crises du système de santé ont laissé les services d'urgence débordés et dénigrés autant par les malades que par le personnel infirmier ; certains patients atteints de cancer doivent aller chercher des soins dans un hôpital américain ou subir un an d'attente pour des traitements essentiels. La dégradation du service public ouvre la porte à un système à deux vitesses public-privé qui porte atteinte aux valeurs démocratiques épousées par la grande majorité des citoyens.

Cette contradiction apparente entre modernisation et remise en question de l'héritage de la Révolution tranquille coïncide avec la subordination des économies nationales à la mondialisation. En mai 2001, des milliers de manifestants venus de toute l'Amérique du Nord se sont affrontés avec la police dans les rues de Québec lors du Sommet des Amériques. Ils ont goûté au gaz lacrymogène, non pas pour l'indépendance ou contre une nouvelle humiliation de la nation

FIGURE 10.14
Depuis son ouverture à Montréal au printemps de 2005, la nouvelle Bibliothèque nationale jouit d'une grande popularité notamment en raison de son accueil et des nouvelles technologies de l'information (Source : BANQ – Bernard Fougères).

québécoise, mais pour protester contre la mondialisation et les abus des multinationales. Bien que le « modèle québécois » soit encore largement soutenu par la population, les programmes sociaux sont de plus en plus fragiles, compte tenu des réalités fiscales, et la tendance actuelle est à des partenariats entre le public et le privé plutôt qu'aux investissements de l'État. Avec l'élargissement de l'écart entre riches et pauvres, la vulnérabilité de nombreux autochtones, de femmes, de jeunes et de personnes âgées est devenue un phénomène incontournable de la réalité québécoise entraînant alcoolisme, usage de drogues et suicides.

Au moment de cette rédaction, la « question nationale » est aussi loin d'être résolue qu'elle ne l'était lors de la première édition en 1987. L'échec du référendum en 1995, la décision de la Cour suprême sur l'obligation de négocier et la Loi sur la clarté du fédéral n'ont pas affaibli pour autant le nationalisme québécois et le sentiment de constituer un peuple distinct en Amérique du Nord, comme l'ont démontré les auditions de la commission Bouchard-Taylor, non plus que le fort attachement des francophones au gouvernement du Québec en tant que garant de leurs droits.

Les tentatives de créer un nationalisme plus civique et inclusif lié à l'« américanité » des Québécois (Bouchard, 2000 ; Lamonde 2000a) ont souffert des réponses émotives suscitées par les attaques du 11 septembre 2001. La commission Bouchard-Taylor sur les accommodements raisonnables releva une certaine crise identitaire de la part de la majorité francophone du Québec. Le rapport final tenta de définir un modèle interculturel québécois donnant priorité à la langue et à la

FIGURE 10.15
Le mariage de Guy Bélanger et Michel Malo, le 3 décembre 2004 (de gauche à droite : le pasteur Frances Kennedy, Guy Bélanger, Francis Malo et le pasteur Bernard Cantin). En 2004, la cour supérieure du Québec jugea que restreindre le mariage aux couples hétérosexuels enfreignait la Charte des droits ouvrant ainsi la porte aux mariages entre personnes de même sexe (Source : Guy Malo).

culture québécoise en opposition au multiculturalisme canadien. Le rapport responsabilisait « les Québécois d'ascendance canadienne-française, [pour qui] le cumul des deux statuts, majoritaires au Québec, minoritaires au Canada et en Amérique n'est pas aisé » (Bouchard-Taylor, 2008, p. 79). Outre cet appel à l'ouverture, le rapport proposa une « laïcité ouverte » qui permit des expressions religieuses minoritaires comme le port du hijab ou du kirpan. Le rapport suscita beaucoup de débats sans que ses recommandations soient entérinées. Le crucifix resta planté à l'Assemblée nationale, par exemple, tandis que des nationalistes protestèrent contre la banalisation de la menace envers la culture française en Amérique.

Les questions identitaires continuent à défrayer les chroniques. La commémoration du 400e anniversaire de la fondation de Québec mit en question les rapports entre l'ancienne métropole et sa colonie ; l'ambiguïté de cette relation fut soulignée par les déclarations de Nicolas Sarkozy qui voulait maintenir l'amitié avec le Canada et la parenté avec le Québec. Malgré sa popularité au niveau international, la gouverneur général Michaëlle Jean souligne les ruptures sociales au Québec. La bavure policière dans la mort de Fredy Villanueva à Montréal-Nord en 2008 a servi à souligner les problèmes qui persistent dans les rapports entre les communautés culturelles et la majorité.

BIBLIOGRAPHIE

Depuis 1996, Fides publie une revue annuelle de statistiques concernant le Québec, accompagnées d'articles sur les tendances récentes, et sur les événements politiques, sociaux et culturels importants. Le volume le plus récent est celui de Roch Côté dir., *Québec 2008. Annuaire politique, social, économique et culturel.* Les questions économiques sont couvertes par Marcel Boyer, *La performance économique du Québec: Constats et défis.*

Politique contemporaine et vie intellectuelle

Sur la politique, on trouvera des réactions au rapatriement de la Constitution dans Jean Laponce et John Meisel, *Debating the Constitution - Débat sur la Constitution* (Ottawa : University of Ottawa Press, 1993). Peter McCormick traite de la Cour suprême et de la Charte dans *Supreme at Last. The Evolution of the Supreme Court of Canada* (Toronto : Lorimer, 2000). Robert Young considère plusieurs scénarios possibles dans le cas d'une victoire du oui dans *The Secession of Quebec and the Future of Canada.* Le passage à un statut minoritaire des anglophones du Québec est examiné dans « Le Canada anglais » de Gary Caldwell dans G. Daigle, *Le Québec en jeu.* La critique la plus acerbe du nationalisme des générations précédentes se trouve dans la revue *Argument.* Deux autres périodiques, *Globe* et le *Bulletin d'histoire politique*, couvrent un large éventail de questions politiques, sociales et féministes. En adoptant une perspective large, Danielle Juteau traite des frontières changeantes de l'ethnicité dans *L'Ethnicité et ses frontières.* Les implications du pluralisme sont dégagées dans Jocelyn Maclure, *Le Québec à l'épreuve du pluralisme* (Montréal : Québec Amérique, 2000).

En ce qui concerne le rôle de Fernand Dumont dans la vie intellectuelle québécoise, voir l'édition spéciale « Présence et pertinence de Fernand Dumont » dans le *Bulletin d'histoire politique*, 9, 1 (automne 2000). Pour une vision de la Révolution tranquille comme « réforme » plutôt que comme « révolution », voir Guy Rocher, *Le « Laboratoire » des réformes dans la Révolution tranquille.* Sur les questions d'identité et leur traitement par les historiens québécois, consulter Ronald Rudin, *Making History in Twentieth-Century Quebec.* Ce dernier ouvrage devrait être comparé à Yvan Lamonde, *Trajectoires de l'histoire du Québec* et à Gérard Bouchard, *Genèse des nations et cultures du nouveau monde.* Jocelyn Létourneau a également rédigé une synthèse analytique de cette question, *Passer à l'avenir.*

Pour l'histoire récente des femmes, voir l'article d'Andrée Lévesque, « Histoire des femmes au Québec depuis 1985 ». Denyse Baillargeon présente une autre excellente vue d'ensemble de l'historiographie dans « L'histoire des femmes. Vingt-cinq ans de recherche et d'enseignement » (*Cahiers d'histoire*, 16, 1, 1996 : 500-574) et une comparaison des historiographies francophones et anglophones dans « Des voies/x parallèles : l'histoire des femmes au Québec et au Canada anglais », *Sextant*, 4, 1995, 133-168. Pour la relation entre le féminisme, l'État et le nationalisme québécois, voir Diane Lamoureux, *L'Amère patrie. Féminisme et nationalisme dans le Québec.* Annmarie Adams et Tancred Peta font une analyse des femmes dans les milieux professionnels dans *"Designing Women" : Gender and the Architectural Profession.* Micheline Dumont, éminente historienne des femmes au Québec a rédigé ses mémoires : *Découvrir la mémoire des femmes. Une historienne face à l'histoire des femmes.*

Annexe

Légende de la figure 2.4. Seigneuries aux mains de l'Église en Nouvelle-France.

Gouvernement de Montréal

1. Petite Nation
2. Argenteuil
3. Deux Montagnes
4. Mille Îles
5. Plaines
6. Terrebonne
7. Lachenaie (La Chesnaye)
8. L'Assomption ou Repentigny
9. Saint-Sulpice
10. Lavaltrie
11. Lanoraie
12. Ailleboust
13. Ramezay ou Joliette
14. Dautré
15. Berthier
16. Dorvilliers
17. Île Dupas et Chicot
18. Pointe à l'Orignal
19. Rigaud
20. Nouvelle Longueuil
21. Vaudreuil
22. Soulanges
23. Île Perrot
24. Île Bizard
25. Île Jésus
26. Île de Montréal
27. Îles de la Paix
28. Îles Courcelles
29. Île aux Hérons
30. Île Saint-Paul
31. Île Sainte-Thérèse
32. Îles Bouchard
33. Île Saint-Pierre
34. Beauharnois
35. Châteauguay
36. Sault Saint-Louis
37. La Salle
38. La Prairie de la Magdeleine
39. Longueuil
40. Rocbert
41. Daneau de Muy
42. Ramezay-la-Gesse
43. La Perrière
44. Beaujeu
45. Pancalon
46. La Moinaudière
47. La Gauchetière
48. Livaudière
49. Lacolle
50. Foucault
51. Saint-Armand
52. De Léry
53. Noyan
54. Sabrevois
55. Bleury
56. Tremblay
57. Boucherville
58. Montarville
59. Chambly
60. Monnoir
61. Varennes
62. Cap de la Trinité
63. Guillaudière
64. Belœil
65. Rouville
66. Saint-Blain
67. Verchères
68. Cournoyer
69. Saint-Charles-sur-Richelieu
70. Vitré
71. Cabanac
72. Contrecœur
73. Saint-Denis
74. Saint-Hyacinthe
75. Saint-Ours
76. Sorel
77. Bourgchemin
78. Bonsecours
79. Saint-Charles
80. Ramezay
81. Bourg Marie

Gouvernement de Trois-Rivières

1. Lac Maskinongé ou Lanaudière
2. Dusablé
3. Carufel
4. Maskinongé
5. Saint-Jean
6. Rivière du Loup
7. Grandpré
8. Dumontier
9. Grosbois-Ouest
10. Grosbois-Est ou Yamachiche
11. Robert
12. Gastineau
13. Saint-Maurice
14. Tonnancour ou Pointe du Lac
15. Seigneurie non concédée
16. Boucher
17. Labadie
18. Vieuxpont
19. Jésuites
20. Seigneurie à l'intérieur ou à l'extérieur des limites de celles de Trois-Rivières
21. Cap de la Madeleine
22. Champlain
23. Batiscan
24. Sainte-Anne-Ouest
25. Sainte-Marie
26. Sainte-Anne-Est ou Dorvilliers
27. Yamaska
28. Saint-François
29. Lussodière
30. Pierreville
31. Deguire
32. Baie du Febvre ou Saint-Antoine
33. Courval
34. Nicolet
35. Roquetaillade
36. Godefroy ou Linctôt
37. Bécancour
38. Dutort
39. Cournoyer
40. Gentilly
41. Lévrard
42. Île Moras
43. Île Marie
44. Îles du Saint-Maurice

Gouvernement du Québec

1. Grondines
2. Les Pauvres
3. La Tesserie
4. La Chevrotière
5. Deschambault
6. Perthuis
7. Portneuf
8. Jacques Cartier
9. D'Auteuil
10. Bélair ou Pointe aux Écureuils
11. Bourg Louis
12. Neuville
13. Fossembault
14. De Maure
15. Bonhomme ou Bélair
16. Gaudarville
17. Saint-Gabriel
18. Hubert
19. Sillery
20. Saint-Ignace
21. Seigneurie à l'intérieur ou à l'extérieur des limites de celles de Québec
22. Lespinay
23. Islets ou Comté d'Orsainville
24. Notre Dame des Anges
25. Beauport
26. Beaupré
27. Rivière du Gouffre
28. Les Éboulements
29. Malbaie
30. Deschaillons
31. Lotbinière
32. Sainte-Croix
33. Bonsecours
34. Duquet
35. Belle Plaine ou Le Gardeur
36. Tilly
37. Gaspé
38. Saint-Gilles
39. Lauzon
40. Saint-Étienne
41. Jolliet
42. Sainte-Marie
43. Saint-Joseph
44. Saint-François
45. Aubert Gayon
46. Aubin de l'Isle
47. Martinière ou Beauchamp
48. Vincennes
49. Livaudière
50. Beaumont
51. La Durantaye et Saint-Michel
52. Saint-Vallier
53. Bellechasse ou Berthier
54. Rivière du Sud
55. Lespinay
56. Saint-Joseph
57. Gagné ou Lafrenaye
58. Gamache
59. Sainte-Claire
60. Vincelotte
61. Bonsecours
62. L'Islet
63. Lessard
64. Rhéaume
65. Saint-Roch des Aulnaies
66. La Pocatière
67. Rivière Ouelle
68. Saint-Denis
69. Kamouraska
70. Islet du Portage
71. Grandville Lachenaye
72. Verbois
73. Rivière du Loup
74. Le Parc
75. Villeray
76. Île Verte
77. Trois Pistoles
78. Rioux
79. Île d'Orléans
80. Île Madame
81. Île aux Ruaux
82. Île aux Grues
83. Île aux Oies
84. Île aux Coudres
85. Île aux Lièvres

Bibliographie

ABELLA, Irving, 1977, « Portrait of a Jewish Professional Revolutionary: The Recollections of Joshua Gershman », *Labour/Le travail*, 2 : 185-213.

ADAMS, Annmarie et Peter GOSSAGE, 1998, « Chez Fadette : Girlhood, Family, Private Space in Late Nineteenth-Century Saint-Hyacinthe », *Urban History Review* 26, 2 : 56-68.

ADAMS, Annmarie et Peta TANCRED, 2000, *« Designing Women » : Gender and the Architectural Profession*, Kingston et Montréal, McGill-Queen's University Press.

AKENSON, Donald, 1984, *The Irish in Ontario. A Study in Rural History*, Kingston et Montréal, McGill-Queen's University Press.

ALLAIRE, Bernard, 1999, *Pelleteries, manchots et chapeaux de castor : les fourrures nord-américaines à Paris, 1500-1632*, Sillery, Septentrion.

ALLAIRE, Gratien, 1982, *Les Engagés de la fourrure, 1701-1745 : une étude de leur motivation*, Ph. D., Université Concordia.

ALLAIRE, Gratien, 1987, « Officiers et marchands : les sociétés de commerce des fourrures, 1715-1760 », *RHAF*, 40, 3 : 409-428.

ANCTIL, Pierre et Gary CALDWELI, 1984, *Juifs et réalités juives au Québec*, Québec, IQRC.

ARMSTRONG, Christopher et H. V. NELLES, 1986, *Monopoly's Moment : The Organization and Regulation of Canadian Utilities, 1830-1930*, Philadelphia, Temple University Press.

ARMSTRONG, Robert, 1984, *Structure and Change : An Economic History of Quebec*, Toronto, Gage.

Atlas historique du Canada, tome I : *Des origines à 1800*, R. Cole HARRIS, dir., Montréal, PUM, 1987 ; tome II : *La Transformation du territoire, 1800-1891* , R. Lewis GENTILCORE dir., Montréal, PUM, 1993 ; tome III : *Jusqu'au cœur du XXe siècle, 1891-1961*, Donald KERR et Deryck W. HOLDSWORTH, dir., Montréal, PUM, 1990.

AUBIN, Paul et Louis-Marie CÔTÉ, 1981-1990, *Bibliographie de l'histoire du Québec et du Canada/ Bibliography of the History of Quebec and Canada*, Québec, IQRC.

AUDET, Louis-Philippe et Armand GAUTHIER, 1969, *Le Système scolaire du Québec*, 2 vol., Montréal, Beauchemin.

AXTELL, James, 1985, *The Invasion within the Context of Cultures in Colonial North America*, New York, Oxford Press.

BAILLARGEON, Denyse, 1991, *Ménagères au temps de la crise*, Montréal, Éditions du remue-ménage.

BAILLARGEON, Denyse,1995, « Des voies/x parallèles : l'histoire des femmes au Québec et au Canada anglais », *Sextant*, 4 : 133-168.

BAILLARGEON, Denyse, 1996, « L'histoire des femmes. Vingt-cinq ans de recherche et d'enseignement », *Cahiers d'histoire* 16, 1 : 500-574.

BAILLARGEON, Denyse, 1996, « Fréquenter les Gouttes de lait. L'expérience des mères montréalaises, 1910-1965 », *RHAF*, 50, 1 : 29-68.

BALTHAZAR, Louis, 1990, *Bilan du nationalisme au Québec*, Montréal, l'Hexagone.

BALTHAZAR, Louis, *et al.*, 1991, *Le Québec et la restructuration du Canada, 1980-1992 : enjeux et perspectives*, Sillery, Septentrion.

BARIBEAU, Claude, 1983, *La Seigneurie de Petite-Nation, 1801-1854 : le rôle économique et social du seigneur*, Hull, Asticou.

BATES, Real, 1986, « Les conceptions prénuptiales dans la vallée du Saint-Laurent avant 1725 », *RHAF*, 40, 2 : 253-272.

BEAUCHAMP, Claude, 1988, *Agropur*, Montréal, Boréal.

BEAUCHEMIN, Jacques, 2002. *L'Histoire en trop. La mauvaise conscience des souverainistes québécois*, Outremont, VLB éditeur.

BÉDARD, Hélène, 1988, *Les Montagnais et la réserve de Betsiamites : 1850-1900*, Québec, IQRC.

BEHIELS, Michael, 1982, « The Bloc Populaire and the Origins of French-Canadian Nationalism, 1942-1948 », *Canadian Historical Review*, 62, 4 : 487-512.

BEHIELS, Michael, 1985, *Prelude to Quebec's Quiet Revolution : Liberalism versus Neo-Nationalism, 1945-1960*, Kingston et Montréal, McGill-Queen's University Press.

BEHIELS, Michael, dir., 1987, *Quebec since 1945 : Selected Readings*, Toronto, Copp Clark Pitman.

BEHIELS, Michael, « Pallier Georges-Henri Lévesque and the Introduction of Social Sciences at Laval, 1938-1945 », dans Paul AXELROD et John REID, dir., 1989, *Youth University and Canadian Society : Essays in the Social History of Higher Education*, Kingston et Montréal, McGill-Queen's University Press : 320-342.

BEHIELS, Michael, 1991, *Québec et la question de l'immigration : de l'ethnocentrisme au pluralisme ethnique, 1900-1985*, Ottawa, SHC, brochure ethnique nº 18.

BÉLANGER, Réal, 1983, *Alfred Sévigny et les conservateurs fédéraux (1902-1918)*, Sainte-Foy, PUL.

BÉLANGER, Réal, 1986, *Wilfrid Laurier. Quand la politique devient passion*, Sainte-Foy, PUL.

BELLAVANCE, Marcel, 2000, « La rébellion de 1837 et les modèles théoriques de l'émergence de la nation et du nationalisme », *RHAF*, 53, 3 : 367-400.

BELMESSOUS, Saliha, 1999, *D'un préjugé culturel à un préjugé racial : la politique indigène de la France au Canada*, Doctorat, École des hautes études en sciences sociales, Paris.

BERNARD, Jean-Paul, 1983, *Les Rébellions de 1837-1838*, Montréal, Boréal Express.

BERNIER Gérald et Robert BOILY, 1986, *Le Québec en chiffres de 1850 à nos jours*, Montréal, ACFAS.

BERNIER Gérald et Daniel SALÉE, 1995, *Entre l'ordre et la liberté : colonialisme, pouvoir et transition vers le capitalisme dans le Québec du XIXe siècle*, Montréal, Boréal.

BERNIER, Jacques, 1989, *La Médecine au Québec : naissance et évolution d'une profession*, Sainte-Foy, PUL.

BILSON, Geoffrey, 1980, *A Darkened House : Cholera in Nineteenth-Century Canada*, Toronto, University of Toronto Press.

Bischoff, Peter, 1992, *Tensions et solidarité: la formation des traditions chez les mouleurs de Montréal, Hamilton et Toronto, 1851 à 1893*, Ph. D., Université de Montréal.

Blais, Christian, 2001, *L'Émergence d'un établissement acadien à Tracadièche depuis 1755 jusqu'à 1801*, M.A., Université de Montréal.

Bluteau, M. A. *et al.*, 1980, *Les Cordonniers, artisans du cuir*, Montréal et Ottawa, Boréal Express et Musée national de l'Homme.

Boismenu, Gérard, 1981, *Le Duplessisme: politique économique et rapports de force, 1944-1960*, Montréal, PUM.

Bonville, Jean de, 1989, *La Presse québécoise de 1884-1914: genèse d'un média de masse*, Sainte-Foy, PUL.

Bouchard, Gérard, 1996, *Quelques arpents d'Amérique: population, économie et famille au Saguenay, 1838-1971*, Montréal, Boréal.

Bouchard, Gérard, 2000, *Genèse des nations et cultures du Nouveau Monde: essai d'histoire comparée*, Montréal, Boréal.

Bourgault, Pierre, 1989, *Moi, je m'en souviens*, Montréal, Stanké.

Bradbury, Bettina, 1984, « Pigs, Cows and Boarders: Non-Wage Forms of Survival among Montreal Families, 1861-1891 », *Labour/Le travail*, 14: 9-48.

Bradbury, Bénins, 1990, « Devenir majeure. La Tente conquête des droits », *Cap-aux-Diamants*, 21: 35-38.

Bradbury, Bettina, dir., 1992, *Canadian Family History. Selected Readings*, Toronto, Copp Clark Pitman.

Bradbury, Bettina, 1995, *Familles ouvrières à Montréal. Âge, genre et survie quotidienne pendant la phase d'industrialisation*, Montréal, Boréal.

Bradbury, Bettina, 1998, « Debating Dower: Patriarchy, Capitalism and Widows' Rights in Lower Canada », dans Tamara Myers, *et al.*, *Power, Place and Identity. Historical Studies of Social and Legal Regulation in Quebec*, Montreal: Montreal History Group, 55-78.

Brandt, Gail Cuthbert, 1981, « Weaving it Together: Life Cycle and the Industrial Experience of Female Cotton Workers in Quebec, 1910-1950 », *Labour/La travail*, 7: 113-125.

Brière, Jean-François, 1990, *La Pêche française en Amérique du Nord au* XVIII*e siècle*, Montréal, Fides.

Brierley, John, 1968, « Quebec's Civil Law Codification Viewed and Reviewed », *McGill Law Journal/Revue de droit de McGill*, 14: 521-589.

Brisson, Réal, 2000, *Oka par la caricature. Deux visions distinctes d'une même crise*, Sillery, Septentrion.

Brun, Josette, 2000, *Le Veuvage en Nouvelle-France: genre, dynamique familiale et stratégies de survie dans deux villes coloniales du* XVIII*e siècle, Québec et Louisbourg*, Ph.D., Université de Montréal.

Buckner, Phillip A., 1985, *The Transition to Responsible Government: British Policy in North America, 1815-1850*, Westport, Greenwood Press.

Bulletin du RCHTQ, Montréal.

Burgess, Joanne, 1977, « L'industrie de la chaussure à Montréal: 1840-1870 — le passage de l'artisanat à la fabrique », *RHAF*, 31, 2: 187-210.

BURGESS, Joanne, 1986, *Work, Family and Community: Montréal Leather Craftsmen, 1790-1831*, Ph. D., Université du Québec à Montréal.

BURGESS, Joanne, 1988, « The Growth of a Craft Labour Force: Montreal Leather Artisans, 1815-1831 », Canadian Historical Association, *Historical Papers*, 48-62.

CALDWELL, Gary, 1992, « Le Québec anglais: prélude à la disparition ou au renouveau » dans Gérard DAIGLE et Guy ROCHER, dir., *Le Québec en jeu. Comprendre les grands défis*. Montréal, PUM: 483-509.

CALDWELL, Gary, 1994, *La Question du Québec anglais*, Québec, IQRC.

CAMPBELL, Robert M. et Leslie A. PAL, 1989, *The Real Worlds of Canadian Politics: Cases in Process and Policy*, Peterborough, Broadview Press.

CAMPEAU, Lucien, 1975, *Les Finances publiques de la Nouvelle-France sous les Cent-Associés, 1632-1665*, Montréal, Bellarmin.

CAMPEAU, Lucien, 1987, *La Mission des Jésuites chez les Hurons, 1634-1650*, Montréal, Bellarmin.

CANADA, 1940, *Rapport de la Commission royale d'enquête sur les relations entre le Dominion et les provinces — Rapport Rowell-Sirois*, vol. I, Ottawa.

CANADA, *Rapport de la Commission royale d'enquête sur le bilinguisme et le biculturalisme Commission Laurendeau-Dunton: rapport préliminaire*, Ottawa, 1965; *Introduction générale*, Livre I: *Les langues officielles*, Ottawa, 1966.

CARDIN, Jean-François, 1988, *La Crise d'Octobre 1970 et le mouvement syndical québécois*, Montréal, RCHTQ.

CARELESS, J. M. S., 1967, *The Union of the Canadas: The Growth of Canadian Institutions, 1841-1857*, Toronto, McClelland & Stewart.

CASGRAIN, Thérèse, 1971, *Une femme chez les hommes*, Montréal, Éditions du Jour.

CAULIER, Brigitte, 1986, *Les Confréries de dévotion à Montréal du 17e au 19e siècles*, Ph.D., Université de Montréal.

CELLARD, André, 1991, *Histoire de la folie au Québec de 1600 à 1850*, Montréal, Boréal.

CELLARD, André, 2000, *Punir, enfermer et réformer au Canada, de la Nouvelle-France à nos jours*, Ottawa, SHC, brochure historique n° 60.

CHABOT, Richard, 1975, *Le Curé de campagne et la contestation locale au Québec, de 1791 aux troubles de 1837-1838*, Montréal, Hurtubise HMH.

CHAPDELAINE, Claude, 1989, *Le Site Mandeville à Tracy. Variabilité culturelle des Iroquoiens du Saint-Laurent*, Montréal, Recherches amérindiennes du Québec, coll. « Signes des Amériques ».

CHARBONNEAU, Hubert, dir., 1973, *La Population du Québec: études rétrospectives, Trois-Rivières*, Boréal Express.

CHARBONNEAU, Hubert, 1975, *Vie et mort de nos ancêtres*, Montréal, PUM.

CHARBONNEAU, Hubert *et al.*, 1987, *Naissance d'une population. Les Français établis au Canada au XVIIe siècle*, Montréal, PUM.

CHARLAND, Jean-Pierre, 2000, *L'Entreprise éducative au Québec, 1840-1900*, Sainte-Foy, PUL.

CHARPENTIER, Alfred, 1971, *Les Mémoires d'Alfred Charpentier*, Sainte-Foy, PUL.

CHARTRAND, Luc, Raymond DUCHESNE et Yves GINGRAS, 1987, *Histoire des sciences au Québec*, Montréal, Boréal.

CLERMONT, Normand, 1974, « L'hiver et les Indiens nomades du Québec à la fin de la préhistoire », *Revue de géographie de Montréal*, 29 : 447-452.

CLICHE, Marie-Aimée, 1988a, *Les Pratiques de dévotion en Nouvelle-France. Comportements populaires et encadrement ecclésial dans le gouvernement de Québec*, Sainte-Foy, PUL.

CLICHE, Marie-Aimée, 1988b, « Filles-mères, familles et société sous le Régime français », *Histoire sociale/Social History*, 21, 41 : 39-70.

COATES, Colin, 2000, *The Metamorphosis of Landscape and Community in Early Quebec*, Montréal et Kingston, McGill-Queen's University Press.

COHEN, Marjorie Griffin, 1984, « The Decline of Women in Canadian Dairying », *Histoire sociale/Social History*, 17, 34 : 307-334.

COHEN, Yolande, 1990, *Femmes de parole. L'histoire des cercles de fermières ou Québec*, Montréal, Le Jour.

COLEMAN, William D., 1984, *The Independance Movement in Québec, 1945-1980*, Toronto, University of Toronto Press.

Collectif Clio [Micheline DUMONT *et al.*], 1982, *L'Histoire des femmes au Québec depuis quatre siècles*, Montréal, Les Quinze ; édition entièrement revue et mise à jour, Montréal, Le Jour, 1992.

COMEAU, Paul-André, 1982, *Le Bloc populaire, 1942-1948*, Montréal, Québec/Amérique.

COMEAU, Robert, dir., 1989, *Jean Lesage et l'éveil d'une nation*, Sainte-Foy, PUQ.

Comité d'éducation de la CSN et de la CEQ, 1987, *The History of the Labour Movement in Quebec*, Montréal, Black Rose Books.

COOK, Ramsay, 1969, *French-Canadian Nationalism : an Anthology*, Toronto, MacMillan.

COPP, Terry, 1974, *The Anatomy of Poverty. The Condition of the Working Class in Montreal, 1897-1929*, Toronto, McClelland & Stewart.

CÔTÉ, Louise, *et al.*, 1992, *L'Indien généreux. Ce que le monde doit aux Amériques*, Montréal, Boréal/Septentrion.

CÔTÉ, Roch, dir., 2001, *Québec 2002 : Annuaire politique, social, économique et culturel*, Montréal, Fides.

COURVILLE, Serge, 1984, « Esquisse du développement villageois au Québec : le cas de l'aire seigneuriale entre 1760 et 1854 », *Cahiers de géographie du Québec*, 28, 73-74 : 9-46.

COURVILLE, Serge, 1988, « Le marché des "subsistances". L'exemple de la plaine de Montréal au début des années 1830 : une perspective géographique », *RHAF*, 42, 2 : 193-239.

COURVILLE, Serge, 1990, *Entre ville et campagne*, Sainte-Foy, PUL.

COURVILLE, Serge et Normand SÉGUIN, 1989, *Le Monde rural québécois au XIXe siècle*, Ottawa, SHC, brochure historique n° 47.

COURVILLE, Serge *et al.*, 1995, *Atlas historique du Québec*, vol. 1, *Le pays laurentien au XIXe siècle : les morphologies de base*, Sainte-Foy, PUL.

COUTURE, André, 1989, *Elements for a Social History of Television : Radio-Canada and Québec Society, 1952-1960*, M. A., Université McGill.

COUTURE, Claude, 1991, *Le Mythe de la modernisation du Québec*, Montréal, Méridien.

CRAVEN, Paul et Tom TRAVES, 1983, « Canadian Railways as Manufacturers, 1850-1880 », Ottawa, SHC, *Communications historiques* : 254-281.

CREIGHTON, Donald, 1956, *The Empire of the St. Lawrence*, Toronto, MacMillan.

DAGENAIS, Michèle, 1989, « Itinéraires professionnels masculins et féminins en milieu bancaire : le cas de la Banque de Hochelaga, 1900-1929 », *Labour/Le travail*, 24 : 45-68.

DAGENAIS, Michèle, 2000, *Des pouvoirs et des hommes : l'administration municipale de Montréal, 1900-1950*, Montréal et Kingston, McGill-Queen's University Press.

DAIGLE, Gérard, dir., 1992, *Le Québec en jeu : comprendre les grands défis*, Montréal, PUM.

DANSEREAU, Bernard, 2000, *Le Mouvement ouvrier montréalais, 1918-1929 : structure et conjoncture*, Ph.D., Université de Montréal.

DANYLEWYCZ, Marta, 1988, *Profession : religieuse. Un choix pour les Québécoises, 1840-1920*, Montréal, Boréal.

DANYLEWYCZ, Marta et Alison PRENTICE, 1986, « Teacher's Work : Changing Patterns and Perceptions in the Emerging School Systems of Nineteenth and Early Twentieth Century Central Canada », *Labour/Le travail*, 17 : 59-82.

DAVIS, Ralph, 1973, *The Rise of the Atlantic Economies*, Londres, Wiedenfeld and Nicolson.

DECHÊNE, Louise, 1968, « Les entreprises de William Price, 1810-1850 », *Histoire sociale/Social History*, 1, 1 : 16-52.

DECHÊNE, Louise, 1971, « L'évolution du régime seigneurial au Canada. Le cas de Montréal aux XVIIe et XVIIIe siècles », *Recherches sociographiques*, 12, 2 : 143-183.

DECHÊNE, Louise, 1974, *Habitants et marchands de Montréal au XVIIe siècle*, Paris, Pion.

DECHÊNE, Louise, 1981, « La rente du faubourg Saint-Roch à Québec, 1750-1850 », *RHAF*, 34, 4 : 569-596.

DECHÊNE, Louise, 1986, « Observations sur l'agriculture du Bas-Canada au début du XIXe siècle », dans Joseph GOY et Jean-Pierre WALLOT, dir., *Évolution et éclatement du monde rural, France-Québec, XVIIe-XXe siècles*, Montréal et Pads, PUM et EHESS : 189-202.

DECHÊNE, Louise, 1994, *Le Partage des subsistances au Canada sous le régime français*, Montréal, Boréal.

DECHÊNE, Louise et Jean-Claude ROBERT, 1979, « Le choléra dans le Bas-Canada, mesure des inégalités devant la mort », dans Hubert CHARBONNEAU et André LAROSE, dir., *Les Grandes Mortalités*, Liège, Ordena : 229-257.

DELÂGE, Denis, 1985, *Le Pays renversé. Amérindiens et Européens en Amérique du Nord-Est, 1600-1660*, Montréal, Boréal.

DELOTTINVILLE, Peter, 1981-1982, « Joe Beef of Montreal : Working Class Culture and the Tavern, 1869-1889 », *Labour/Le travail*, 8-9 : 9-40.

DÉPATIE, Sylvie, 1990, « La transmission du patrimoine dans les terroirs en expansion : un exemple canadien au XVIIIe siècle », *RHAF*, 44, 2 : 171-198.

DÉPATIE, Sylvie, Marie LALANCETTE et Christian DESSUREAULT, 1987, *Contribution à l'étude du régime seigneurial canadien*, Montréal, Hurtubise HMH.

DÉPATIE, Sylvie *et al.*, 1998, *Vingt ans après : habitants et marchands*, Montréal, McGill-Queen's University Press.

DESBARATS, Catherine, 1997, « France in North America : The Net Burden of Empire during the First Half of the Eighteenth Century », *French History*, 11 : 1-28.

DESCHÊNES, Gaston, 1988, *L'Année des Anglais*, Sillery, Septentrion.

DESROSIERS, Claude, 1984, « Un aperçu des habitudes de consommation de la clientèle de Joseph Cartier, marchand général à Saint-Hyacinthe à la fin du XVIIIe siècle », Ottawa, SHC, *Communications historiques* : 91-110.

DESSUREAULT, Christian, 1986, *Les Fondements de la hiérarchie sociale au sein de la paysannerie : le cas de Saint-Hyacinthe, 1760-1815*, Ph. D., Université de Montréal.

DESSUREAULT, Christian et John A. DICKINSON, 1992, « Farm Implements and Husbandry in Colonial Quebec, 1740-1834 », dans Peter BENES, dir., *New England/New France, 1600-1850*, Boston, Boston University Press : 110-121.

DESSUREAULT, Christian et Christine HUDON, 1999, « Conflits sociaux et élites locales au Bas-Canada : le clergé, les notables, la paysannerie et le contrôle de la fabrique », *Canadian Historical Review*, 80, 3 : 413-439.

DEVER, Alan, 1976, *Economic Development and the Lower Canadian Assembly, 1828-1840*, M. A., Université McGill.

DE VRIES, Jan, 1976, *The Economy of Europe in an Age of Crisis, 1600-1750*, Cambridge, Cambridge University Press.

DICKASON, Olive P., 1993, *Le Mythe du sauvage*, Sillery, Septentrion.

DICKINSON, John A., 1974a, « Un aperçu de la vie culturelle en Nouvelle-France : l'examen de trois bibliothèques privées », *Revue de l'Université d'Ottawa*, 44, 4 : 453-466.

DICKINSON, John A., 1974b, « La justice seigneuriale en Nouvelle-France : le cas de Notre-Dame-des-Anges », *RHAF*, 28, 3 : 323-346.

DICKINSON, John A., 1982a, *Justice et justiciables. La procédure civile de la Prévôté de Québec, 1667-1759*, Sainte-Foy, PUL.

DICKINSON, John A., 1982b, « La guerre iroquoise et la mortalité en Nouvelle-France, 1608-1666 », *RHAF*, 36, 1 : 31-54.

DICKINSON, John A., 1986a, « Les Amérindiens et les débuts de la Nouvelle-France », *Canada Ieri e Oggi*, Bari, Schena editore : 87-108.

DICKINSON, John A., 1986b, « La législation et les travailleurs québécois, 1894-1914 », *Relations industrielles*, 41, 2 : 357-380.

DICKINSON, John A., 1987, « French and British Attitudes to Native Peoples in Colonial North America », *Storia Nordamericana*, 4, 2 : 41-56.

DICKINSON, John A., 1994, « Native Sovereignty and French Justice in Early Canada », dans *Essays in the History of Canadian Law*, Vol. V : *Crime and Criminal Justice*, Jim PHILLIPS dir., Toronto, The Osgoode Society for Canadian Legal History, 17-40.

DICKINSON, John A., 2001, « New France : Law, Courts and the Coutume de Paris, 1608-1760 » dans *Canada's Legal Inheritances*, DeLloyd J. GUTH and Wesley PUE, Winnipeg : Faculty of Law, University of Manitoba, 32-54.

DICKINSON, John A. et Brian YOUNG, 1991, « Periodization in Québec History : A Reevaluation », *Québec Studies*, 12 : 1-10.

Dictionnaire biographique du Canada, 1966-1998, 14 vol., Sainte-Foy, PUL.

DROLET, Antonio, 1965, *Les Bibliothèques canadiennes, 1604-1960*, Ottawa, Cercle du livre de France.

DUMAS, Evelyn, 1975, *The Bitter Thirties in Quebec*, Montréal, Black Rose Books.

DUMONT, Fernand, 1971, *La Vigile du Québec*, Montréal, Hurtubise HMH.

DUMONT, Fernand et Jean HAMELIN, 1981, *Les Idéologies au Canada français, 1939-1974*, Sainte-Foy, PUL.

DUMONT, Micheline, 1980, « Des garderies au XIXe siècle : les salles d'asile des Sœurs Grises à Montréal », *RHAF*, 34, I : 27-55.

DUMONT, Micheline, 2001, *Découvrir la mémoire des femmes : une historienne face à l'histoire des femmes*, Montréal, Les Éditions du remue-ménage.

DUMONT, Micheline et Nadia FAHMY-EID, 1986, *Les Couventines : l'éducation des filles au Québec dans les congrégations religieuses enseignantes, 1840-1960*, Montréal, Boréal.

EASTERROOK, W. T. et M. H. WATKINS, 1967, *Approaches to Canadian Economic History*, Toronto, McClelland & Stewart.

ECCLES, William John, 1964, *Canada under Louis XIV*, Toronto, McClelland & Stewart.

ECCLES, William John, 1971, *The Canadian Frontier*, New York, Holt, Rinehart & Winston.

ECCLES, William John, 1979, « A Belated Review of Harold Adams Innis's the Fur Trade in Canada », *Canadian Historical Review*, 60, 4 : 419-441.

FAHMY-EID, Nadia et Micheline DUMONT, dir., 1983, *Maîtresses de maison, maîtresses d'école : femmes, famille et éducation dans l'histoire du Québec*, Montréal, Boréal.

FALARDEAU, Jean-Charles, dir., 1968, *Leon Gérin et l'habitant de Saint-Justin*, Montréal, PUM.

FAUCHER, Albert, 1970, *Histoire économique et unité canadienne*, Montréal, Fides.

FAUCHER, Jean-Marie, 1986, « Prolégomènes à une étude historique des rapports entre l'État et le droit dans la société québécoise, de la fin du XVIIIe siècle à la crise de 1929 », *Sociologie et sociétés*, 18, 1 : 129-138.

FAUCHER, Jean-Marie, 1987, « Mesures d'exception et règle de droit : les conditions d'application de la loi martiale au Québec lors des rébellions de 1837-1838 », *McGill Law Journal/Revue de droit de McGill*, 32, 3 : 465-495.

FECTEAU, Jean-Marie, 1989, *Un nouvel ordre des choses : la pauvreté, le crime, l'État au Québec, de la fin du XVIIIe siècle à 1840*, Outremont, VLB éditeur.

Fédération des francophones hors Québec, 1978, *The Heirs of Lord Durham : Manifesto of a Vanishing People*, Toronto, Burns and MacEachern.

FERLAND, Jacques, 1985, *Évolution des rapports sociaux dans l'industrie canadienne du cuir au tournant du 20e siècle*, Ph. D., Université McGill.

FERLAND, Jacques, 1987, « Syndicalisme "parcellaire" et syndicalisme "collectif" : une interprétation socio-technique des conflits ouvriers dans deux industries québécoises (1880-1914) », *Labour/Le travail*, 19, 1 : 49-88.

FERRETTI, Lucia, 1985, « Mariage et cadre de vie familliale dans une paroisse ouvrière montréalaise : Sainte-Brigide », *RHAF*, 39,2 : 233-251.

FERRETTI, Lucia, 1992, *Entre voisins. La société paroissiale en milieu urbain : Saint-Pierre-Apôtre de Montréal, 1848-1930*, Montréal, Boréal.

FERRETTI, Lucia, 2002, *Histoire des Dominicaines de Trois-Rivières*, Sillery, Septentrion.

FILTEAU, Gérard, 1990, *Par la bouche de mes canons. La ville de Québec face à l'ennemi*, Sillery, Septentrion.

FILTEAU, Gérard, 2003, *Histoire des Patriotes*, Sillery, Septentrion.

FRANCIS, Daniel et Toby MORANTZ, 1983, *Partners in Furs. A History of the Fur Trade in Eastern James Bay, 1600-1870*, Kingston et Montréal, McGill-Queen's University Press.

FRÉGAULT, Guy, 1955, *La Guerre de la Conquête*, Montréal, Fides.

FRÉGAULT, Guy, 1964, *La Société canadienne sous le Régime français*, Ottawa, SHC, brochure historique n° 3.

FYSON, Donald, 1995, *Criminal justice, Civil Society and the Local State : the Justice of the Peace in the District of Montréal, 1764-1830*, Ph. D., Université de Montréal.

GADOURY, Lorraine, 1992, *La Noblesse de Nouvelle-France : familles et alliances*, Montréal, Hurtubise HMH.

GAFFIELD, Chad, 1987, *Language, Schooling and Cultural Conflict. The Origins of the FrenchLanguage Controversy in Ontario*, Kingston et Montréal, McGill-Queen's University Press.

GAFFIELD, Chad et Pam GAFFIELD, 1995, *Consuming Canada : Readings in Environmental History*, Toronto, Copp Clark.

GAGNON, Alain-G., 1984, *Quebec : State and Society*, Toronto, Methuen.

GAGNON, Alain-G. et Mary Beth MONTCALM, 1990, *Quebec : beyond the Quiet Revolution*, Scarborough, Nelson.

GAGNON, Hervé, 1994, *L'Évolution des musées accessibles au public à Montréal au XIX*e *siècle : Capitalisme culturel et représentations idéologiques*, Ph.D., Université de Montréal.

GAGNON, Mona-Josée, 1995, *Le Syndicalisme, état des lieux et enjeux*, Québec, IQRC.

GAGNON, Serge, 1966, « Pour une conscience historique de la révolution québécoise », *Cité libre*, 16, 83 : 4-16.

GAGNON, Serge, 1990, *Plaisir d'amour et crainte de Dieu : sexualité et confession au Bas-Canada*, Sainte-Foy, PUL.

GAGNON, Serge et Louise LEBEL-GAGNON, 1983, « Le milieu d'origine du clergé québécois 1775-1840 : mythes et réalités », *RHAF*, 37, 3 : 373-398.

GALARNEAU, Claude, 1978, *Les Collèges classiques au Canada français*, Montréal, Fides.

GALICHAN, Gilles, dir., 1998, *François-Xavier Garneau : une figure nationale*, Québec, Éditions Nota Bene.

GALLAT-MORIN, Élisabeth et Jean-Pierre PINSON, 2003, *La Vie musicale en Nouvelle-France*, Sillery, Septentrion.

GAUDREAU, Guy, 1999, *Les récoltes des forêts publiques au Québec et en Ontario, 1840-1900*, Montréal et Kingston, McGill-Queen's University Press.

GAUDREAU, Guy, 2003, *Histoire des mineurs du Nord ontarien et québécois, 1886-1945*, Sillery, Septentrion.

GAUVIN, Lise et Gaston MIRON, 1989, *Écrivains contemporains du Québec depuis 1950*, Paris, Seghers.

GAUVREAU, Danielle, 1991, *Québec : une ville et sa population au temps de la Nouvelle-France*, Sillery, PUQ.

GENEST, Jean-Guy, 1996, *Godbout*, Sillery, Septentrion.

GORDON, Alan, 2001, *Making Public Pasts : The Contested Terrain of Montreal's Public Memories, 1891-1930*, Montréal et Kingston, McGill-Queen's University Press.

GOSSAGE, Peter, 1983, *Abandoned Children in Nineteenth-Century Montreal*, M. A., Université McGill.

GOSSAGE, Peter, 1999, *Families in Transition : Industry and Population in Nineteenth-Century Saint-Hyacinthe*, Montréal et Kingston, McGill-Queen's University Press.

GOURD, Benolt-Beaudry, 1975, « La colonisation et le peuplement du Témiscamingue et de l'Abitibi, 1880-1950 : aperçu historique », dans Maurice ASSELIN et Benoît-Beaudry GOURD, dir., *L'Abbittibbi et le Temiskaming, hier et aujourd'hui,* Rouyn, Collège du Nord-Ouest, Cahiers du Département d'histoire et de géographie, n° 2.

GRABOWSKI, Jan, 1993, *The Common Ground : Settled Natives and French in Montréal, 1667-1760*, Ph.D., Université de Montréal.

GRANT, Hugh M., 1981, « One Step Forward, Two Steps Back : Innis, Eccles and the Canadian Fur Trade », *Canadian Historical Review*, 62, 3 : 304-322.

GREER, Allan, 1978, « The Pattern of Literacy in Quebec, 1745-1899 », *Histoire sociale/Social History*, 11, 22 : 295-335.

GREER, Allan, 1985, Peasant, *Lord and Merchant Rural Society in Three Quebec Parishes, 1740-1840*, Toronto, University of Toronto Press.

GREER, Allan, 1997, *Habitants et patriotes : la rébellion de 1837 dans les campagnes du Bas-Canada*, Montréal, Boréal.

GREER, Allan, 1998, *Brève histoire des peuples de la Nouvelle-France*, Montréal, Boréal.

GREER, Allan et Ian RADFORTH, 1992, *Colonial Leviathan : State Formation in Mid-Nineteenth Century Canada*, Toronto, University of Toronto Press.

GRIFFITHS, Naomi, 1992, *The Contexts of Acadien History*, Kingston et Montréal, McGill-Queen's University Press.

GROULX, Lionel, 1962, *Histoire du Canada français depuis la découverte*, 2 tomes, Montréal et Paris, Fides.

GROULX, Lionel, 1970, *Roland-Michel Barrin de la Galissonière*, Toronto, University of Toronto Press.

GROULX, Patrice, 1998, *Pièges de la mémoire : Dollard des Ormeaux, les Amérindiens et nous*, Hull, Vents d'Ouest.

Groupe de recherche sur la Mauricie, 1985, *Shawinigan : genèse d'une croissance industrielle au début du* XX*e siècle*, Université du Québec à Trois-Rivières.

GUENTZEL, Ralph P., 1999, « The Centrale de l'Enseignement du Québec and Quebec Separatist Nationalism, 1960-80 », *Canadian Historical Review*, 80, 1 : 61-82.

HAMELIN, Jean, 1984, *Histoire du catholicisme québécois : le* XX*e siècle, tome 2 : de 1940 à nos jours*, Montréal, Boréal Express.

HAMELIN, Jean et Nicole GAGNON, 1984, *Histoire du catholicisme québécois : le* XX*e siècle, tome 1 : 1898-1940*, Montréal, Boréal Express.

HAMELIN, Jean et Yves ROBY, 1971, *Histoire économique du Québec, 1851-1896*, Montréal, Fides.

HANNA, David, 1986, *Montreal : A City Built by Small Builders, 1867-1880*, Ph. D., Université McGill.

HARDY, Jean-Pierre, 1987, « Quelques aspects du niveau de richesse et de la vie matérielle des artisans de Québec et de Montréal, 1740-1755 », *RHAF*, 40, 3 : 339-372.

HARDY, Jean-Pierre et David-Thiery RUDDEL, 1977, *Les Apprentis artisans à Québec, 1660-1815*, Sainte-Foy, PUQ.

HARDY, René, 1999, *Contrôle social et mutation de la culture religieuse au Québec, 1830-1930*, Montréal, Boréal.

HARDY, René et Normand SÉGUIN, 1984, *Forêt et société en Mauricie*, Montréal, Boréal Express.

HARE, John, Marc LAFRANCE et David-Thiery RUDDEL, 1987, *Histoire de la ville de Québec, 1608-1871*, Montréal, Boréal.

HARNEY, Robert F., 1979, « Montreal's King of Italian Labour : A Case Study of Padronism », *Labour/Le travail*, 4 : 56-84.

HARRIS, Richard Colebrook, 1979, « Of Poverty and Helplessness in Petite Nation », dans J. BUMSTEAD, dir., *Canadian History before Confederation*, Georgetown, Irwin Dorsey : 329-354.

HARRIS, Richard Colebrook, 1984, *The Seigneurial System in Early Canada*, Kingston et Montréal, McGill-Queen's University Press.

HARVEY, Janice, 2001, *The Protestant Orphan Asylum and the Montreal Ladies' Benevolent Society : A Case Study in Protestant Child Charity in Montreal, 1822-1900*, Ph.D., Université McGill.

HARVEY, Fernand, 1980, *Le Mouvement ouvrier au Québec*, Montréal, Boréal Express.

HARVEY, Kathryn, 1991, *« To Love, Honour and Obey » : Wife-battering in Working-class Montreal, 1869-1879*, M. A., Université de Montréal.

HAVARD, Gilles, 2003, *Empire et métissages. Indiens et Français dans le Pays d'en Haut, 1669-1715*, Sillery, Septentrion.

HEAP, Margaret, 1977, « La grève des charretiers à Montréal, 1864 », *RHAF*, 31, 3 : 371-395.

HEAP, Ruby, 1987, *L'Église, l'État et l'enseignement primaire public catholique au Québec, 1897-1920*, Ph. D., Université de Montréal.

HEIDENREICH, Conrad, 1971, *Huronia. A History and Geography of the Huron Indians, 1600-1650*, Toronto, McClelland & Stewart.

HELM, June, dir., 1981, *Handbook of North American Indians*, vol. 6, *Subarctic*, Washington, Smithsonian Institute.

HENRIPIN, Jacques, 1954, *La Population canadienne au début du XVIIIe siècle*, Paris, Institut national d'études démographiques.

HORGUELIN, Christophe, 1997, *La Prétendue République : pouvoir et société au Canada (1645-1675)*, Sillery, Septentrion.

HOWES, David, 1987, « From Polyjurality to Monojurality : The Transformation of Quebec Law, 1875-1929 », *McGill Law Journal/Revue de droit de McGill*, 32, 3 : 523-558.

HUBERT, Ollivier, 2000, *Sur la terre comme au ciel. La gestion des rites par l'Église catholique du Québec (fin XVIIe-mi-XIXe siècle)*, Sainte-Foy, PUL.

HUDON, Christine, 1990, *Les Curés du Richelieu-Yamaska, 1790-1840. Recrutement, vie matérielle et action pastorale*, M.A., Université de Montréal.

HUDON, Christine, 1996, *Prêtres et fidèles dans le diocèse de Saint-Hyacinthe, 1820-1875*, Sillery, Septentrion.

HUGUES, Everett C., 1943, *French Canada in Transition*, Chicago, University of Chicago Press.

IGARTUA, José, 1974, *The Merchants and Négociants of Montréal, 1750-1775 : A Study in Socio-Economic History*, Ph. D., Michigan State University.

IGARTUA, José, 1996, *Arvida au Saguenay: naissance d'une ville industrielle*, Montréal et Kingston, McGill-Queen's University Press.

IGARTUA, José et Marine de FRÉMINVILLE, 1983, « Les origines des travailleurs de l'Alcan au Saguenay, 1925-1939 », *RHAF*, 37, 2 : 291-308.

INNIS, Harold, 1956, *The Fur Trade in Canada*, Toronto, University of Toronto Press.

JAENEN, Cornelius, 1976, *The Role of the Church in New France*, Toronto, McGraw-Hill Ryerson.

JAUMAIN, Serge, 1987, « Contribution à l'histoire comparée : les colporteurs belge et québécois au XIXe siècle », *Histoire sociale/Social History*, 20, 39 : 49-78.

JONES, Richard, 1972, *Community in Crisis. French Canadian Nationalism in Perspective*, Toronto, McClelland & Stewart.

JONES, Richard, 1983, *Duplessis et le gouvernement de l'Union nationale*, Ottawa, SHC, brochure historique n° 35.

JOY, Richard, 1972, *Languages in Conflict*, Toronto, McClelland & Stewart.

JUTEAU, Danielle, 1999, *L'Éthnicité et ses frontières*, Montréal, PUM.

KENNEALLY, Rhona, 1983, *The Montreal Maternity Hospital, 1843-1926*, M. A., Université McGill.

KESTEMAN, Jean-Pierre, 1985, *Une bourgeoisie et son espace : industrialisation et développement du capitalisme dans le district de Saint-François (Québec), 1823-1879*, Ph. D., Université du Québec à Montréal.

KOLISH, Evelyn, 1981, « Le Conseil législatif et les bureaux d'enregistrement (1836) », *RHAF*, 35, 2 : 217-230.

KOLISH, Evelyn, 1994, *Nationalismes et conflits de droits : le débat du droit privé au Québec 1760-1840*, Montréal, Hurtubise HMH.

KRECH III, Shepherd, 1981, *Indians, Animals and the Fur Trade*, Athens, University of Georgia Press.

LACASSE, Roger, 1988, *Joseph-Armand Bombardier. Le rêve d'un inventeur*, Montréal, Libre Expression.

LACELLE, Claudette, 1987, *Les Domestiques en milieu urbain canadien au XIXe siècle*, Ottawa, Environnement Canada.

LACHANCE, André, 1978, *La Justice criminelle du roi au Canada au XVIIIe siècle. Tribunaux et officiers*, Sainte-Foy, PUL.

LACHANCE, André, 1984, *Crimes et criminels en Nouvelle-France*, Montréal, Boréal Express.

LACHANCE, André, 1987, *La Vie urbaine en Nouvelle-France*, Montréal, Boréal.

LACOURSIÈRE, Jacques *et al.*, 2000, *Canada-Québec, 1534-2000*, Sillery, Septentrion.

LAMONDE, Yvan, 1990, *Gens de parole. Conférences publiques, essais et débats à l'Institut canadien de Montréal (1845-1871)*, Montréal, Boréal.

LAMONDE, Yvan, 2000a, *Trajectoires de l'histoire du Québec*, Montréal, Fides.

LAMONDE, Yvan, 2000b, *Histoire sociale des idées au Québec*, vol. 1 : *1760-1896*, Montréal, Fides.

LAMONDE, Yvan et Raymond MONTPETIT, 1986, *Le Parc Saboter de Montréal, 1889-1919. Un lieu de culture urbaine*, Québec, IQRC.

LAMOUREUX, Diane, 1990, « Le Mouvement des femmes : entre l'intégration et l'autonomie », *Canadian Issues — Thèmes canadiens XII*, 12 : 125-136.

LANDRY, Yves, 1992, *Les Filles du roi en Nouvelle-France: étude démographique*, Montréal, Leméac.

LANGLOIS, Simon *et al.*, 1990, *La Société québécoise en tendances, 1960-1990*, Québec, IQRC.

LAPIERRE-ADAMCYK, Evelyne et Carole CHARVET, 1999, « L'union libre et le mariage : un bilan des travaux en démographie », *Cahiers québécois de démographie*, 28, 1-2 : 1-21.

LAPIERRE-ADAMCYK, Evelyne, Céline LE BOURDAIS et Nicole MARCIL-GRATTON, 1999, « Vivre en couple pour la première fois : la signification du choix de l'union libre au Québec et en Ontario », *Cahiers québécois de démographie*, 28, 1-2 : 199-227.

LAPOINTE-ROY, Huguette, 1987, *Charité bien ordonnée : le premier réseau de lutte contre la pauvreté à Montréal au 19e siècle*, Montréal, Boréal.

LARIN, Robert, 2002, *Les Canadiens passés en France après la Conquête : un portrait vu de la Guyane (de 1754 à 1805)*, Ph. D., Université de Montréal.

LATOUCHE, Daniel et Diane POLIQUIN-BOURASSA, 1979, *Le Manuel de la Parole, Manifestes québécois*, 3, *1960-1976*, Trois-Rivières, Boréal Express.

LAURENCE, Gérard, 1982, « Le début des affaires publiques à la télévision québécoise », *RHAF*, 36, 2 : 213-237.

LAUZON, Gilles, 1987, *Conditions économiques de la production et de l'usage des espaces d'habitation populaire et ouvrière en période d'industrialisation : le village Saint-Augustin (Saint-Henri), en périphérie de Montréal, 1850-1875*, M. A., Université du Québec à Montréal.

LAUZON, Gilles, 1989, *Habitat ouvrier et révolution industrielle : le cas du village Saint-Augustin*, Montréal, RCHTQ.

LAUZON, Gilles et Lucie RUELLAND, 1985, *1875/Saint-Henri*, Montréal, Société historique de Saint-Henri.

LAVALLÉE, Louis, 1992, *La Prairie en Nouvelle-France. Étude d'histoire sociale*, Kingston et Montréal, McGill-Queen's University Press.

LAVERTU, Yves, 2000, *Jean-Charles Harvey : le combattant*, Montréal, Boréal.

LAVIGNE, Marie et Yolande PINARD, 1983, *Travailleuses et féministes : les femmes dans la société québécoise*, Montréal, Boréal Express.

LAVIGNE, Marie, Yolande PINARD et Jennifer STODDART, 1979, « The Fédération Nationale Saint-Jean-Baptiste and the Women's Movement in Québec », dans Linda KEALY, dir., *A not Unreasonable Claim : Women and Reform in Canada, 1880s-1920s*, Toronto, Women's Press : 71-88.

LAVOIE, Elzéar, 1971, « L'évolution de la radio au Canada français avant 1940 », *Recherches sociographiques*, 12, 1 : 17-49.

LAVOIE, Yolande, 1972, *L'Émigration des Canadiens aux États-Unis avant 1930*, Montréal, PUM.

LEACOCK, Eleanor, 1986, « Montagnais Women and the Jesuit Program for Colonization », dans Veronica STRONG-BOAG et Anita Clair FELLMAN, dir., *Rethinking Canada. The Promise of Women's History*, Toronto, Copp Clark Pitman : 7-22.

LEE, David, 1984, *The Robins of Gaspé, 1766-1825*, Toronto, Fitzhenry and Whiteside.

LEGAULT, Roch, 1995, *Le Commissariat de l'armée britannique et les dépenses militaires au Canada (1815-1830)*, Ph.D., Université de Montréal.

LEGAULT, Roch, 2002, *Une élite en déroute : les militaires canadiens après la Conquête*, Outremont, Athéna éditions.

LEMIEUX, Raymond et Jean-Paul MONTMINY, 2000, *Le Catholicisme québécois*, Sainte-Foy, IQRC.

LEMIRE, Maurice, dir., *Dictionnaire des œuvres littéraires du Québec*, tome IV : *1960-1969*, Montréal, Fides, 1984 ; tome V : *1970-1975*, Montréal, Fides, 1987.

Letourneau, Jocelyn, 2000, *Passer à l'avenir : histoire, mémoire, identité dans le Québec d'aujourd'hui*, Montréal, Boréal.

LÉVESQUE, Andrée, 1984, « Deviant Anonymous : Single Mothers at the Hôpital de la Miséricorde in Montreal, 1929-1939 », Ottawa, SHC, *Communications historiques* : 168-184.

LÉVESQUE, Andrée, 1989, *La Norme et les déviantes : des femmes au Québec pendant l'entre-deux-guerres*, Montréal, Les Éditions du remue-ménage.

LÉVESQUE, Andrée, 1989, *Virage à gauche interdit : les communistes, les socialistes et leurs ennemis au Québec*, 1929-1939, Montréal, Boréal.

LÉVESQUE, Andrée, 1995, *Résistance et transgression : études en histoire des femmes au Québec*, Montréal, Les Éditions du remue-ménage.

LÉVESQUE, Andrée, 1999, *Scènes de la vie en rouge : l'époque de Jeanne Corbin, 1906-1944*, Montréal, Les Éditions du remue-ménage.

LÉVESQUE, René, 1968, *Option Québec*, Montréal, Éditions du Jour.

LEVINE, Marc, 1990, *The Reconquest of Montreal : Language Policy and Social Change in a Bilingual City*, Philadelphie, Temple University Press.

LEVITT, Joseph, 1976, *Henri Bourassa : critique catholique*, Ottawa, SHC, brochure historique nº 29.

LEWIS, Robert D., 1990, « Home Ownership Reassessed for Montreal in the 1840s », *The Canadian Geographer/Le Géographe canadien*, 34, 2 : 150-152.

LINTEAU, Paul-André, 1981, *Maisonneuve : comment des promoteurs fabriquent une ville*, Montréal, Boréal Express.

LINTEAU, Paul-André, 2000, *Histoire de Montréal depuis la Confédération*, Montréal, Boréal.

LINTEAU, Paul-André et Jean-Claude ROBERT, 1974, « Propriété foncière et société à Montréal : une hypothèse », *RHAF*, 28, I : 45-65.

LINTEAU, Paul-André *et al.*, 1989, *Histoire du Québec contemporain : le Québec depuis 1930*, Montréal, Boréal.

LITALIEN, Rolland, dir., 1986, *L'Église de Montréal : aperçu d'hier et d'aujourd'hui*, Montréal, Fides.

LITTLE, J. I., 1981, « Colonization and Municipal Reform in Canada East », *Histoire sociale/Social History*, 14, 27 : 93-122.

LITTLE, J. I., 1989, *Nationalism, Capitalism and Colonization in Nineteenth-Century Quebec : The Upper Saint-Francis District*, Kingston et Montréal, McGill-Queen's University Press.

LITTLE, J. I., 1991, *Crofters and Habitants. Settler Society, Economy and Culture in a Quebec Township, 1848-1881*, Kingston et Montréal, McGill-Queen's University Press.

LITTLE, J. I., 1997, *State and Society in Transition : The Politics of Institutional Reform in the Eastern Townships, 1838-1852*, Kingston et Montréal, McGill-Queen's University Press.

LORD, Kathleen, 2000, *Days and Nights : Class, Gender and Society on Notre-Dame Street in Saint-Henri, 1875-1905*, Ph.D., Université McGill.

LOWE, Graham, 1987, *Women in the Administrative Revolution*, Toronto, University of Toronto Press.

MACLURE, Jocelyn, 2000, *Le Québec à l'épreuve du pluralisme*, Montréal, Québec/Amérique.

MAILLÉ, Chantal, 1990, *Les Québécoises et la conquête du pouvoir politique*, Montréal, Éditions Saint-Martin.

MANN TROFIMENKOFF, Susan, 1978, « Les Femmes dans l'œuvre de Groulx », *RHAF*, 32, 3 : 385-398.

MANN TROFIMENKOFF, Susan, 1986, *Visions nationales. Une histoire du Québec*, Montréal, Éditions du Trécarré.

MARSHALL, Dominique, 1998, *Aux origines sociales de l'État-providence*, Montréal, PUM.

MARTEL, Marcel, 1998, *Le Canada français : récit de sa formation et de son éclatement, 1850-1968*, Ottawa, SHC, brochure ethnique nº 24.

MARTIN, Calvin, 1978, *Keepers of the Game : Indian-Animal Relationships and the Fur Trade*, Berkeley, University of California Press.

MASSELL, David Perera, 2000, *Amazing Power : J.B. Duke and the Saguenay River, 1897-1927*, Montréal et Kingston, McGill-Queen's University Press.

MASSICOTTE, Daniel, 1987, *Le Marché du logement locatif à Montréal de 1731 à 1741*, M. A., Université de Montréal.

MATHEWS, George, 1990, *Quiet Revolution : Quebec's Challenge to Canada*, Toronto, Summerhill Press.

MATHIEU, Jacques, 1971, *La Construction navale royale à Québec, 1739-1759*, Québec, Société historique de Québec.

MATHIEU, Jacques, 1981, *Le Commerce entre la Nouvelle-France et les Antilles au XVIIIe siècle*, Montréal, Fides.

MATHIEU, Jacques, 1991, *La Nouvelle-France. Les Français en Amérique du Nord, XVIIe-XVIIIe siècles*, Sainte-Foy, PUL.

MATHIEU, Sarah-Jane, 2001, « North of the Colour Line : Sleeping Car Porters and the Battle against Jim Crow on Canadian Rails, 1880-1920 », *Labour/Le Travail*, 47 : 9-41.

MCCALLUM, John, 1980, *Unequal Beginnings : Agriculture and Economic Development in Québec and Ontario until 1870*, Toronto, University of Toronto Press.

MCCANN, L. D., 1982, *Heartland and Hinterland : A Geography of Canada*, Scarborough, Prentice Hall.

MCCORMICK, Peter James, 2000, *Supreme at Last : The Evolution of the Supreme Court of Canada*, Toronto, Lorimer.

MCGINNIS, Janice P. Dickin, 1977, « The Impact of Epidemic Influenza, Canada 1918-1919 », Ottawa, SHC, *Communications historiques* : 120-141.

MACLEOD, D. Peter, 2000, *Les Iroquois et la guerre de Sept Ans*, Montréal, VLB éditeur.

MCNALLY, Larry, 1982, *Water Power on the Lachine Canal, 1846-1900*, Ottawa, Parcs Canada.

MCROBERTS, Kenneth, 1998, *Misconceiving Canada : The Struggle for National Unity*, Toronto, Oxford University Press.

MICHAUD, Francine, 1985, « Irma Levassent : pionnière, femme d'action et fondatrice méconnue », *Cap-aux-Diamants*, 2, 2 : 3-6.

MICHEL, Louis, 1979, « Un marchand rural en Nouvelle-France : François-Augustin Bailly de Messein, 1709-1771 », *RHAF*, 33, 2 : 215-262.

MICHEL, Louis, 1986, « Varennes et Verchères, des origines au milieu du XIXe siècle : état d'une enquête », dans Joseph GOY et Jean-Pierre WALLOT, dir., *Evolution et éclatement du monde rural, France-Québec, XVIIe-XXe siècles*, Montréal et Paris, PUM et EHESS : 325-340.

MINER, Horace, 1939, *St. Denis : A French-Canadian Parish*, Chicago, University of Chicago Press.

MIQUELON, Dale, 1977, *Society and Conquest. The Debate on the Bourgeoisie and Social Change in French Canada, 1700-1850*, Toronto, Copp Clark.

MIQUELON, Dale, 1978, *Dugard of Rouen. French Trade to Canada and the West Indies, 1729-1770*, Kingston et Montréal, McGill-Queen's University Press.

MIQUELON, Dale, 1987, *New France, 1701-1744*, Toronto, McClelland & Stewart.

MONET, Jacques, 1981, *La Première Révolution tranquille : le nationalisme canadien-français, 1837-1850*, Montréal, Fides.

MOOGK, Peter, 1979, « "Thieving Buggers and Stupid Sluts" : Insults and Popular Cuture in New France », *William and Mary Quarterly*, 3e série, 36: 542-547.

MYERS, Tamara *et al.*, 1998, *Power, Place and Identity : Historical Studies of Social and Legal Regulation in Quebec*, Montréal, Université McGill.

NEATBY, Hilda, 1966, *Quebec : The Revolutionary Age, 1760-1791*, Toronto, McClelland & Stewart.

NELLES, H. V., 1999, *The Art of Nation Building : Pageantry and Spectacle at Quebec's Tercentenary*, Toronto, University of Toronto Press.

NELSON, Wendie, 2000, « Raging against the Dying of the Light : Interpreting the Guerre des Éteignoirs », *Canadian Historical Review*, 81 : 551-581.

NISH, Cameron, 1975, *François-Étienne Cugnet. Entrepreneurs et entreprises en Nouvelle-France*, Montréal, Fides.

NOËL, Françoise, 1992, *The Christie Seigneuries : Estate Management and Settlement in the Upper Richelieu Valley, 1764-1854*, Kingston et Montréal, McGill-Queen's University Press.

NOËL, Jan, 1986, « New France : Les femmes favorisées », dans Véronica STRONG-BOAG et Anita Clair FELLMAN, dir., *Rethinking Canada. The Promise of Women's History*, Toronto, Copp Clark Pitman : 23-44.

OSTOLA, Lawrence, 1989, *The Nations of Canada and the American Revolution, 1774-1783*, M. A., Université de Montréal.

OUELLET, Fernand, 1964, *Louis-Joseph Papineau : un être divisé*, Ottawa, SHC, brochure historique n° 11.

OUELLET, Fernand, 1966, *Histoire économique et sociale du Québec (1760-1850)*, Montréal, Fides.

OUELLET, Fernand, 1972, *Éléments d'histoire sociale du Bas-Canada*, Montréal, Hurtubise HMH.

OUELLET, Fernand, 1976, *Le Bas-Canada, 1791-1840. Changements structuraux et crise*, Ottawa, PUO.

OUELLET, Fernand, 1980, *Lower Canada, 1791-1840 : Social Change and Nationalism*, Toronto, McClelland & Stewart.

PALMER, Bryan, 1985, *Working-Class Experience : The Rise and Reconstitution of Canadian Labour, 1800-1980*, Toronto et Vancouver, Butterworth.

PAQUET, Gilles et Jean-Pierre WALLOT, 1973, *Patronage et pouvoir dans le Bas-Canada (1794-1812)*, Sainte-Foy, PUQ.

PAQUET, Gilles et Jean-Pierre WALLOT, 1982, « Sur quelques discontinuités dans l'expérience socioéconomique du Québec : une hypothèse », *RHAF*, 35, 4 : 483-521.

PAQUET, Gilles et Jean-Pierre WALLOT, 1986, « Stratégie foncière de l'habitant : Québec (1790-1835) », *RHAF*, 39, 4 : 551-582.

PAQUETTE, Lyne et Réal BATES, 1986, « Les naissances illégitimes sur les rives du Saint-Laurent avant 1730 », *RHAF*, 40, 2 : 239-252.

Parti libéral du Québec, 1991, *Un Québec libre de ses choix : rapport du Comité constitutionnel du Parti libéral du Québec (rapport Allaire)*, Québec, Publications du Québec.

PAYETTE, Lise, 1982, *Le pouvoir ? Connais pas !*, Montréal, Québec/Amérique.

PELLETIER, Gérard, 1983, *Les Années d'impatience, 1950-1960*, Montréal, Stanké.

PELLETIER, Mario, 1989, *La Machine à milliards : l'histoire de la Caisse de dépôt et placement du Québec*, Montréal, Québec/Amérique.

PENDERGAST, James et Bruce TRIGGER, 1972, *Cartier's Hochelaga and the Dawson Site*, Kingston et Montréal, McGill-Queen's University Press.

PENTLAND, H. C., 1981, *Labour and Capital in Canada*, Toronto, Lorimer.

PERRON, Yves, Evelyn LAPIERRE-ADAMCYK et Dennis MORRISSETTE, 1987, « Le changement familial : aspects démographiques », *Recherches sociographiques*, 28, 2-3 : 317-339.

PHILPOT, Robin, 1991, *Oka, dernier alibi du Canada anglais*, Montréal, VLB.

PIÉDALUE, Gilles, 1976, *La Bourgeoisie canadienne et le problème de la réalisation du profit au Canada, 1900-1930*, Ph. D., Université de Montréal.

PIERSON, Ruth Roach, 1986, *They're Still Women after All : The Second World War and Canadian Womanhood*, Toronto, McClelland & Stewart.

PLAMONDON, Lilianne, 1977, « Une femme d'affaires en Nouvelle-France : Marie-Anne Barbel, veuve Fornel », *RHAF*, 31, 2 : 165-185.

PLOURDE, Michel, 1988, *La Politique linguistique du Québec 1977-1987*, Québec, IQRC.

POITRAS, Claire, 2000, *La Cité au bout du fil : le téléphone à Montréal de 1879-1930*, Montréal, PUM.

POSTGATE, Dale et Kenneth MCROBERTS, 1980, *Développement et modernisation du Québec*, Montréal, Boréal Express.

POTVIN, Damase, 1957, *La Baie des Ha ! Ha !*, Port-Alfred, Chambre de commerce de la Baie des Ha ! Ha !.

POUTANEN, Mary Anne, 1996, *To Indulge their Carnal Appetites : Prostitution in Early Nineteenth-Century Montreal, 1810-1842*, Ph.D., Université de Montréal.

PRITCHARD, James, 1976, « The pattern of French Colonial Shipping to Canada before 1760 », *Revue française d'histoire d'outre-mer*, 63, 231 : 189-210.

PRONOVOST, Claude, 1998, *La Bourgeoisie marchande en milieu rural, 1720-1840*, Sainte-Foy, PUL.

PROVENCHER, Jean, 1975, *René Lévesque : portrait of a Québécois*, Toronto, Gage.

QUÉBEC, 1953, *Rapport de la Commission royale d'enquête sur les problèmes constitutionnels, rapport Tremblay*, 4 vol., Québec.

QUÉBEC, 1972, *Rapport de la Commission d'enquête sur la situation de la langue française et sur les droits linguistiques au Québec, rapport Gendron*, 3 vol., Québec.

QUÉBEC, 1991, *Rapport de la Commission politique et de la constitution future du Québec, rapport Bélanger-Campeau*, Québec, Publications du Québec.

QUINN, Herbert F., 1963, *The Union Nationale. A Study in Quebec Nationalism*, Toronto, University of Toronto Press.

RAMIREZ, Bruno, 1986, « Brief Encounters : Italian Immigrant Workers and the CPR, 1900-1930 », *Labour/La travail*, 17 : 9-28.

RAMIREZ, Bruno, 1992, *Par monts et par vaux. Migrants canadiens-français et italiens dans l'économie atlantique, 1860-1914*, Montréal, Boréal.

RAMIREZ, Bruno et Michael DEL BALSO, 1980, *The Italians of Montreal : from Sojourning to Settlement*, Montréal, Éditions du courant.

RAMIREZ, Bruno et Michael DEL BALSO, 1984, *Les Premiers Italiens de Montréal. L'origine de la Petite Italie du Québec*, Montréal, Boréal Express.

RAMSDEN, Peter, 1981, « Rich Man, Poor Man, Dead Man, Thief. The Dispersal of Wealth in 17th Century Huron Society », *Ontario Archaeology*, 35 : 35-40.

Recherches amérindiennes au Québec, numéro spécial sur les Mohawks, 1991.

REGEHR, T. D., 1990, *The Beauharnois Scandal. A Story of Canadian Entrepreneurship and Politics*, Toronto, University of Toronto Press.

REMIGGI, Frank W. et Louis ROUSSEAU, 1998, *Atlas historique des pratiques religieuse : le Sud-Ouest du Québec au XIXe siècle*, Ottawa, Presses de l'Université d'Ottawa.

RICHTER, Daniel. K., 1992, *The Ordeal of the Longhouse, The People*, Chapel Hill, University of North Carolina Press.

RIOUX, Marcel, 1961, *Belle-Anse*, Ottawa, Musée national du Canada.

RIOUX, Marcel et Yves MARTIN, 1964, *French-Canadian Society*, Toronto, McClelland & Stewart.

ROBACK, Leo, 1985, « Quebec Workers in the Twentieth Century », dans W. J. C. CHERWINSKI et G. S. KEALEY, dir., *Lectures in Canadian Labour and Working-Class History*, St. John's, Committee on Canadian Labour History : 165-182.

ROBERT, Jean-Claude, 1972, « Un seigneur entrepreneur, Barthélemy Joliette, et la fondation du village d'industrie (Joliette) », *RHAF*, 26, 3 : 375-396.

ROBERT, Lucie, 1989, *L'Institution du littéraire au Québec*, Sainte-Foy, PUL.

ROBICHAUD, Léon, 1989, *Le Pouvoir, les paysans et la voirie au Bas-Canada à la fin du XVIIe siècle*, M. A., Université McGill.

ROBY, Yves, 1964, *Alphonse Desjardins et les caisses populaires, 1854-1920*, Montréal, Fides.

ROBY, Yves, 1976, *Les Québécois et les investissements américains (1918-1929)*, Sainte-Foy, PUL.

ROME, David, Jacques LANGLAIS et Edward HILLEL, 1992, *Les Pierres qui parlent*, Sillery, Septentrion.

ROUILLARD, Jacques, 1979, *Les Syndicats nationaux au Québec de 1900 à 1930*, Sainte-Foy, PUL.

ROUILLARD, Jacques, 1981, *Histoire de la CSN, 1921-1981*, Montréal, Boréal Express.

ROUILLARD, Jacques, dir., 1991, 1992, *Guide d'histoire du Québec, du Régime français à nos jours. Bibliographie commentée*, Montréal, Méridien.

ROY, Fernande, 1988, *Progrès, harmonie, liberté : le libéralisme des milieux d'affaires francophones à Montréal au tournant du siècle*, Montréal, Boréal.

ROY, Jean-Louis, 1976, *La Marche des Québécois: le temps des ruptures (1945-1960)*, Montréal, Leméac.

RUDE, George, 1978, *Protest and Punishment: The Story of the Social and Political Protesters Transported to Australia, 1788-1868*, Oxford, Oxford University Press.

RUDIN, Ronald, 1985, *Banking en français: the French Banks of Québec, 1835-1925*, Toronto, University of Toronto Press.

RUDIN, Ronald, 1986, « Bankers' Flours: Life behind the Wicket at the Banque d'Hochelaga, 1920/1921 », *Labour/Le travail*, 18: 63-76.

RUDIN, Ronald, 1990, *In Whose Interest? Quebec's Caisses populaires, 1900-1945*, Kingston et Montréal, McGill-Queen's University Press.

RUDIN, Ronald, 1995, « La quête d'une société normale: critique de la réinterprétation de l'histoire du Québec », *Bulletin d'histoire politique*, 3, 2, 9-42.

RUDIN, Ronald, 1998, *Faire de l'histoire au Québec*, Sillery, Septentrion.

RUDY, Jarrett, 2001, *Manly Smokes: Tobacco Consumption and the Construction of Identities in Industrial Montreal, 1888-1914*, Ph.D., Université McGill.

RYAN, William, 1966, *The Clergy and Economic Growth in Quebec (1896-1914)*, Sainte-Foy, PUL.

RYERSON, Stanley, 1976, *Le Capitalisme et la Confédération: aux sources du conflit Canada-Québec (1760-1873)*, Montréal, Parti Pris.

SAMSON, Roch, 1986, « Une industrie avant l'industrialisation. Le cas des forges du Saint-Maurice », *Anthropologie et Sociétés*, 10, 1: 85-107.

SARRA-BOURNET, Michel, 1986, *L'Affaire Roncarelli. Duplessis contre les Témoins de Jéhovah*, Québec, IQRC.

SAVOIE, Sylvie, 1986, *Les Couples en difficulté aux XVIIe et XVIIIe siècles: les demandes en séparation en Nouvelle-France*, M. A., Université de Sherbrooke.

SÉGUIN, Maurice, 1968, *L'Idée d'indépendance au Québec. Genèse et historique*, Trois-Rivières, Boréal Express.

SÉGUIN, Maurice, 1970, *La Nation « canadienne » et l'agriculture (1760-1850). Essai d'histoire économique*, Trois-Rivières, Boréal Express.

SÉGUIN, Normand, 1977, *La Conquête du sol au 19e siècle*, Trois-Rivères, Boréal Express.

SÉGUIN, Normand, 1980, *Agriculture et colonisation au Québec*, Montréal, Boréal Express.

SENIOR, Elinor Kyte, 1981, *British Regulars in Montreal: an Imperial Garrison, 1832-1854*, Kingston et Montréal, McGill-Queen's University Press.

SENIOR, Elinor Kyte, 1985, *Red Coats and Patriotes: The Rebellions in Lower Canada, 1837-1838*, Ottawa, The Canadian War Museum, National Museum of Man et National Museums of Canada.

SILVER, A. I., 1982, *The French-Canadian Idea of Confederation*, Toronto, University of Toronto Press.

SMART, Patricia, 1998, *Les Femmes du Refus global*, Montréal, Boréal.

SNELL, James et Frederick, VAUGHAN, 1985, *The Supreme Court of Canada: History of the Institution*, Toronto, The Osgoode Society.

STEVENS, G. R., 1973, *History of the Canadian National Railways*, New York, MacMillan.

STEEDMAN, Mercedes, 1986, « Skill and Gender in the Canadian Clothing Industry, 1890-1940 », dans C. HERON et R. STOREY, dir., *On the Job: Confronting the Labour Process in Canada*, Kingston et Montréal, McGill-Queen's University Press : 152-176.

STODDART, Jennifer, 1981, « Quebec's Legal Elite Looks at Women's Rights : The Dorion Commission 1929-1931 », dans David FLAHERTY, dir., *Essays in the History of Canadian Law*, Toronto, University of Toronto Press, vol. 1 : 323-357.

SWEENY, Robert, 1978, *A Guide to the History and Records of Selected Montreal Businesses before 1947*, Montréal, Centre de recherche en histoire économique du Canada français.

SWEENY, Robert, 1986, *Internal Dynamics and the International Cycle : Questions of the Transition in Montreal, 1821-1828*, Ph. D., Université McGill.

TARDIVEL, Jules-Paul, 1975, *For My Country : « Pour la Patrie »*, Toronto, University of Toronto Press.

TÉTREAULT, Martin, 1983, « Les maladies de la misère : aspects de la santé publique à Montréal, 1880-1914 », *RHAF*, 36, 4 : 507-526.

THIVIERGE, Marîse, 1983, « La syndicalisation des institutrices catholiques, 1900-1959 », dans Nadia FAHMY-EID et Micheline DUMONT, dir., *Maîtresses de maison, maîtresses d'école : femmes, famille et éducation dans l'histoire du Québec*, Montréal, Boréal Express : 171-189.

THOMPSON, Dale C., 1984, *Jean Lesage and the Quiet Revolution*, Toronto, MacMillan.

THWAITES, Reuben Gold, 1898, *The Jesuit Relations and Allied Documents*, Cleveland, Burrows Company Publishers, 73 vol.

TOOKER, Elizabeth, 1987, *Ethnographie des Hurons, 1615-1649*, Montréal, *Recherches amérindiennes du Québec*, coll. « Signes des Amériques ».

TOUPIN, Sophie, 1997, *Les Artisans de Saint-Denis-sur-Richelieu au tournant du XIXe siècle : étude sociale*, M.A., Université de Montréal.

TOUSIGNANT, Pierre, 1973, « Problématique pour une nouvelle approche de la constitution de 1791 », *RHAF*, 27, 2 : 181-234.

TOUSIGNANT, Pierre, 1979, « L'intégration de la province de Québec dans l'Empire britannique, 1763-1791 », introduction au volume IV du *DBC*, Sainte-Foy, PUL : XXXIV-IIII.

TREMBLAY, Louise, 1981, *La Politique missionnaire des Sulpiciens aux XVIIe et début du XVIIIe, siècles*, M. A., Université de Montréal.

TREMBLAY, Robert, 1981-1982, « Un aspect de la consolidation du pouvoir d'État de la bourgeoisie coloniale : la législation anti-ouvrière dans le Bas-Canada, 1800-1850 », *Labour/Le travail*, 8-9 : 243-252.

TREMBLAY, Robert, 1983, « La grève des ouvriers de la construction navale à Québec (1840) », *RHAF*, 37, 2 : 227-240.

TRIGGER, Bruce, 1963, « Order and Freedom in Huron Society », *Anthropologica*, 5, 2 : 151-169.

TRIGGER, Bruce, 1978, *Les Indiens et l'âge héroïque de la Nouvelle-France*, Ottawa, SHC, brochure historique n° 30.

TRIGGER, Bruce, dir., 1978, *Handbook of North American Indians*, vol. 15 : Northeast Washington, Smithsonian Institute.

TRIGGER, Bruce, 1990, *Les Indiens, la fourrure et les Blancs*, Montréal, Boréal.

TRIGGER, Bruce, 1991, *Les Enfants d'Aataentsic : l'histoire du peuple huron*, Montréal, Libre-Expression.

TRUDEAU, Pierre Elliott, 1967, *Le Fédéralisme et la société canadienne-française*, Montréal, Hurtubise HMH.

TRUDEL, Marcel, 1956, *Le Régime seigneurial*, Ottawa, SHC, brochure historique, nº 6.

TRUDEL, Marcel, 1963-1999, *Histoire de la Nouvelle-France*, 5 vol., Montréal, Fides.

TRUDEL, Marcel, 1968, *Initiation à la Nouvelle-France : histoire et institutions*, Montréal et Toronto, Holt, Rinehart et Winston.

TRUDEL, Marcel, 1990, *Dictionnaire des esclaves et de leurs propriétaires au Canada français*, Montréal, Hurtubise HMH.

TULCHINSKY, Gerald, 1977, *The River Barons : Montreal Businessmen and the Growth of Industry and Transportation, 1837-1853*, Toronto, University of Toronto Press.

TURGEON, Laurier, 1981, « Pour une histoire de la pêche : le marché de la morue à Marseille au XVIIIe siècle », *Histoire sociale/Social History*, 14, 28 : 295-322.

TURGEON, Laurier, 1986, « Pour redécouvrir notre 16e siècle : les pêches à Terre-Neuve d'après les archives notariales de Bordeaux », *RHAF*, 39, 4 : 523-549.

URQUHART, M. C. et K. A. H. BUCKLEY, 1965, *Historical Statistics of Canada*, Toronto, MacMillan.

VACHON, André, 1969, « L'administration de la Nouvelle-France », introduction au vol. 11 du *DBC*, Sainte-Foy, PUL : XV-XXIV.

VAILLANCOURT, Yves, 1988, *L'Évolution des politiques sociales au Québec, 1940-1960*, Montréal, PUM.

VALLIÈRES, Pierre, 1969, *Nègres blancs d'Amérique*, Montréal, Parti Pris.

VAUGEOIS, Denis, 1968, *Les Juifs et la Nouvelle-France*, Trois-Rivières, Boréal.

VAUGEOIS, Denis, 1992, *Québec 1792. Les acteurs, les institutions et les frontières*, Montréal, Fides.

VAUGEOIS, Denis, 1995, *La Fin des alliances franco-indiennes. Enquête sur un sauf-conduit de 1760 devenu un traité en 1990*, Montréal, Boréal/Septentrion.

VIAU, Roland, 1997, *Enfants du néant et mangeurs d'âmes. Guerre, culture et société en Iroquoisie ancienne*, Montréal, Boréal.

VIAU, Roland, 2000, *Femmes de personne. Sexes, genres et pouvoirs en Iroquoisie ancienne*, Montréal, Boréal.

VIGOD, Bernard, 1978, « Ideology and Institutions in Quebec. The Public Charities Controversy, 1921-1926 », *Histoire sociale/Social History*, 11, 21 : 167-182.

VIGOD, Bernard, 1986, *Quebec before Duplessis : The Political Career of Louis-Alexandre Taschereau*, Kingston et Montréal, McGill-Queen's University Press.

VOISINE, Nive, 1971, *Histoire de l'Église catholique au Québec, 1608-1970*, Montréal, Fides.

WALLERSTEIN, Immanuel, 1974, *The Modern World System. Capitalist Agriculture and the Origins of the European World Economy in the Sixteenth Century*, New York, Academy Press.

WALLOT, Jean-Pierre, 1971, « La religion catholique et les Canadiens au début du XIXe siècle », *Canadian Historical Review*, 52, 1 : 51-94.

WALLOT, Jean-Pierre, 1973, *Un Québec qui bougeait : trame socio-politique au tournant du XIXe siècle*, Trois-Rivières, Boréal Express.

WARD, Peter W., 1989, *A Love Story from 19th Century Quebec : The Diary of George Stephen Jones*, Peterborough, Broadview Press.

WEISZ, George, 1987, « Origines géographiques et lieux de pratique des diplômés en médecine au Québec de 1834 à 1939 », dans Marcel FOURNIER, Yves GINGRAS et Othmar KEEL, dir., *Sciences et médecine au Québec : perspectives sociohistoriques*, Québec, IQRC : 129-170.

WIEN, Thomas, 1988, *Peasant Accumulation in a Context of Colonization. Rivière-du-Sud, Canada, 1720-1775*, Ph. D., Université McGill.

WIEN, Thomas, 1990a, « Les travaux pressants : calendrier agricole, assolement et productivité au Canada au XVIIIe siècle », *RHAF*, 43, 4 : 535-558.

WIEN, Thomas, 1990b, « Selling Beaver Skins in North America and Europe, 1720-1760 : The Use of Fur-trade Imperialism », *Journal of the Canadian Historical Association/Revue de la Société historique du Canada*, 1 : 293–317.

WIEN, Thomas, 1994, « Exchange Patterns in the European Market for North American Furs and Skins, 1720-1760 » dans Jennifer S.H. BROWN, W.J. ECCLES and Donald P. HELDMAN, dir., *The Fur Trade Revisited*, East Lansing : Michigan State University Press, 19-37.

WILLIS, John, 1987, *The Process of Hydraulic Industrialization on the Lachine Canal 1840-1880 : Origins, Rise and Fall*, Ottawa, Environnement Canada.

WRIGHT, J. V., 1980, *La Préhistoire du Québec*, Montréal, Fides.

YOUNG, Brian, 1982, *George-Étienne Cartier : bourgeois montréalais*, Montréal, Boréal Express.

YOUNG, Brian, 1986, *In Its Corporate Capacity : The Seminary of Montreal as a Business Institution, 1816-1876*, Kingston et Montréal, McGill-Queen's University Press.

YOUNG, Brian, 1994, *The Politics of Codification. The Lower-Canadian Civil Code of 1866*, Kingston et Montréal, McGill-Queen's University Press.

YOUNG, Brian, 2003, *Une mort très digne : histoire du cimetière Mont-Royal*, Montréal et Kingston, McGill-Queen's University Press.

YOUNG, Robert, 1998, *The Secession of Quebec and the Future of Canada*, Montréal et Kingston, McGill-Queen's University Press.

ZOLTVANY, Yves, 1971, « Esquisse de la Coutume de Paris », *RHAF*, 25, 3 : 365-384.

ZOLTVANY, Yves, 1974, *Philippe de Rigaud de Vaudreuil, Governor of New France, 1703-1725*, Toronto, McClelland & Stewart.

Index

M

T

Sources des illustrations

1.2 Archives de la Compagnie de la Baie d'Hudson, 1987 (neg. 83-87); 1.3 Illustration de Guy Lapointe, Recherches amérindiennes au Québec, 1986; 1.5 Musée d'Histoire canadienne McCord [MHCM]; 1.6 Planche IX extraite du Traité général des pêches de Duhamel du Monceau, 1772; 1.7 Détail de la carte de Herman Moll Map of North America, 1718, Archives nationales du Canada [ANC], C-3686; 1.8 Université de Montréal [UM], Collection Melzack [CM], Indiens ouvrant une baleine, vers 1660, Relations des Jésuites, Paris, 1668; 1.11 Archives des Ursulines; 2.1 ANC, C-355; 2.2 ANC, C-15703; 2.3 Archives nationales du Québec [ANQ], B-962; 2.4 D'après The Seigneurial System in Early Canada par R. Cole Harris; 2.6 ANC, C-352; 3.2 UM, CM, Traversée du Lac des Montagnes, 1863; 3.3 MHCM, Lake of the Two Mountains, dessin de W.H. Bartlett; 3.4 MHCM, L'atelier du forgeron par Blanche Bolduc; 3.5 ANC, C-4356, Les forges rivière Saint-Maurice (vers 1831), aquarelle de Joseph Bouchette Jr; 3.6 Galerie nationale du Canada, A View of the Chateau Richer, aquarelle de Thomas Davies; 3.7 UM, CM, Labourage vers 1830; 3.8 UM, CM, Labourage, 1883 par T. Welch; 3.9 MHCM, peinture de R.A. Sproule, détail de Place Jacques-Cartier, 1830; 3.10 Détail d'une peinture de Cornelius Krieghoff, Habitants jouant aux cartes; 3.11 Photo Livernois, 1958, 4666, Archives de Sainte-Anne-de-Beaupré, Galerie d'Art de la Basilique; 4.1 ANC, C-15494; 4.2 ANC, C-13392, détail d'une peinture de Jane Ellice; 4.3 ANC, C-40295; 4.4 MHCM, The Special Court, 1855, lithographie de William Lockwood; 4.5 Collection privée; 4.6, 4.7, 4.10 et 4.11 MHCM, Archives photographiques Notman [APN], 21 472-I, 1492-View, 24027-11 et M11588; 4.12 ANC, C-5414; 4.13 ANC, C-6166; 5.1 MHCM, Montreal, 1812 par Thomas Davies; 5.2 ANC, C-76322, collection Robin Grey; 5.5 MHCM, 76310-1, APN; 5.6 MHCM, lithographie de S. Russell; 5.7 MHCM, lithographie de 1856; 5.8 UM, collection Baby, L'arrivée du chemin de fer à Joliette, dessin de Trefflé Loisel, 1857; 5.9 Détail d'une peinture de Cornelius Krieghoff, French Church, Place d'Armes, Montreal; 5.10 Détail d'une peinture de Cornelius Krieghoff, Places d'Armes à Montréal; 5.11 Archives du Séminaire de Trois-Rivières, Le marché de bois à Trois-Rivières; 5.12 Courtoisie du Missisquoi Historical Museum, The Lambkin furniture factory; 5.14 ANC, C-4733; 5.15 MHCM, 9/90, APN; 5.16 MHCM, 8/90, APN, A Catalogue of Vices, 1873, dessin de C. Arnold; 5.17 D'après British American Land Company: Views in Lower Canada, Londres, 1816, Bibliothèque publique du Toronto métropolitain; 5.18 Société d'histoire régionale de Saint-Hyacinthe; 6.2 MHCM, MP 886(5), APN; 6.5 Groupe de Recherche sur la Mauricie, Université du Québec à Trois-Rivières, Hydro-Québec; 6.6 ANC, C-55787; 6.7 ANC, C-30811; 6.8 ANC, DND/PA-24439; 6.9 Cap-aux-Diamants, 1, 2, 1985; 6.10 Canadian Pacific Archives, B-4793-1, NS 20171, NS 182; 6.11 La Presse, 27 mai 1916; 7.1 ANC, PA-43304; 7.2 MHCM, 2698-view, APN; 7.3 Archives de la ville de Montréal [AVM]; 7.4 ANC, 128063; 7.5 ANC, 163121; 7.6 MHCM, 174471-misc 11, APN; 7.7 ANC, C-9092; 7.8 Glenbow Archives, Calgary, Alberta; 7.9 Archives provinciales de l'Ontario, MU2365; 7.10 Archives des Sœurs de la Miséricorde; 7.11 ANC, C-14394; 8.1 et 8.2 Société d'histoire de Saint-Côme et de Linière, Fonds Onésime Lamontagne et fonds Marguerite Fortin;

8.4 Collection privée; 8.5 AVM, Z-35; 8.6 ANC, PA-32056; 8.7 ANC, PA-112815; 8.8 Archives personnelles de l'auteur; 8.9 Courtoisie de madame Madeleine Parent; 8.10 Photo La Presse; 8.11 Congrès juif canadien, Gilbert à H. M. Caiserman, 30 juin 1937; 8.12 ANC, PA-203116; 8.13 ANC, C-87690; 8.14 Archives de l'Université de Montréal; 8.15 Archives du Jardin botanique, Montréal; 9.1 ANC, PA-164027; 9.2 Collection privée d'Alain Leloup; 9.4 Collection privée d'Alain Leloup; 9.5 Collection privée d'Alain Leloup; 9.6 Archives d'Hydro-Québec [AHQ]; 9.7 ANC, PA-114514; 9.8 McGill News, mai 1969; 9.9 Archives personnelles de l'auteur; 9.10 ANC, PA-140705; 9.11 AHQ; 9.12 ANC, PA-159867; 9.14 Université du Québec à Montréal; 9.15 Ministère des transports du Québec; 10.2 Archives personnelles de l'auteur; 10.3 Bureau de Lucien Bouchard; 10.4 Gazette de Montréal, 28 octobre 1995; 10.5 Archives personnelles de l'auteur; 10.6 Archives personnelles de l'auteur; 10.7 Fédération des femmes du Québec; 10.8 Archives personnelles de l'auteur; 10.9 ANC, PA-127084; 10.10 Shaney Komulainen, Canapress; 10.11 Archives personnelles de l'auteur.

Table des matières

CINQUIÈME PARTIE

Le Québec en route vers la modernité

SIXIÈME PARTIE

Le Québec contemporain

COMPOSÉ EN ADOBE GARAMOND CORPS 10,8
SELON UNE MAQUETTE RÉALISÉE PAR JOSÉE LALANCETTE
CE SECOND TIRAGE A ÉTÉ ACHEVÉ D'IMPRIMER EN MARS 2013
SUR LES PRESSES DE L'IMPRIMERIE MARQUIS
À MONTMAGNY
POUR LE COMPTE DE GILLES HERMAN
ÉDITEUR À L'ENSEIGNE DU SEPTENTRION